決定版！

ORIGAMI
日本の
おりがみ
12か月

山口 真 [著]
Yamaguchi Makoto

ナツメ社

はじめに

　私は、おりがみ作家(として活動をはじめて40数年になります。先日、その間に出版したおりがみの本を数えてみたら、この本がちょうど130冊目でした。われながらよく作ったなと思うと同時に、私の本を選んでくれた読者の方々への感謝の気持ちでいっぱいになりました。その恩に報いるべく、今後も楽しく折れる作品を作り続けなければと、決意を新たにしています。

　春夏秋冬の4シーズンをテーマとした本は、今まで何冊も執筆しましたが、12ヶ月に分けた本は初めてで、その月に合わせた作品を選ぶのにとても苦労しました。そのかいあってか、超定番作品から毛色の変わった新作まで、多種多様な作品を収録した本となりました。

　昔は、おりがみといえば子どものものという、限定したイメージがありましたが、最近はアートや立派な大人の趣味として、また介護のリハビリアイテムとして、まさに老若男女にニーズのある大きな文化へと成長しています。

　本書は、そういった幅広い層に対応し、あらゆるシーンで役立つような、よくばった構成となっています。本書を通じて、12ヶ月をおりがみで楽しんでいただければ幸いです。

著者　山口 真

このほんについて

かみのひりつとおおきさ

パーツをくみあわせたときにバランスのよいひりつは、「かみのひりつ」のずにしめしました。また、しゃしんのさくひんをおったかみのおおきさも、しゃしんのそばにかいてあるので、おるときのさんこうにしてください。(「かみのひりつ」とは、ひりつがことなるばあいがあります)

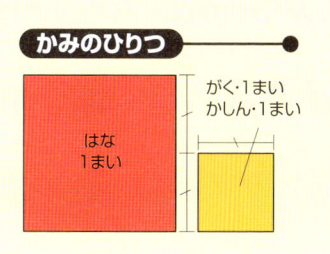

あるとべんりなどうぐ

● **じょうぎ**
かみのおおきさをはかったりカッターでかみをきるときにつかう

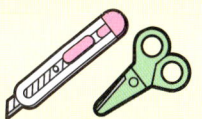

● **カッター・ハサミ**
かみをつかいたいおおきさにきるときにつかう

● **ボンド・のり**
しあげにつないだりはったりするときにつかう

● **セロハンテープ**
のりでつきにくいものやみえないところをはるときにつかう

むずかしさ

それぞれのさくひんのむずかしさを、マークのかずであらわしています。マークが1つのさくひんは「やさしい」、2つは「ふつう」、3つは「むずかしい」です。

・・・・・ やさしい
・・・・・ ふつう
・・・ むずかしい

もくじ

はじめに ……………………… 2
このほんについて ……………… 3
きほんのきごうとおりかた ……… 10
さくひんリスト ………………… 14

1月 Jan.
……………………………… 17
おせち ………………………… 21
いせえび ……………………… 26
はしぶくろ …………………… 32
かがみもち …………………… 34
かどまつ ……………………… 36
ぽちぶくろ …………………… 38

2月 Feb.
……………………………… 41
つばき ………………………… 45
おに …………………………… 49
ます(伝承作品) ……………… 54
みかん ………………………… 56
たけのこ ……………………… 58
ハート ………………………… 60
りったいハート ……………… 62

3月 Mar.

················· **65**

おひなさま······················ 69
パンジー························ 79
いちごショートケーキ············ 82

4月 Apr.

················· **89**

にわとりとひよこ················ 94
いす···························· 97
つくえ···························100
セーラーふく····················102
やきゅうぼう····················104
カッター························107
えんぴつ························108
けしごむ························110
ほん····························112
たまご··························114
うさぎ··························116
クローバー······················118
チューリップ····················120
さくら··························122
よこながのギフトボックス········125

5月 May ………………… **129**

- かざりかぶと …………… 133
- かぶと(伝承作品) ……… 137
- こい(伝承作品) ………… 138
- はなしょうぶ …………… 139
- カーネーション ………… 142
- バラ ……………………… 144
- はなかご(伝承作品) …… 146
- いちご …………………… 148
- つばめ …………………… 150

6月 Jun. ………………… **153**

- クレマチス ……………… 157
- あまつぶ ………………… 161
- あじさい ………………… 162
- ききょう ………………… 164
- かたつむり ……………… 166
- かさ ……………………… 168
- ながぐつ ………………… 170
- レインコートとぼうし … 172
- ネクタイ ………………… 174

7月 Jul. ………………… **177**

- おりひめとひこぼし ………… 181
- かんたんなほし …………… 186
- てんとうむし ……………… 188
- あさがお …………………… 190
- はすのはな(伝承作品) ……… 193
- アイスキャンディー ………… 194
- かきごおり ………………… 196
- きんぎょ …………………… 198
- ヨット(伝承作品) …………… 200

8月 Aug. ………………… **201**

- チョウチョウウオ …………… 206
- マンタ ……………………… 209
- ペンギン …………………… 212
- セイウチ …………………… 214
- クワガタムシ ……………… 218
- カブトムシ ………………… 222
- セミ ………………………… 225
- チョウ ……………………… 226
- バッタ ……………………… 228
- すいじょうバイク …………… 230
- ひまわり …………………… 233
- つきみそう(伝承作品) ……… 238

9月 Sep.

……………………… **241**

プチトマト ……………… 245
レタス ………………… 248
たまごやき …………… 249
たわらおにぎり ………… 252
たこさんウィンナー ……… 254
えびフライ ……………… 256
さんま …………………… 258
さんぼう(伝承作品) ……… 260
ダリア …………………… 262

10月 Oct.

……………………… **265**

キリン …………………… 269
ぞう ……………………… 273
ライオン ………………… 276
おばけ …………………… 281
ジャック・オ・ランタン …… 284
キンモクセイ …………… 286

11月 Nov.

……………………… **289**

りす ……………………… 293
きのこ …………………… 296
き ………………………… 297
くまで …………………… 299
きく ……………………… 309
タルト …………………… 310

12月 Dec. ……………………… 313

- クリスマスツリー……………317
- ギフトボックス………………321
- キャンディートレイ …………324
- ナプキンリング………………326
- しかくトレイ …………………328
- サンタのぼうし………………331
- りったいのほし………………334
- 10まいぐみのほし……………336
- ポインセチア…………………340
- サンタクロース………………342
- ゆきだるま……………………344
- てぶくろ………………………346
- オーナメント…………………348

あそべる おりがみ ……………… 353

- マコトコマ……………………357
- グライダー……………………360
- ひとくいばな…………………361
- かみひこうき…………………364
- かみとんぼ……………………369
- はばたくとり…………………372
- ささぶね………………………374
- ぱっちりカメラ(伝承作品)……376
- いろかえあそび(伝承作品)……378
- ゆびにんぎょう(伝承作品)……380
- くびふりわんわん……………382

これだけはおぼえておこう
きほんのきごうとおりかた

やまおりとたにおり

おりかたのずには、たにおりせんとやまおりせんの2つがあります。
この2しゅるいのせんのところで、やじるしのほうこうへおりがみをおります。

●たにおりせん　------------

●てまえでおる

●たにおり
たにおりせんのところでやじるしのほうこうへおります。

1

2
おりせんはうちがわになります。

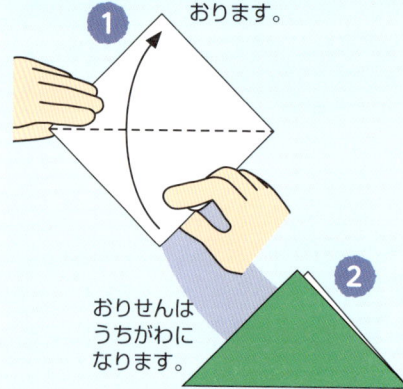

●やまおりせん　—・—・—・—

●うしろへおる

●やまおり
やまおりせんのところでやじるしのほうこうへおります。

1

2
おりせんはそとがわになります。

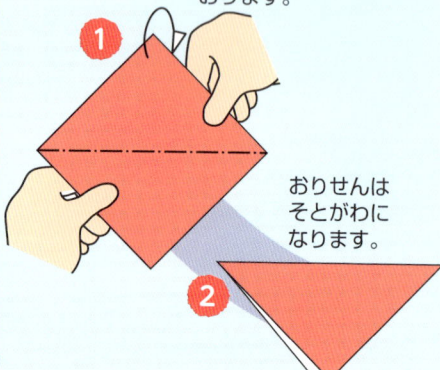

おりすじをつける

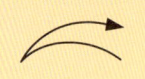

いちどおって
おりすじをつけてから
もどします。

うえの❶は、したの
❶❷のおりかたを
することをあらわして
います。

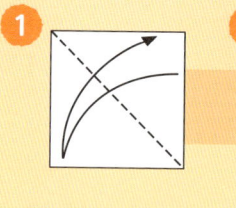

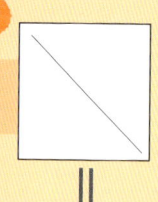

1　2

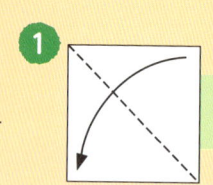

1　2　3
　　　　　　＝

ずのみるむきをかえる

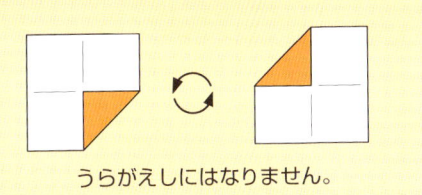

うらがえしにはなりません。

つぎのずがおおきくなる

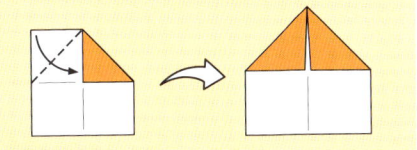

うらがえす

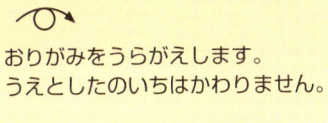

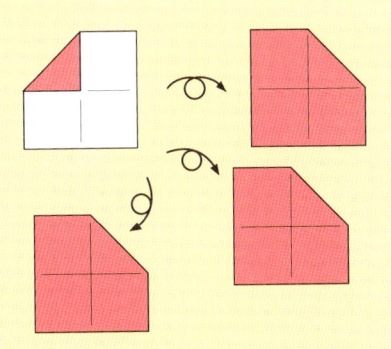

おりがみをうらがえします。
うえとしたのいちはかわりません。

だんおり

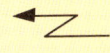

よこからみると、
だんになっている
ようにみえます。

うえの❶は、したの
❶❷のおりかたを
することをあらわして
います。

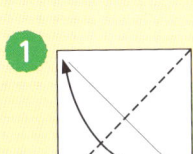

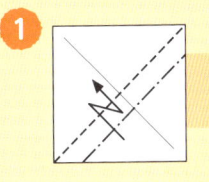

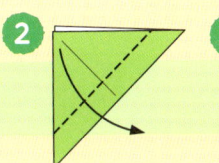

いろいろなきごう

みえないかたち
みえないせん

ひきだす
さしこむ

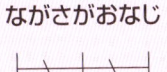

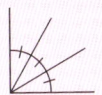

ながさがおなじ

かくどがおなじ

ひろげる

ちゅういするところ
○ ● ☆ ★

おす
おしつぶす

ふくらます

きる

11

なかわりおり

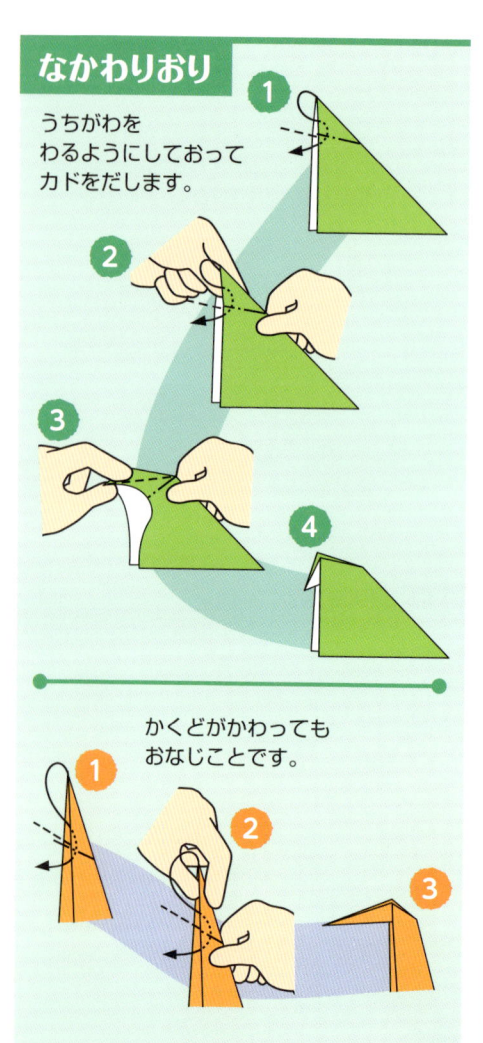

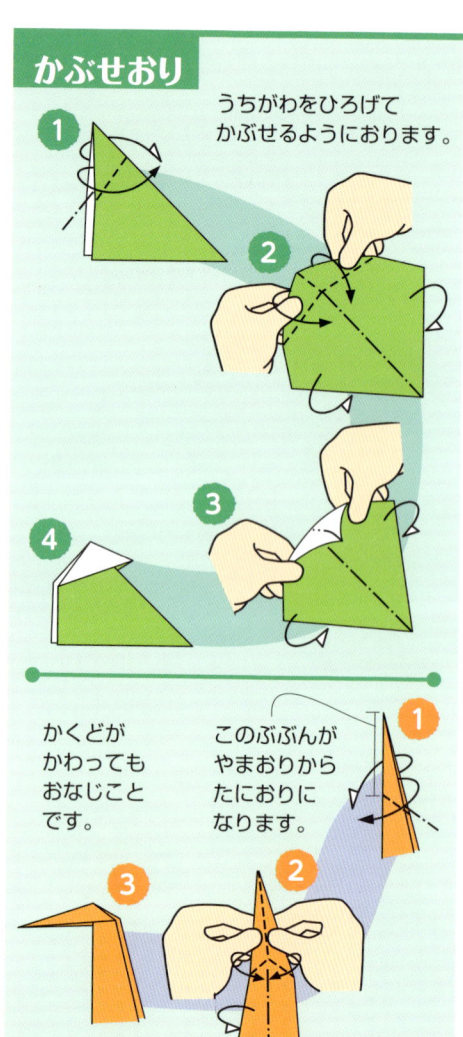

1. うちがわを わるようにしておって カドをだします。
2.
3.
4.

かくどがかわっても おなじことです。

1.
2.
3.

かぶせおり

1. うちがわをひろげて かぶせるようにおります。
2.
3.
4.

かくどが かわっても おなじこと です。

このぶぶんが やまおりから たにおりに なります。

1.
2.
3.

うちがわにおる

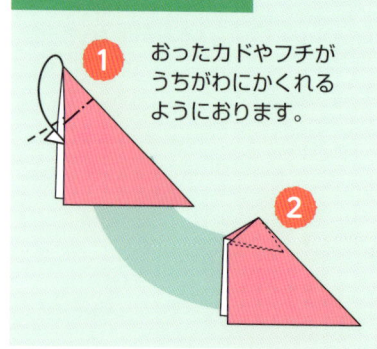

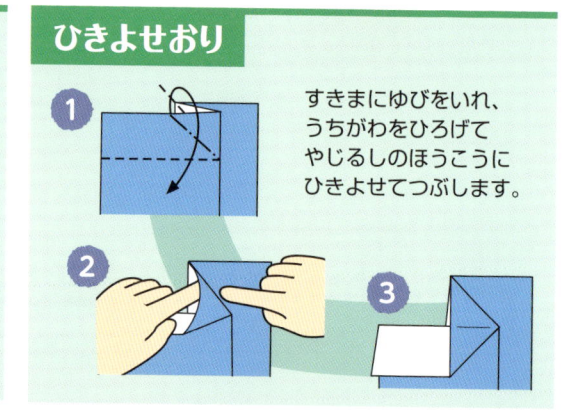

1. おったカドやフチが うちがわにかくれる ようにおります。
2.

ひきよせおり

1. すきまにゆびをいれ、 うちがわをひろげて やじるしのほうこうに ひきよせてつぶします。
2.
3.

つまみおり

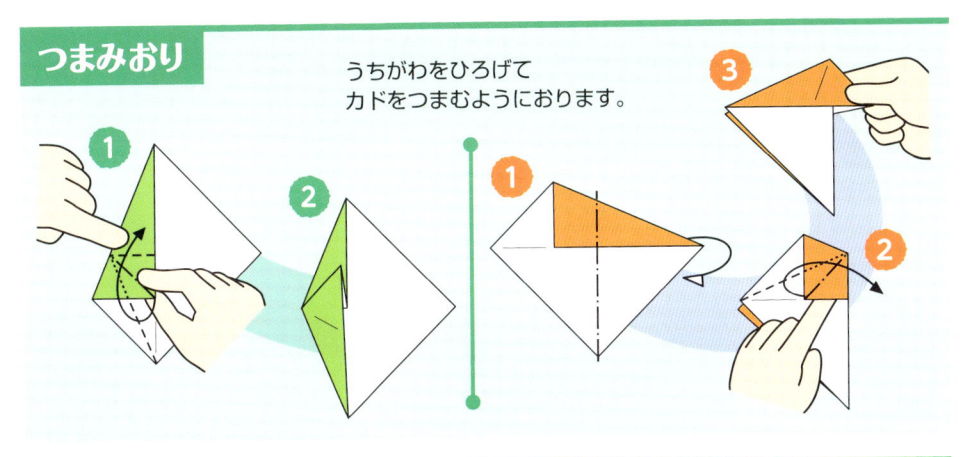

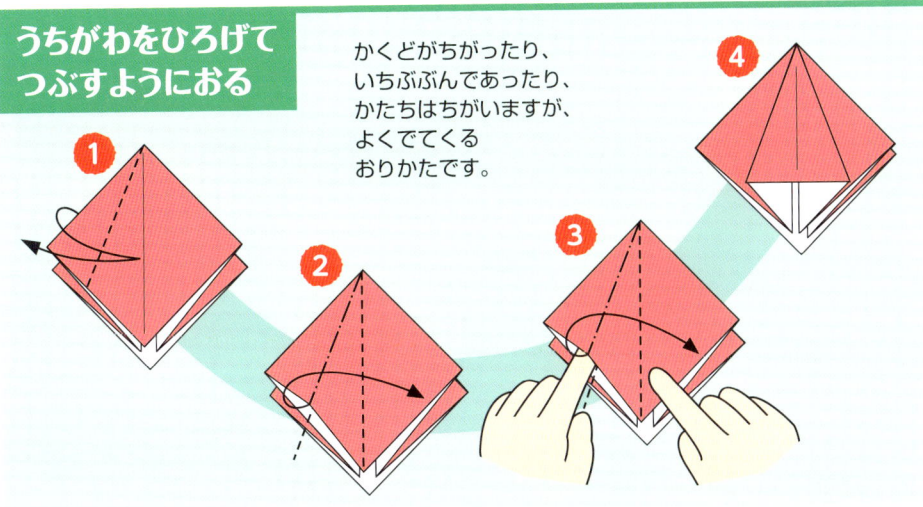

うちがわをひろげて
カドをつまむようにおります。

うちがわをひろげて つぶすようにおる

かくどがちがったり、
いちぶぶんであったり、
かたちはちがいますが、
よくでてくる
おりかたです。

おうちの方へ

おとなの方でも、おりがみが苦手、図を見てもよくわからない、こどもにおり方を聞かれて困る、という人がいます。

まずは、「たにおり」と「やまおり」をしっかりおぼえましょう。

なんとなくおりすすめるのではなく、ひとつひとつの記号の意味を確認しながらおりすすめましょう。

線や記号はおおむね世界共通ですから、一度ルールをおぼえれば、どんな作品もおることができるようになりますよ。

13

さくひんリスト

※**ふとじ**はみだしのさくひん、あかいもじはコラムのさくひんです

あ〜お

アイスキャンディー	194
あさがお	190
あじさい	162
あまつぶ	161
いす	97
いせえび	26
いちご	148
いちご（りったい）	84
いちごショートケーキ	82
いちごムースケーキ	87
いぬ	381
いろかえあそび	378
うえきばち	165
うさぎ	116
うさぎ（かんたん）	380
うつわ	197
えびフライ	256
えんとつのいえ	349
えんぴつ	108
えんぴつ（ほそい）	109
えんぴつクリップ	109
えんぴつのしおり	109
オーナメント	348
オーナメント（たまご）	115
オーナメント（ハート）	64
オーナメント（ほし）	335
おかめ	300
おさら	88
おせち	21
おに	49
おに（かんたん）	381
おばけ	281
おびな	69
おひなさま	69
おべんとうばこ	257
おりひめ	181
オレンジタルト	312
おんそくひこうき	365

か〜こ

カード（カーネーション）	143
カード（たまご）	115
カード（ネクタイ）	176
カード（ハート）	61
カード（ほし）	187
カーネーション	142
かがみもち	34
かきごおり	196
かさ	168
かたつむり	166
カッター	107
かどまつ	36
かぶと	133
かぶと（かんたん）	137
カブトムシ	222
かまぼこ	251
かみとんぼ	369
かみひこうき	364
き	297
き（おおきい）	298
ききょう	164
きく	309
きつね	380
きのこ	296
ギフトボックス	125、321
キャンディートレイ	324
キリン	269
きんぎょ	198
キンモクセイ	286

くつした	348
くびふりわんわん	382
くまで	299、305
グライダー	360
クリーム	85
くりきんとん	22
クリスマスツリー	317
クリスマスツリー（かんたん）	298
クレマチス	157
クローバー	118
くろまめ	23
クワガタムシ	218
けしごむ	110
こい	138
コサージュ	288
こばん	301
こぶまき	25

さ〜そ

さくら	122
ささのは	304
ささぶね	374
サンタクロース	342
サンタクロース（かんたん）	343
サンタのぼうし	331
さんぼう	260
さんま	258
しいたけ	21
しかくトレイ	328
しし	381
ジャック・オ・ランタン	284
じゅうばこ	30
すいじょうバイク	230
スカート	103
スプーン	88
セイウチ	214
セーラーふく	102
セミ	225

ぞう	273

た〜と

たい	302
たけのこ	58
たこさんウィンナー	254
たづくり	23
たまご	114
たまごやき	249
ダリア	262
タルト	310
たわら	299
たわらおにぎり	252
たんざく	187
チューリップ	120
チョウ	226
チョウチョウウオ	206
チョコレートケーキ	87
つきみそう	238
つくえ	100
つばき	45
つばめ	150
てぶくろ	346
てんとうむし	188

な〜の

ながぐつ	170
ながぐつ（りったい）	171
ナプキンリング	326
にわとり	94
ネクタイ	174
ねこ	380

は〜ほ

ハート	60
ハート（りったい）	62
はこ（おおきい）	55
はこ（ちいさい）	55

15

はしかざり	33
はしぶくろ	32
はすのはな	193
バッタ	228
バッタ（りったい）	229
ぱっちりカメラ	376
はっぱ（あじさい）	163
はっぱ（ききょう）	165
はっぱ（キンモクセイ）	287
はっぱ（チューリップ）	121
はっぱ（つきみそう）	239
はっぱ（はなしょうぶ）	141
はっぱ（パンジー）	81
はっぱ（ひまわり）	237
はなかご	146
はなしょうぶ	139
はばたくとり	372
はやぶさひこうき	367
バラ	144
パンジー	79
ひこぼし	182
ピスタチオのケーキ	87
ひとくいばな	361
ひまわり	233
ひよこ	95
ふうせん	310
ぶた	381
プチトマト	245
フランボワーズタルト	312
ベリー	310
ベル	351
ペンギン	212
ポインセチア	340
ぼうし	173
ほし	336
ほし（かんたん）	186
ほし（りったい）	334
ぽちぶくろ	38
ほん	112
ほん（あつい）	113

ま〜も

マコトコマ	357
ます	54
マンタ	209
みかん	56
みつばのクローバー	119
ミント	87
めびな	72
モビール（つばめ）	152
モビール（ヨット）	200

や〜よ

やきゅうぼう	104
ゆきだるま	344
ゆびにんぎょう	380
ヨット	200
よつばのクローバー	118

ら〜ろ

ライオン	276
ラッピング（ネクタイ）	176
ラッピング（ハート）	61
ラッピング（ワイシャツ）	175
りす	293
レアチーズタルト	312
レインコート	172
レタス	248
ろうそく	352
60°のひこうき	364
ロブスター	31

1月 Jan.

たのしいお正月
New Year's Day.

質感のある紙で折れば、おもてなしにもピッタリ

かどまつ　P.36　まつ：12×12cm、たけ：6×6cm　3まい
つばき　P.45　はな：8×8cm、がく、しん：4×4cm
かがみもち　P.34　もち：12×12cm、みかん：4×4cm、
　　　　　　　　　　はっぱ：2×2cm

17

おせち料理

びっくり！おりがみでつくったおせち料理

おせち　P.21
はしぶくろ　P.32　15×15cm　2まい

こぶまき　P.25　7.5×7.5cm
くりきんとん　P.22　7.5×7.5cm
かまぼこ　P.249（たまごやき）　7.5×7.5cm

たづくり　P.23　7.5×7.5cm
いせえび　P.26　24×24cm　2まい
しいたけ　P.21　7.5×7.5cm

だてまき　P.249（たまごやき）　9×9cm
ささのは　P.304　9×9cm
くろまめ　P.23　4×4cm

19

明けまして
おめでとう
ございます

かどまつ　P.36　まつ：8×8cm、たけ：4×4cm　3まい
かがみもち　P.34　もち：7.5×7.5cm、みかん：2.5×2.5cm、はっぱ：1.5×1.5cm

※郵送する時は手紙扱いとなるので注意しましょう

ぽち袋3種

お年玉の他に、小さな
プレゼントをいれても

ぽちぶくろ1　P.38　15×15cm
ぽちぶくろ2　P.39　15×15cm
ぽちぶくろ3　P.40　15×15cm

●しゃしんはP.18　たくさんつくってじゅうばこにつめよう

おせち
1月 Jan.
Osechi (Festive foods for the New Year)

●おりがみ　かく1まい　●むずかしさ ●●

◎ しいたけ

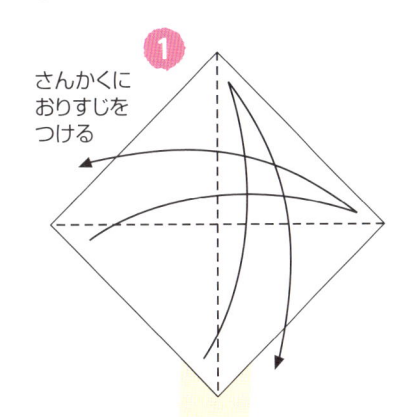

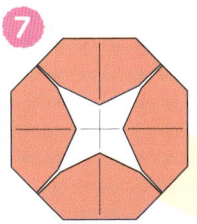

① さんかくにおりすじをつける

② カドをちゅうしんにあわせておる

③ カドをななめにうしろへおる

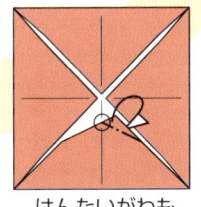

④ はんたいがわも○のところからうしろへおる

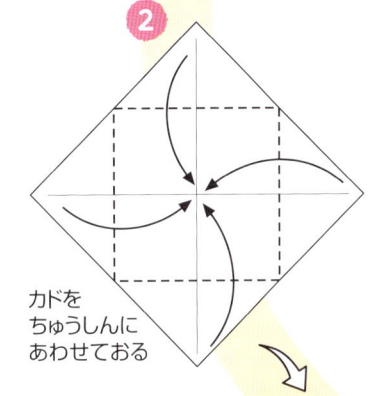

⑤ のこりもおなじようにおる

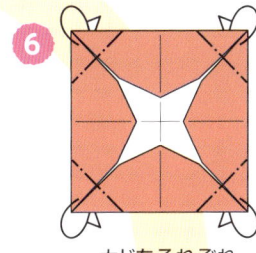

⑥ カドをそれぞれうしろへおる

⑦ できあがり

Jan.
1
おせち

● くりきんとん

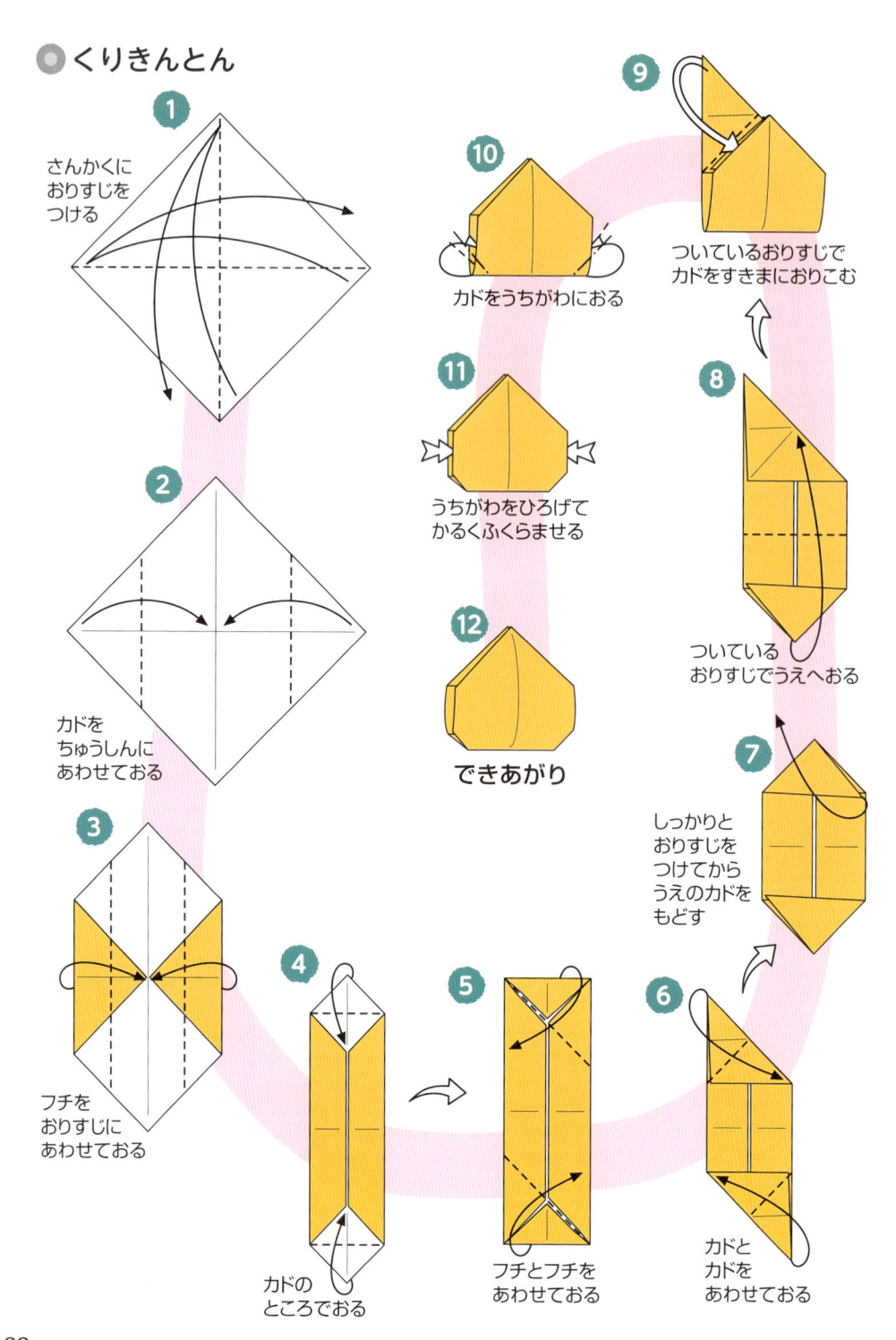

1 さんかくにおりすじをつける

2 カドをちゅうしんにあわせておる

3 フチをおりすじにあわせておる

4 カドのところでおる

5 フチとフチをあわせておる

6 カドとカドをあわせておる

7 しっかりとおりすじをつけてからうえのカドをもどす

8 ついているおりすじでうえへおる

9 ついているおりすじでカドをすきまにおりこむ

10 カドをうちがわにおる

11 うちがわをひろげてかるくふくらませる

12 できあがり

◉ くろまめ

1 はんぶんにおりすじをつける

2 フチをおりすじにあわせておる

3 フチをおりすじにあわせておりすじをつける

4 フチをつけたおりすじにあわせておる

5 ついているおりすじでフチをすきまにおりこむ

6 カドをうちがわにおる

7 うちがわをひろげてかるくふくらませる

8 できあがり

◉ たづくり

1 さんかくにおりすじをつける

2 フチをおりすじにあわせておる

3 カドとカドをあわせてうしろへおる

Jan. 1 おせち

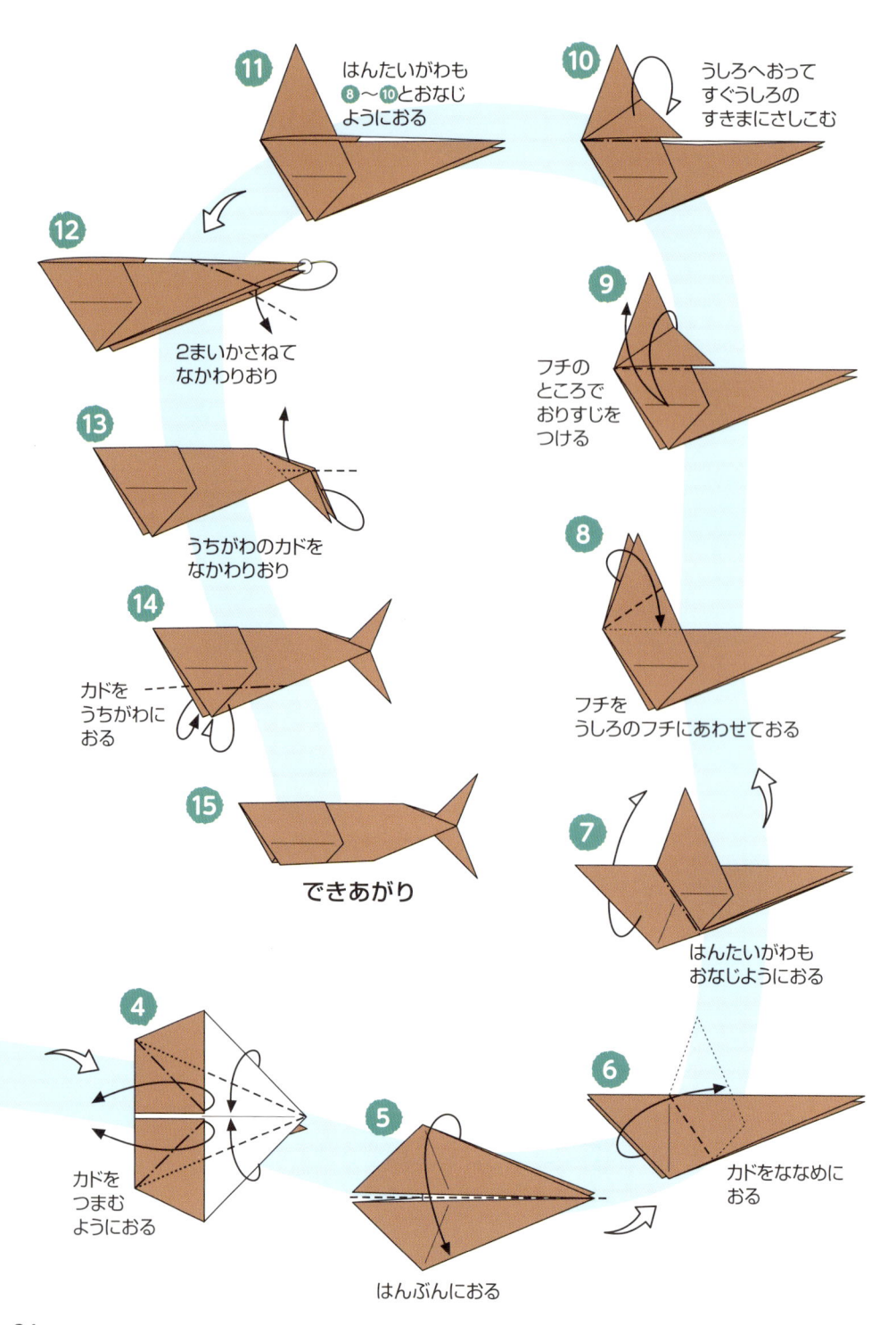

11 はんたいがわも ⑧〜⑩とおなじようにおる

10 うしろへおってすぐうしろのすきまにさしこむ

12 2まいかさねてなかわりおり

9 フチのところでおりすじをつける

13 うちがわのカドをなかわりおり

8 フチをうしろのフチにあわせておる

14 カドをうちがわにおる

7 はんたいがわもおなじようにおる

15 できあがり

6 カドをななめにおる

4 カドをつまむようにおる

5 はんぶんにおる

○ こぶまき

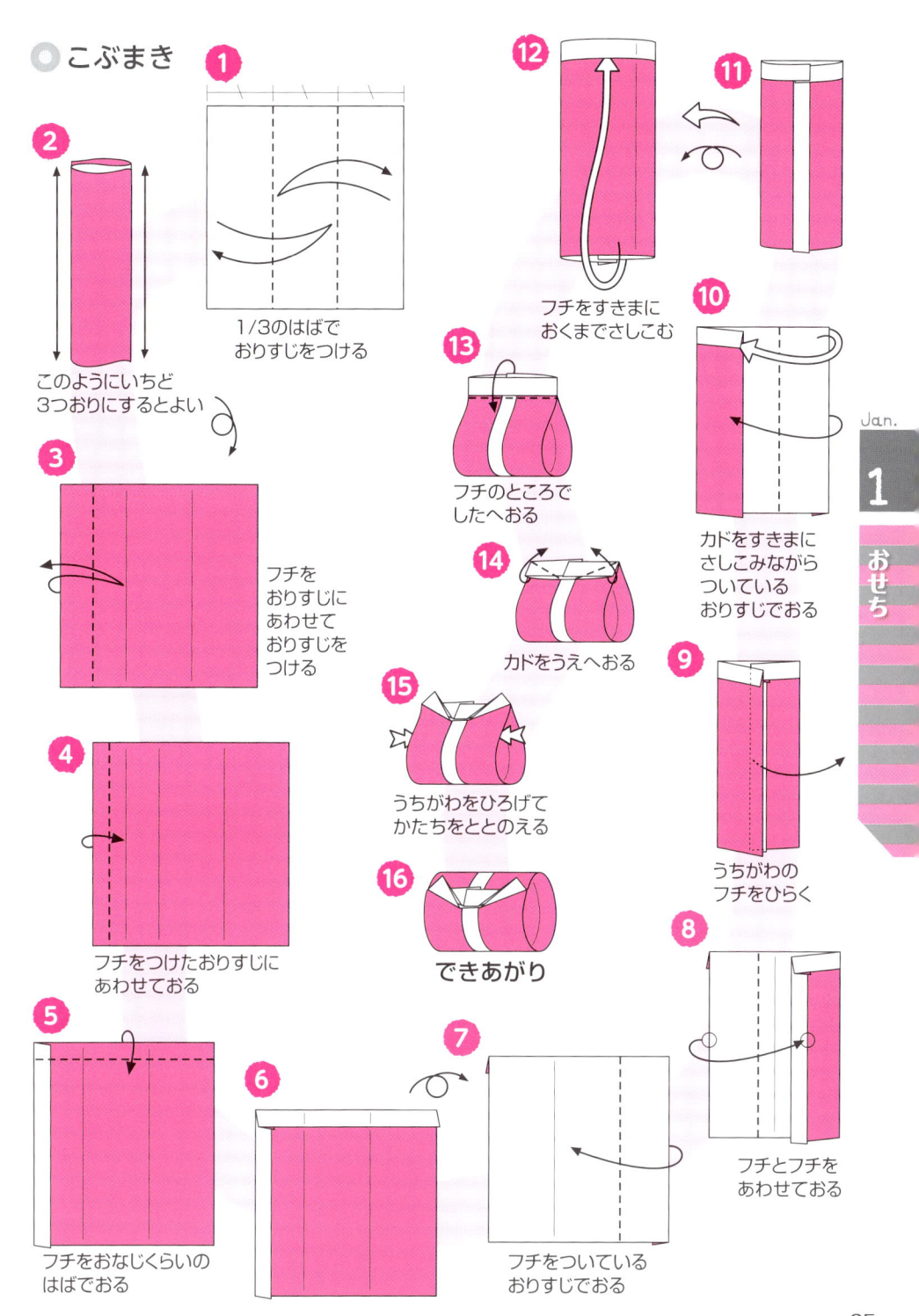

1 1/3のはばでおりすじをつける

2 このようにいちど3つおりにするとよい

3 フチをおりすじにあわせておりすじをつける

4 フチをつけたおりすじにあわせておる

5 フチをおなじくらいのはばでおる

6

7 フチをついているおりすじでおる

8 フチとフチをあわせておる

9 うちがわのフチをひらく

10 カドをすきまにさしこみながらついているおりすじでおる

11

12 フチをすきまにおくまでさしこむ

13 フチのところでしたへおる

14 カドをうえへおる

15 うちがわをひろげてかたちをととのえる

16 できあがり

Jan.
1
おせち

25

● しゃしんはP.18　**はさみをつけるとロブスターにへんしん**

1月 Jan. いせえび
Japanese spiny lobster

● おりがみ 2まい　● むずかしさ ● ● ●

● あたま

1 はんぶんにきったかみをつかう

かみのひりつはP.30をみてね

2 はんぶんにおりすじをつける

3 カドとカドをあわせておりすじをつける

4 フチをおりすじにあわせておる

5

6 カドとカドをあわせておりすじをつける

7 フチをちゅうしんにあわせておりすじをつける

8 つけたおりすじでうちがわをひろげてつぶすようにおる

9 フチとフチをあわせておる

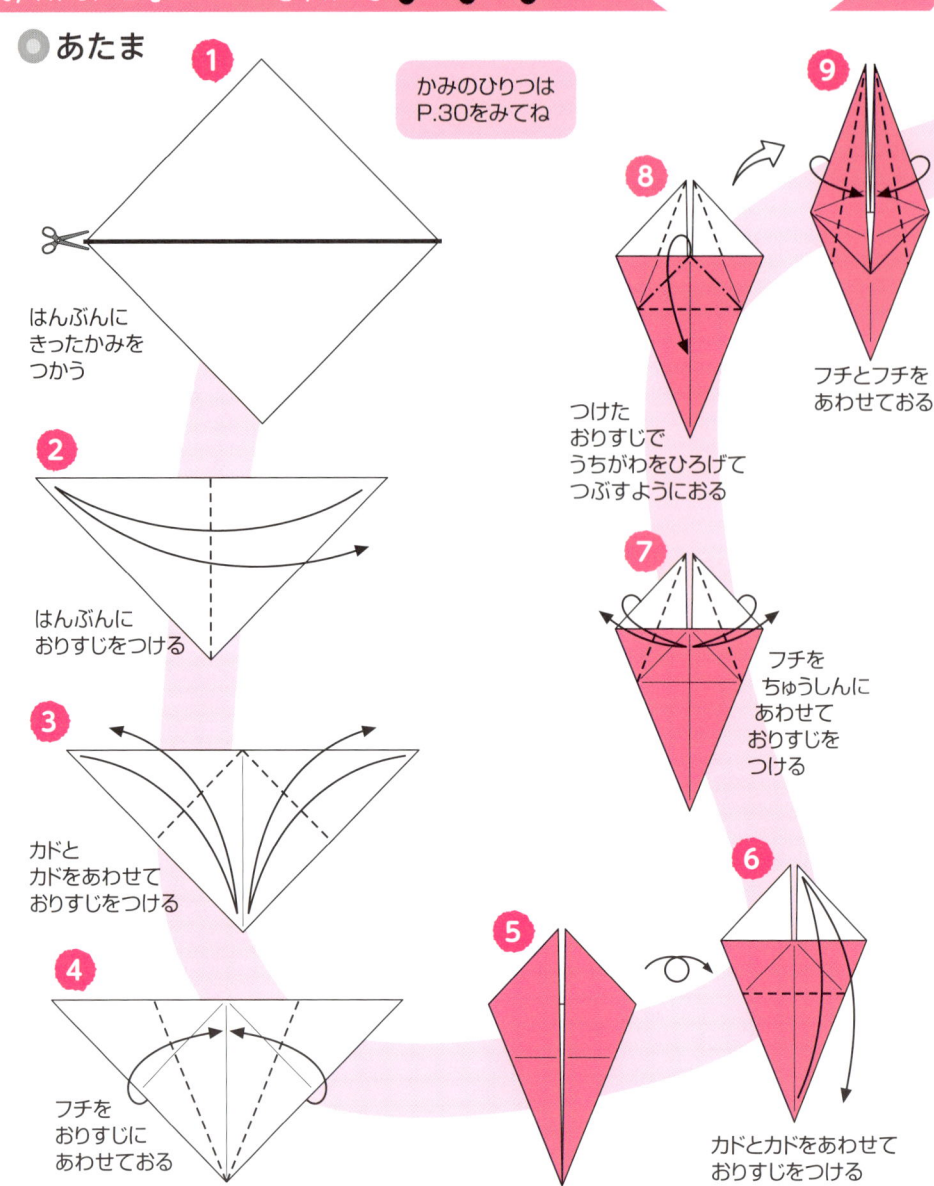

⑪ フチをおりすじにあわせておりすじをつける

⑫ フチをおりすじにあわせておる

⑬ カドをつまむようにおる

⑭ カドをはんたいがわへおる

⑮ はんたいがわも⑪〜⑭とおなじようにおる

⑯ カドをうしろの○のところでうえへおる

⑰ カドをうしろへおる

⑱

⑲ ［あたま］できあがり

Jan. 1 いせえび

からだ

❶ はんぶんにきったかみをつかう

❷ はんぶんにおりすじをつける

27

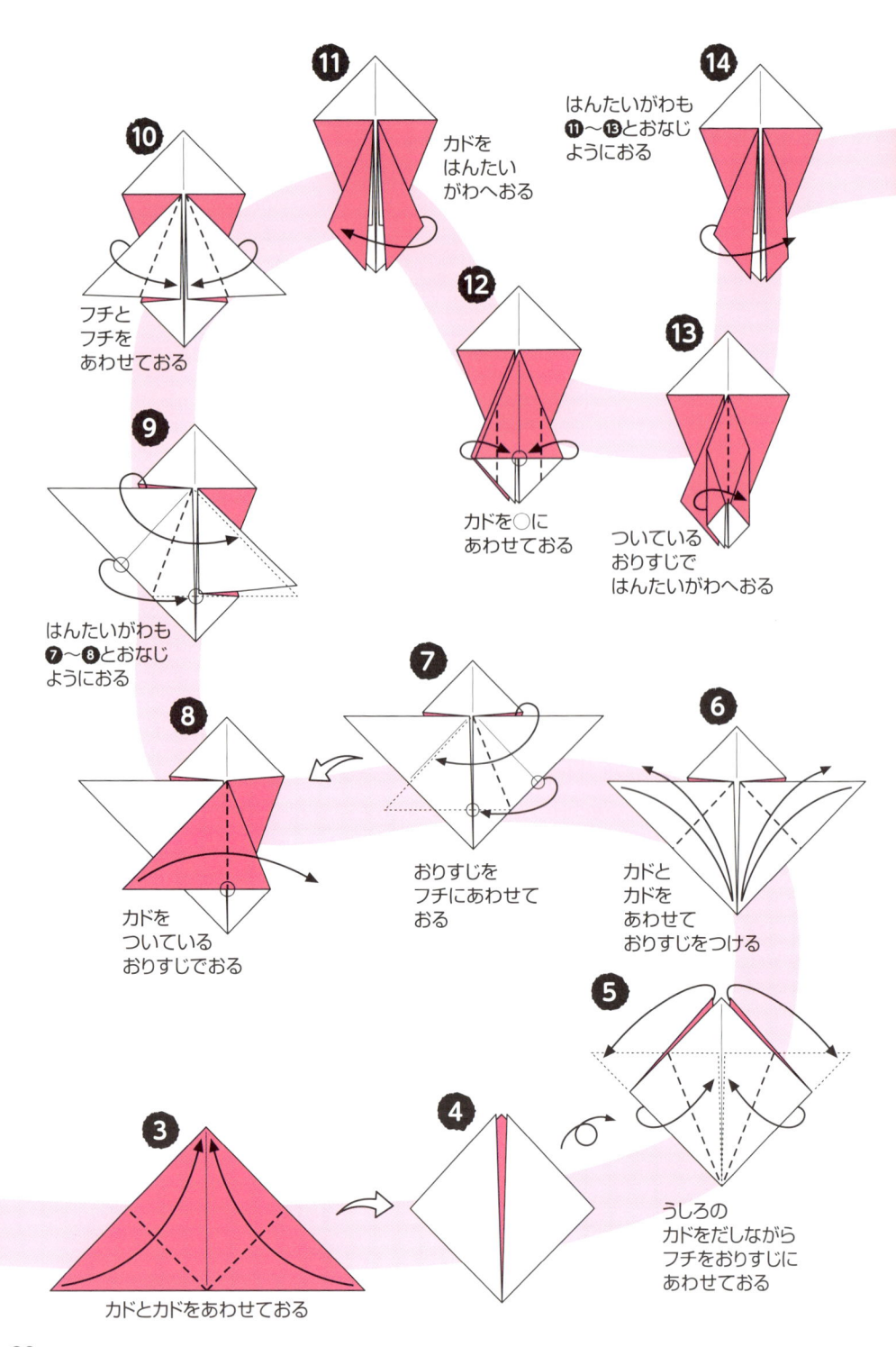

10 フチとフチをあわせておる

11 カドをはんたいがわへおる

14 はんたいがわも⓫〜⓭とおなじようにおる

12 カドを○にあわせておる

13 ついているおりすじではんたいがわへおる

9 はんたいがわも❼〜❽とおなじようにおる

8 カドをついているおりすじでおる

7 おりすじをフチにあわせておる

6 カドとカドをあわせておりすじをつける

5 うしろのカドをだしながらフチをおりすじにあわせておる

3 カドとカドをあわせておる

4

15 カドをよこへおる

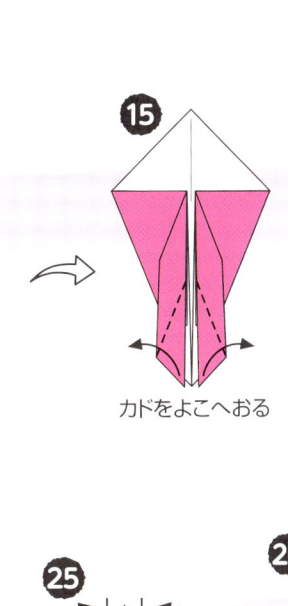

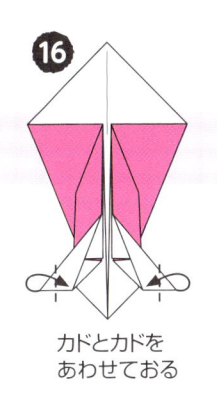

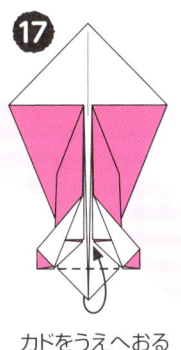

16 カドとカドをあわせておる

17 カドをうえへおる

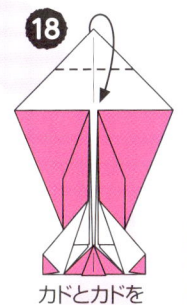

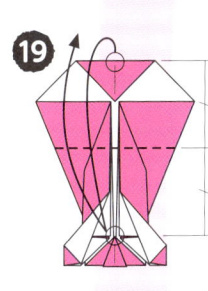

18 カドとカドをあわせておる

19 フチとフチをあわせておりすじをつける

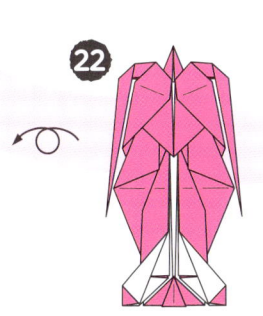

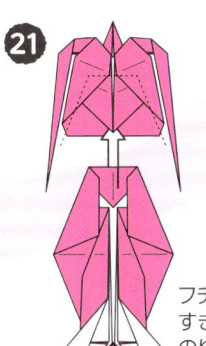

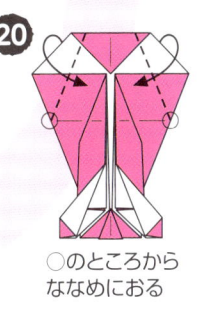

20 ○のところからななめにおる

21 フチを[あたま]のすきまにさしこんでのりづけ

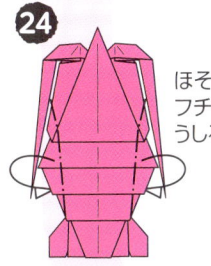

22

23 だんおり

24 ほそくするようにフチをかるくうしろへおる

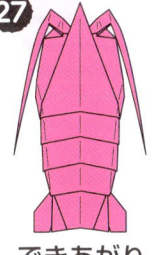

25 しょっかくをおこす

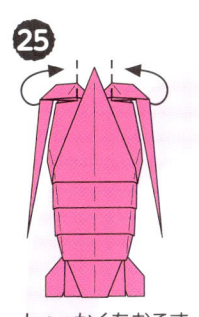

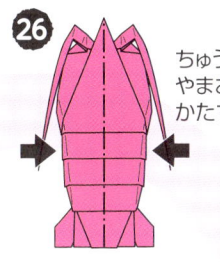

26 ちゅうしんをかるくやまおりにしてかたちをととのえる

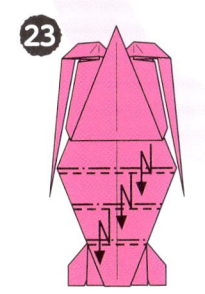

27 できあがり

Jan. 1 いせえび

● じゅうばこ

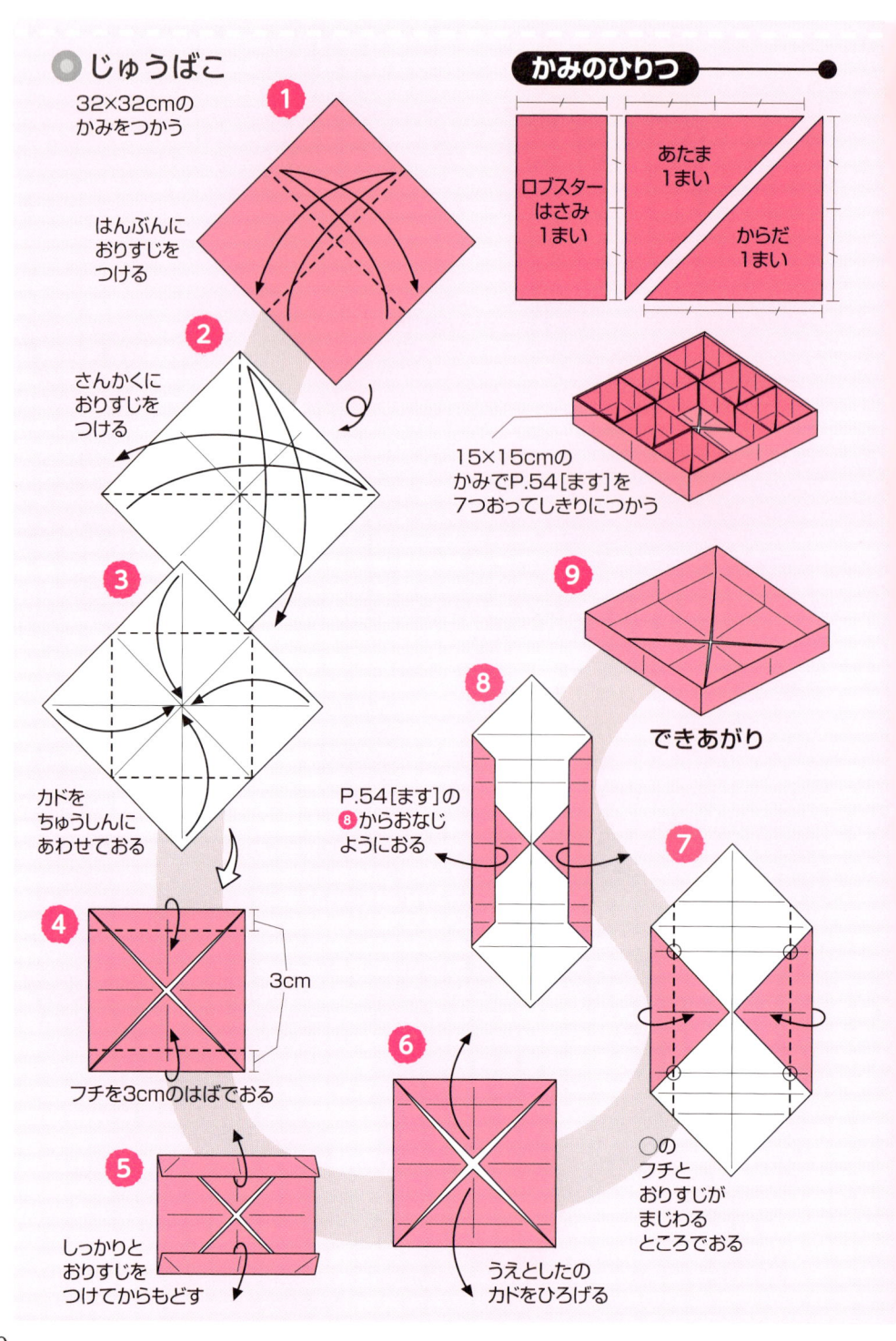

32×32cmの
かみをつかう

かみのひりつ

ロブスター
はさみ
1まい

あたま
1まい

からだ
1まい

1. はんぶんに おりすじを つける
2. さんかくに おりすじを つける
3. カドを ちゅうしんに あわせておる
4. フチを3cmのはばでおる　3cm
5. しっかりと おりすじを つけてからもどす
6. うえとしたの カドをひろげる
7. ○の フチと おりすじが まじわる ところでおる
8. P.54[ます]の ❽からおなじ ようにおる
9. できあがり

15×15cmの
かみでP.54[ます]を
7つおってしきりにつかう

30

かざりかた

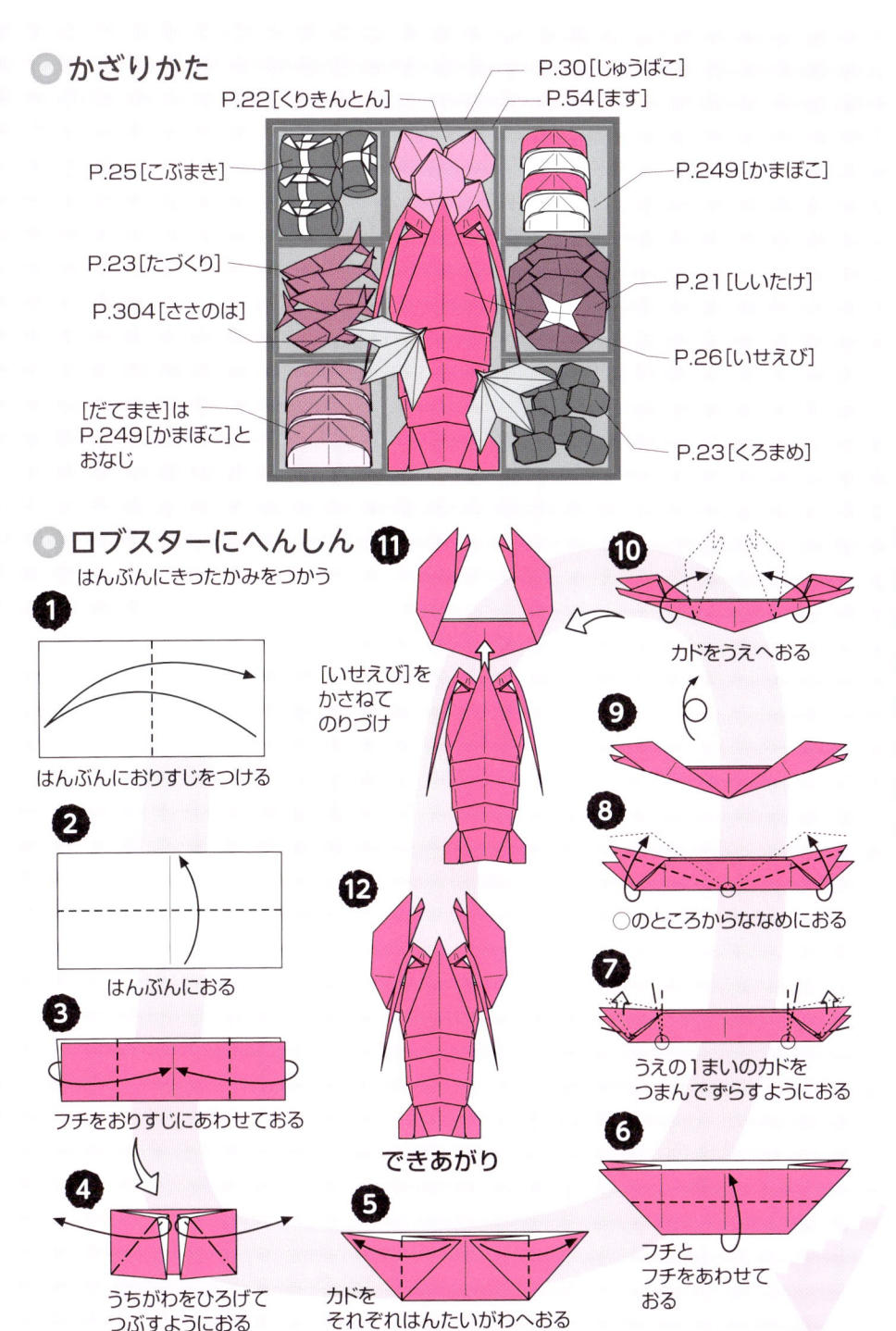

- P.25 [こぶまき]
- P.22 [くりきんとん]
- P.30 [じゅうばこ]
- P.54 [ます]
- P.249 [かまぼこ]
- P.23 [たづくり]
- P.304 [ささのは]
- P.21 [しいたけ]
- P.26 [いせえび]
- [だてまき]は P.249 [かまぼこ]とおなじ
- P.23 [くろまめ]

Jan. 1 いせえび

ロブスターにへんしん

はんぶんにきったかみをつかう

1. はんぶんにおりすじをつける
2. はんぶんにおる
3. フチをおりすじにあわせておる
4. うちがわをひろげてつぶすようにおる
5. カドをそれぞれはんたいがわへおる
6. フチとフチをあわせておる
7. うえの1まいのカドをつまんでずらすようにおる
8. ○のところからななめにおる
9.
10. カドをうえへおる
11. [いせえび]をかさねてのりづけ
12. できあがり

●しゃしんはP.18　ほんもののおはしをいれてつかえるよ

1月 Jan. はしぶくろ
Chopstick wrapper

●おりがみ 1〜2まい ●むずかしさ 🐰🐰

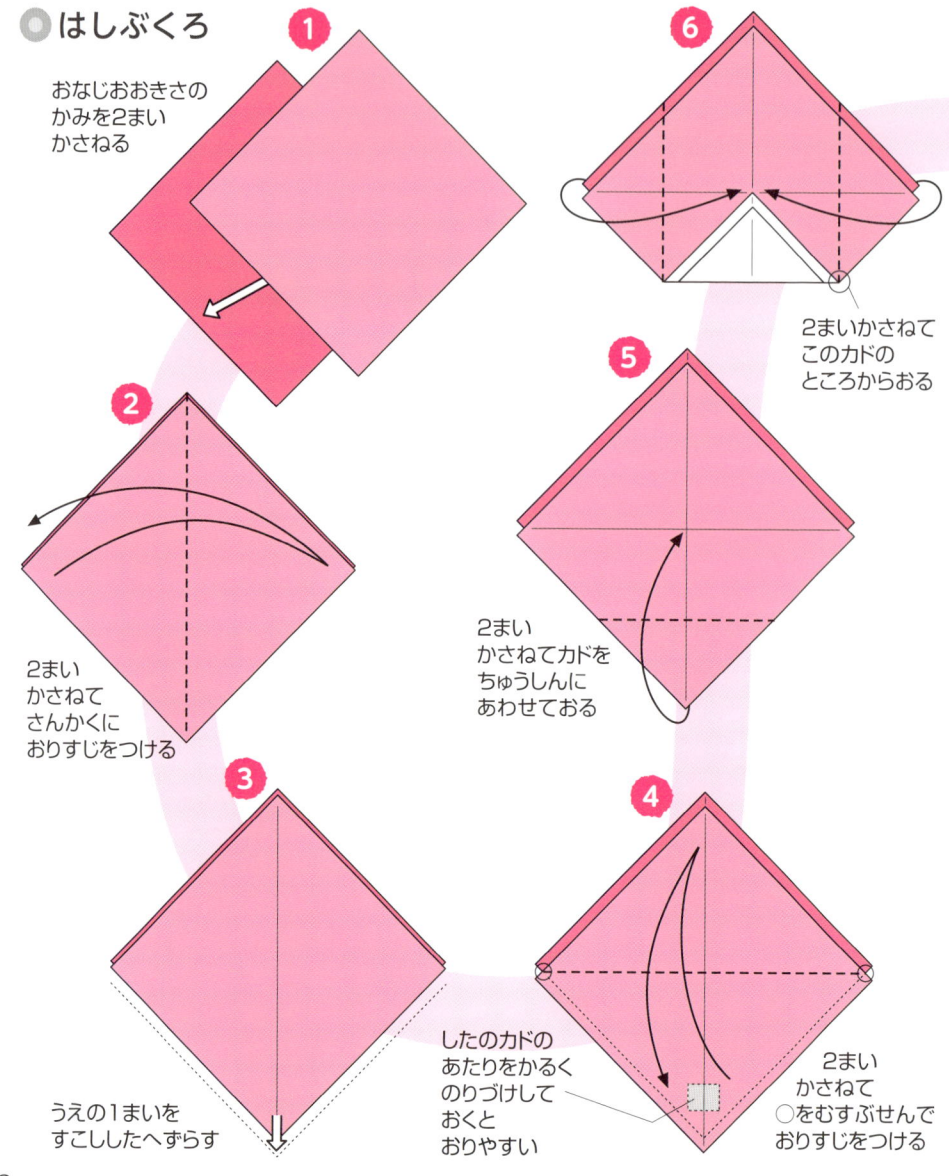

●はしぶくろ

1 おなじおおきさのかみを2まいかさねる

2 2まいかさねてさんかくにおりすじをつける

3 うえの1まいをすこししたへずらす

4 したのカドのあたりをかるくのりづけしておくとおりやすい／2まいかさねて○をむすぶせんでおりすじをつける

5 2まいかさねてカドをちゅうしんにあわせておる

6 2まいかさねてこのカドのところからおる

はしかざり

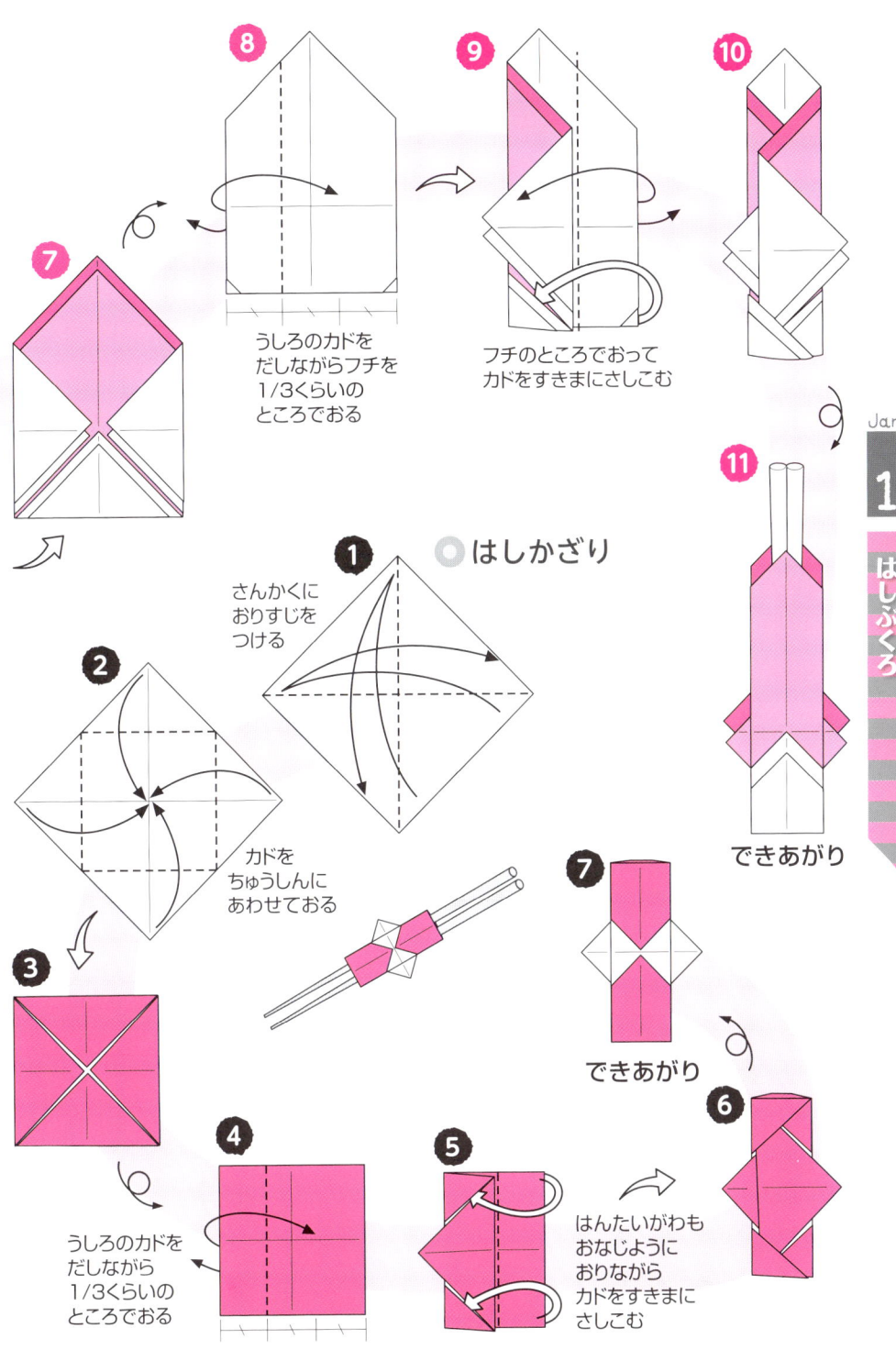

1 さんかくにおりすじをつける

2 カドをちゅうしんにあわせておる

3

4 うしろのカドをだしながら1/3くらいのところでおる

5 はんたいがわもおなじようにおりながらカドをすきまにさしこむ

6

7 できあがり

8 うしろのカドをだしながらフチを1/3くらいのところでおる

9 フチのところでおってカドをすきまにさしこむ

10

11 できあがり

Jan. 1 はしぶくろ

● しゃしんはP.20　**かみさまにおそなえする2だんのおもち**

1月 Jan. かがみもち
Kagami mochi
(A round rice cake)

● おりがみ 3まい　● むずかしさ ●●

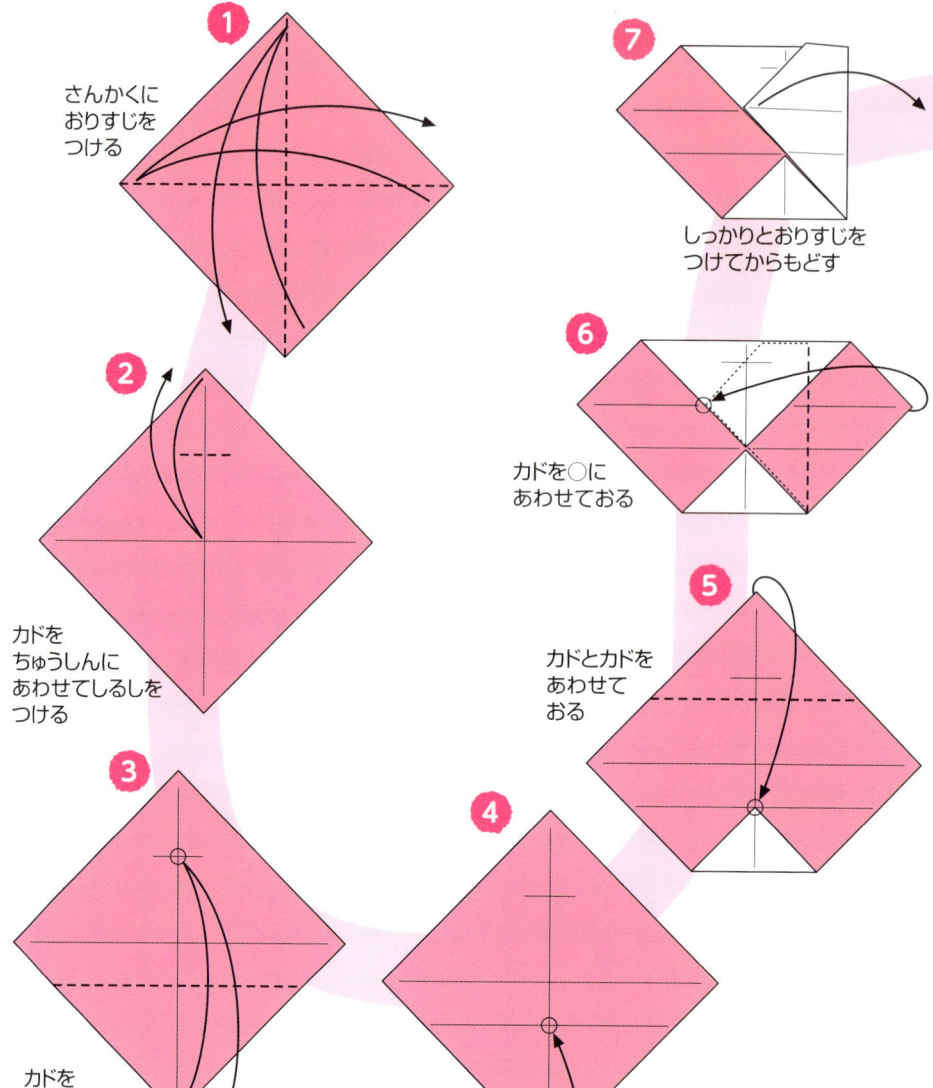

1 さんかくにおりすじをつける

2 カドをちゅうしんにあわせてしるしをつける

3 カドをつけたしるしにあわせておりすじをつける

4 カドをつけたおりすじにあわせておる

5 カドとカドをあわせておる

6 カドを○にあわせておる

7 しっかりとおりすじをつけてからもどす

34

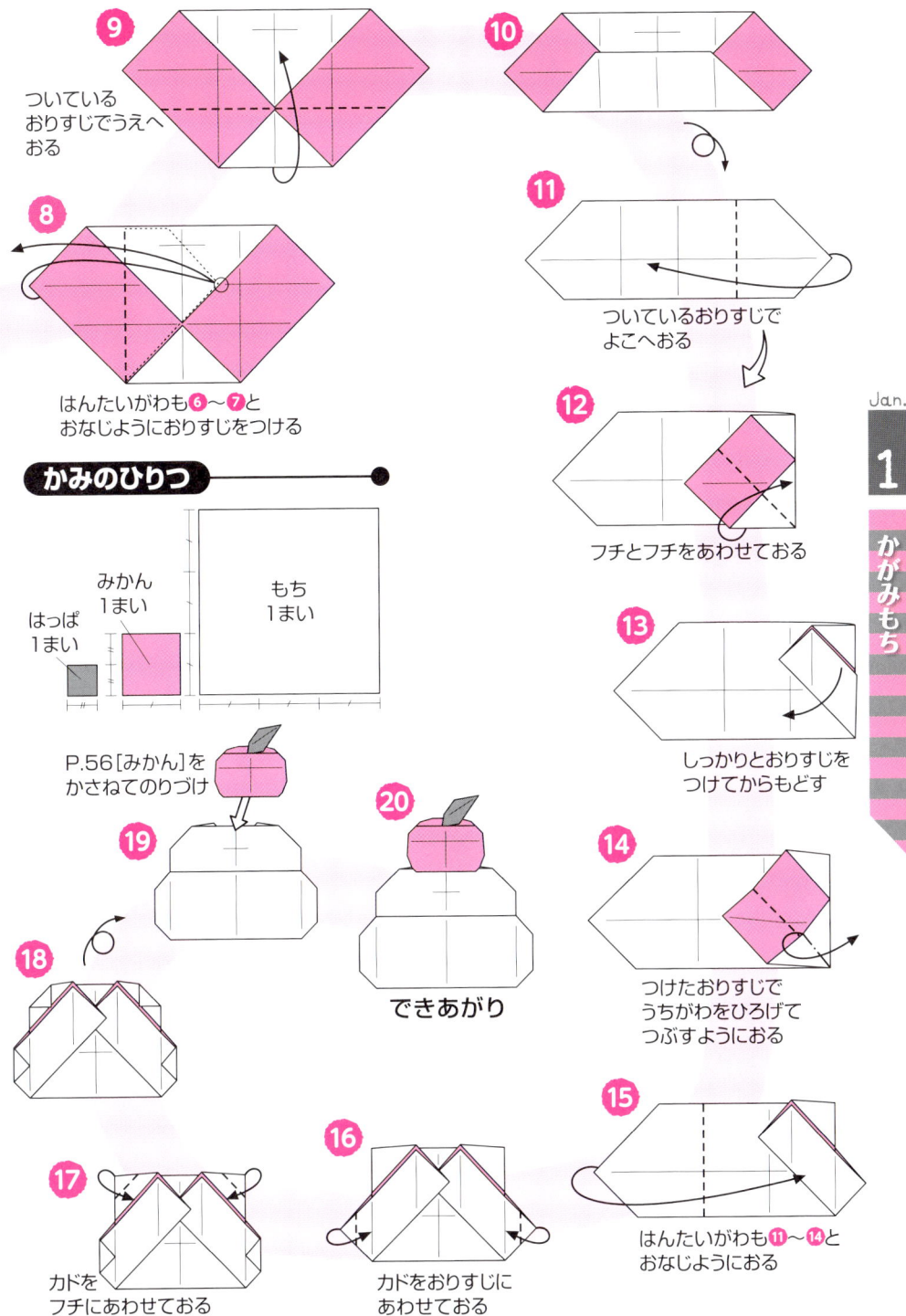

9 ついている おりすじでうえへ おる

10

8 はんたいがわも ⑥〜⑦と おなじようにおりすじをつける

11 ついているおりすじで よこへおる

かみのひりつ

はっぱ 1まい
みかん 1まい
もち 1まい

12 フチとフチをあわせておる

13 しっかりとおりすじを つけてからもどす

P.56[みかん]を かさねてのりづけ

19

20 できあがり

14 つけたおりすじで うちがわをひろげて つぶすようにおる

18

15 はんたいがわも⑪〜⑭と おなじようにおる

17 カドを フチにあわせておる

16 カドをおりすじに あわせておる

Jan. 1 かがみもち

35

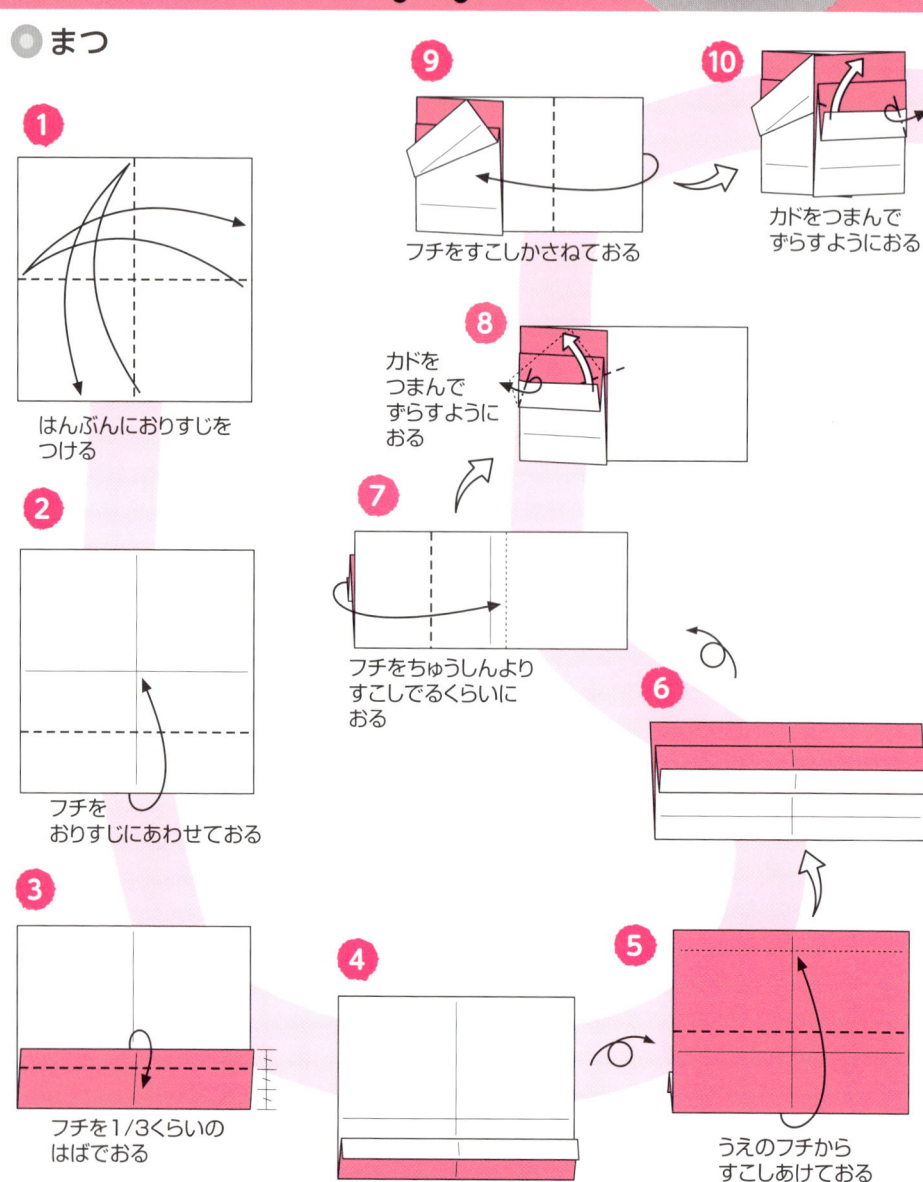

●しゃしんはP.20　**でんとうてきなしょうがつかざりのひとつ**

1月 かどまつ
Jan. Kadomatsu (New Year's pine decoration)

●おりがみ 4まい　●むずかしさ ★★

◎まつ

1 はんぶんにおりすじをつける

2 フチをおりすじにあわせておる

3 フチを1/3くらいのはばでおる

4

5 うえのフチからすこしあけておる

6

7 フチをちゅうしんよりすこしでるくらいにおる

8 カドをつまんでずらすようにおる

9 フチをすこしかさねておる

10 カドをつまんでずらすようにおる

36

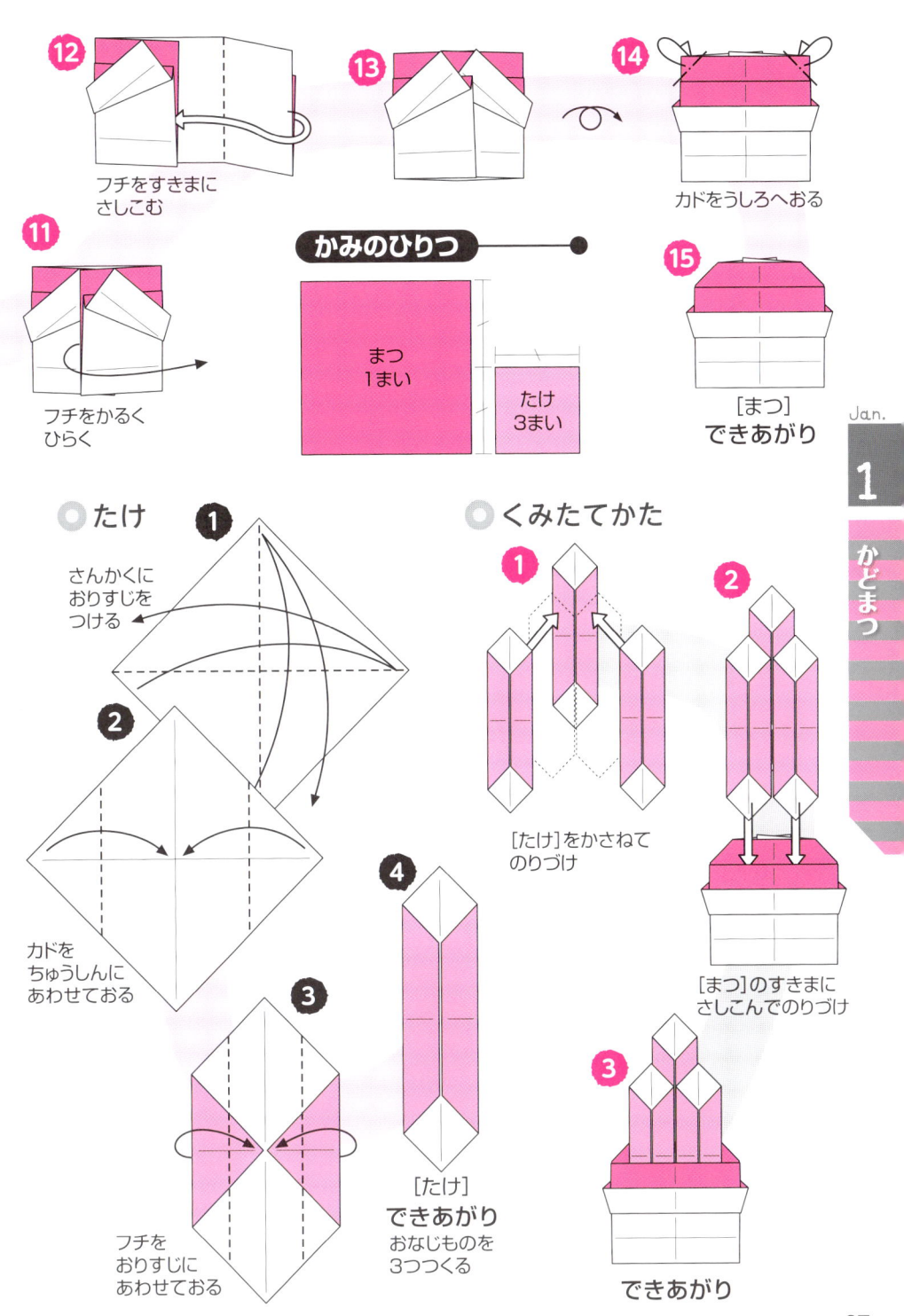

12
フチをすきまに
さしこむ

13

14
カドをうしろへおる

11
フチをかるく
ひらく

かみのひりつ

まつ 1まい

たけ 3まい

15
[まつ]
できあがり

Jan.
1
かどまつ

○たけ

1
さんかくに
おりすじを
つける

2
カドを
ちゅうしんに
あわせておる

3
フチを
おりすじに
あわせておる

4
[たけ]
できあがり
おなじものを
3つつくる

○くみたてかた

1
[たけ]をかさねて
のりづけ

2
[まつ]のすきまに
さしこんでのりづけ

3
できあがり

37

●しゃしんはP.20　おとしだまはいくらもらえたかな？

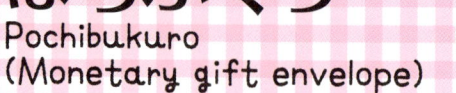

ぽちぶくろ
Pochibukuro
(Monetary gift envelope)

●おりがみ かく1まい　●むずかしさ

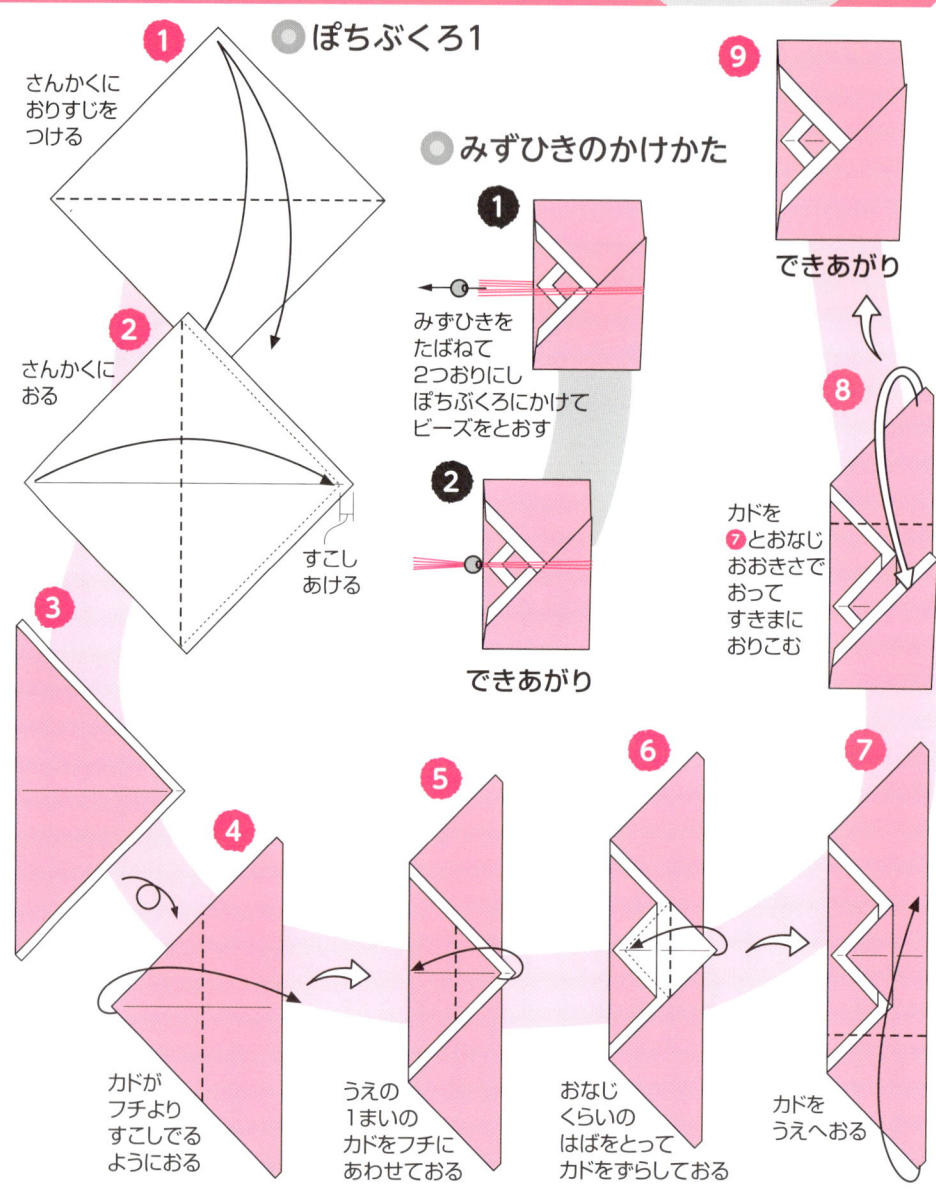

○ぽちぶくろ1

① さんかくにおりすじをつける

② さんかくにおる　すこしあける

③

④ カドがフチよりすこしでるようにおる

⑤ うえの1まいのカドをフチにあわせておる

⑥ おなじくらいのはばをとってカドをずらしておる

⑦ カドをうえへおる

⑧ カドを⑦とおなじおおきさでおってすきまにおりこむ

⑨ できあがり

○みずひきのかけかた

① みずひきをたばねて2つおりにしぽちぶくろにかけてビーズをとおす

② できあがり

ぽちぶくろ2

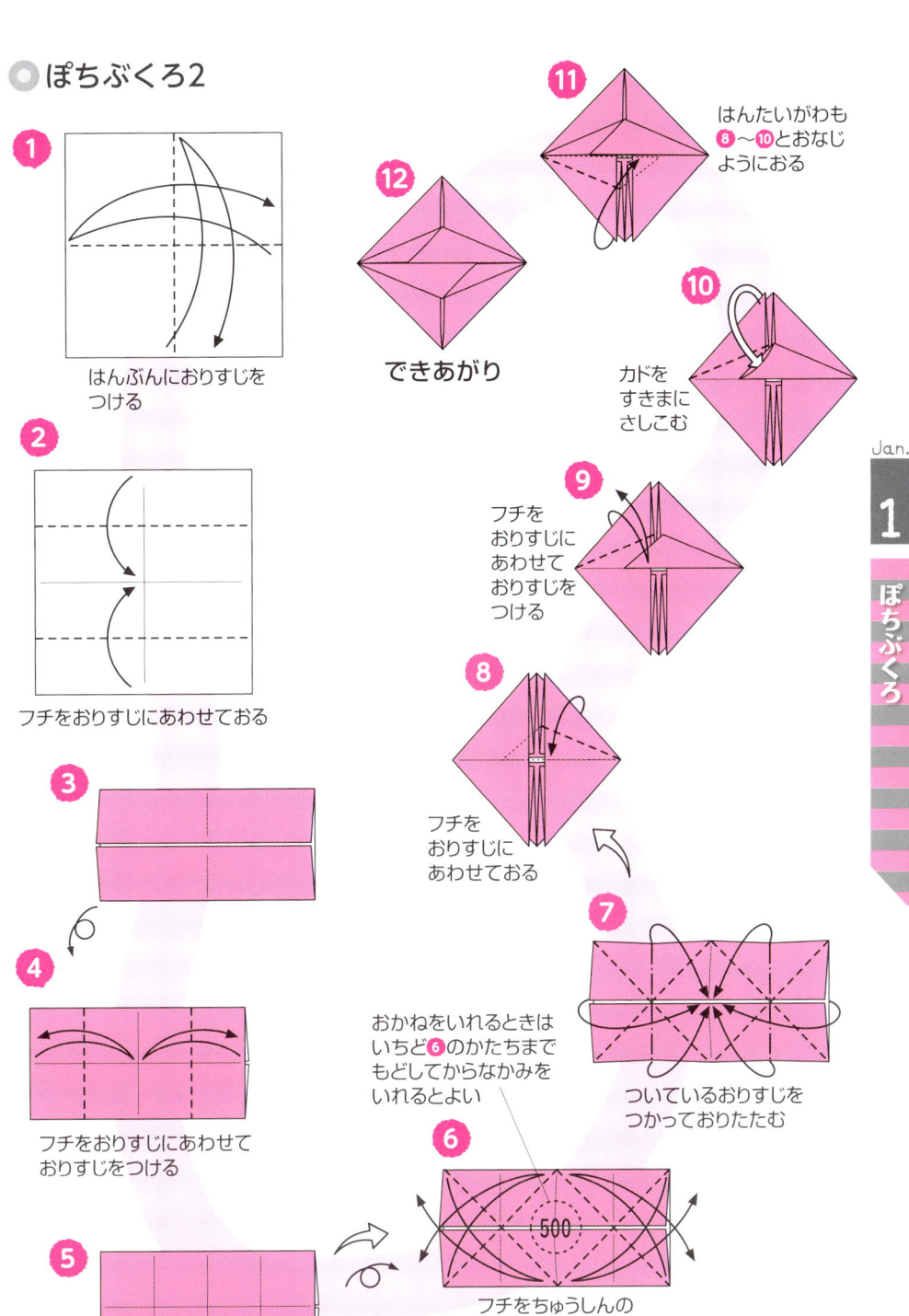

1. はんぶんにおりすじをつける
2. フチをおりすじにあわせておる
3.
4. フチをおりすじにあわせておりすじをつける
5.
6. フチをちゅうしんのおりすじにあわせておりすじをつける

おかねをいれるときはいちど6のかたちまでもどしてからなかみをいれるとよい

7. ついているおりすじをつかっておりたたむ
8. フチをおりすじにあわせておる
9. フチをおりすじにあわせておりすじをつける
10. カドをすきまにさしこむ
11. はんたいがわも8〜10とおなじようにおる
12. できあがり

Jan.
1
ぽちぶくろ

39

ぽちぶくろ3

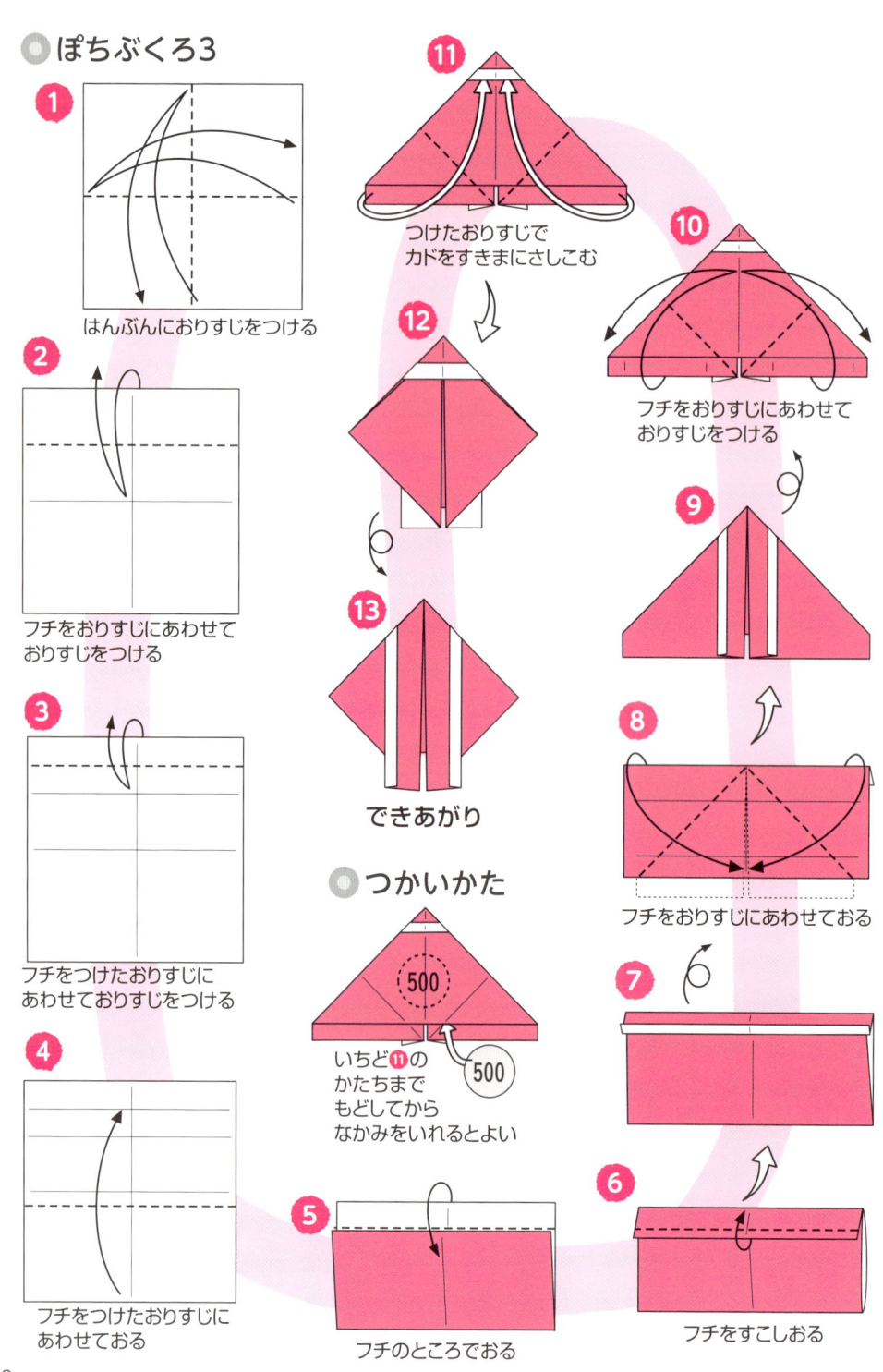

1 はんぶんにおりすじをつける

2 フチをおりすじにあわせておりすじをつける

3 フチをつけたおりすじにあわせておりすじをつける

4 フチをつけたおりすじにあわせておる

5 フチのところでおる

6 フチをすこしおる

7

8 フチをおりすじにあわせておる

9

10 フチをおりすじにあわせておりすじをつける

11 つけたおりすじでカドをすきまにさしこむ

12

13 できあがり

つかいかた

いちど⓫のかたちまでもどしてからなかみをいれるとよい

500

2月 Feb.

おには外！
福は内！

おに　P.49　あたま、からだ、うで：15×15cm 、パンツ：15×7.5cm
えんとつのいえ　P.349　15×15cm
き　P.297
　　はっぱ：7.5×7.5cm、みき：8×4cm

ます　P.54　15×15cm

ますは豆を入れて
使うこともできます

41

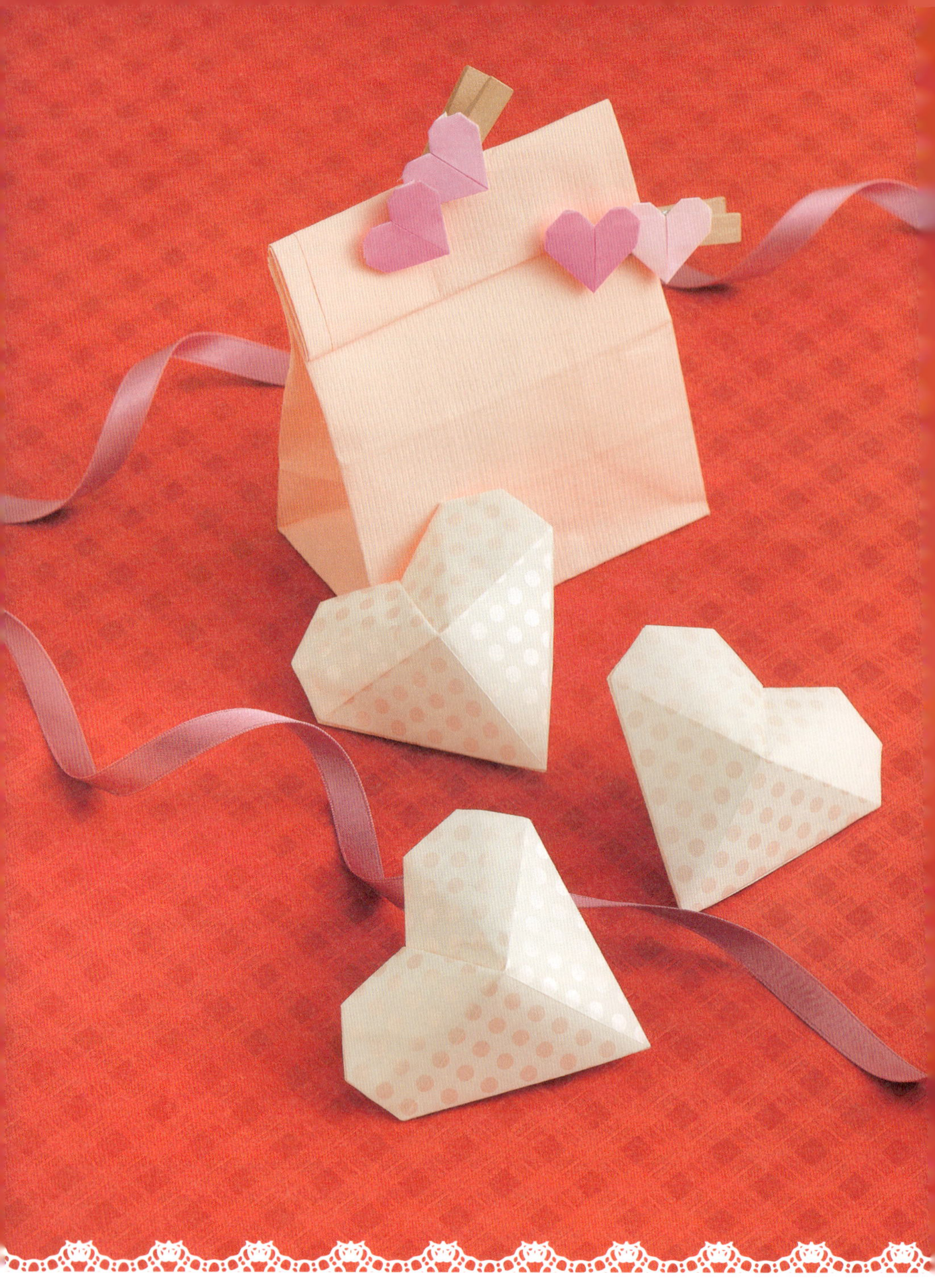

Valentine's Day
ハートを包んで贈ります

ハート（クリップ）　P.60　4×4cm
りったいハート　P.62　15×15cm
ギフトボックス　P.54（ます）　15×15cm　2まい

43

小さなフレーム
気分で付け替えてもたのしい

みかん　P.56　みかん：4×4cm、はっぱ：2×2cm
つばき　P.45　はな：5×5cm、がく、しん：2.5×2.5cm
たけのこ　P.58　7.5×7.5cm

● しゃしんはP.44　むずかしいおりかたにちゅうい

2月 Feb. つばき
Camellia

● おりがみ　3まい　　● むずかしさ

○ はな

1 さんかくにおりすじをつける

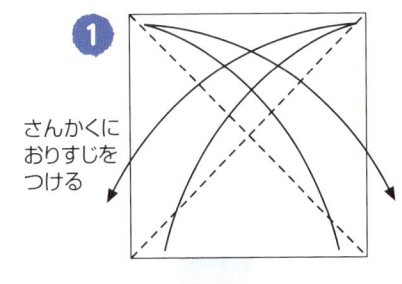

かみのひりつはP.47をみてね

2 はんぶんにおりすじをつける

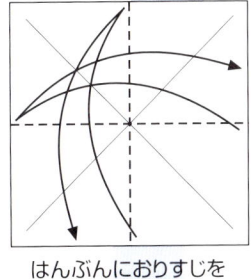

3 カドをちゅうしんにあわせておる

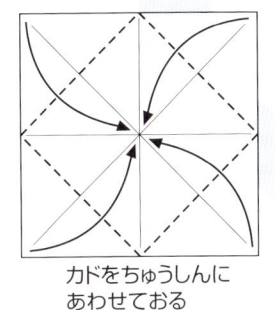

4

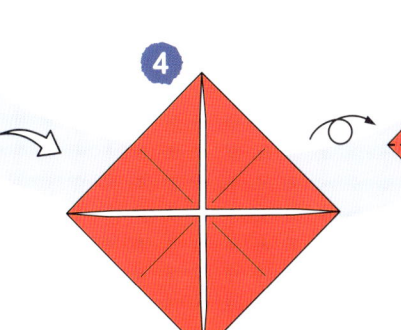

5 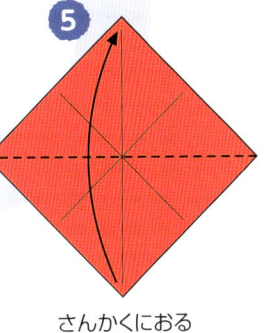 さんかくにおる

6 フチをおりすじにあわせておる

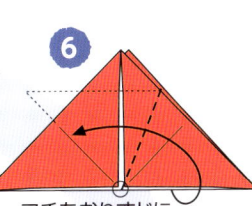

7 ついているおりすじでカドをはんたいがわへおる

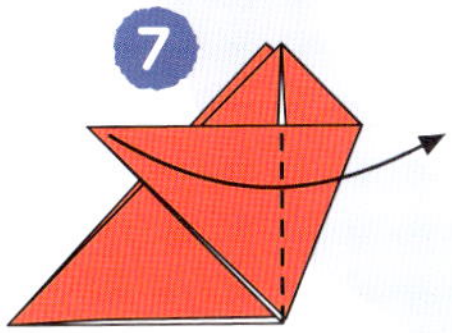

8 しっかりとおりすじをつけてから❻のかたちまでもどす

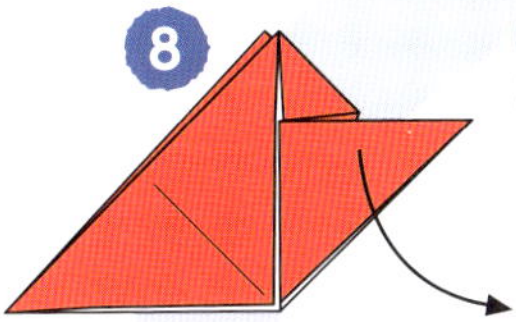

9 はんたいがわも❻〜❽とおなじようにおる

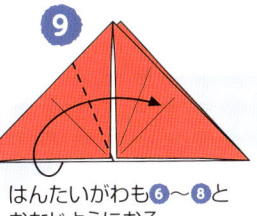

Feb. 2 つばき

45

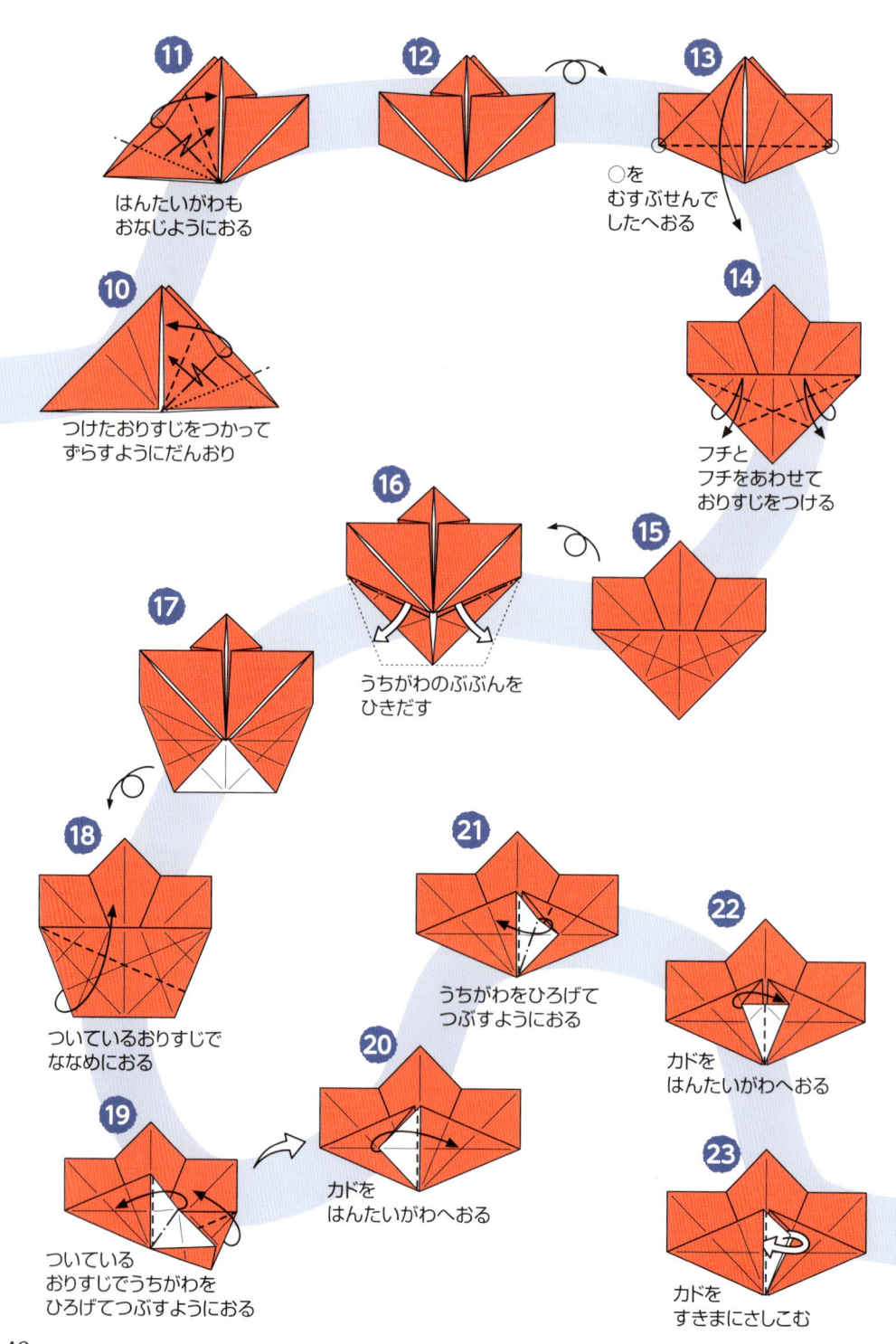

11
はんたいがわも
おなじようにおる

12

13
○を
むすぶせんで
したへおる

10
つけたおりすじをつかって
ずらすようにだんおり

14
フチと
フチをあわせて
おりすじをつける

15

16
うちがわのぶぶんを
ひきだす

17

18
ついているおりすじで
ななめにおる

19
ついている
おりすじでうちがわを
ひろげてつぶすようにおる

20
カドを
はんたいがわへおる

21
うちがわをひろげて
つぶすようにおる

22
カドを
はんたいがわへおる

23
カドを
すきまにさしこむ

1

はんぶんにおる

かしん

かみのひりつ

がく・1まい
かしん・1まい

はな
1まい

2
1/3のはばでおる

3

4
カドをうしろへおる

5
[かしん]
できあがり

Feb.
2
つばき

30
つけた
おりすじをつかって
うちがわをひろげて
つぶすようにおる

29
○を
むすぶせんで
おりすじを
つける

31

28
○と○をあわせておる

32
カドをうしろへおる

33
[はな]
できあがり

27

24
カドを
はんたいがわへおる

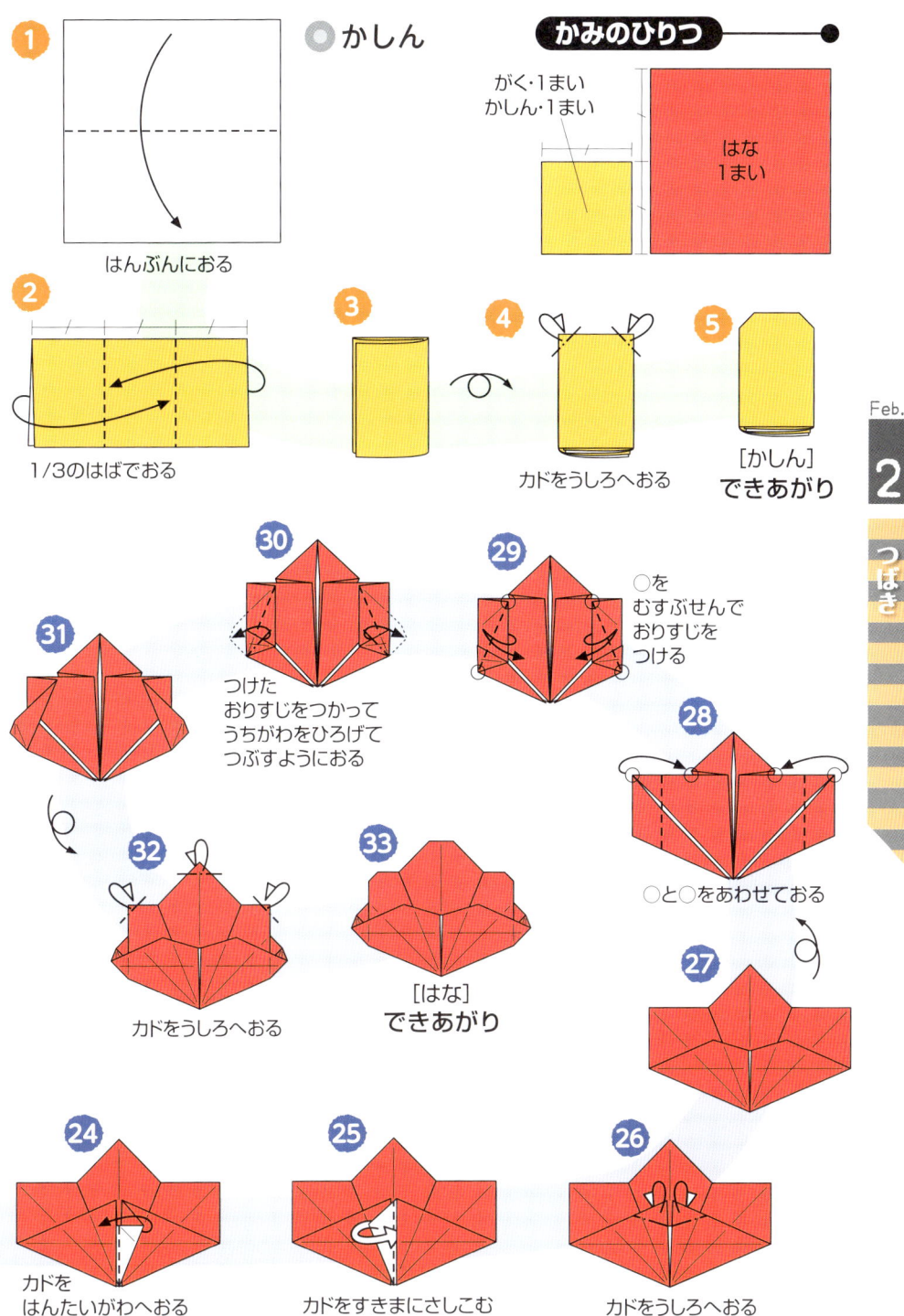

25
カドをすきまにさしこむ

26
カドをうしろへおる

47

がく

1. はんぶんにおりすじをつける
2. カドをちゅうしんにあわせておる
3. カドをちゅうしんにあわせておる
4. カドをフチにあわせておる
5. フチをおりすじにあわせておりすじをつける
6. フチをつけたおりすじにあわせておる
7. ○のところからカドをうしろへおる
8. カドをうしろへおる
9. [がく] できあがり

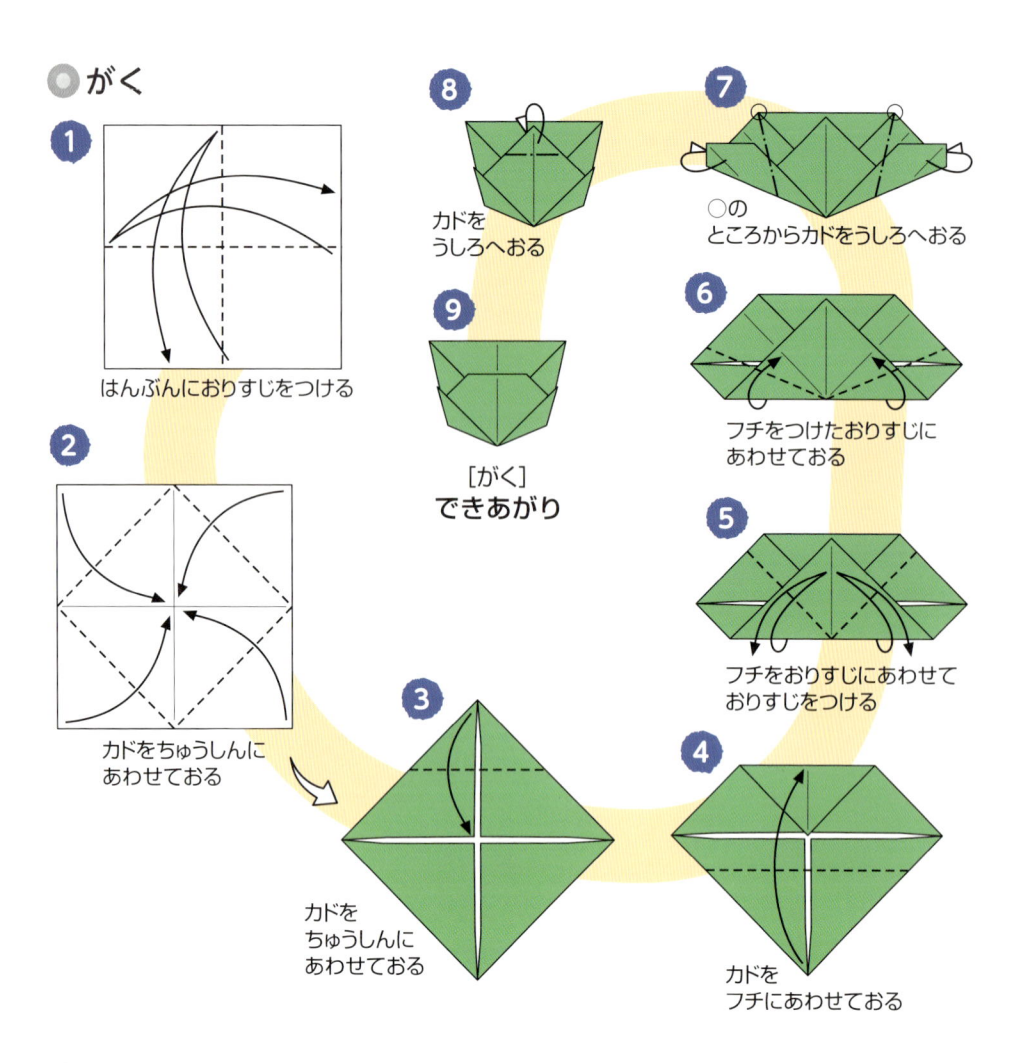

くみたてかた

1. [かしん]を[はな]のすきまにさしこんでのりづけ
2. [がく]のすきまにさしこんでのりづけ
3. できあがり

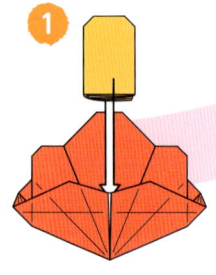

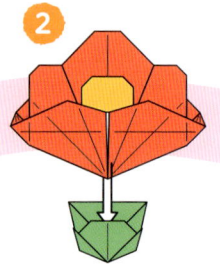

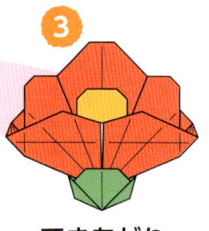

●しゃしんはP.41　おこったかおやなきがおをかいてみよう

2月 Feb.
おに
Oni(Ogre)

●おりがみ　4まい　　●むずかしさ

◎あたま

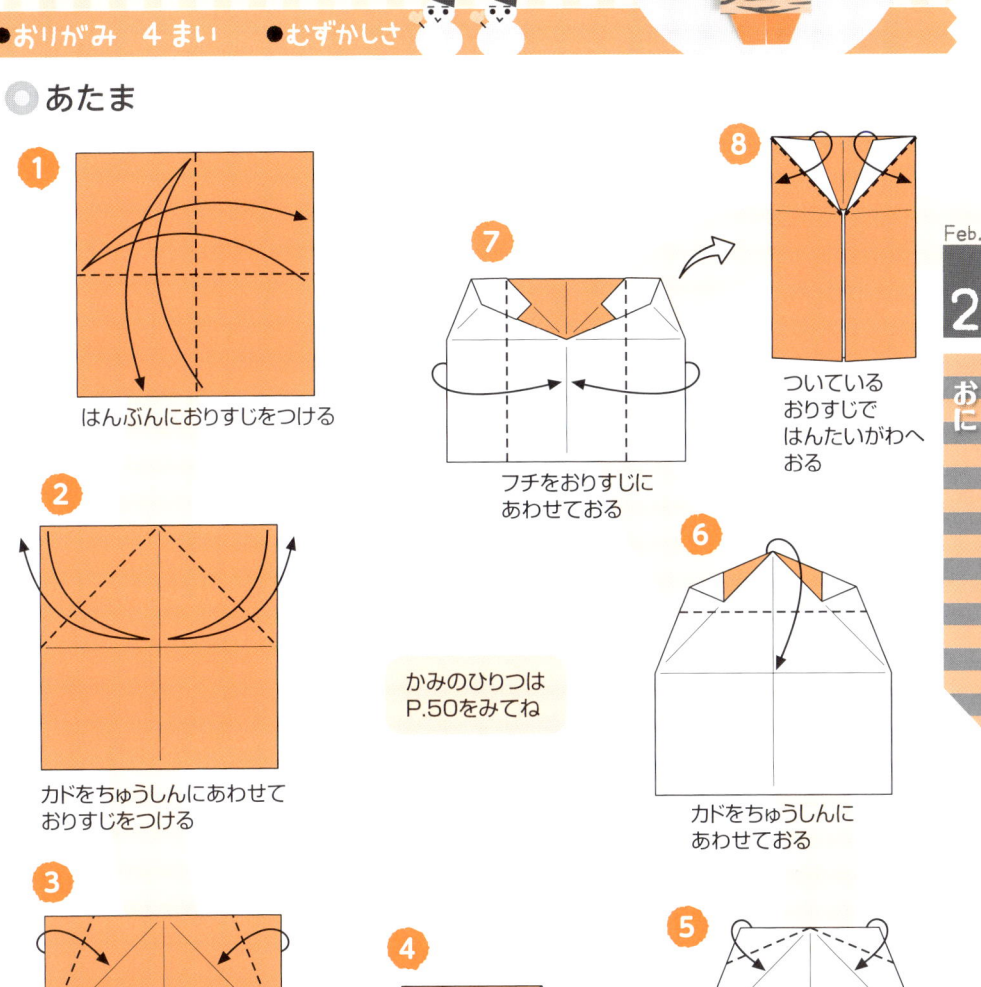

1 はんぶんにおりすじをつける

2 カドをちゅうしんにあわせておりすじをつける

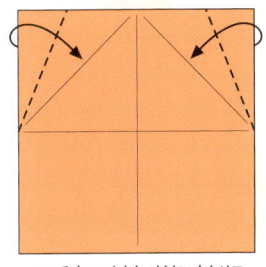

3 フチをつけたおりすじにあわせておる

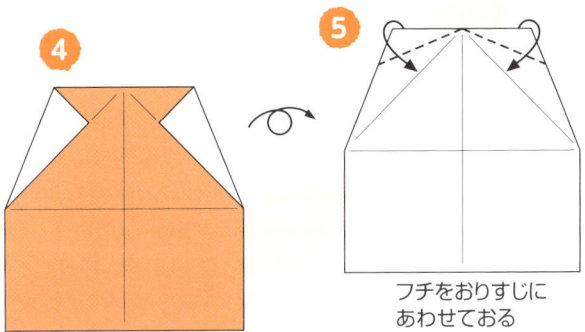

4

5 フチをおりすじにあわせておる

6 カドをちゅうしんにあわせておる

7 フチをおりすじにあわせておる

8 ついているおりすじではんたいがわへおる

かみのひりつは
P.50をみてね

49

⑩

⑪ フチをおりすじにあわせておる

⑫ しっかりとおりすじをつけてからもどす

⑨ カドをつまんでひきだすようにおる

かみのひりつ

| パンツ 1まい | あたま・1まい からだ・1まい うで・1まい |

⑬ フチをつけたおりすじにあわせておる

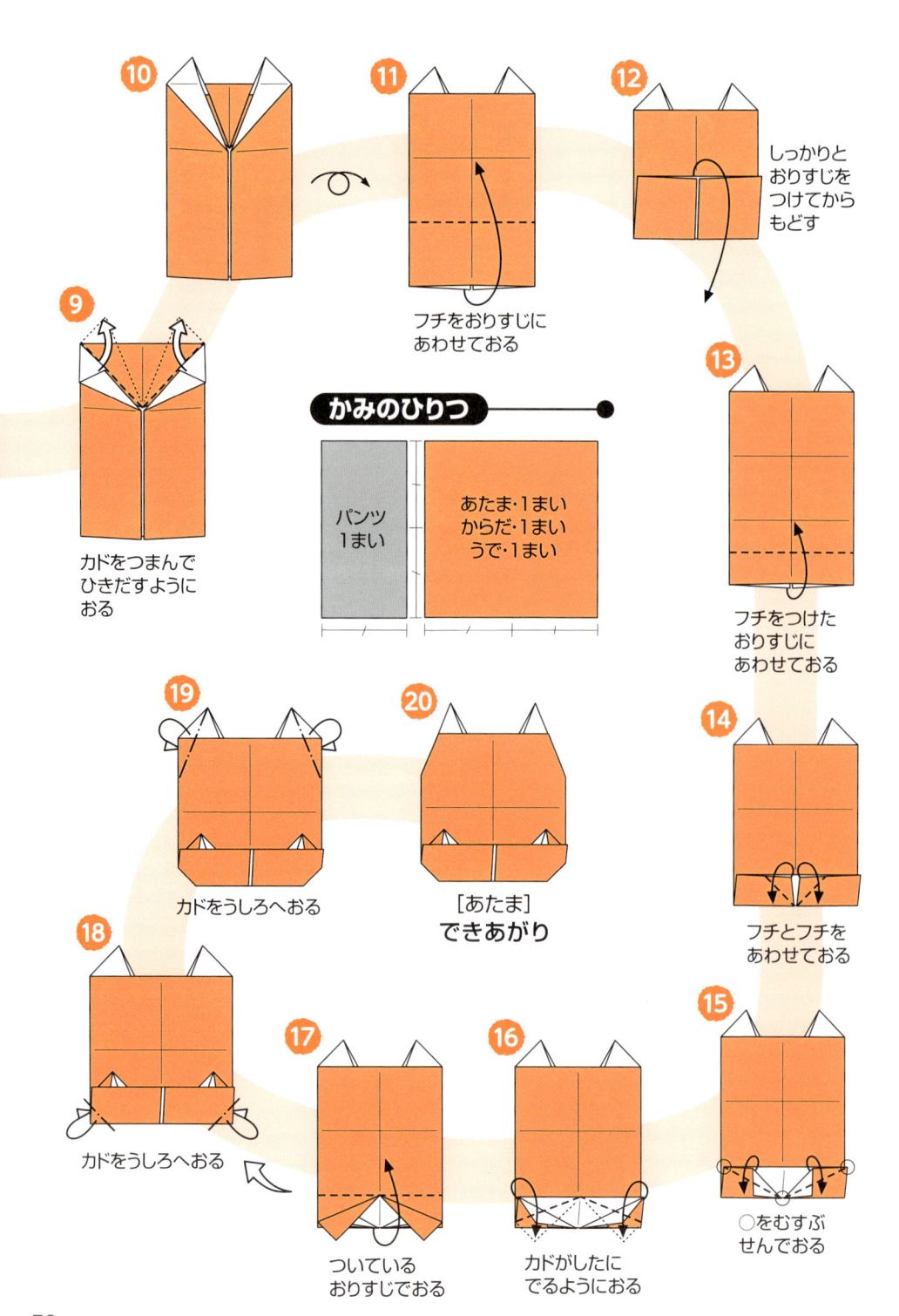

⑭ フチとフチをあわせておる

⑮ ○をむすぶせんでおる

⑯ カドがしたにでるようにおる

⑰ ついているおりすじでおる

⑱ カドをうしろへおる

⑲ カドをうしろへおる

⑳ ［あたま］できあがり

50

●からだ

1 さんかくに おりすじを つける

2 さんかくに おってしるしを つける

カドをつけた しるしにあわせて しるしをつける

3

4 カドを つけた しるしに あわせて しるしをつける

5 カドを つけたしるしに あわせておる

6

7 フチをおりすじに あわせておる

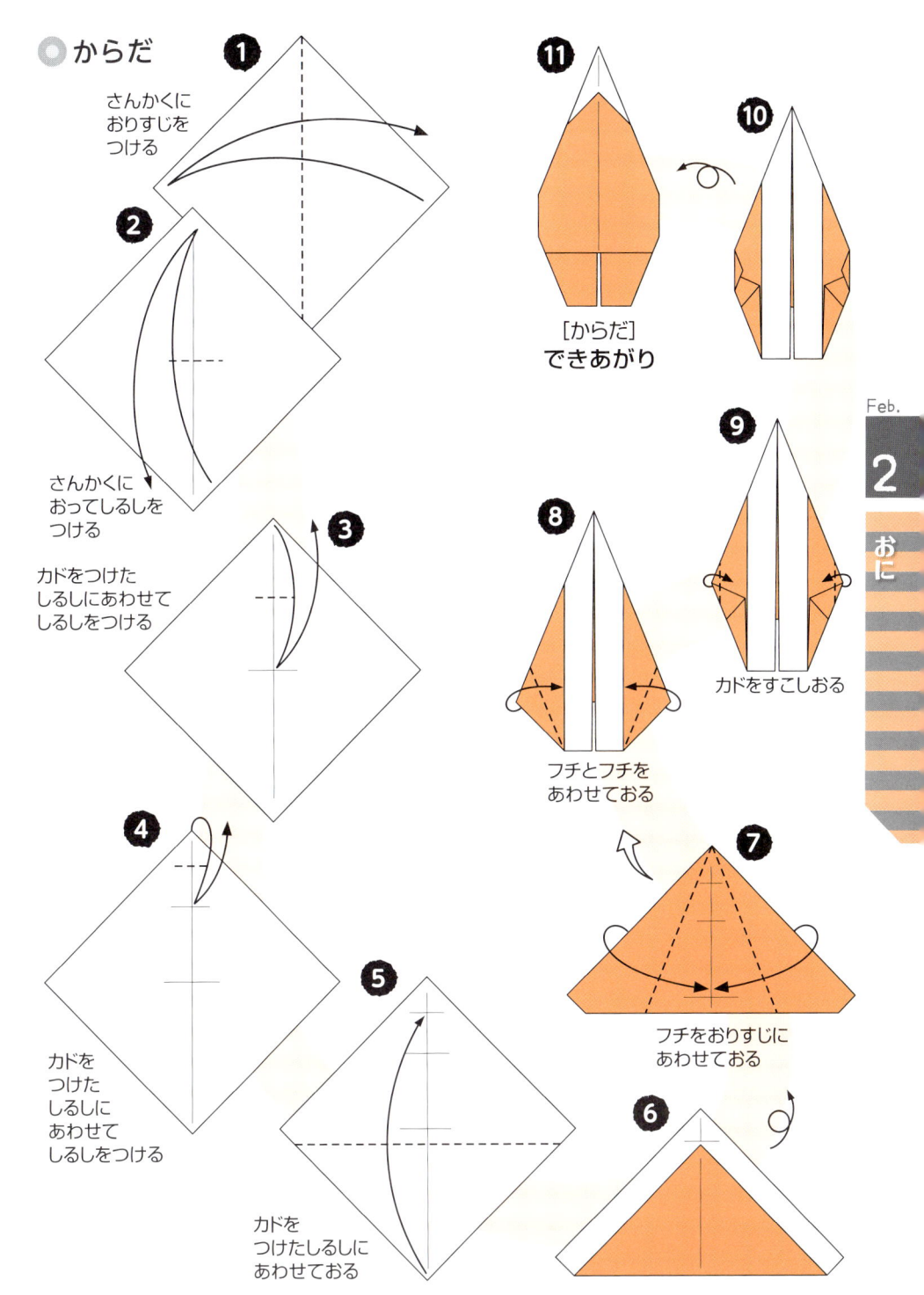

8 フチとフチを あわせておる

9 カドをすこしおる

10

11 [からだ] できあがり

Feb.
2
おに

51

●うで

1. さんかくにおりすじをつける

2. カドをちゅうしんにあわせてしるしをつける

3. カドをつけたしるしにあわせておりすじをつける

4. カドをつけたおりすじにあわせておる

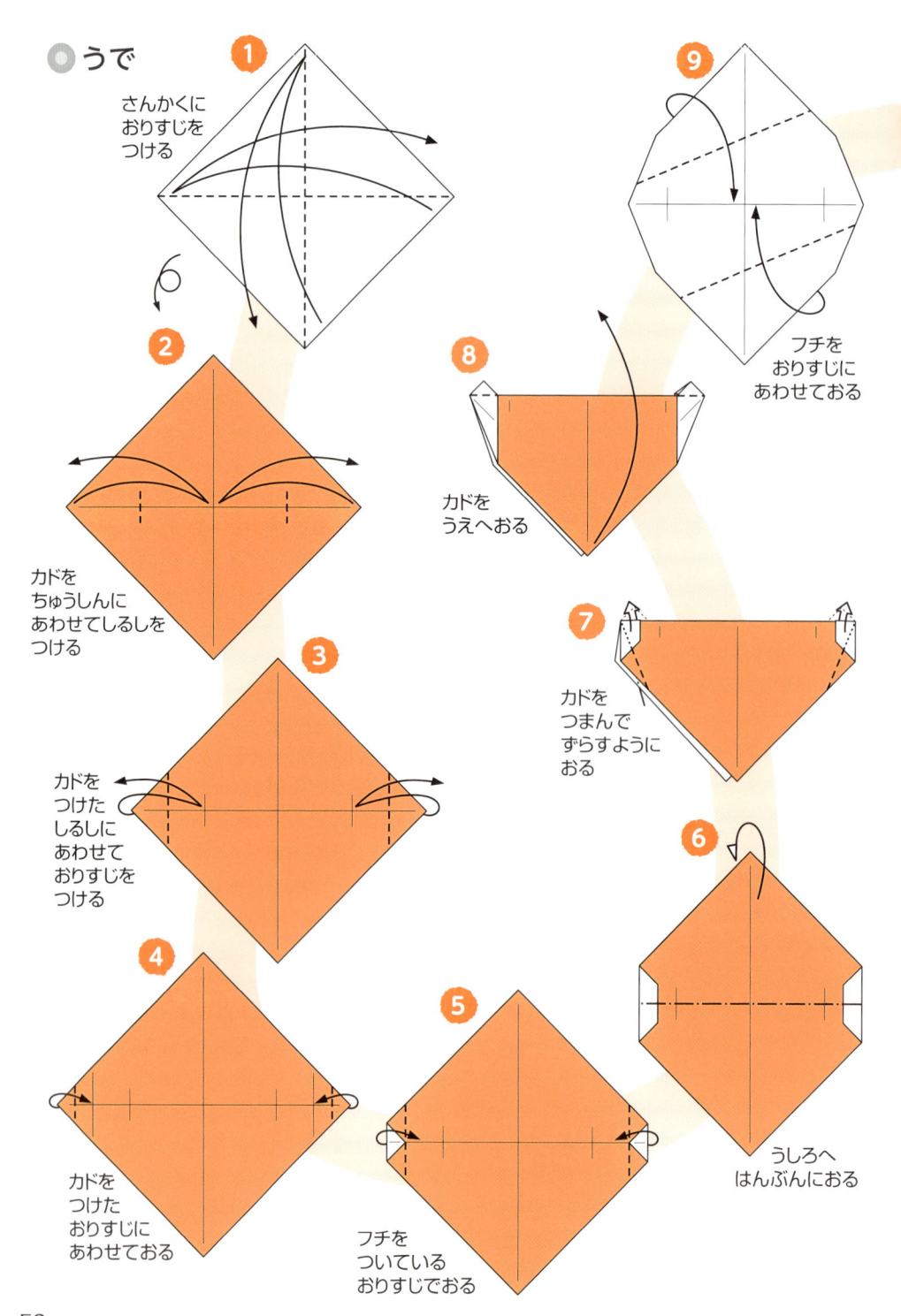

5. フチをついているおりすじでおる

6. うしろへはんぶんにおる

7. カドをつまんでずらすようにおる

8. カドをうえへおる

9. フチをおりすじにあわせておる

52

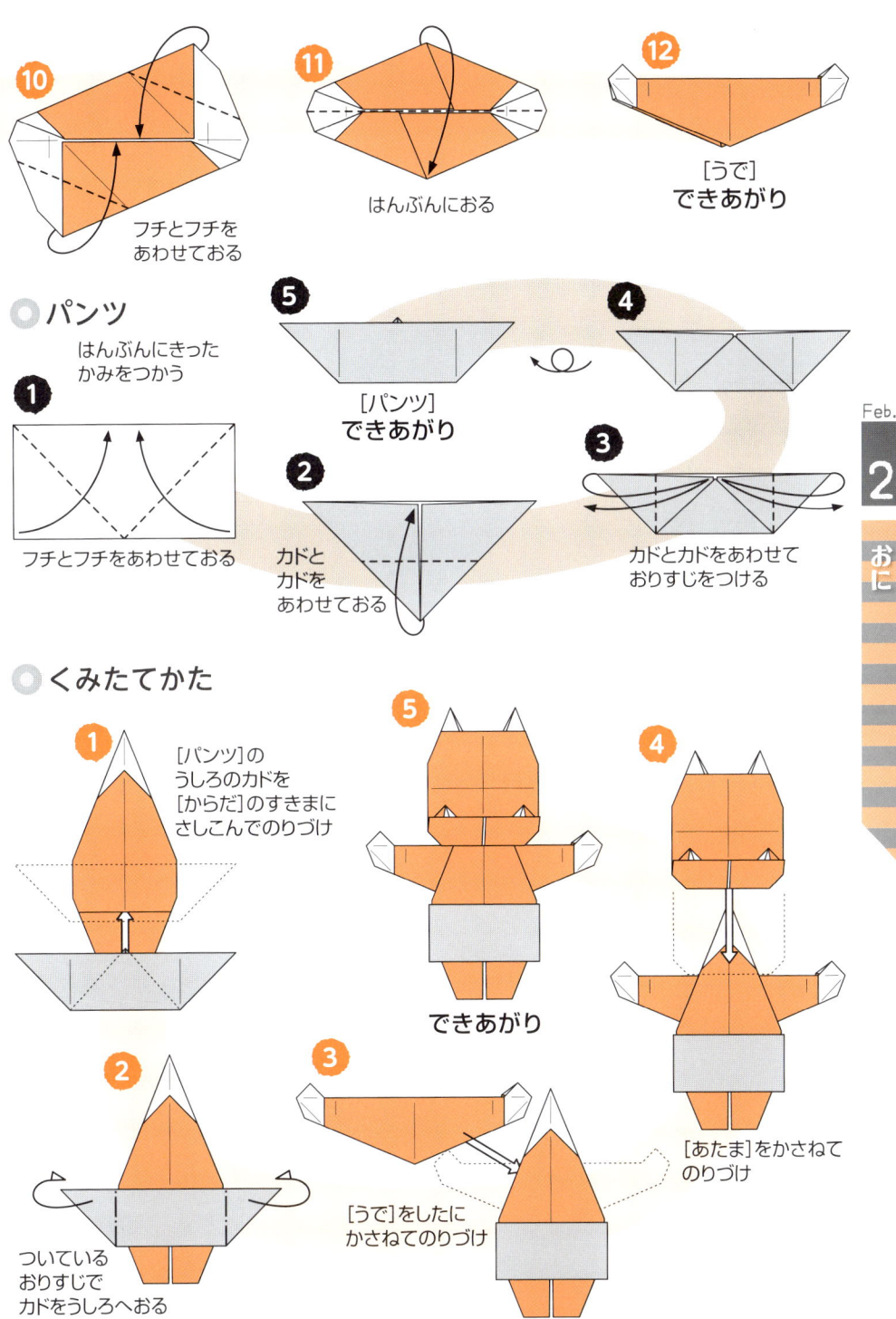

⑩ フチとフチをあわせておる

⑪ はんぶんにおる

⑫ [うで] できあがり

○ パンツ
はんぶんにきったかみをつかう

① フチとフチをあわせておる

② カドとカドをあわせておる

③ カドとカドをあわせておりすじをつける

④

⑤ [パンツ] できあがり

○ くみたてかた

① [パンツ]のうしろのカドを[からだ]のすきまにさしこんでのりづけ

② ついているおりすじでカドをうしろへおる

③ [うで]をしたにかさねてのりづけ

④ [あたま]をかさねてのりづけ

⑤ できあがり

Feb. 2 おに

● しゃしんはP.41　せつぶんのひはまめをいれてつかおう

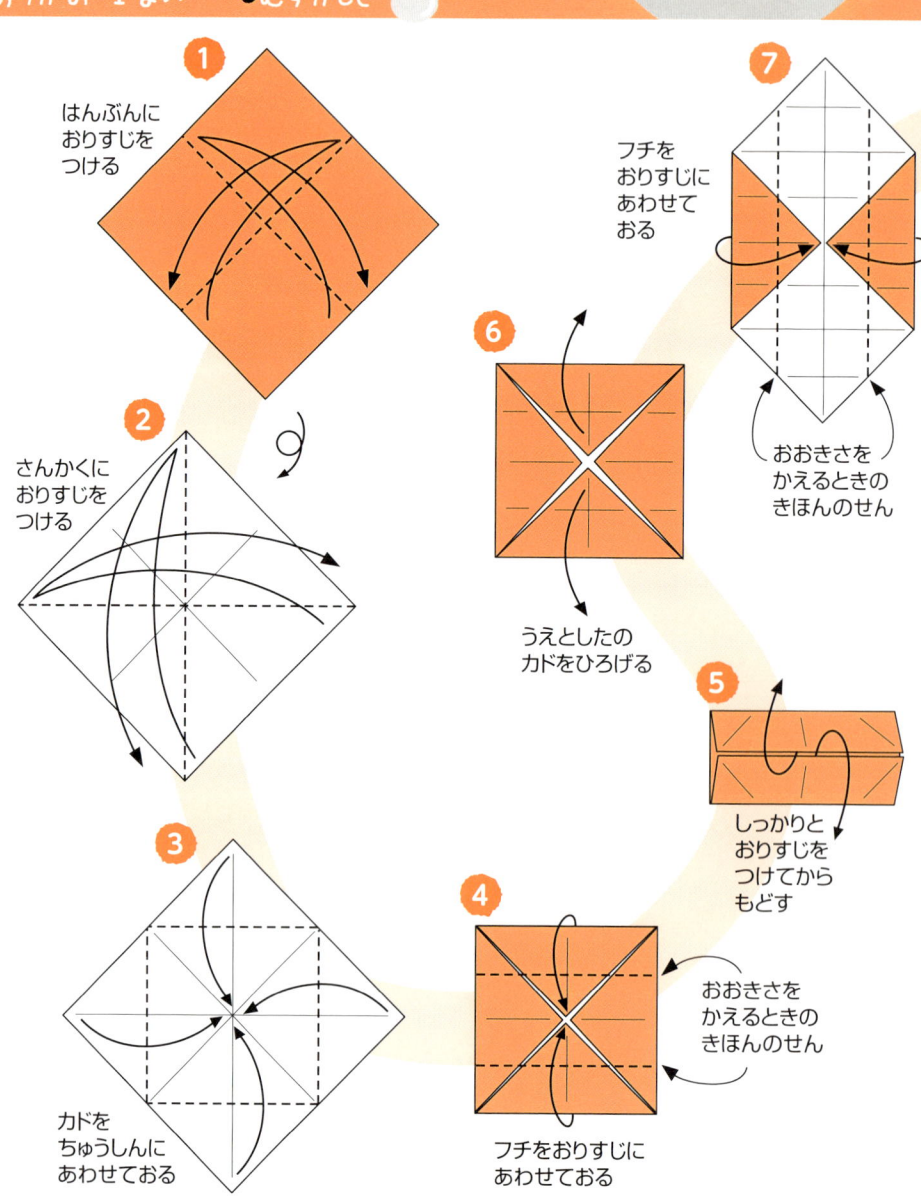

ます
Masu box

2月 Feb.

伝承作品

● おりがみ 1まい　● むずかしさ

1 はんぶんにおりすじをつける

2 さんかくにおりすじをつける

3 カドをちゅうしんにあわせておる

4 フチをおりすじにあわせておる／おおきさをかえるときのきほんのせん

5 しっかりとおりすじをつけてからもどす

6 うえとしたのカドをひろげる

7 フチをおりすじにあわせておる／おおきさをかえるときのきほんのせん

54

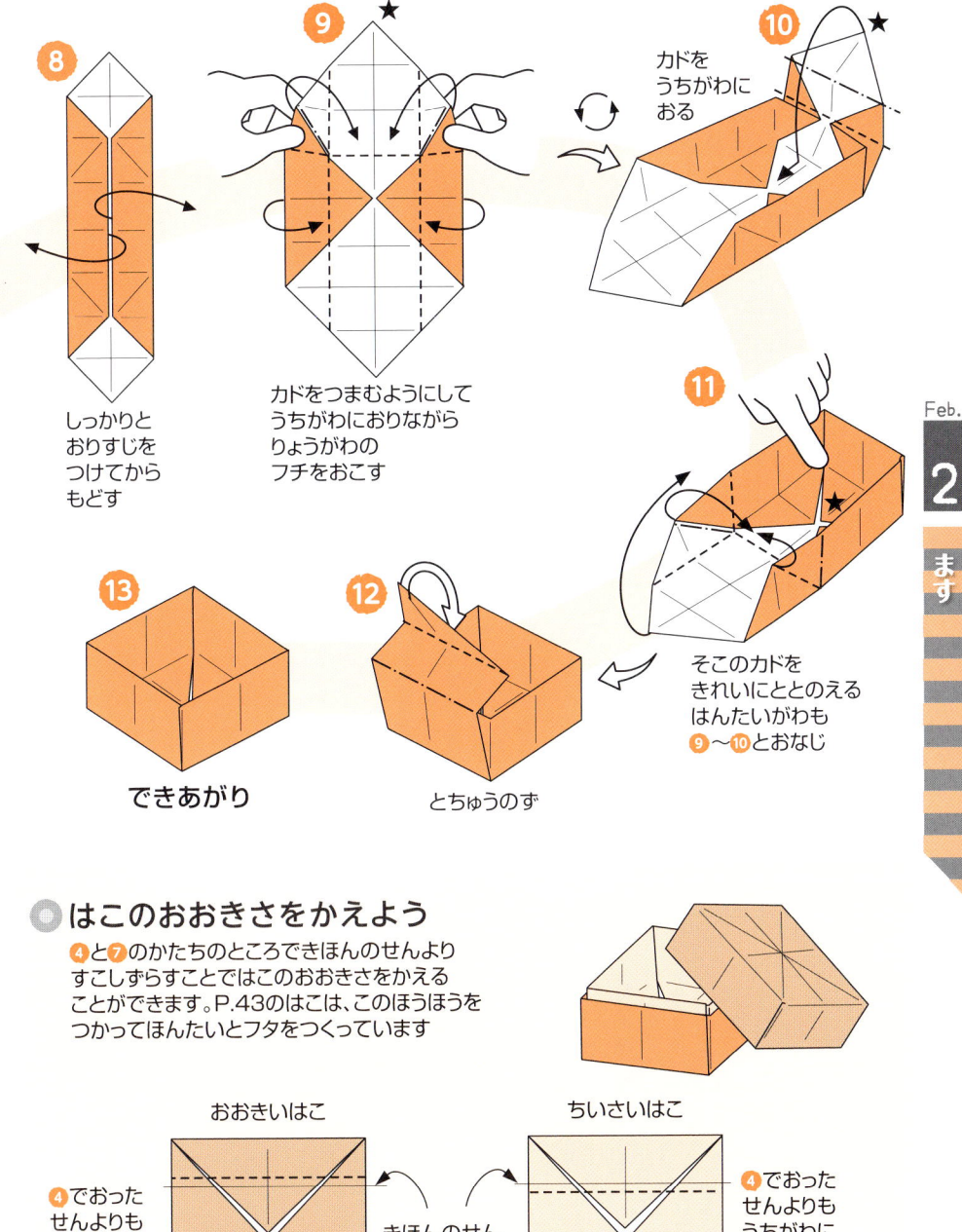

8
しっかりと
おりすじを
つけてから
もどす

9
カドをつまむようにして
うちがわにおりながら
りょうがわの
フチをおこす

★

10
カドを
うちがわに
おる

11
そこのカドを
きれいにととのえる
はんたいがわも
9〜10とおなじ

12
とちゅうのず

13
できあがり

●はこのおおきさをかえよう

4と7のかたちのところできほんのせんより
すこしずらすことではこのおおきさをかえる
ことができます。P.43のはこは、このほうほうを
つかってほんたいとフタをつくっています

おおきいはこ

4でおった
せんよりも
そとがわに
ずらして
おる

きほんのせん

ちいさいはこ

4でおった
せんよりも
うちがわに
ずらして
おる

Feb.
2
ます

55

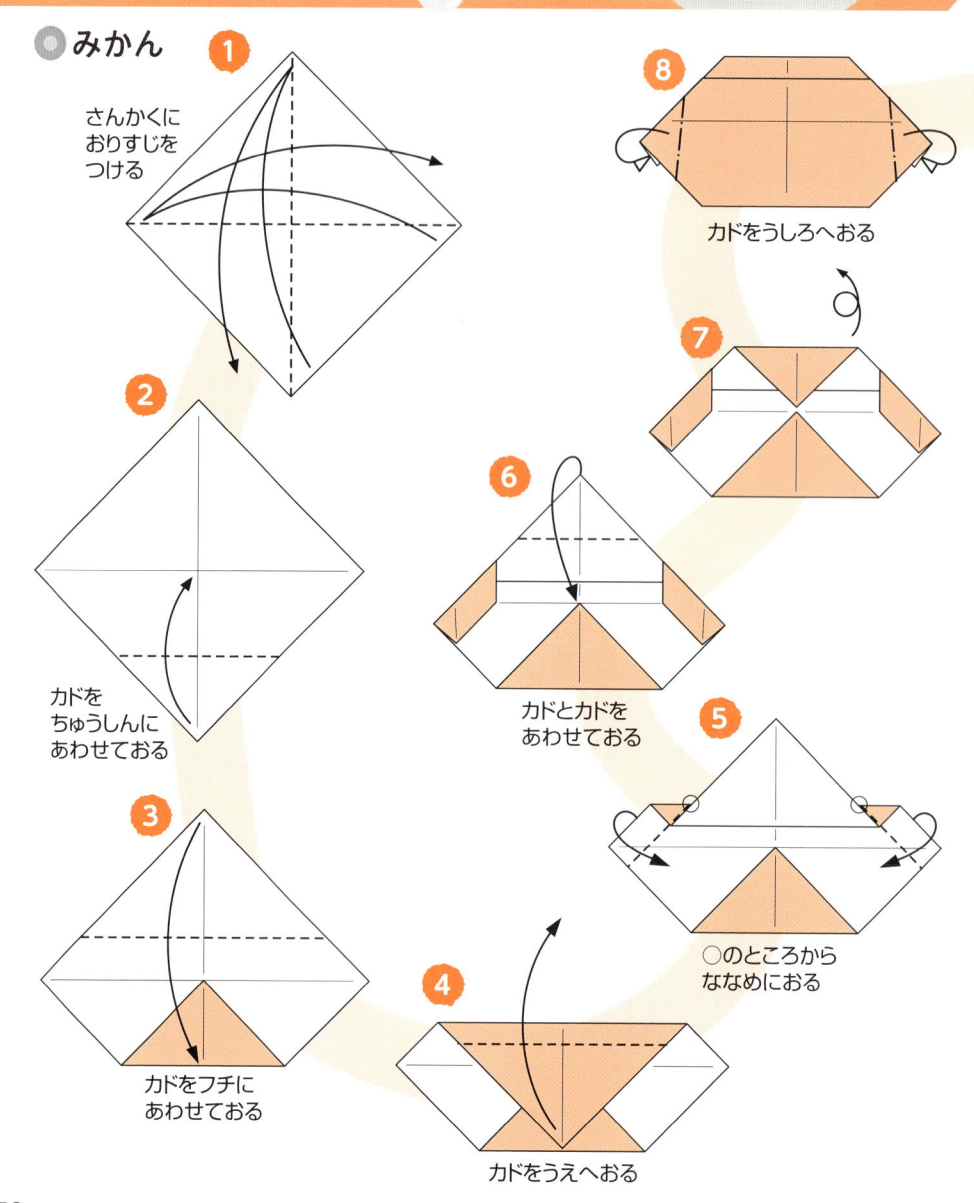

● しゃしんはP.44　**こたつでたべるとおいしいにほんのみかん**

2月 Feb.
みかん
Mandarin orange

● おりがみ 2まい　● むずかしさ

◎ みかん

1 さんかくにおりすじをつける

2 カドをちゅうしんにあわせておる

3 カドをフチにあわせておる

4 カドをうえへおる

5 ○のところからななめにおる

6 カドとカドをあわせておる

7

8 カドをうしろへおる

56

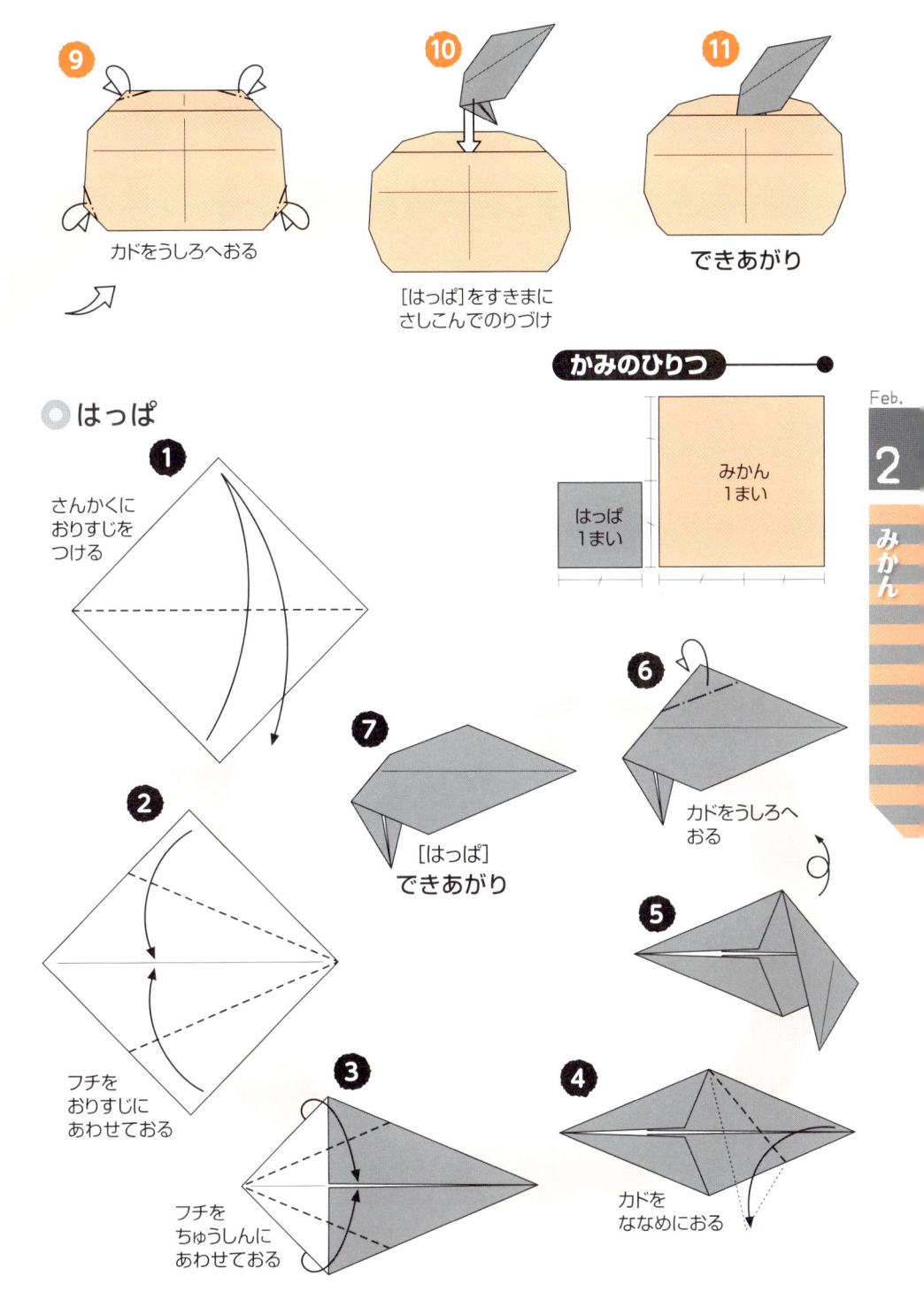

9
カドをうしろへおる

10
[はっぱ]をすきまに
さしこんでのりづけ

11
できあがり

かみのひりつ

みかん 1まい
はっぱ 1まい

Feb. 2 みかん

◉ はっぱ

1
さんかくに
おりすじを
つける

2
フチを
おりすじに
あわせておる

3
フチを
ちゅうしんに
あわせておる

4
カドを
ななめにおる

5

6
カドをうしろへ
おる

7
[はっぱ]
できあがり

57

● しゃしんはP.44　**はるのおとずれをよかんさせるたべもの**

2月 Feb.
たけのこ
Bamboo shoot

● おりがみ 1まい　● むずかしさ

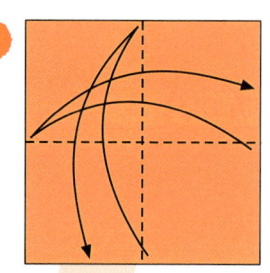

1 はんぶんにおりすじをつける

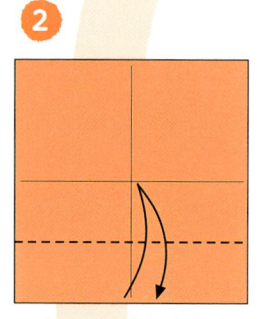

2 フチをおりすじにあわせておりすじをつける

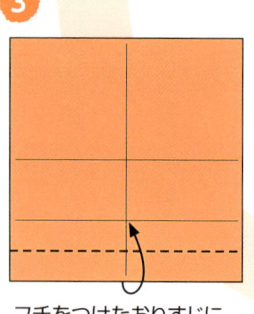

3 フチをつけたおりすじにあわせておる

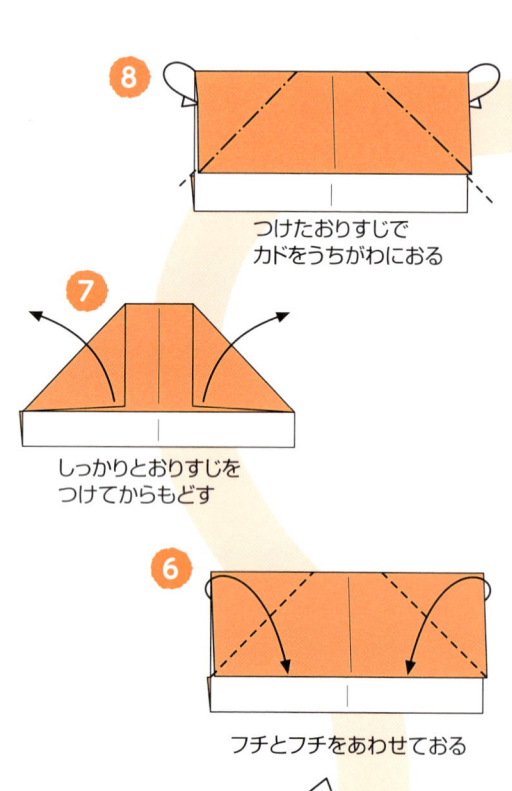

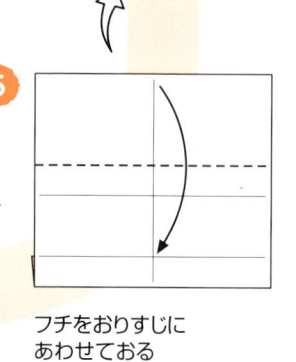

4

5 フチをおりすじにあわせておる

6 フチとフチをあわせておる

7 しっかりとおりすじをつけてからもどす

8 つけたおりすじでカドをうちがわにおる

58

⑩ カドをはんたいがわへおる

⑪ 1/3くらいのはばで おりすじをつける

⑨ カドをはんたいがわへおる

⑫ つけたおりすじでおる

⑲ できあがり

⑱ カドをうしろへおる

⑬ ついているおりすじで カドをすきまにさしこむ

⑰

⑯ はんたいがわも おなじようにおる

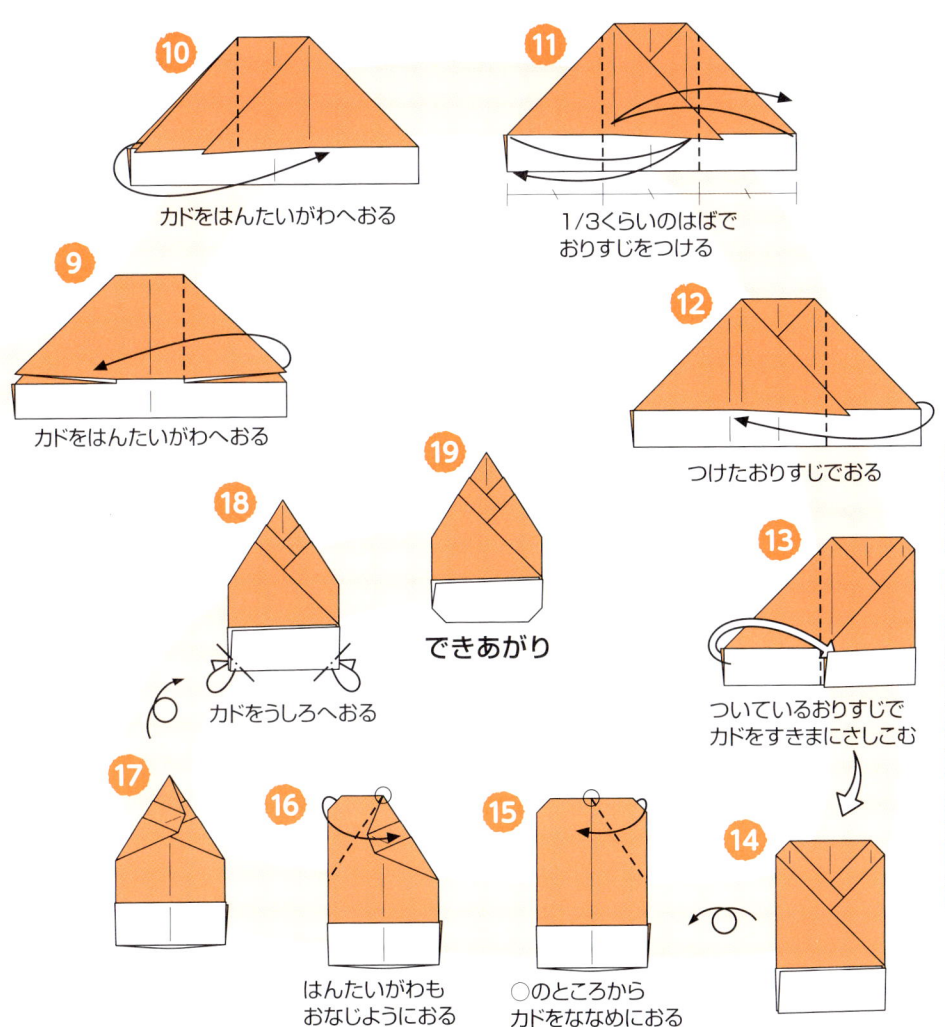

⑮ ○のところから カドをななめにおる

⑭

Feb. 2 たけのこ

● **いろをかえよう** このさくひんでは、したのぶぶんにかみのうらがわがでます。おるまえに、おもてにでるぶぶんにかみをはりあわせておくとよいでしょう。

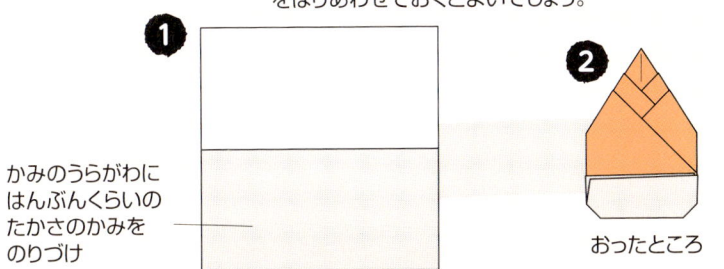

❶ かみのうらがわに はんぶんくらいの たかさのかみを のりづけ

❷ おったところ

●しゃしんはP.42 **バレンタインデーにきもちをつたえよう**

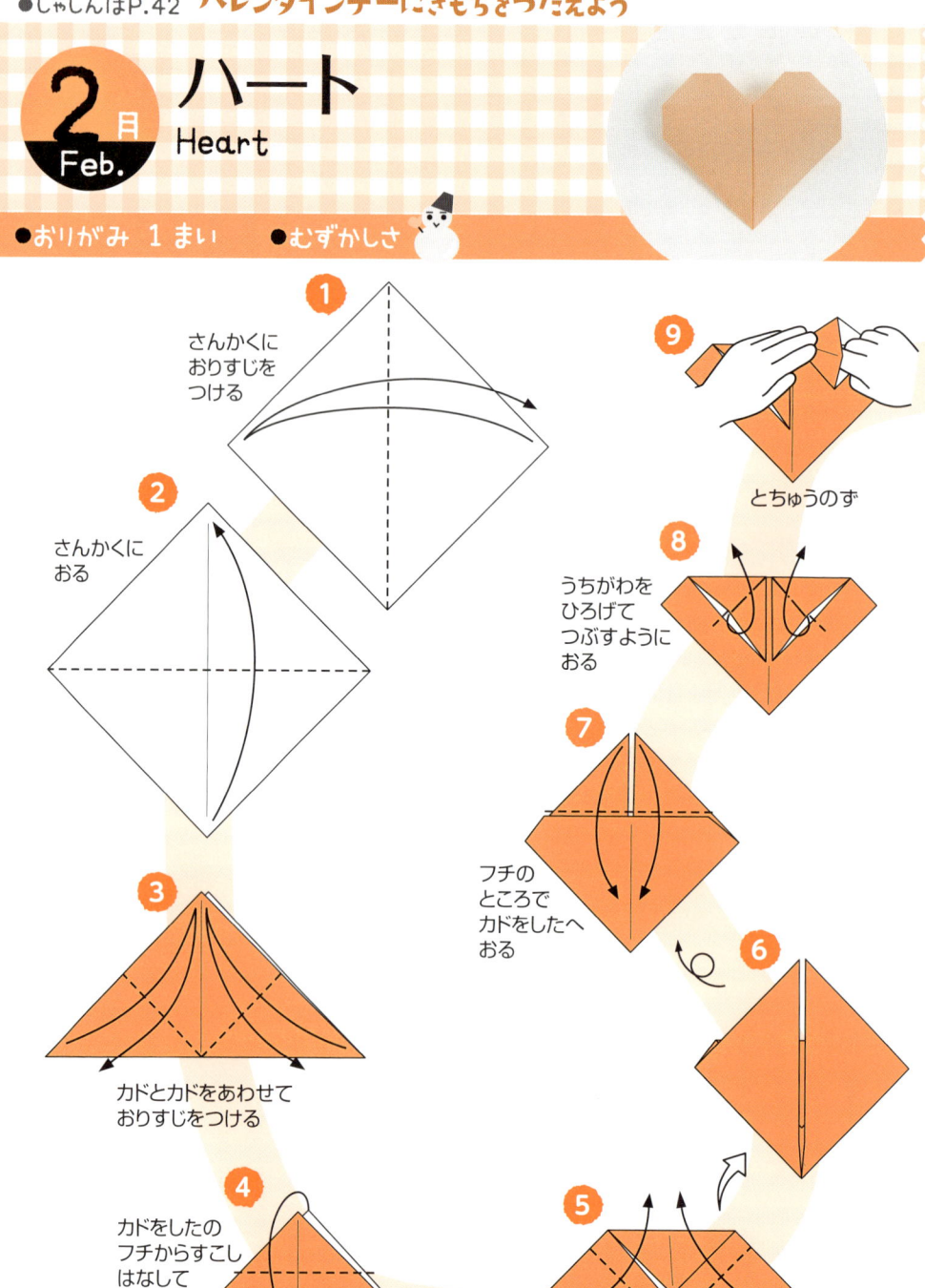

2月 Feb. ハート
Heart

●おりがみ 1まい　●むずかしさ

1 さんかくに おりすじを つける

2 さんかくに おる

3 カドとカドをあわせて おりすじをつける

4 カドをしたの フチからすこし はなして おる

5 ついているおりすじで カドをうえへおる

6

7 フチの ところで カドをしたへ おる

8 うちがわを ひろげて つぶすように おる

9 とちゅうのず

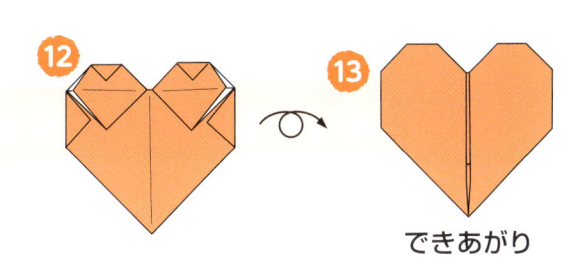

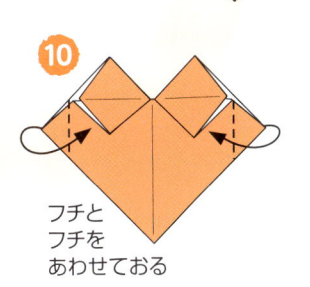

⓫ カドを すこし したへおる

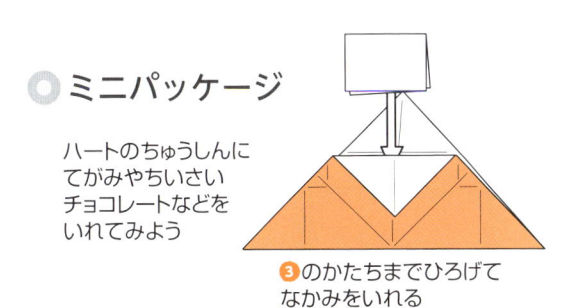

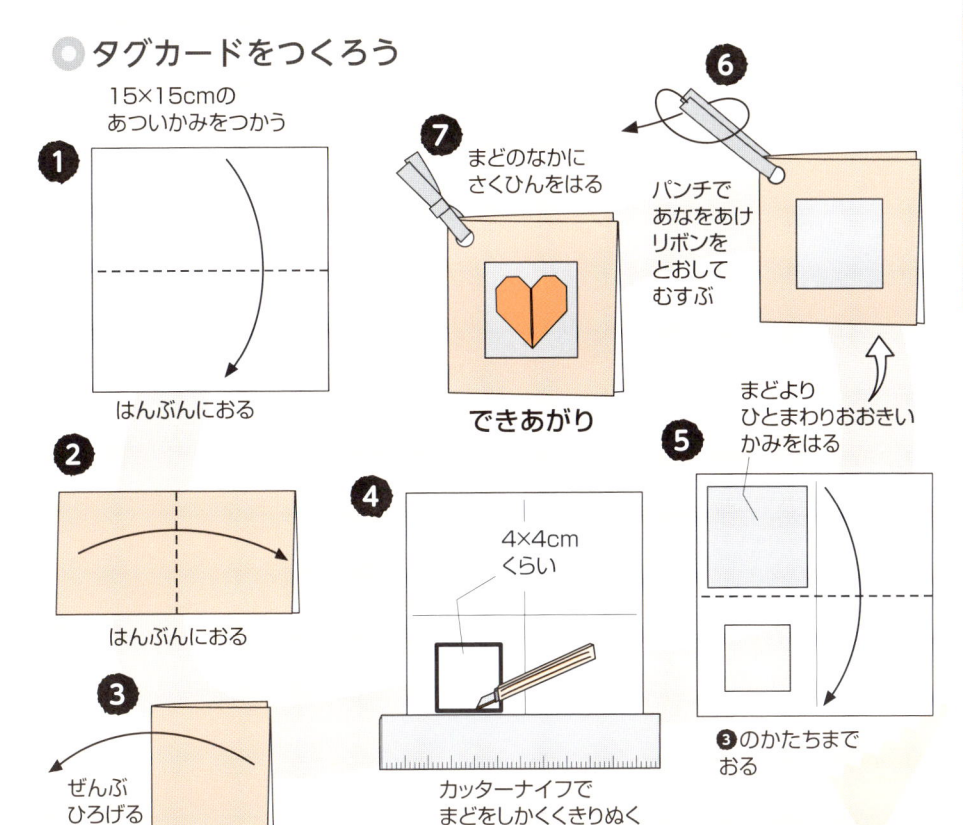

⓬

⓭ できあがり

⓾ フチと フチを あわせておる

ミニパッケージ

ハートのちゅうしんに てがみやちいさい チョコレートなどを いれてみよう

❸のかたちまでひろげて なかみをいれる

タグカードをつくろう

❶ 15×15cmの あついかみをつかう
はんぶんにおる

❷ はんぶんにおる

❸ ぜんぶ ひろげる

❹ 4×4cm くらい
カッターナイフで まどをしかくくきりぬく

❺ まどより ひとまわりおおきい かみをはる
❸のかたちまで おる

❻ パンチで あなをあけ リボンを とおして むすぶ

❼ まどのなかに さくひんをはる
できあがり

● しゃしんはP.42　**チョコレートをいれてプレゼントできるね**

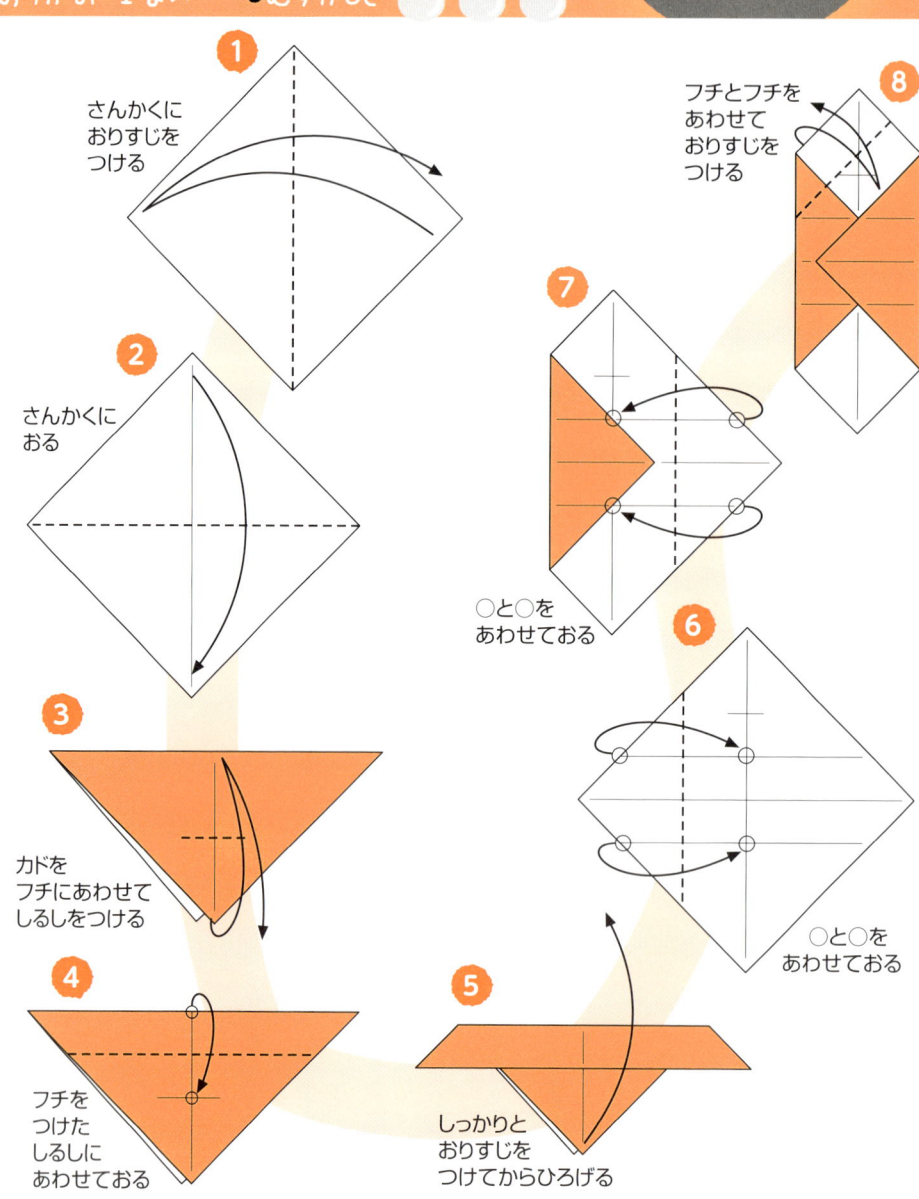

2月 Feb. りったいハート
3-D Heart

● おりがみ 1まい　● むずかしさ

1 さんかくにおりすじをつける

2 さんかくにおる

3 カドをフチにあわせてしるしをつける

4 フチをつけたしるしにあわせておる

5 しっかりとおりすじをつけてからひろげる

6 ○と○をあわせておる

7 ○と○をあわせておる

8 フチとフチをあわせておりすじをつける

62

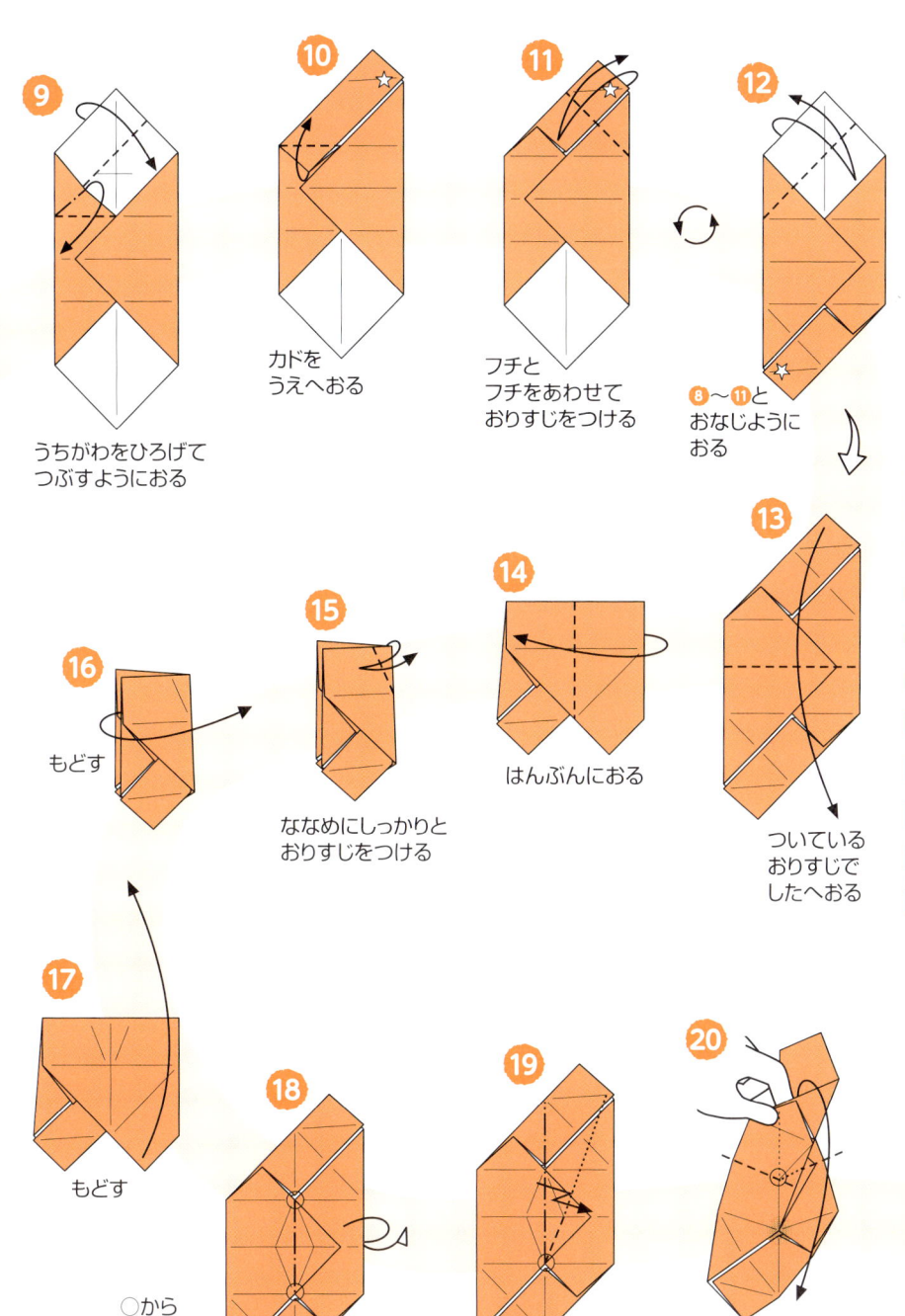

9 うちがわをひろげてつぶすようにおる

10 カドをうえへおる

11 フチとフチをあわせておりすじをつける

12 ❽～⓫とおなじようにおる

Feb.
2
りったいハート

13 ついているおりすじでしたへおる

14 はんぶんにおる

15 ななめにしっかりとおりすじをつける

16 もどす

17 もどす

18 ○から○までのおりすじをつまんでやまおりにする

19 ○のところをへこませながらななめにだんおり

20 ずのようにつまんで○をちゅうしんにうえとしたがかさなるように2つおりにする

63

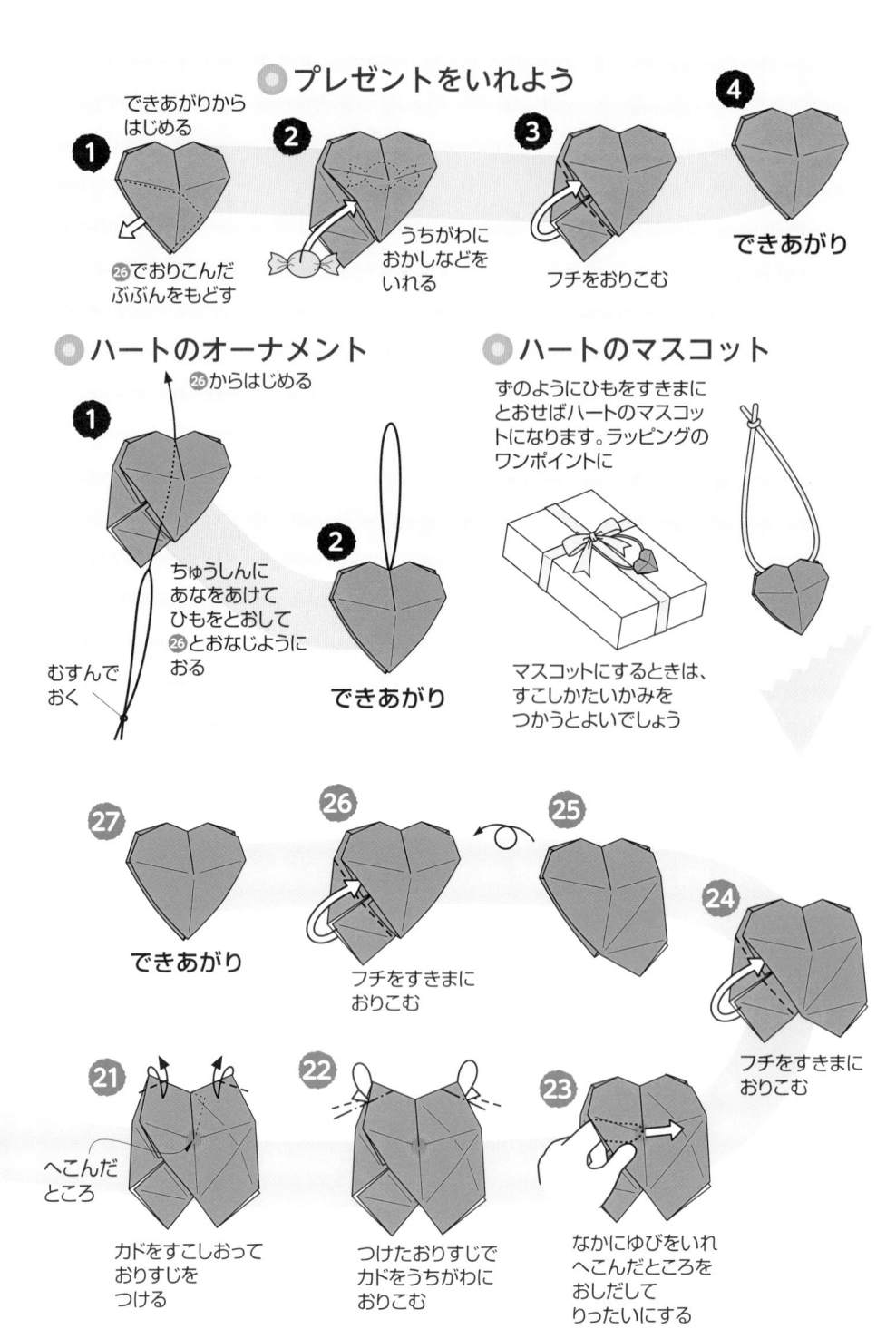

プレゼントをいれよう

1 できあがりからはじめる
㉖でおりこんだぶぶんをもどす

2 うちがわにおかしなどをいれる

3 フチをおりこむ

4 できあがり

ハートのオーナメント

㉖からはじめる

1 ちゅうしんにあなをあけてひもをとおして㉖とおなじようにおる
むすんでおく

2 できあがり

ハートのマスコット

ずのようにひもをすきまにとおせばハートのマスコットになります。ラッピングのワンポイントに

マスコットにするときは、すこしかたいかみをつかうとよいでしょう

㉗ できあがり

㉖ フチをすきまにおりこむ

㉕

㉔ フチをすきまにおりこむ

㉑ へこんだところ
カドをすこしおっておりすじをつける

㉒ つけたおりすじでカドをうちがわにおりこむ

㉓ なかにゆびをいれへこんだところをおしだしてりったいにする

64

3月 Mar. パンジーの鉢植え

花が光に透けてきれい

パンジー　P.79　はなそとがわ、はっぱ：8×8cm、はなうちがわ：6×6cm

うれしいひなまつり
しっかりとしたつくりのおひなさまです

おひなさま P.69
　きものそとがわ：14.5×14.5cm
　きものうちがわ、はかま：15×15cm
　あたま、かお：4×4cm

しかくトレイ　P.328　15×15cm　4まい

Happy Birthday！
6個つくるとホールケーキになりますよ

いちごショートケーキ　P.82
　　うえ、よこ1：7.5×7.5cm、よこ2：15×7.5cm
　　いちご：5×5cm、クリーム：4×4cm

スプーン　P.88　7.5×7.5cm
おさら　P.88　15×15cm

● しゃしんはP.66　さいしょにのりをつけるばしょにちゅうい

3月 Mar.
おひなさま
Hina dolls

● おりがみ　かく5まい　● むずかしさ

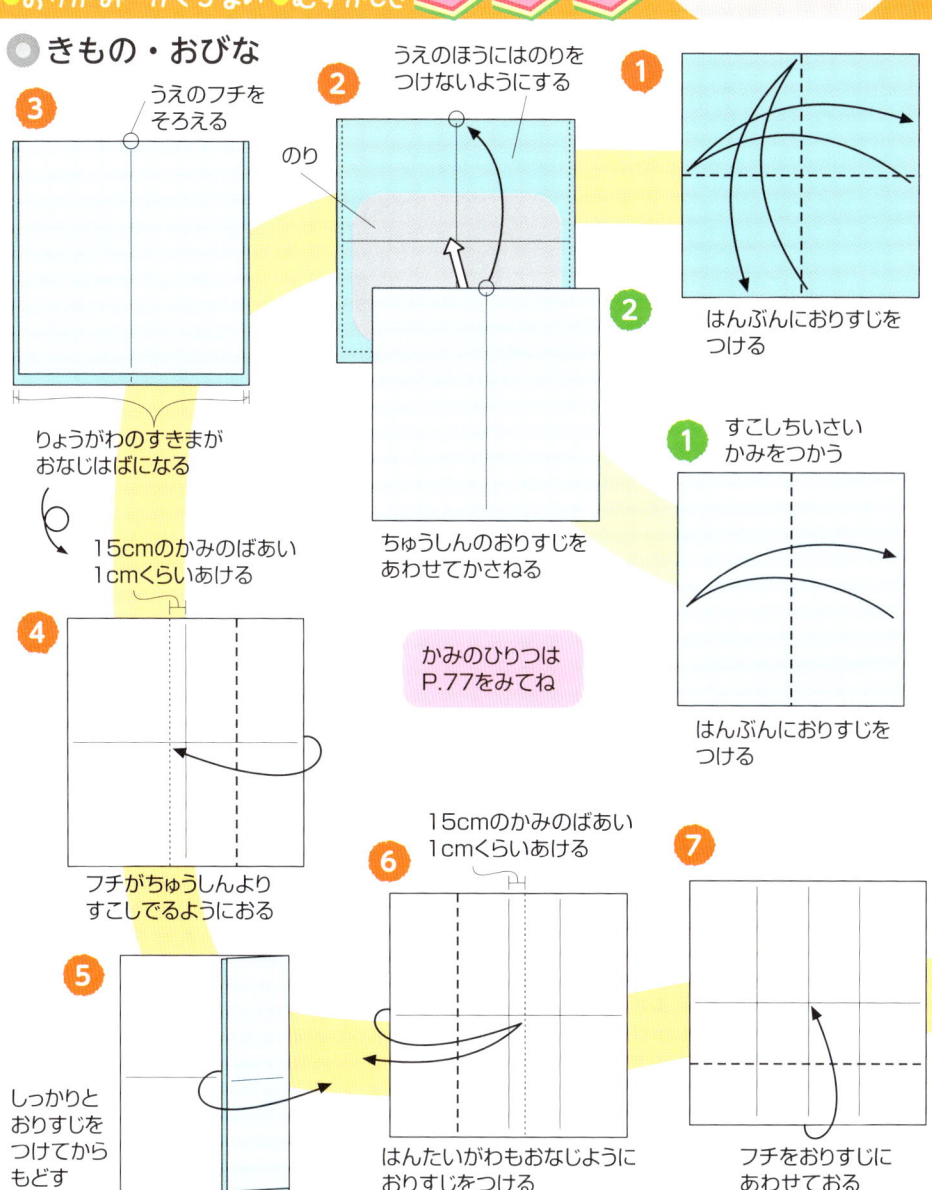

● きもの・おびな

3 うえのフチをそろえる
りょうがわのすきまがおなじはばになる

2 うえのほうにはのりをつけないようにする
のり
ちゅうしんのおりすじをあわせてかさねる

1 はんぶんにおりすじをつける

1 すこしちいさいかみをつかう
はんぶんにおりすじをつける

かみのひりつはP.77をみてね

4 15cmのかみのばあい 1cmくらいあける
フチがちゅうしんよりすこしでるようにおる

5 しっかりとおりすじをつけてからもどす

6 15cmのかみのばあい 1cmくらいあける
はんたいがわもおなじようにおりすじをつける

7 フチをおりすじにあわせておる

Mar. 3 おひなさま

69

16 1/3のところでうえへおる

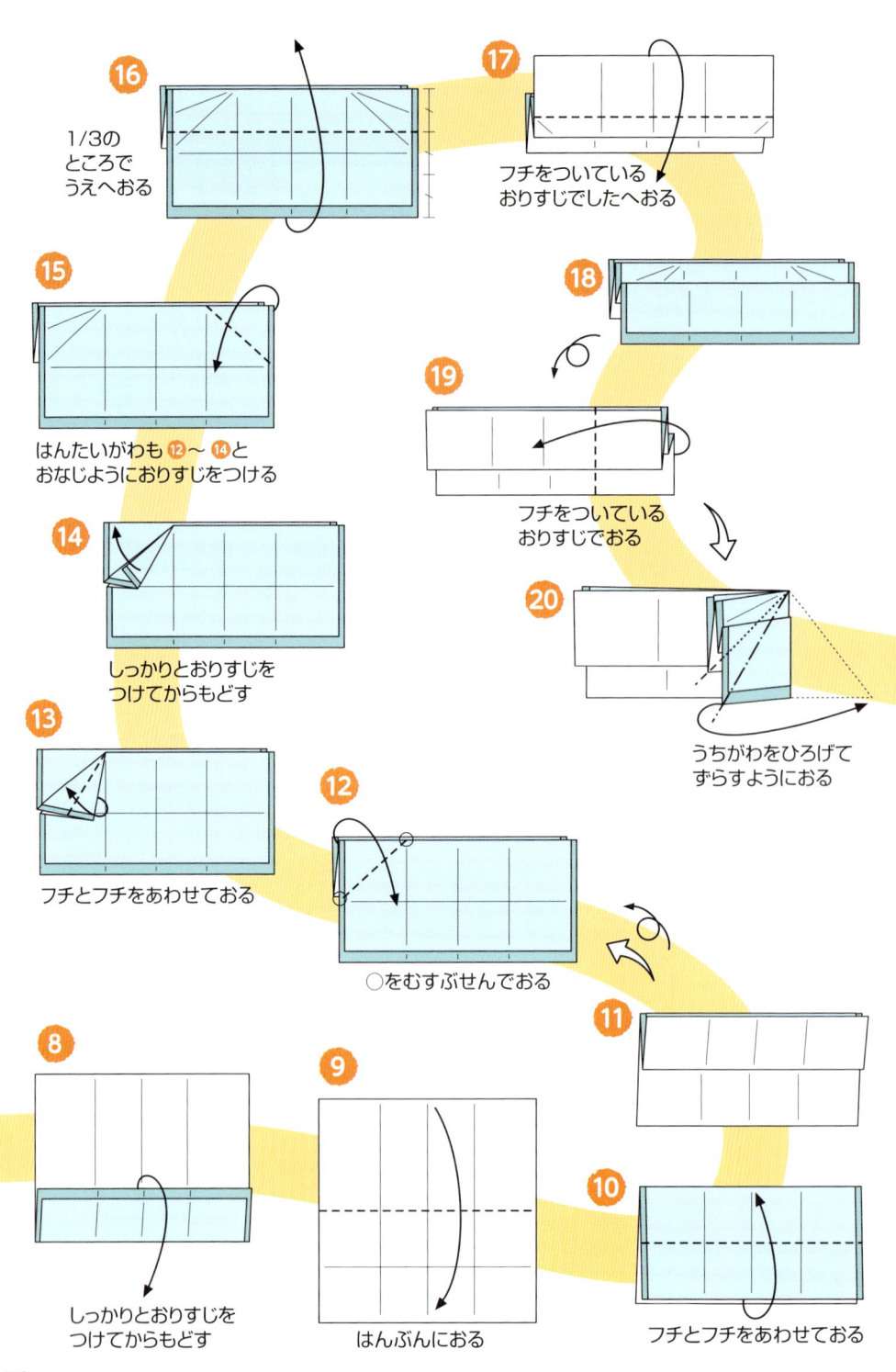

17 フチをついているおりすじでしたへおる

15 はんたいがわも ⑫〜⑭ とおなじようにおりすじをつける

18

19 フチをついているおりすじでおる

14 しっかりとおりすじをつけてからもどす

20 うちがわをひろげてずらすようにおる

13 フチとフチをあわせておる

12 ○をむすぶせんでおる

11

8 しっかりとおりすじをつけてからもどす

9 はんぶんにおる

10 フチとフチをあわせておる

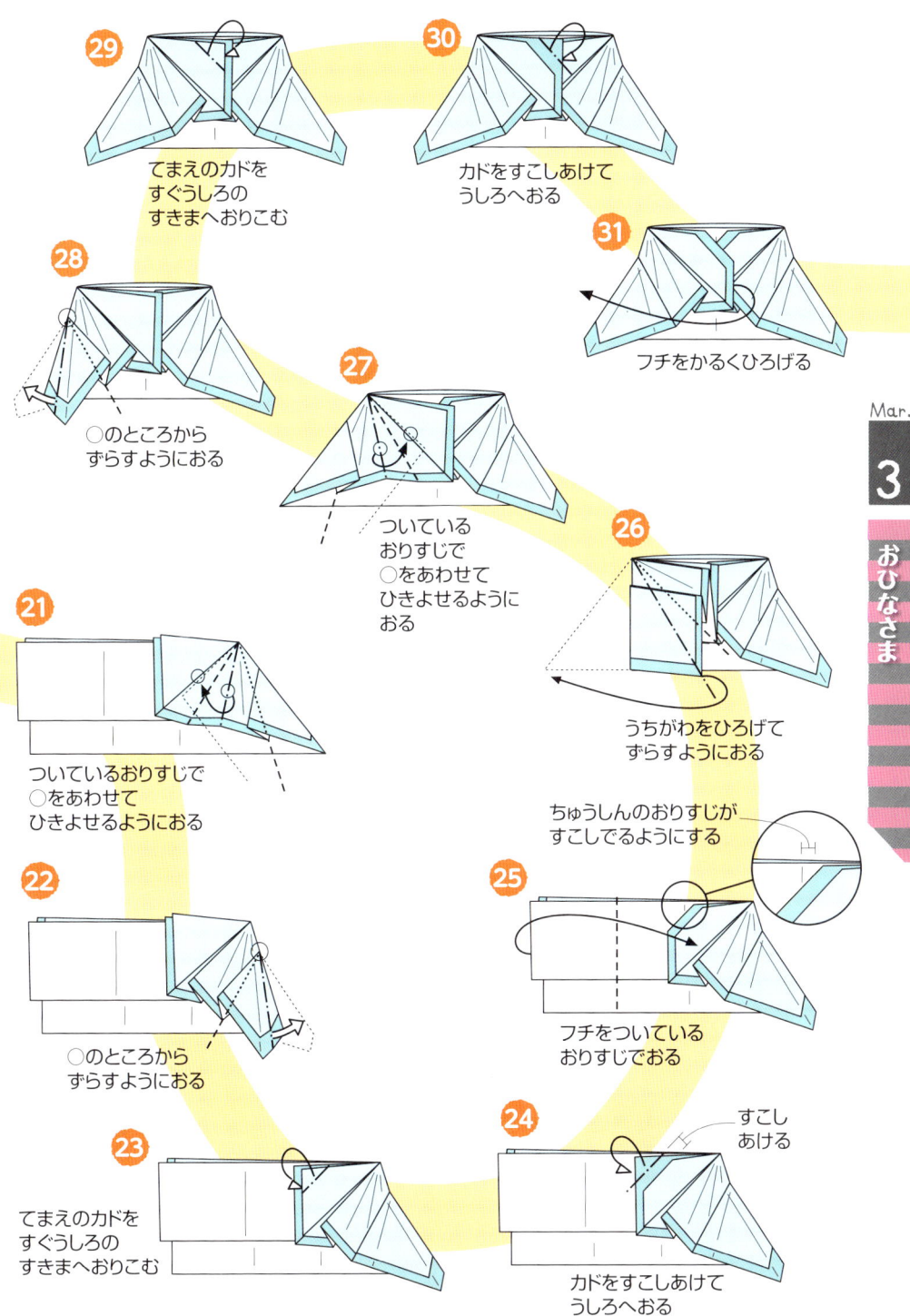

㉙ てまえのカドを
すぐうしろの
すきまへおりこむ

㉚ カドをすこしあけて
うしろへおる

㉛ フチをかるくひろげる

㉘ ○のところから
ずらすようにおる

㉗ ついている
おりすじで
○をあわせて
ひきよせるように
おる

㉖ うちがわをひろげて
ずらすようにおる

㉕ ちゅうしんのおりすじが
すこしでるようにする

フチをついている
おりすじでおる

㉑ ついているおりすじで
○をあわせて
ひきよせるようにおる

㉒ ○のところから
ずらすようにおる

㉓ てまえのカドを
すぐうしろの
すきまへおりこむ

㉔ すこし
あけ600

カドをすこしあけて
うしろへおる

Mar.
3
おひなさま

71

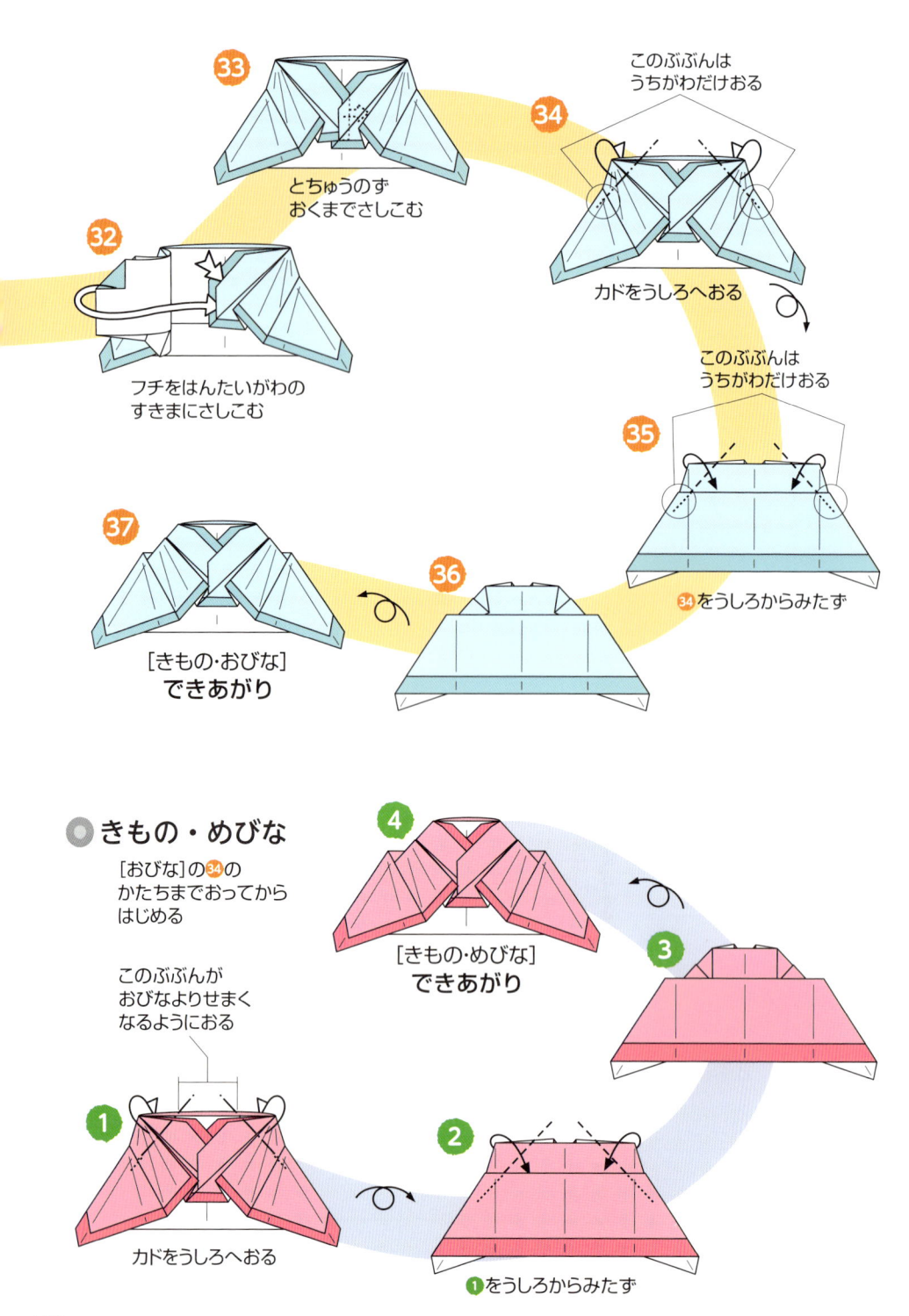

㉜ フチをはんたいがわの すきまにさしこむ

㉝ とちゅうのず おくまでさしこむ

㉞ このぶぶんは うちがわだけおる
カドをうしろへおる

㉟ このぶぶんは うちがわだけおる
㉞をうしろからみたず

㊱

㊲ [きもの・おびな]
でき あがり

● きもの・めびな

[おびな]の㉞の かたちでおってから はじめる

このぶぶんが おびなよりせまく なるようにおる

① カドをうしろへおる

② ①をうしろからみたず

③

④ [きもの・めびな]
でき あがり

72

はかま

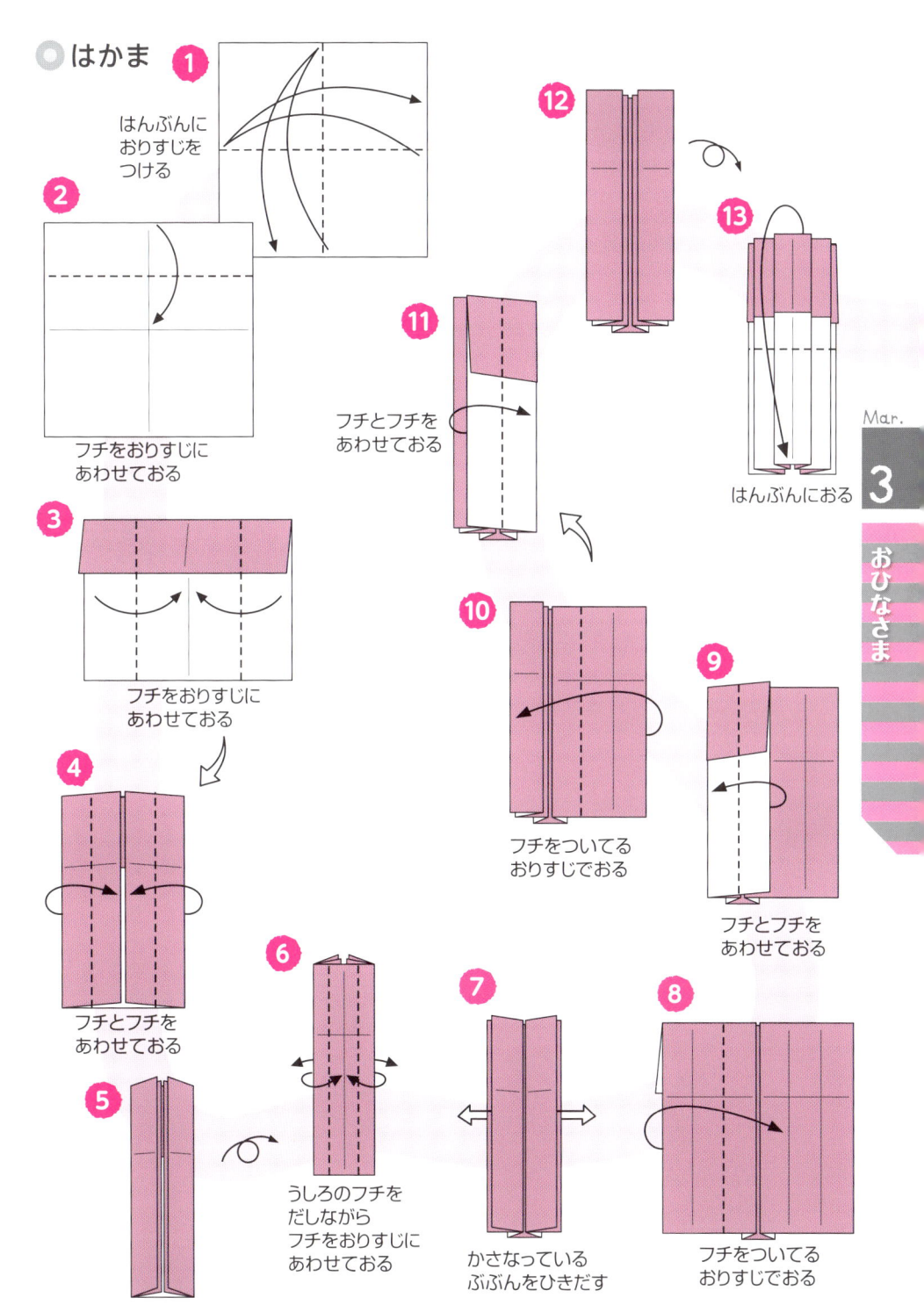

1 はんぶんにおりすじをつける

2 フチをおりすじにあわせておる

3 フチをおりすじにあわせておる

4 フチとフチをあわせておる

5

6 うしろのフチをだしながらフチをおりすじにあわせておる

7 かさなっているぶぶんをひきだす

8 フチをついてるおりすじでおる

9 フチとフチをあわせておる

10 フチをついてるおりすじでおる

11 フチとフチをあわせておる

12

13 はんぶんにおる

Mar. 3 おひなさま

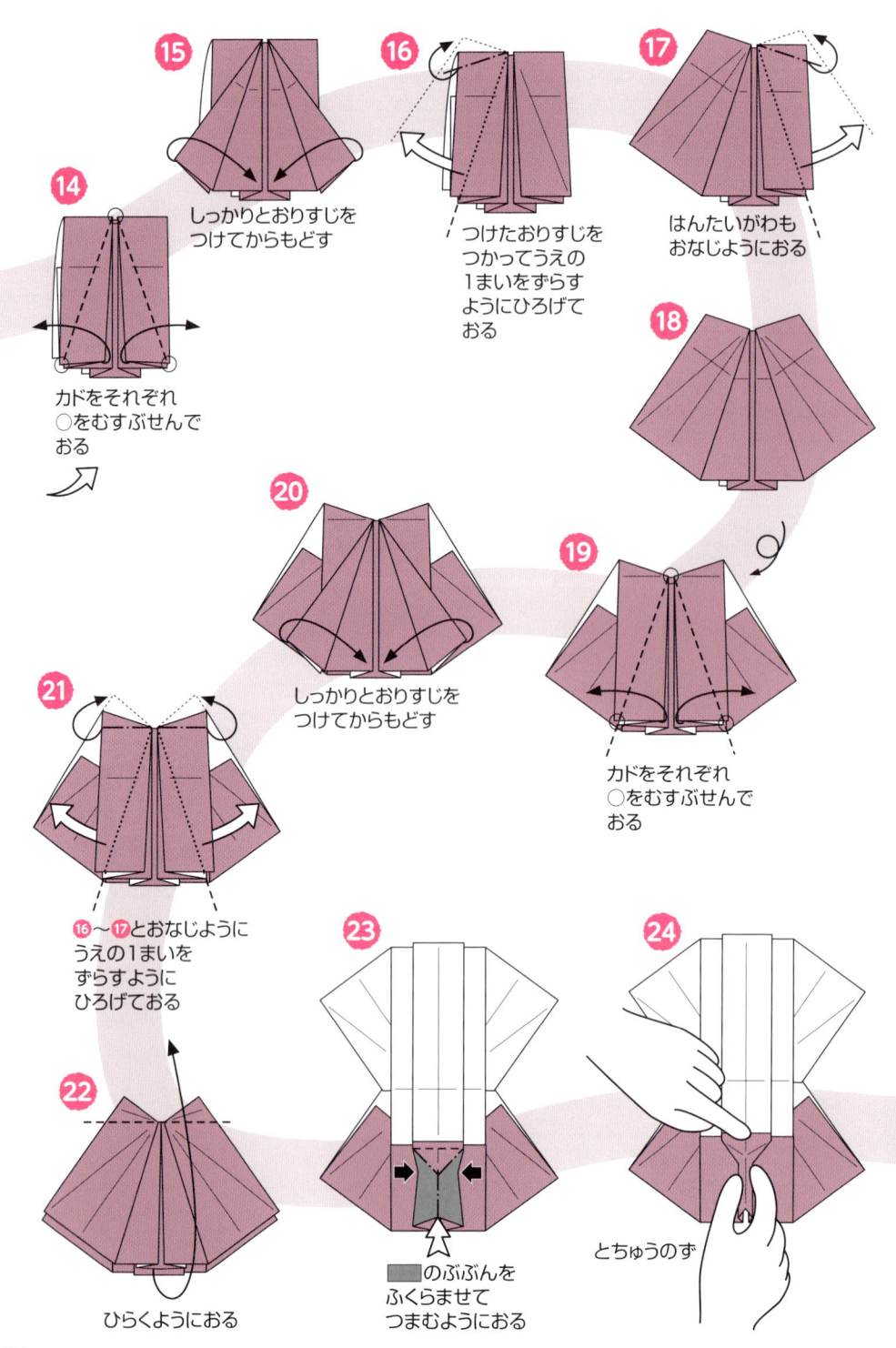

14 カドをそれぞれ○をむすぶせんでおる

15 しっかりとおりすじをつけてからもどす

16 つけたおりすじをつかってうえの1まいをずらすようにひろげておる

17 はんたいがわもおなじようにおる

18

19 カドをそれぞれ○をむすぶせんでおる

20 しっかりとおりすじをつけてからもどす

21 ⓰～⓱とおなじようにうえの1まいをずらすようにひろげておる

22 ひらくようにおる

23 ■のぶぶんをふくらませてつまむようにおる

24 とちゅうのず

74

● かお

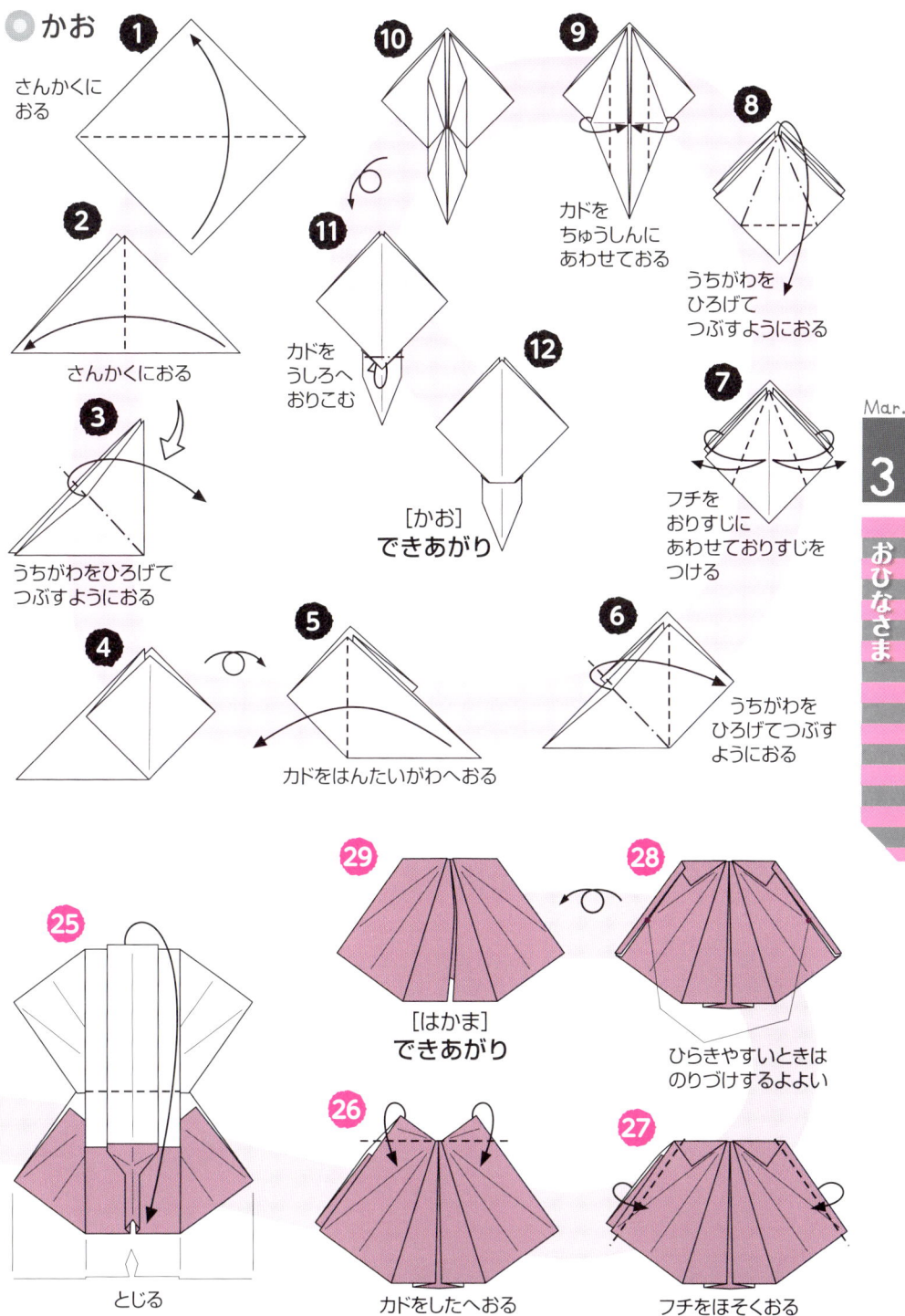

1. さんかくにおる
2. さんかくにおる
3. うちがわをひろげてつぶすようにおる
4.
5. カドをはんたいがわへおる
6. うちがわをひろげてつぶすようにおる
7. フチをおりすじにあわせておりすじをつける
8. うちがわをひろげてつぶすようにおる
9. カドをちゅうしんにあわせておる
10.
11. カドをうしろへおりこむ
12. [かお] できあがり

25. とじる

26. カドをしたへおる
27. フチをほそくおる
28. ひらきやすいときはのりづけするよよい
29. [はかま] できあがり

Mar. 3 おひなさま

あたま・おびな

1. さんかくにおりすじをつける
2. フチをおりすじにあわせておりすじをつける
3. カドを○のところでおる
4. カドをおりすじにあわせておる
5. フチをついているおりすじでおる
6. [おひなさま・かお]をさしこんでのりづけ
7. カドをうしろへおる
8. カドをしたへおる
9. カドをうえへおる
10. カドをうしろへおる
11. カドをうしろへおる
12. カドをうしろへおる
13. [あたま・おびな] できあがり

● あたま・めびな

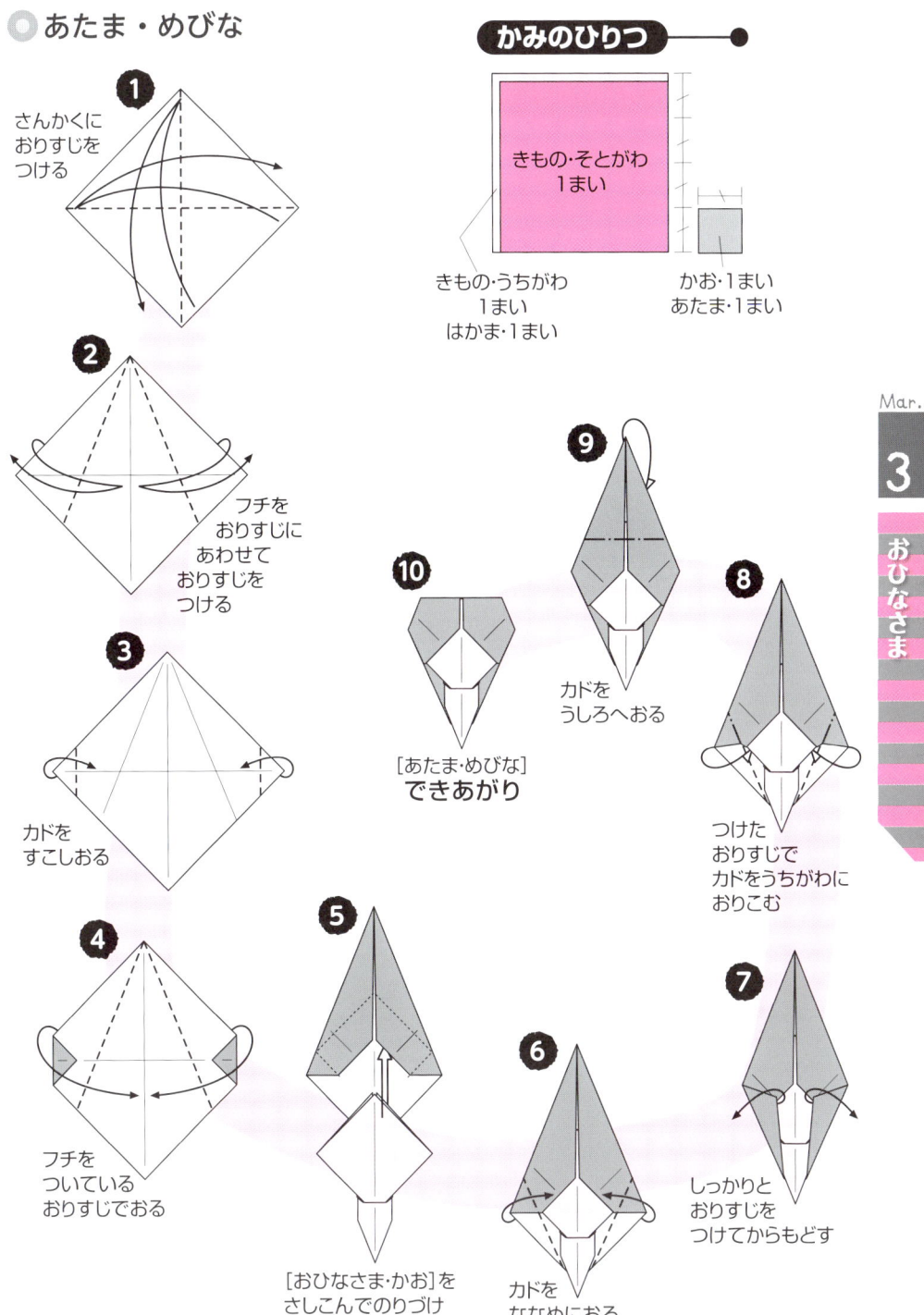

1 さんかくにおりすじをつける

かみのひりつ

きもの・そとがわ 1まい

きもの・うちがわ 1まい はかま・1まい

かお・1まい あたま・1まい

2 フチをおりすじにあわせておりすじをつける

3 カドをすこしおる

4 フチをついているおりすじでおる

5 [おひなさま・かお]をさしこんでのりづけ

6 カドをななめにおる

7 しっかりとおりすじをつけてからもどす

8 つけたおりすじでカドをうちがわにおりこむ

9 カドをうしろへおる

10 [あたま・めびな] できあがり

Mar. 3 おひなさま

77

●くみたてかた・おびな

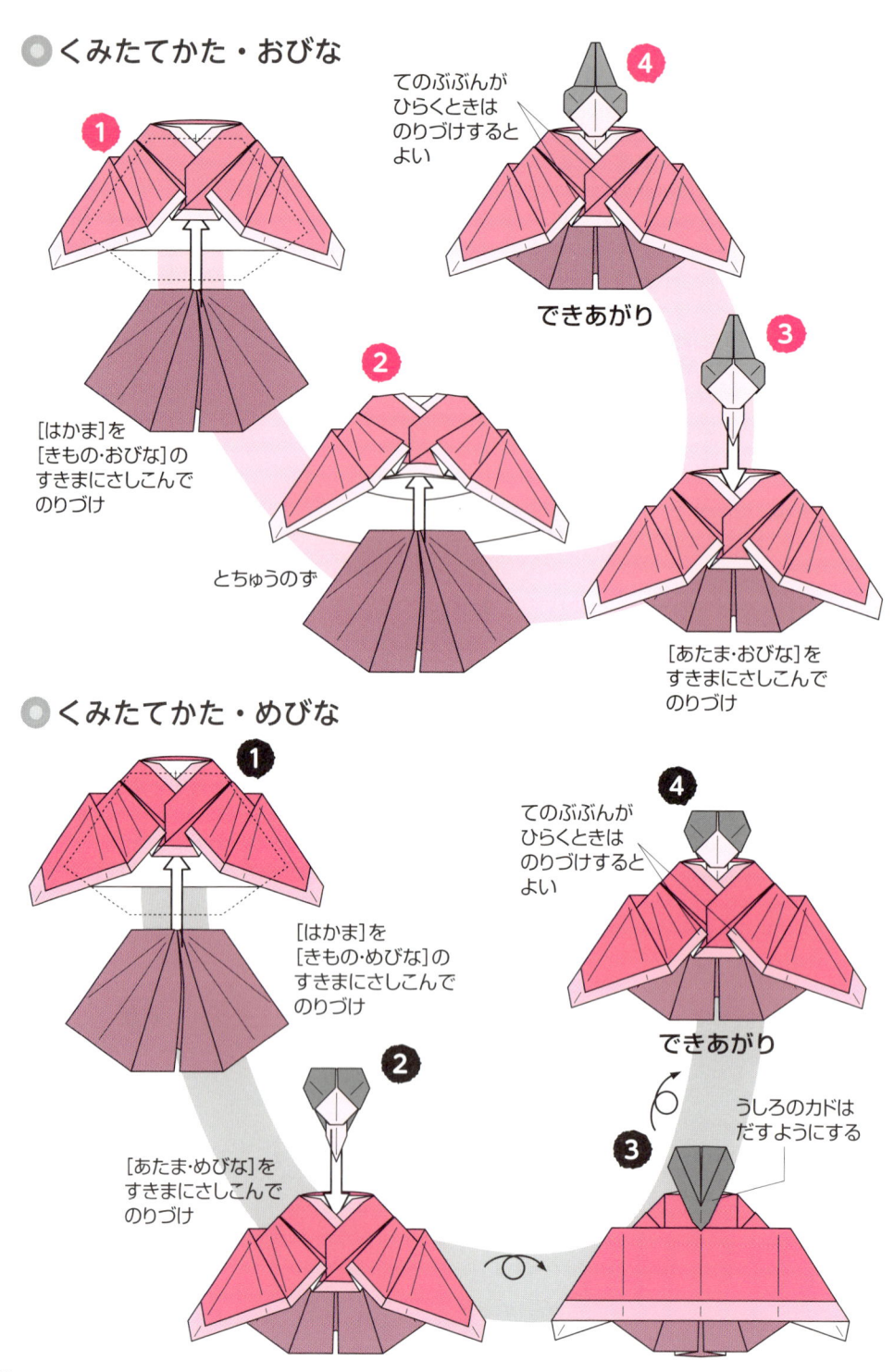

1. [はかま]を[きもの・おびな]のすきまにさしこんでのりづけ
2. とちゅうのず
3. [あたま・おびな]をすきまにさしこんでのりづけ
4. てのぶぶんがひらくときはのりづけするとよい

できあがり

●くみたてかた・めびな

1. [はかま]を[きもの・めびな]のすきまにさしこんでのりづけ
2. [あたま・めびな]をすきまにさしこんでのりづけ
3. うしろのカドはだすようにする
4. てのぶぶんがひらくときはのりづけするとよい

できあがり

● しゃしんはP.65　ちゅうしんにだけのりをつけよう

3月 Mar. パンジー Pansy

● おりがみ　3まい　● むずかしさ

● はな

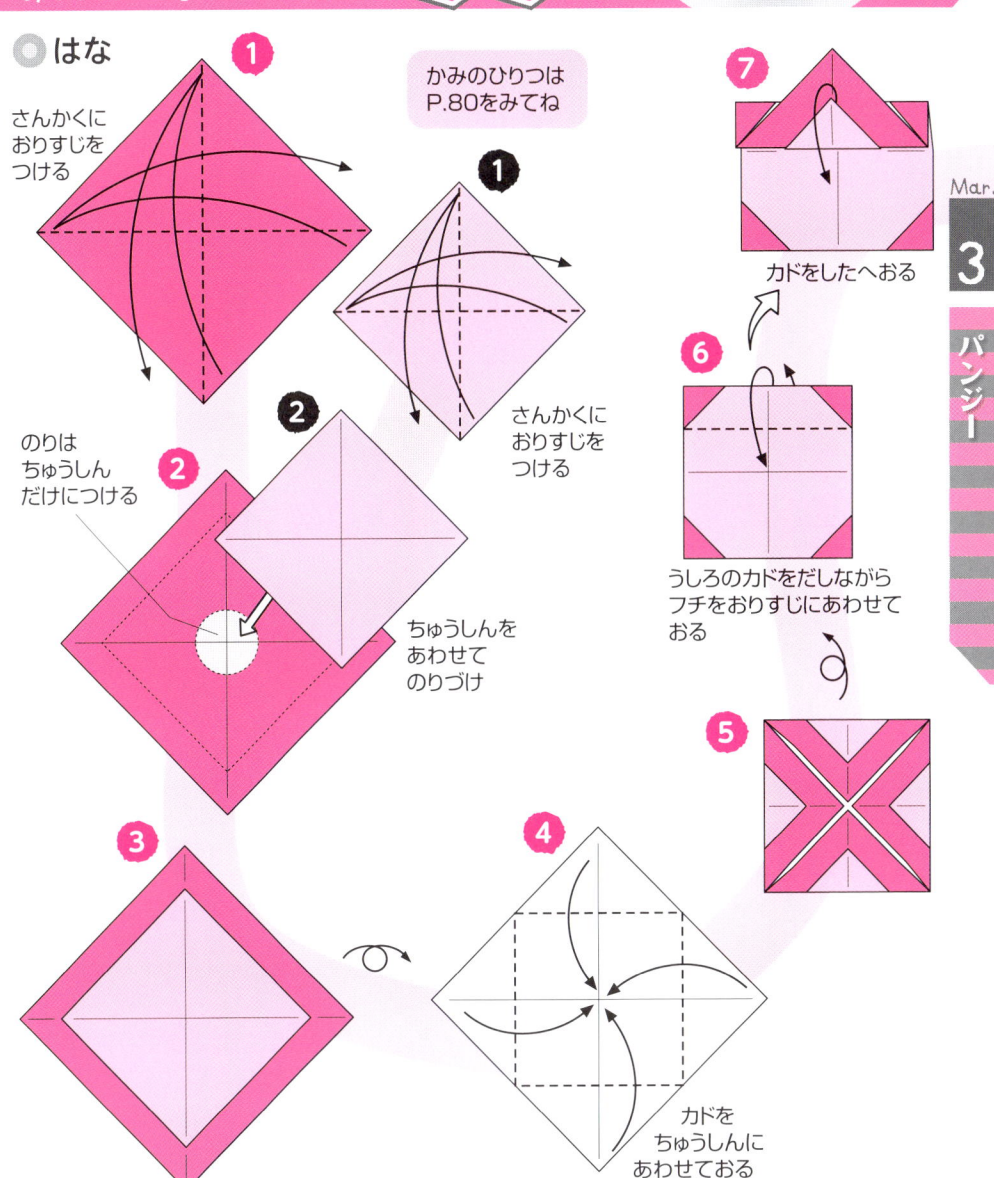

1 さんかくにおりすじをつける

かみのひりつはP.80をみてね

1 さんかくにおりすじをつける

2 のりはちゅうしんだけにつける / ちゅうしんをあわせてのりづけ

3

4 カドをちゅうしんにあわせておる

5

6 うしろのカドをだしながらフチをおりすじにあわせておる

7 カドをしたへおる

Mar. 3 パンジー

79

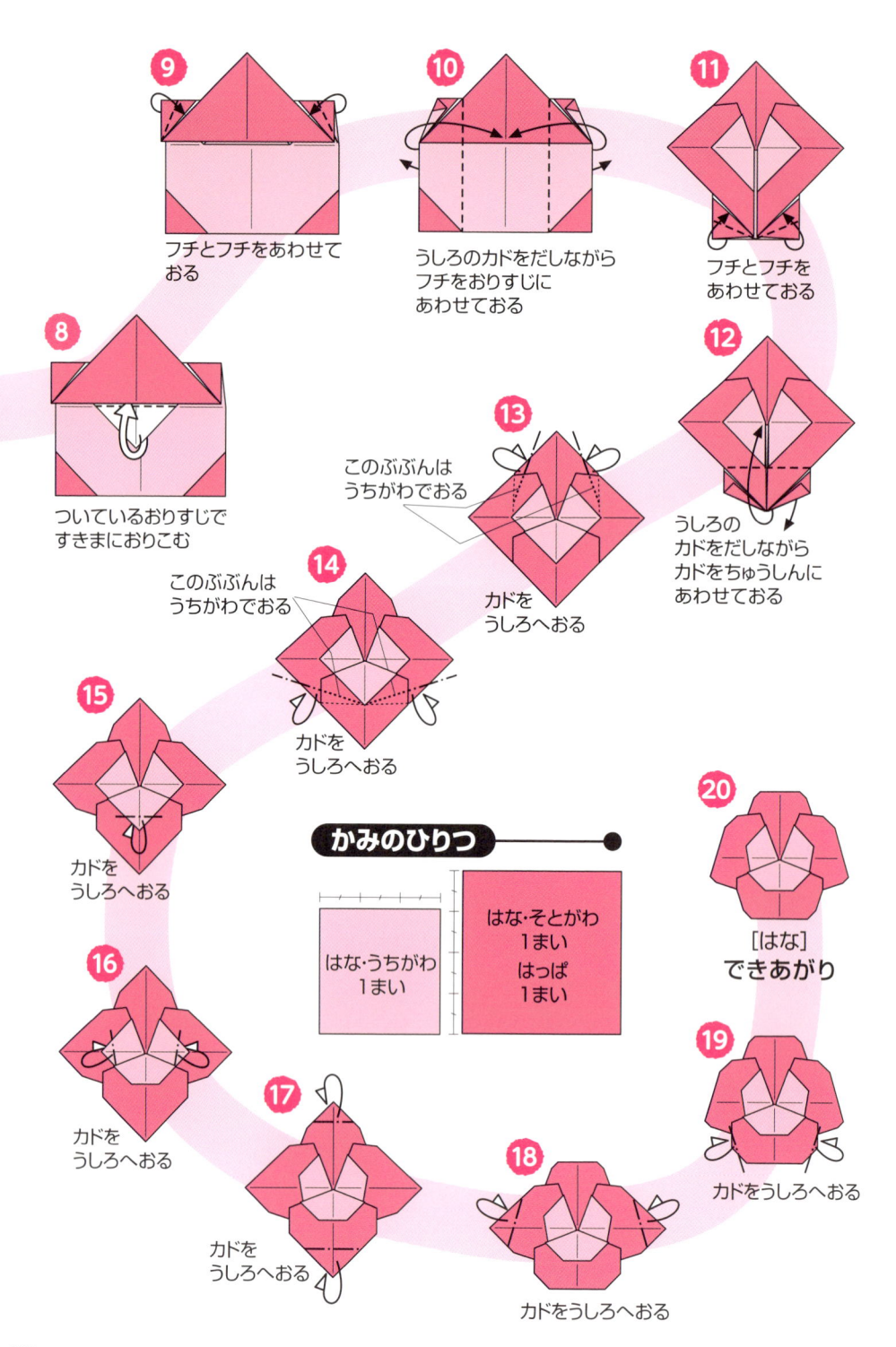

⑨ フチとフチをあわせておる

⑩ うしろのカドをだしながらフチをおりすじにあわせておる

⑪ フチとフチをあわせておる

⑧ ついているおりすじですきまにおりこむ

⑬ このぶぶんはうちがわでおる
カドをうしろへおる

⑫ うしろのカドをだしながらカドをちゅうしんにあわせておる

⑭ このぶぶんはうちがわでおる
カドをうしろへおる

⑮ カドをうしろへおる

かみのひりつ

はな・うちがわ 1まい

はな・そとがわ 1まい
はっぱ 1まい

⑳ [はな] できあがり

⑯ カドをうしろへおる

⑰ カドをうしろへおる

⑱ カドをうしろへおる

⑲ カドをうしろへおる

80

○ はっぱ

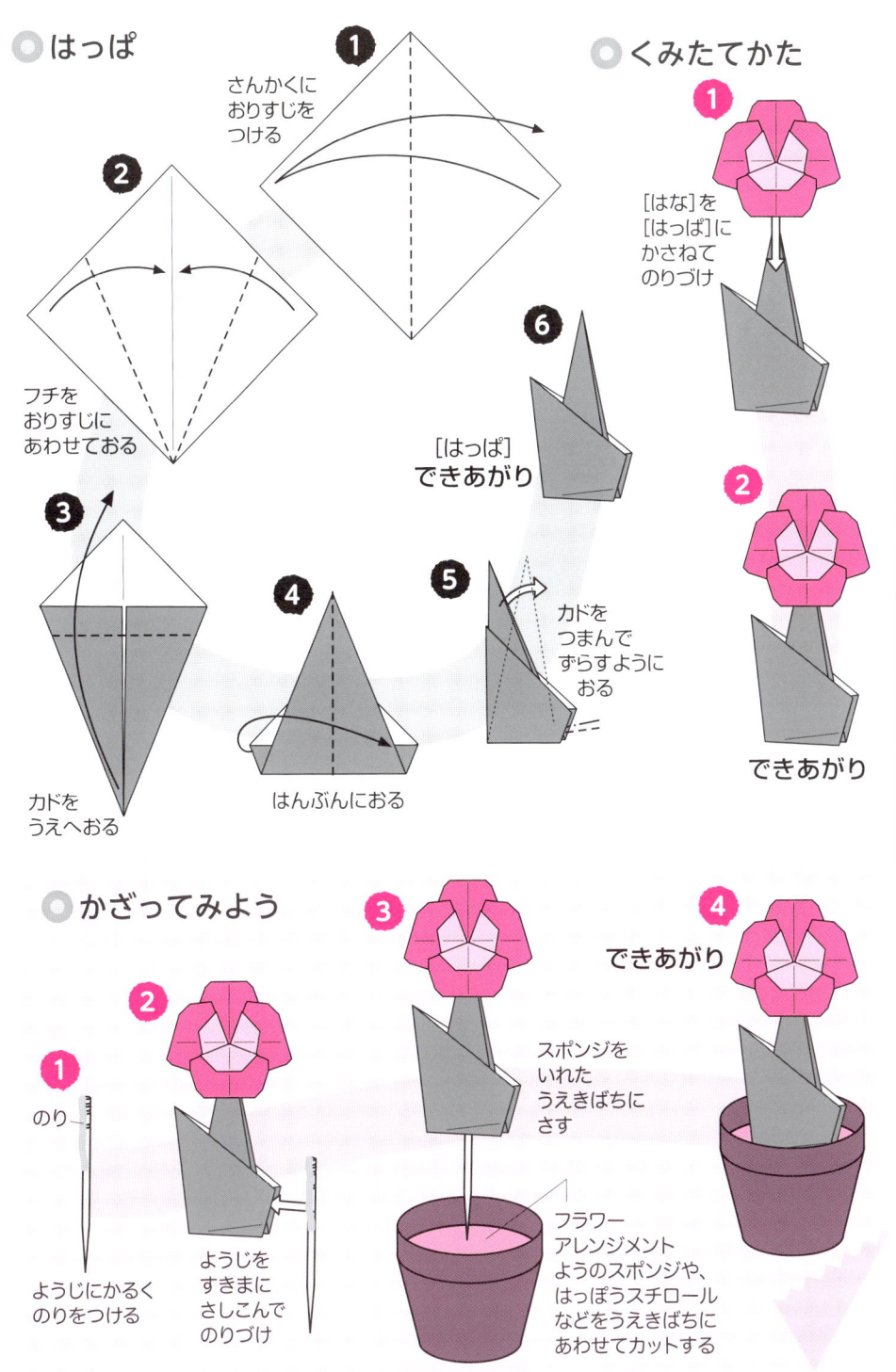

1 さんかくにおりすじをつける

2 フチをおりすじにあわせておる

3 カドをうえへおる

4 はんぶんにおる

5 カドをつまんでずらすようにおる

6 [はっぱ]できあがり

○ くみたてかた

1 [はな]を[はっぱ]にかさねてのりづけ

2 できあがり

Mar. 3 パンジー

○ かざってみよう

1 ようじにかるくのりをつける / のり

2 ようじをすきまにさしこんでのりづけ

3 スポンジをいれたうえきばちにさす / フラワーアレンジメントようのスポンジや、はっぽうスチロールなどをうえきばちにあわせてカットする

4 できあがり

81

● しゃしんはP.68　**かみのひりつにちゅういしてつくろう**

3月 Mar. いちご Strawberry sponge cake ショートケーキ

● おりがみ 8まい　● むずかしさ

● うえ

1 はんぶんに おりすじを つける

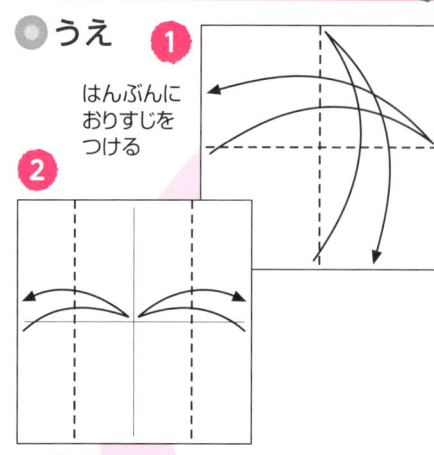

2 フチをおりすじにあわせて おりすじをつける

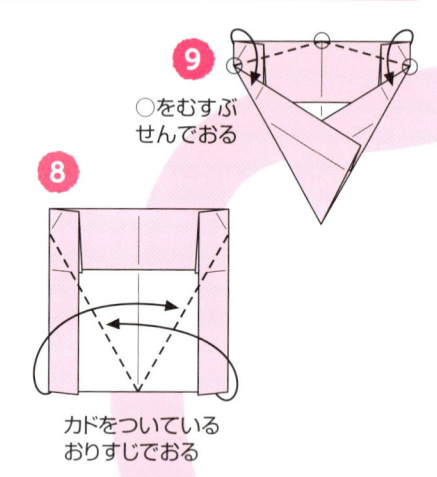

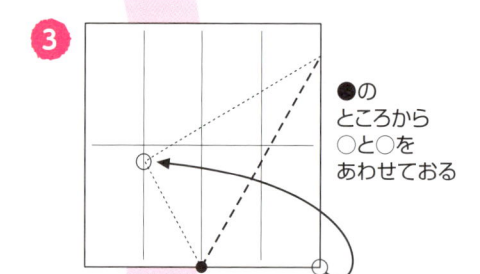

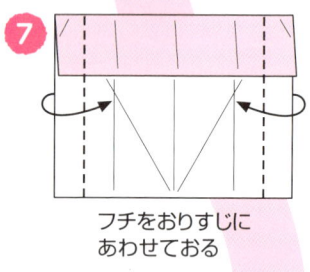

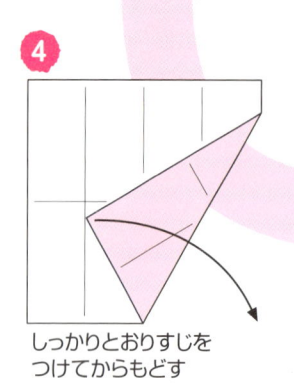

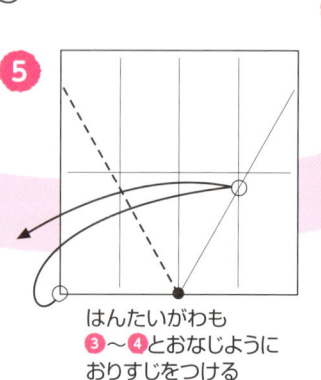

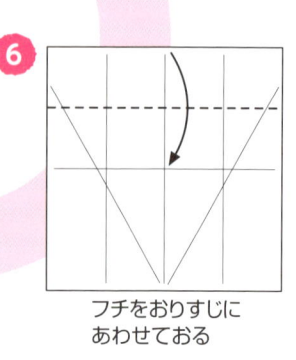

3 ●の ところから ○と○を あわせておる

4 しっかりとおりすじを つけてからもどす

5 はんたいがわも ❸〜❹とおなじように おりすじをつける

6 フチをおりすじに あわせておる

7 フチをおりすじに あわせておる

8 カドをついている おりすじでおる

9 ○をむすぶ せんでおる

82

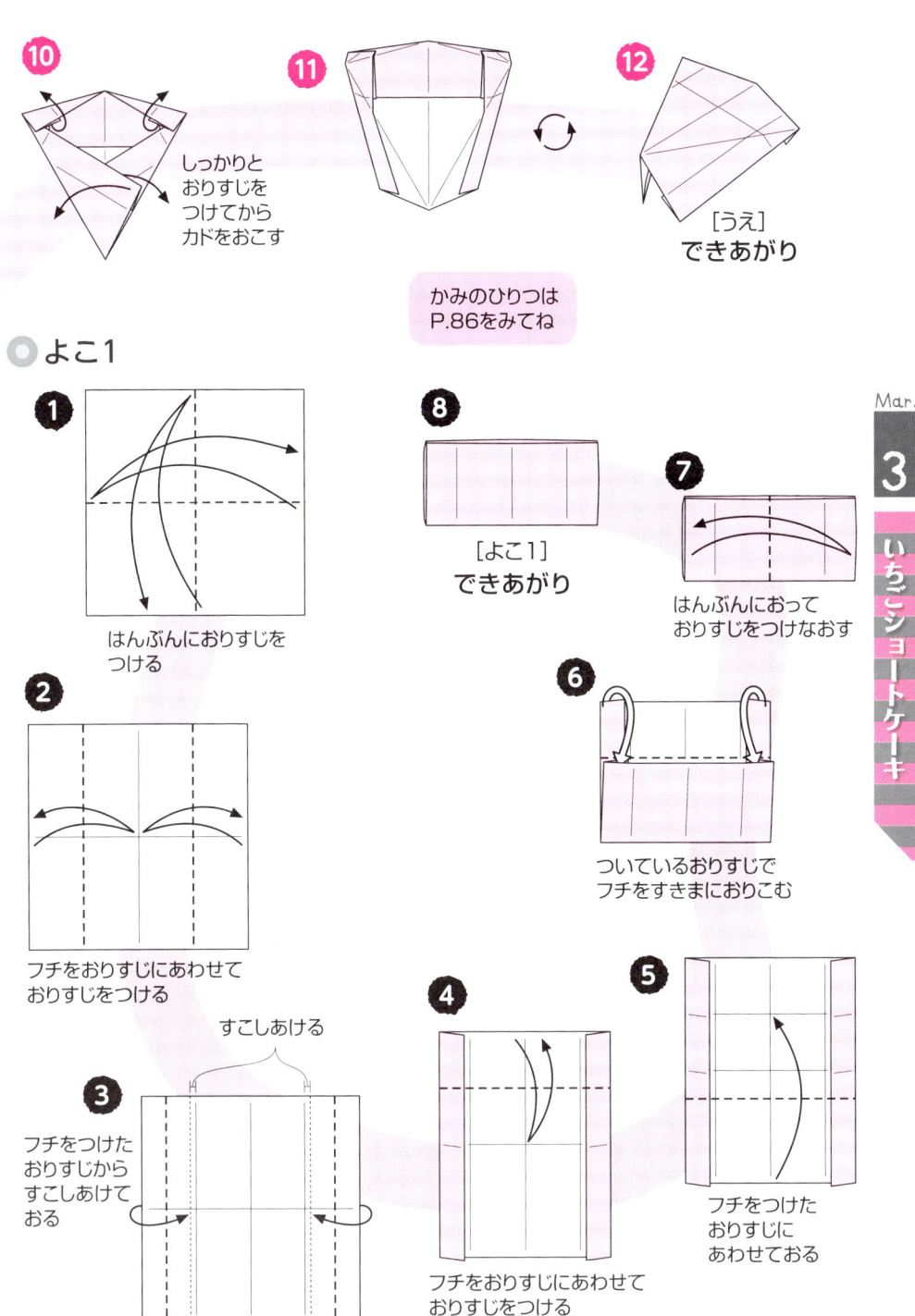

10 しっかりとおりすじをつけてからカドをおこす

11

12 [うえ]できあがり

かみのひりつはP.86をみてね

●よこ1

1 はんぶんにおりすじをつける

2 フチをおりすじにあわせておりすじをつける

3 フチをつけたおりすじからすこしあけておる
すこしあける

4 フチをおりすじにあわせておりすじをつける

5 フチをつけたおりすじにあわせておる

6 ついているおりすじでフチをすきまにおりこむ

7 はんぶんにおっておりすじをつけなおす

8 [よこ1]できあがり

Mar. 3 いちごショートケーキ

よこ2

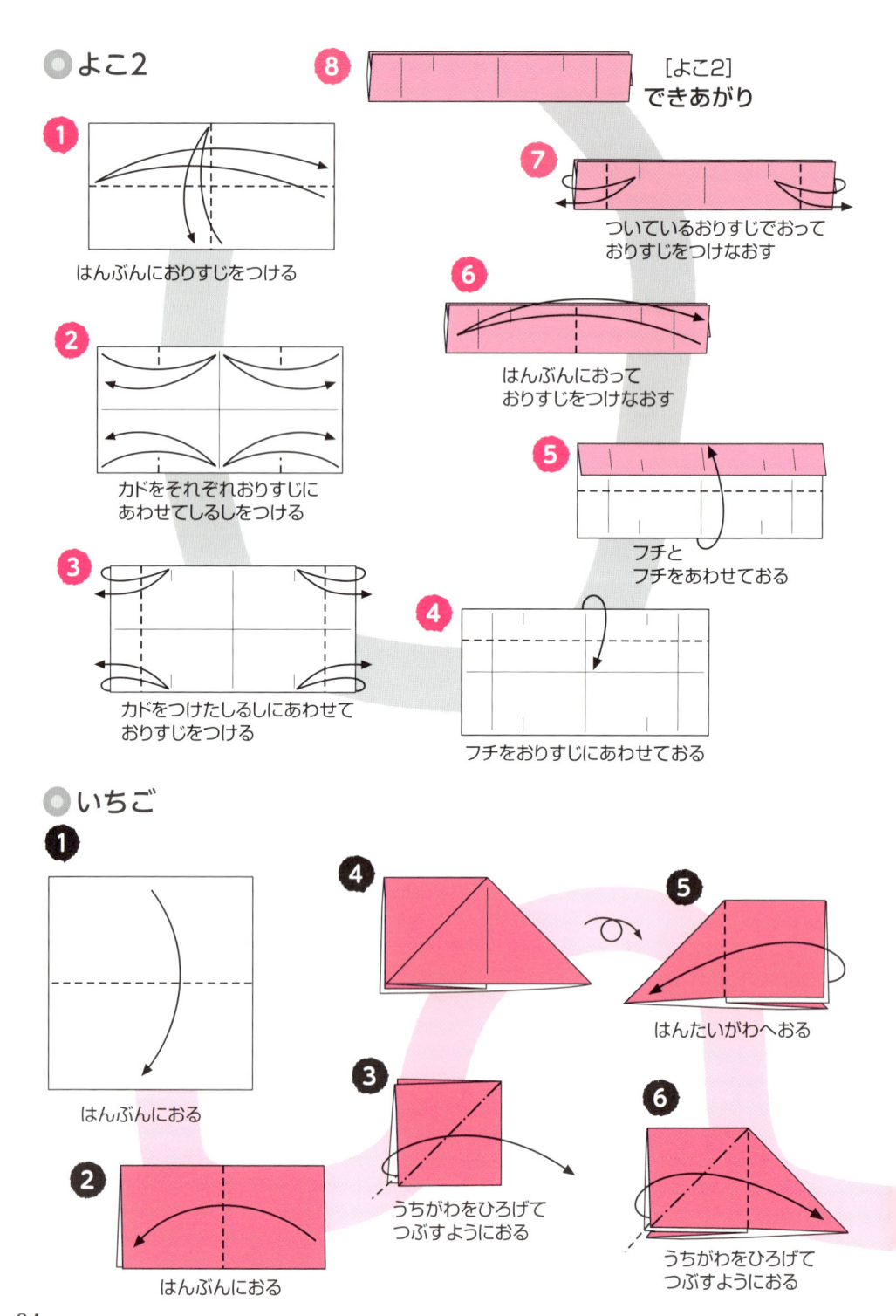

1 はんぶんにおりすじをつける

2 カドをそれぞれおりすじにあわせてしるしをつける

3 カドをつけたしるしにあわせておりすじをつける

4 フチをおりすじにあわせておる

5 フチとフチをあわせておる

6 はんぶんにおっておりすじをつけなおす

7 ついているおりすじでおっておりすじをつけなおす

8 [よこ2] できあがり

いちご

1 はんぶんにおる

2 はんぶんにおる

3 うちがわをひろげてつぶすようにおる

4

5 はんたいがわへおる

6 うちがわをひろげてつぶすようにおる

● クリーム

1. はんぶんにおる
2. はんぶんにおる
3. うちがわをひろげて つぶすようにおる
4.
5. はんたいがわへおる
6. うちがわをひろげて つぶすようにおる
7. はんぶんにおる
8.
9. カドをすこしななめにおる
10. しっかりとおりすじをつけてからもどす
11. つけたおりすじでカドをうちがわにおる
12. カドをうちがわにおってとめる
13. はんたいがわも⓫〜⓬とおなじようにおる
14. うしろがわも❾〜⓭とおなじようにおる
15. ふくらます
16. [いちご] できあがり

7. カドとカドをあわせておる
8. カドをうしろへおる
9. カドをすこしななめにおる

Mar. 3 いちごショートケーキ

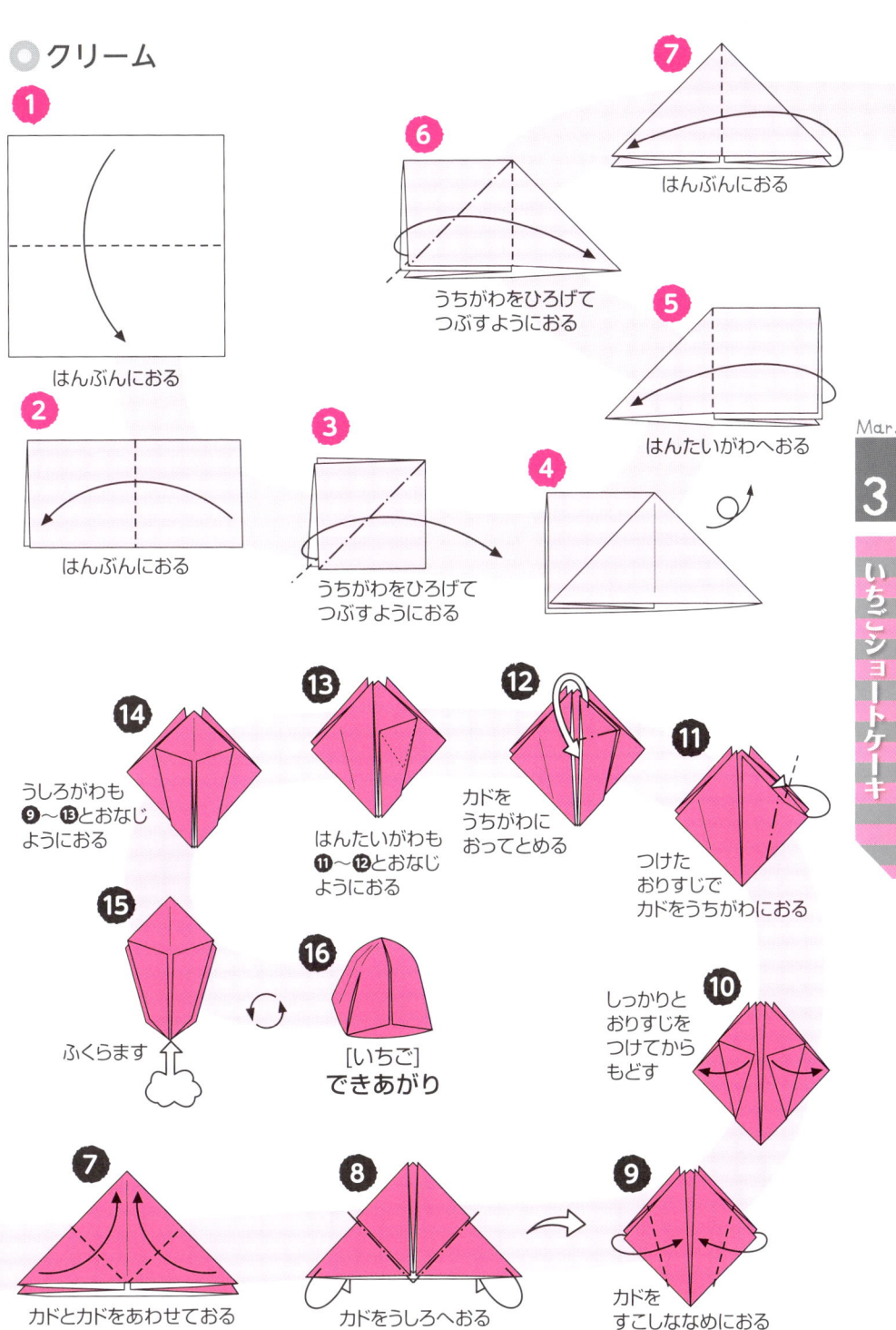

85

⑧ フチをまくようにする

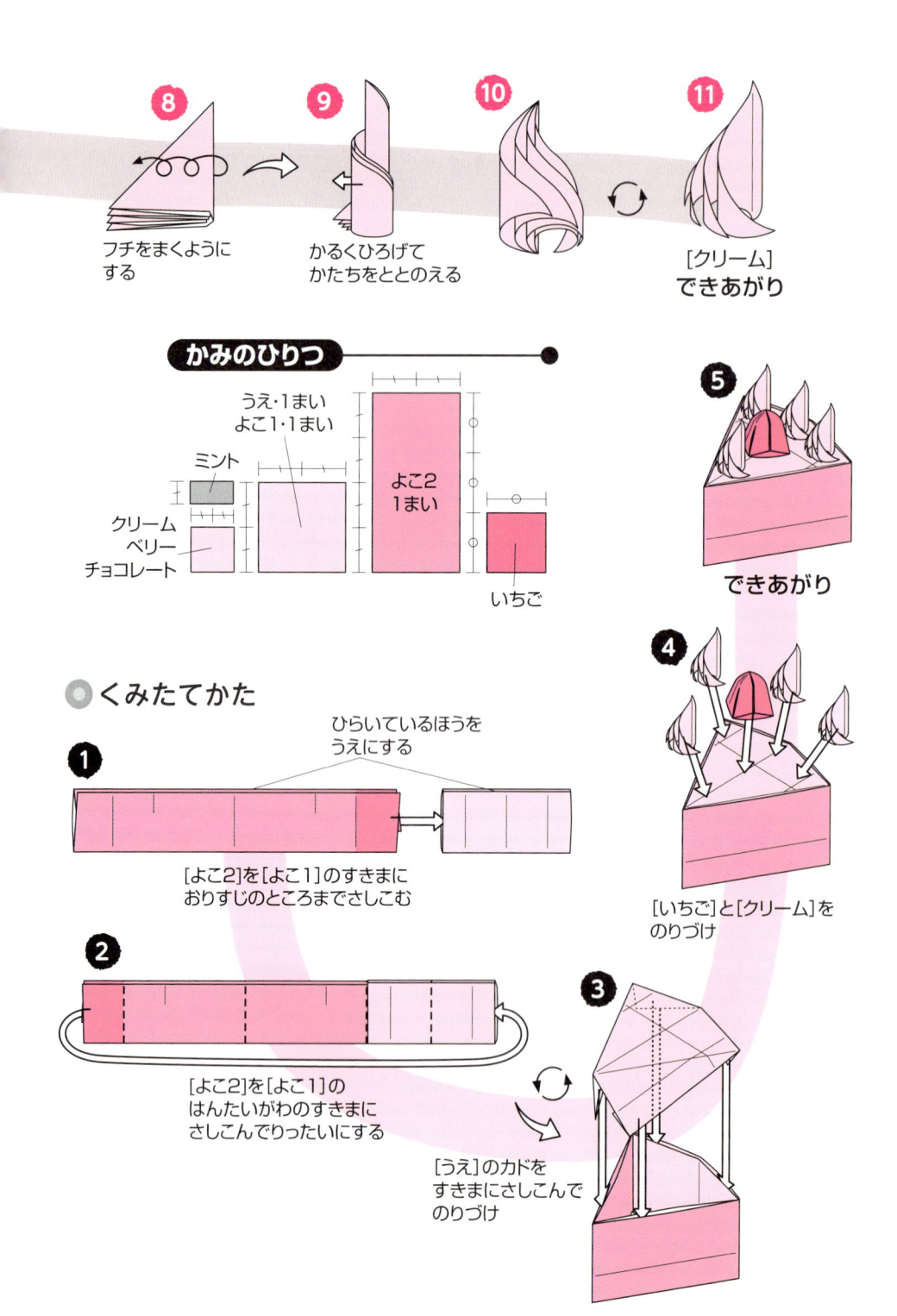

⑨ かるくひろげてかたちをととのえる

⑩

⑪ [クリーム] できあがり

かみのひりつ

ミント

うえ・1まい
よこ1・1まい

クリーム
ベリー
チョコレート

よこ2
1まい

いちご

●くみたてかた

❶ ひらいているほうをうえにする

[よこ2]を[よこ1]のすきまにおりすじのところまでさしこむ

❷ [よこ2]を[よこ1]のはんたいがわのすきまにさしこんでりったいにする

❸ [うえ]のカドをすきまにさしこんでのりづけ

❹ [いちご]と[クリーム]をのりづけ

❺ できあがり

86

ミント

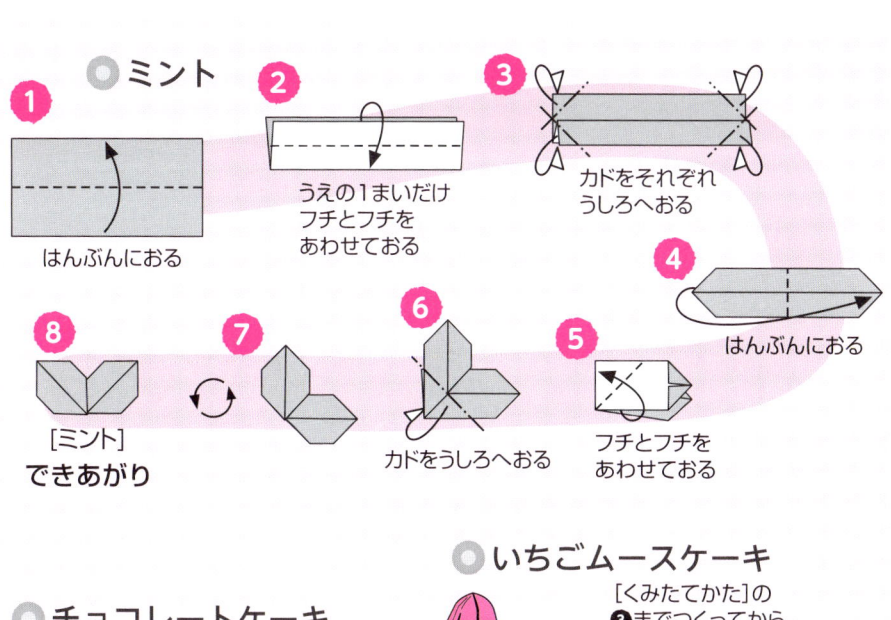

1. はんぶんにおる
2. うえの1まいだけフチとフチをあわせておる
3. カドをそれぞれうしろへおる
4. はんぶんにおる
5. フチとフチをあわせておる
6. カドをうしろへおる
7.
8. [ミント] できあがり

チョコレートケーキ

[くみたてかた]の❸までつくってからはじめる

[チョコレート]
P.23[くろまめ]とおなじ

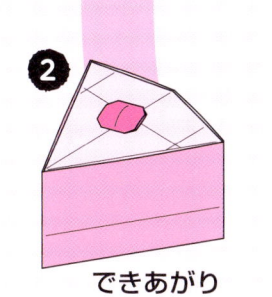

1. [チョコレート]をのりづけ
2. できあがり

いちごムースケーキ

[くみたてかた]の❸までつくってからはじめる

1. [いちご]と[ミント]をのりづけ
2. できあがり

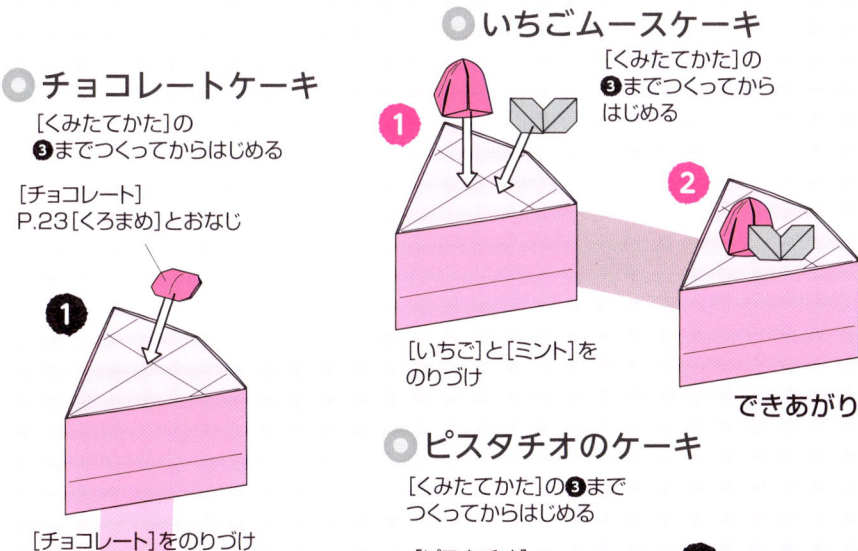

ピスタチオのケーキ

[くみたてかた]の❸までつくってからはじめる

[ピスタチオ]
P.310[ベリー]とおなじ

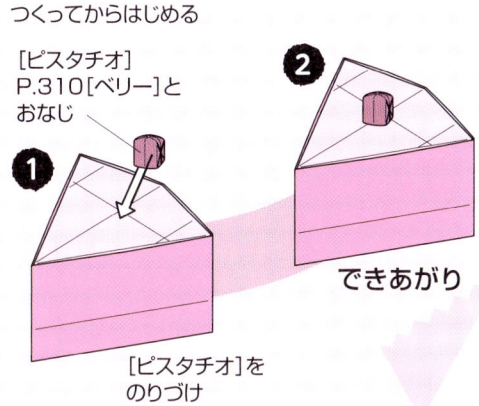

1. [ピスタチオ]をのりづけ
2. できあがり

Mar.
3
いちごショートケーキ

●スプーン

1. はんぶんにおる
2. はんぶんにおる
3. したはおらない／うえのほうだけはんぶんにおる
4. ずのようにおやゆびをいれてうちがわをひろげてたいらにする
5. うえからみたところ
6. できあがり

●おさら

1. はんぶんにおりすじをつける
2. カドをちゅうしんにあわせておる
3. カドを1/3くらいのところでおる
4. のこりもおなじようにおる
5.
6. できあがり

かみのひりつ

[スプーン]とケーキの[うえ]のかみはおなじおおきさ

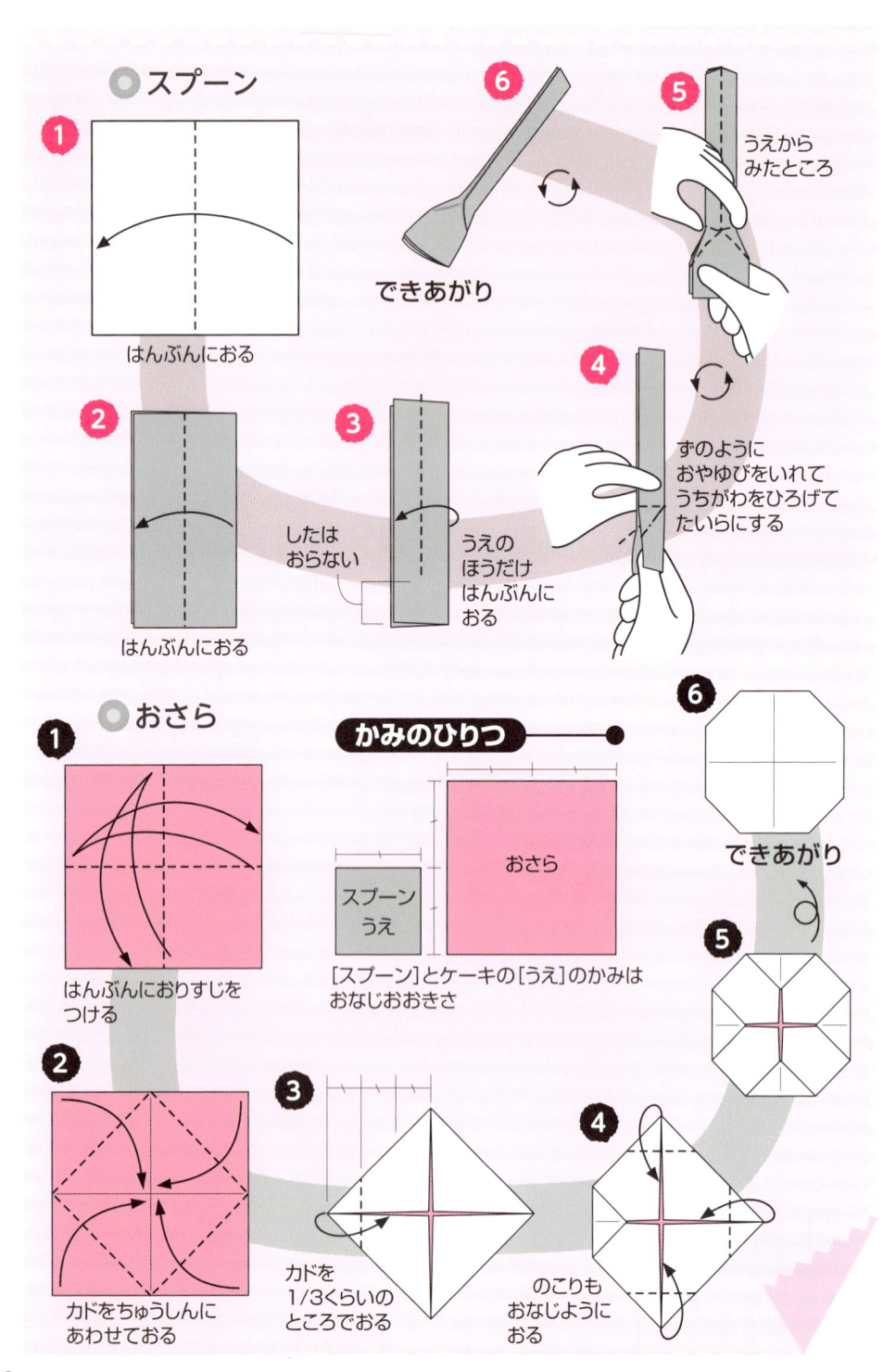

スプーンうえ / おさら

おままごとをしましょう

かわいいお部屋に招くのはだあれ？

4月 Apr.

セーラーふく　P.102　7.5×7.5cm　2まい
つくえ　　　　P.100　15×15cm　2まい
いす　　　　　P.97　　15×15cm

やきゅうぼう　P.104　15×15cm

入園・入学おめでとう
淡い色をえらんで春らしく

うさぎ　P.116　だい：20×20cm、しょう：15×15cm
にわとり　P.94　15×15cm
ひよこ　P.95　12×12cm
チューリップ　P.120　7.5×7.5cm　2まい

ほん　P.112　20×20cm
けしごむ　P.110　12×12cm
えんぴつ　P.108　7.5×7.5cm、ほそいえんぴつ：12×12cm
カッター　P.107　7.5×15cm

さくら　P.122

クローバー　P.118

Gift
フレッシャーズギフト

箱の縦と横が
1：2のサイズになります

よこながのギフトボックス　P.125　28×28cm　2まい

Happy Easter！
イースターは復活祭ともいい、キリスト教のお祭りです

たまご P114　7.5×7.5cm　2まい

● しゃしんはP.90　**にわとりは7、9ばんのおりすじがだいじ**

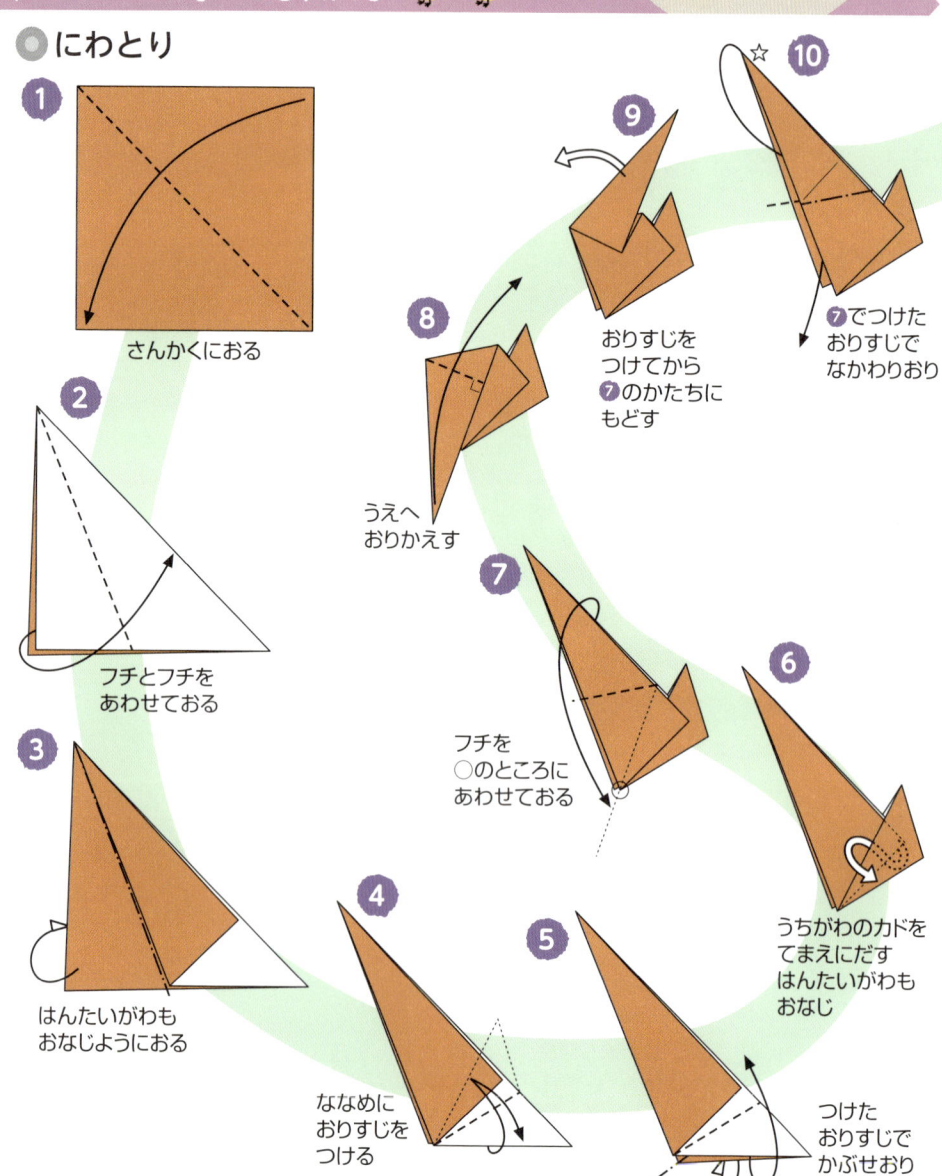

4月 Apr. にわとりとひよこ Chicken & Chick

● おりがみ かく1まい ● むずかしさ

◉ にわとり

1 さんかくにおる

2 フチとフチをあわせておる

3 はんたいがわもおなじようにおる

4 ななめにおりすじをつける

5 つけたおりすじでかぶせおり

6 うちがわのカドをてまえにだす　はんたいがわもおなじ

7 フチを○のところにあわせておる

8 うえへおりかえす

9 おりすじをつけてから**7**のかたちにもどす

10 **7**でつけたおりすじでなかわりおり

94

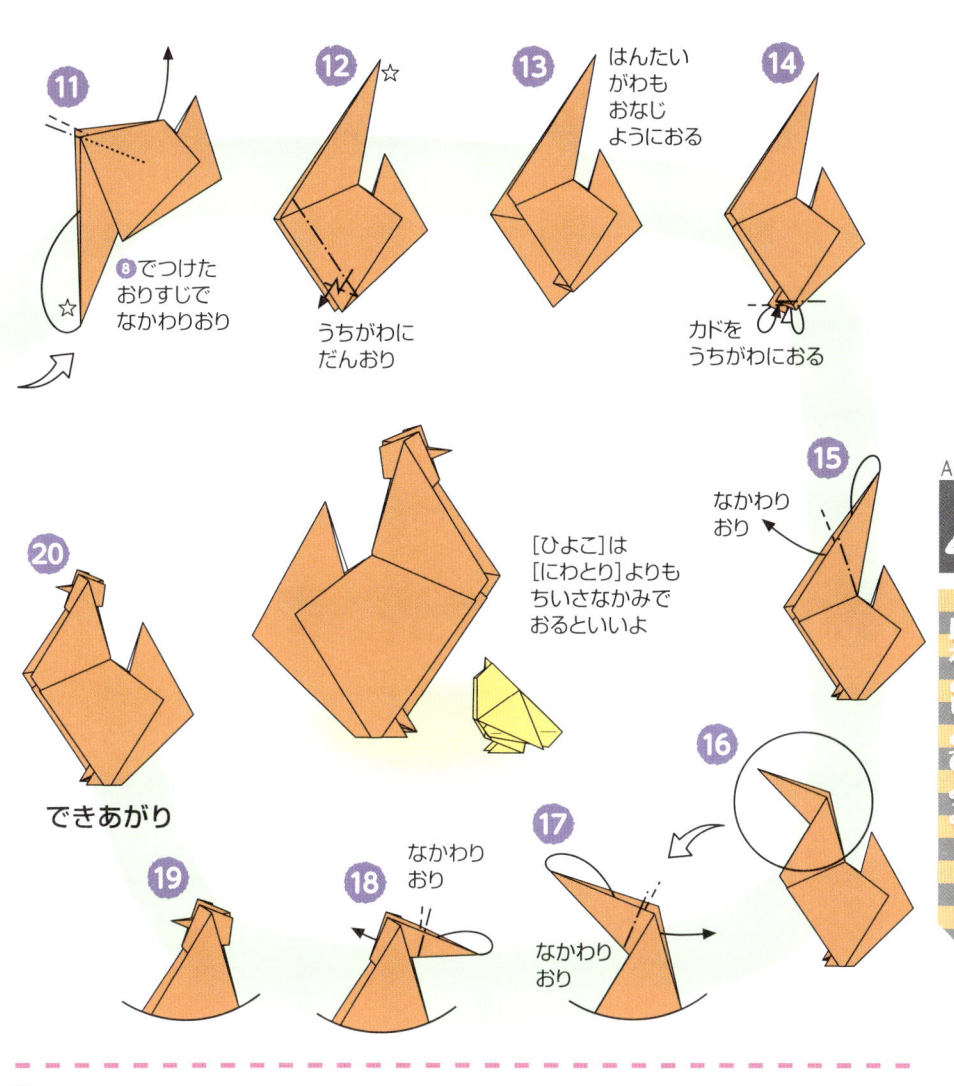

⑪ ❽でつけた おりすじで なかわりおり

⑫ うちがわに だんおり

⑬ はんたいがわもおなじようにおる

⑭ カドをうちがわにおる

⑮ なかわりおり

⑯

⑰ なかわりおり

⑱ なかわりおり

⑲

⑳ できあがり

[ひよこ]は[にわとり]よりもちいさなかみでおるといいよ

Apr. 4 にわとりとひよこ

◎ ひよこ

❶ はんぶんにおりすじをつける

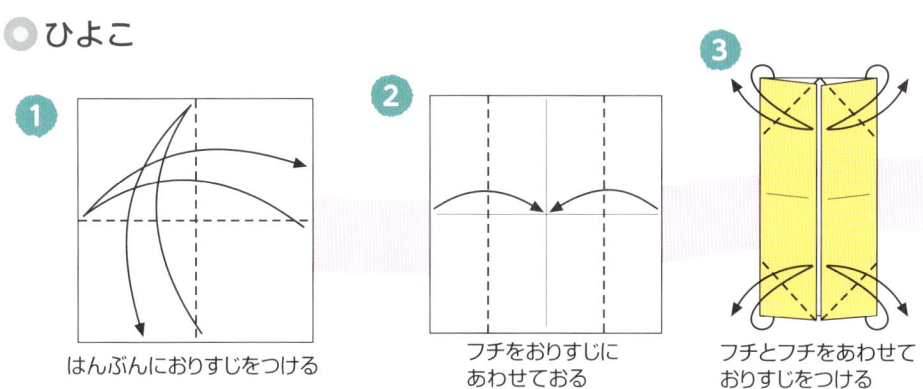

❷ フチをおりすじにあわせておる

❸ フチとフチをあわせておりすじをつける

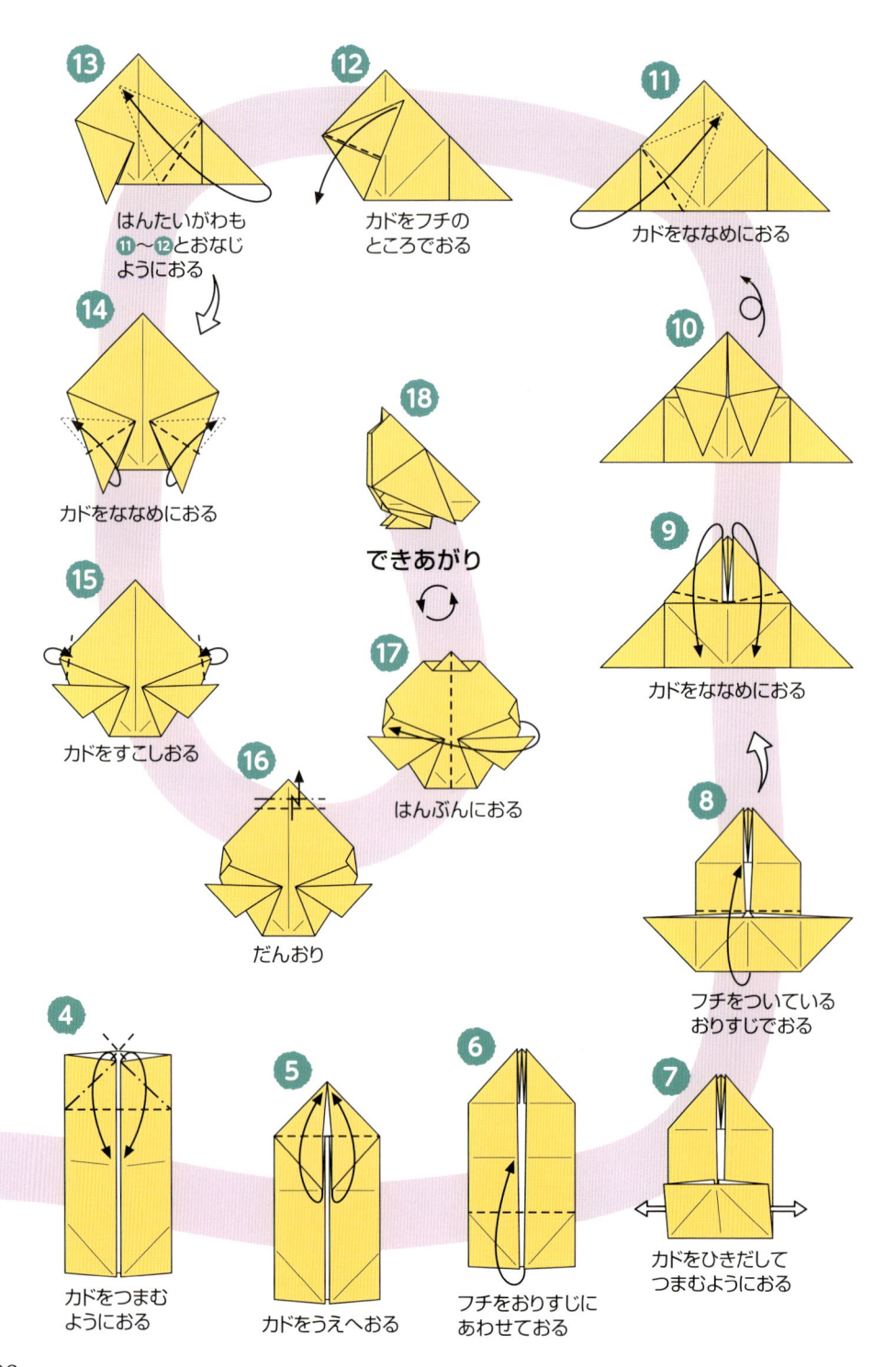

13
はんたいがわも
⑪〜⑫とおなじ
ようにおる

12
カドをフチの
ところでおる

11
カドをななめにおる

14
カドをななめにおる

10

18
できあがり

9
カドをななめにおる

15
カドをすこしおる

17
はんぶんにおる

8
フチをついている
おりすじでおる

16
だんおり

4
カドをつまむ
ようにおる

5
カドをうえへおる

6
フチをおりすじに
あわせておる

7
カドをひきだして
つまむようにおる

96

● しゃしんはP.89　**つけたおりすじをよくみておってね**

4月 Apr. いす Chair

● おりがみ　1まい　　● むずかしさ

1 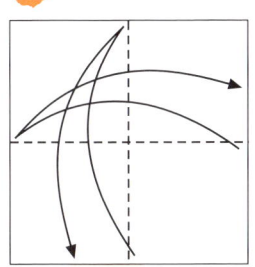
はんぶんにおりすじをつける

2 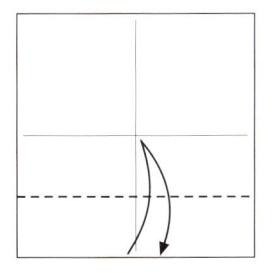
フチをおりすじにあわせて
おりすじをつける

3 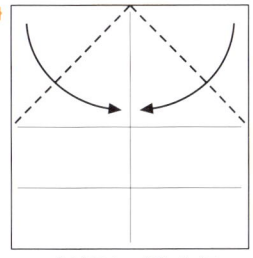
カドをちゅうしんに
あわせておる

4 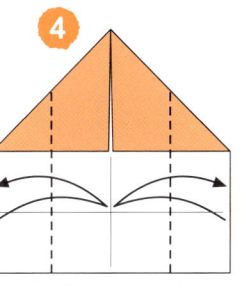
フチをおりすじにあわせて
おりすじをつける

5 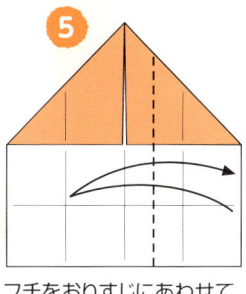
フチをおりすじにあわせて
おりすじをつける

6 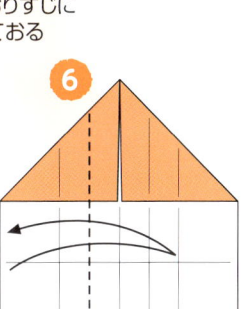
フチをおりすじにあわせて
おりすじをつける

7 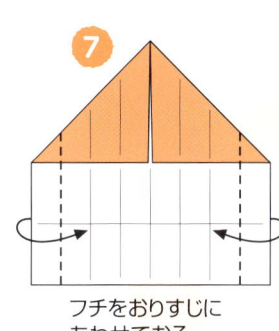 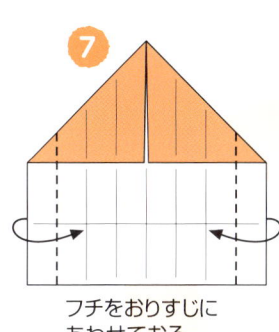
フチをおりすじに
あわせておる

8 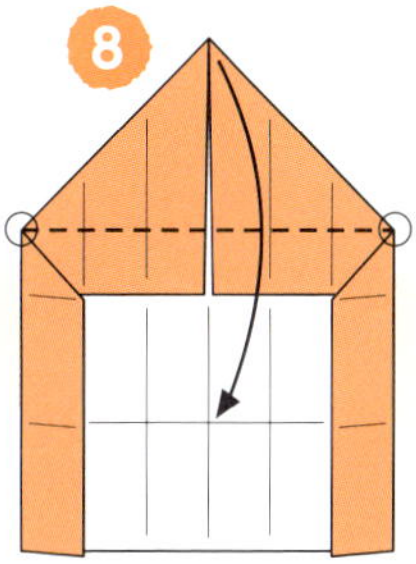
○をむすぶせんで
おる

Apr. 4 いす

97

10
フチをつけたおりすじに
あわせておる

11
フチとフチをあわせて
おりすじをつける

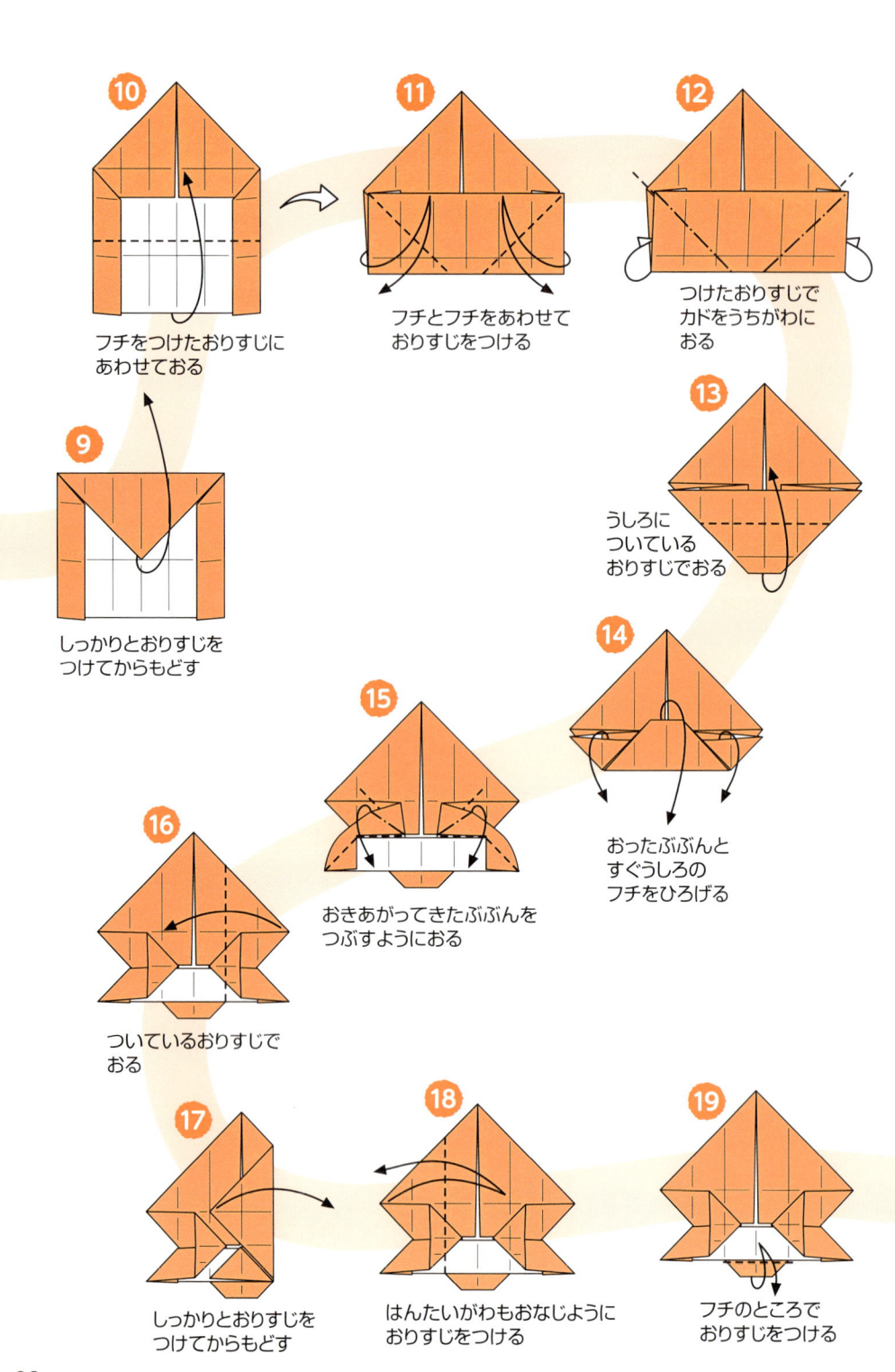

12
つけたおりすじで
カドをうちがわに
おる

9
しっかりとおりすじを
つけてからもどす

13
うしろに
ついている
おりすじでおる

14
おったぶぶんと
すぐうしろの
フチをひろげる

15
おきあがってきたぶぶんを
つぶすようにおる

16
ついているおりすじで
おる

17
しっかりとおりすじを
つけてからもどす

18
はんたいがわもおなじように
おりすじをつける

19
フチのところで
おりすじをつける

29
カドをすこしおる

28
カドをフチの
ところでおる

27
○を
むすぶせんで
カドをうえへおる

26
つけたおりすじで
カドをうちがわに
おる

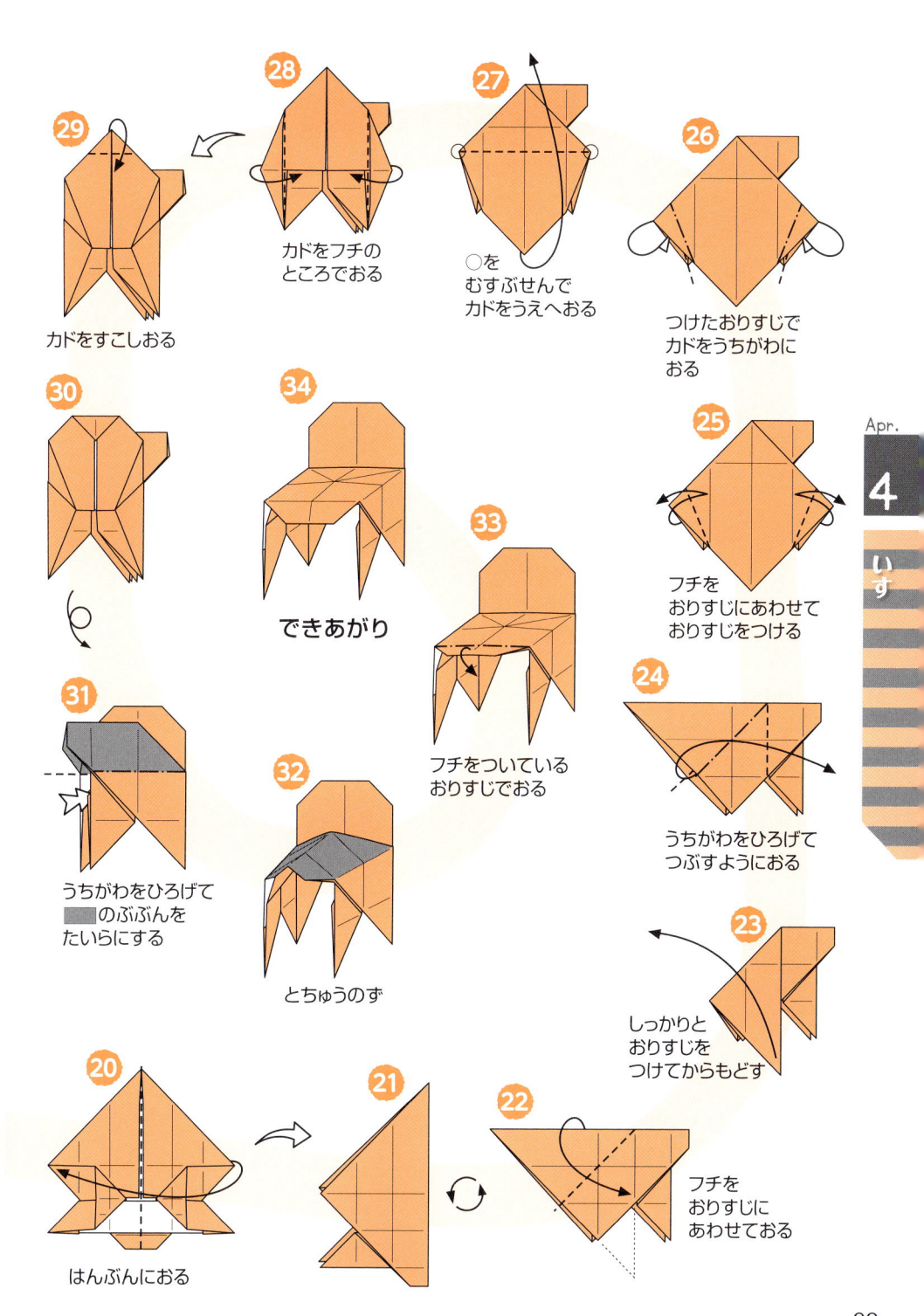

25
フチを
おりすじにあわせて
おりすじをつける

34
できあがり

33
フチをついている
おりすじでおる

24
うちがわをひろげて
つぶすようにおる

30

31
うちがわをひろげて
■のぶぶんを
たいらにする

32
とちゅうのず

23
しっかりと
おりすじを
つけてからもどす

20
はんぶんにおる

21

22
フチを
おりすじに
あわせておる

Apr.
4
いす

● しゃしんはP.89　**2まいつかってしっかりしたつくえになるよ**

4月 Apr. つくえ
Table

● おりがみ 2まい　　● むずかしさ

1 はんぶんにおりすじをつける

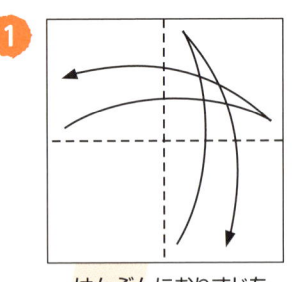

2 フチをおりすじにあわせておる

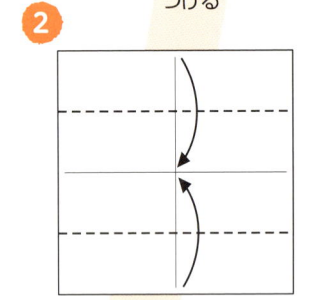

3 フチとフチをあわせておりすじをつける

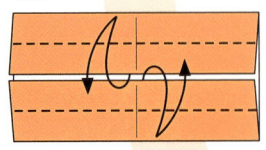

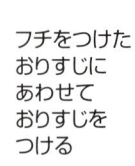

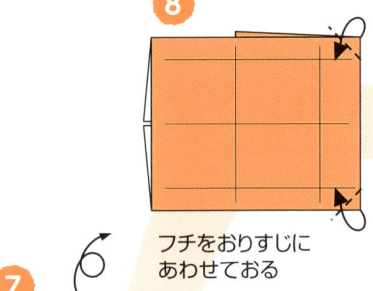

4 フチをつけたおりすじにあわせておりすじをつける

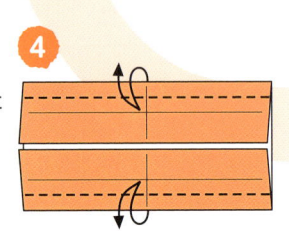

5 フチをおりすじにあわせておりすじをつける

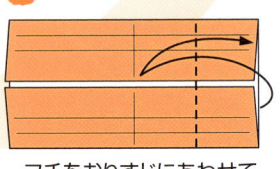

6 フチをつけたおりすじにあわせておる

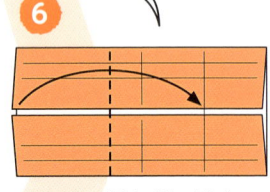

7

8 フチをおりすじにあわせておる

100

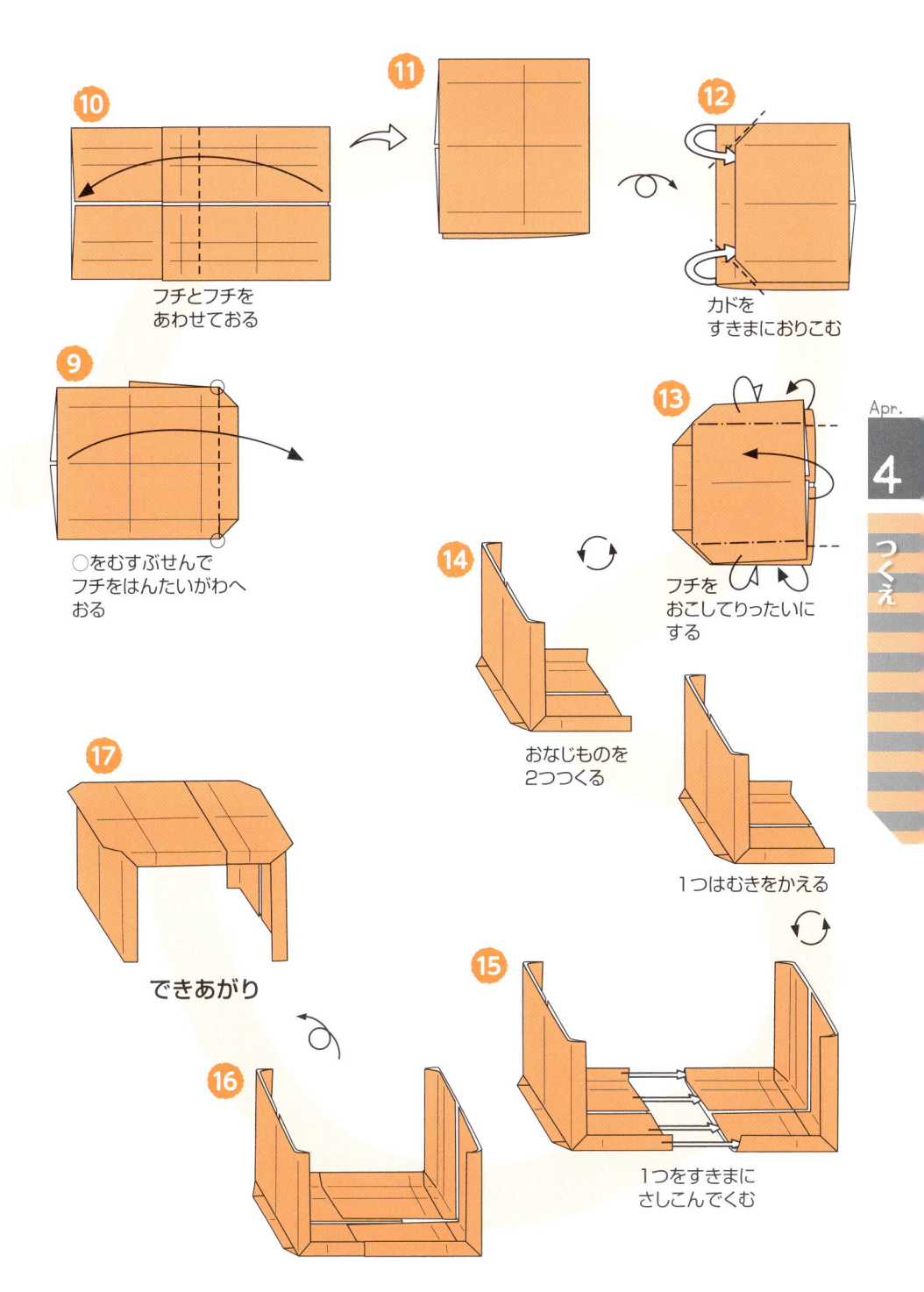

⑩ フチとフチを
あわせておる

⑪

⑫ カドを
すきまにおりこむ

⑨ ○をむすぶせんで
フチをはんたいがわへ
おる

⑬ フチを
おこしてりったいに
する

⑭ おなじものを
2つつくる

1つはむきをかえる

⑰ できあがり

⑯

⑮ 1つをすきまに
さしこんでくむ

Apr.
4
つくえ

101

●しゃしんはP.89　**おんなのこがあこがれるせいふく**

4月 Apr.
セーラーふく
Girl's School uniform

●おりがみ 2まい　●むずかしさ

●うわぎ

1 はんぶんにおりすじをつける

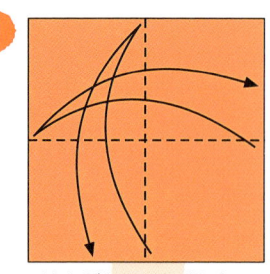

2 フチをおりすじにあわせておりすじをつける

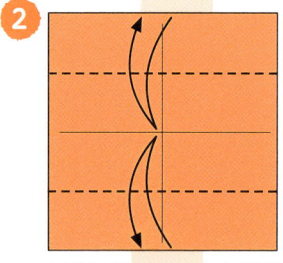

3 フチをつけたおりすじにあわせておりすじをつける

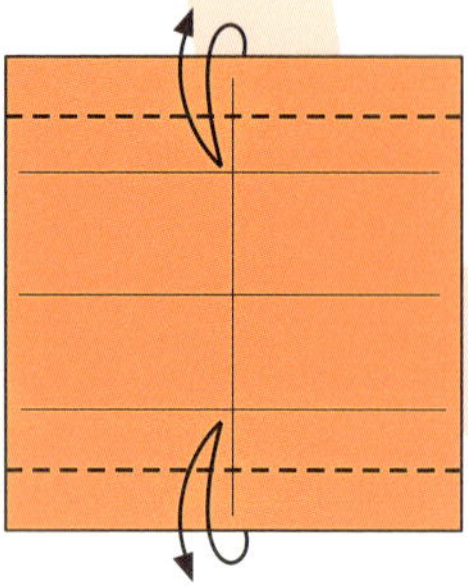

4 フチをつけたおりすじにあわせておる

5

6 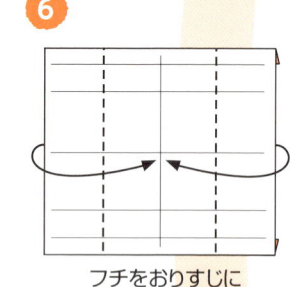 フチをおりすじにあわせておる

7 フチをななめにおってえりをつくる

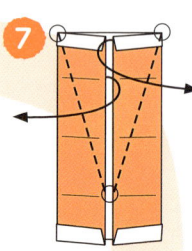

8 ○をむすぶせんでフチをうしろへおる

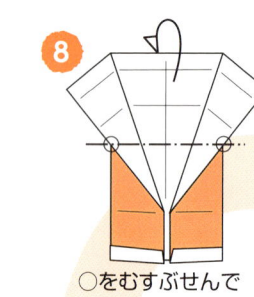

9 [うわぎ] **できあがり**

102

● スカート

1 はんぶんにおりすじをつける

2 はんぶんにおる

3 すこしあける / すこしすきまをあけてフチをはんたいがわへおる

4 フチとフチをあわせておる

5 すこしあける / フチをすこしすきまをあけておる

6 フチをおりすじにあわせてうしろへおる

7 ○をむすぶせんでカドをうしろへおる

8 [うわぎ]のすきまにさしこむ

9 できあがり

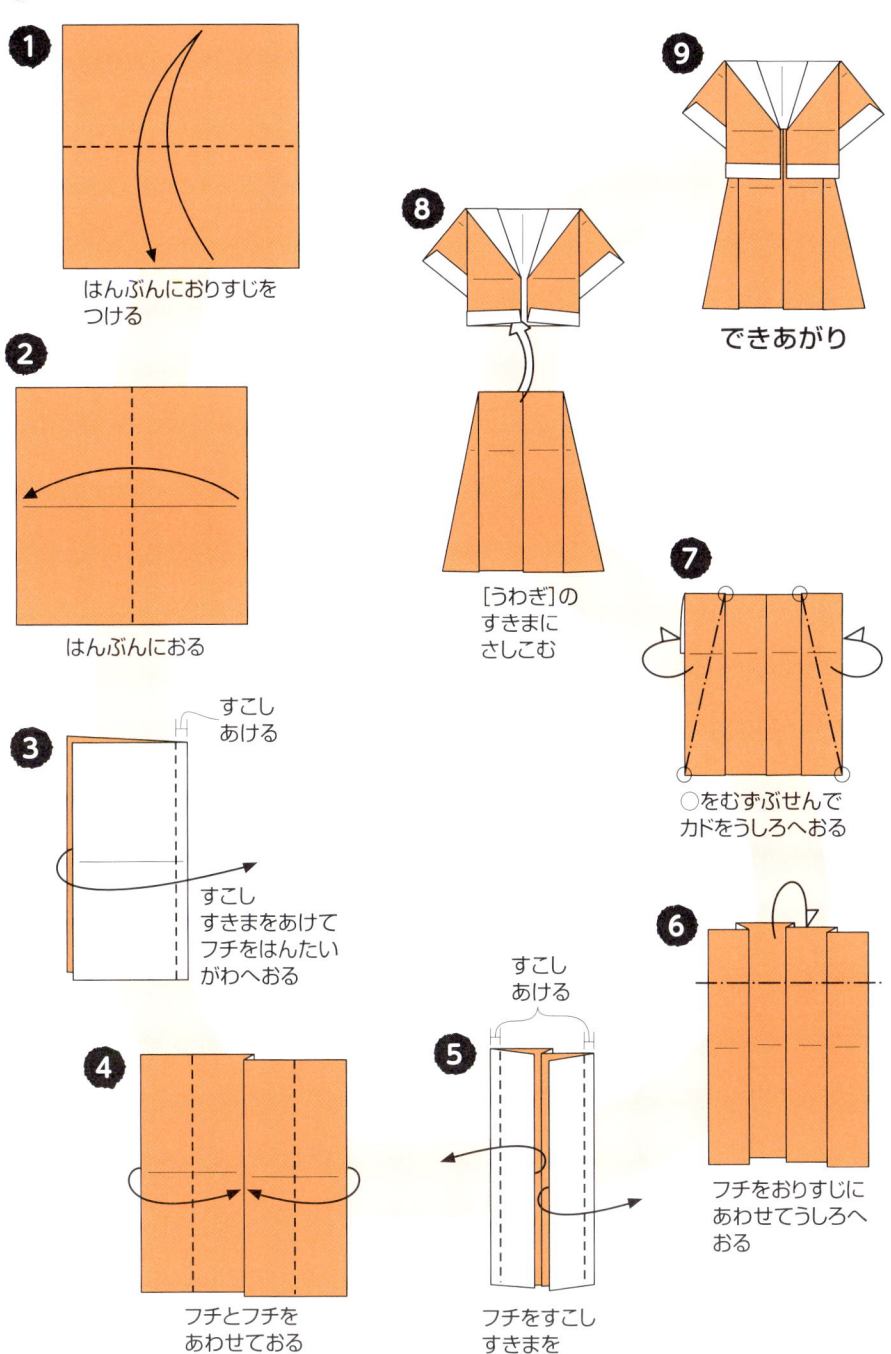

Apr. 4 セーラーふく

●しゃしんはP.89　**おおきくつくるとかぶってつかえる**

4月 Apr.　やきゅうぼう
Baseball cap

●おりがみ 1まい　●むずかしさ

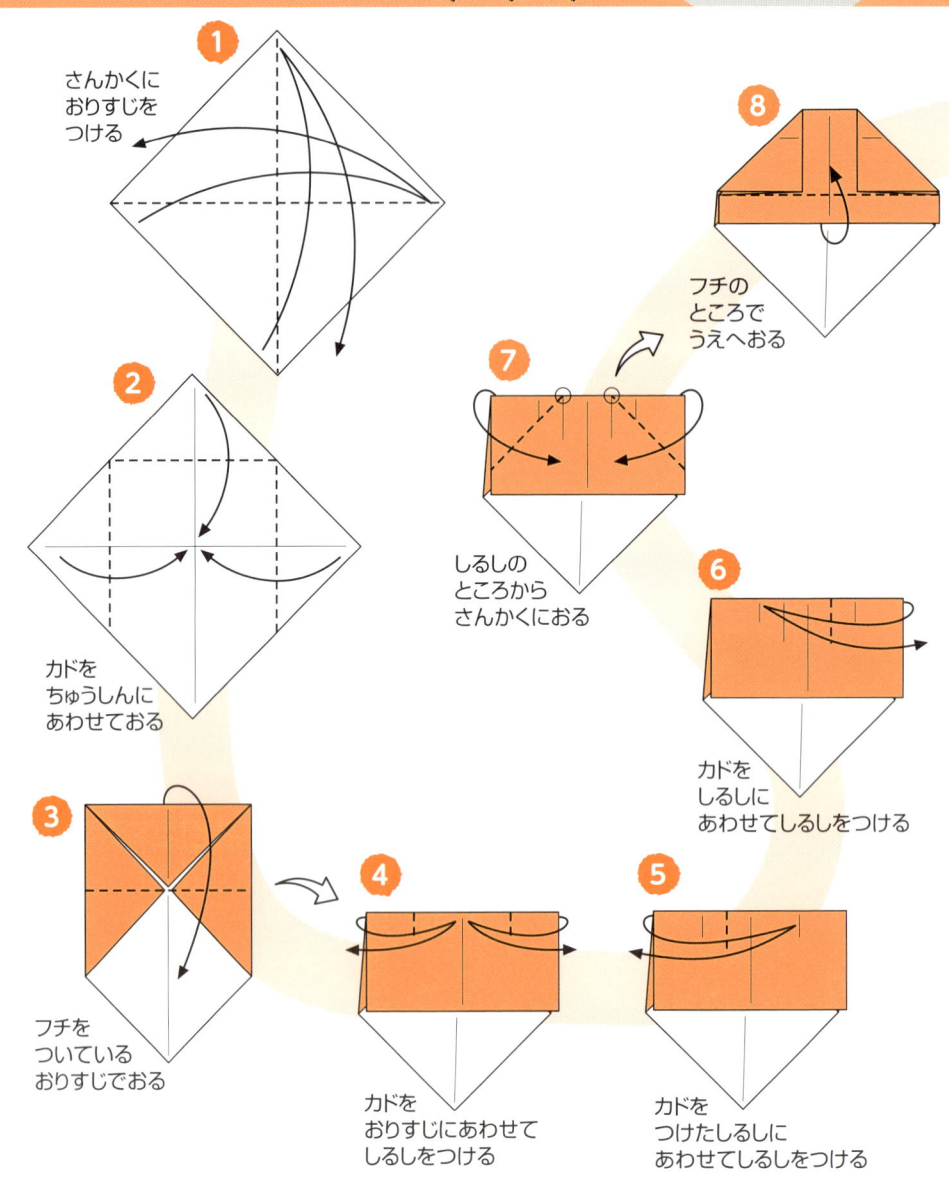

1 さんかくにおりすじをつける

2 カドをちゅうしんにあわせておる

3 フチをついているおりすじでおる

4 カドをおりすじにあわせてしるしをつける

5 カドをつけたしるしにあわせてしるしをつける

6 カドをしるしにあわせてしるしをつける

7 しるしのところからさんかくにおる

8 フチのところでうえへおる

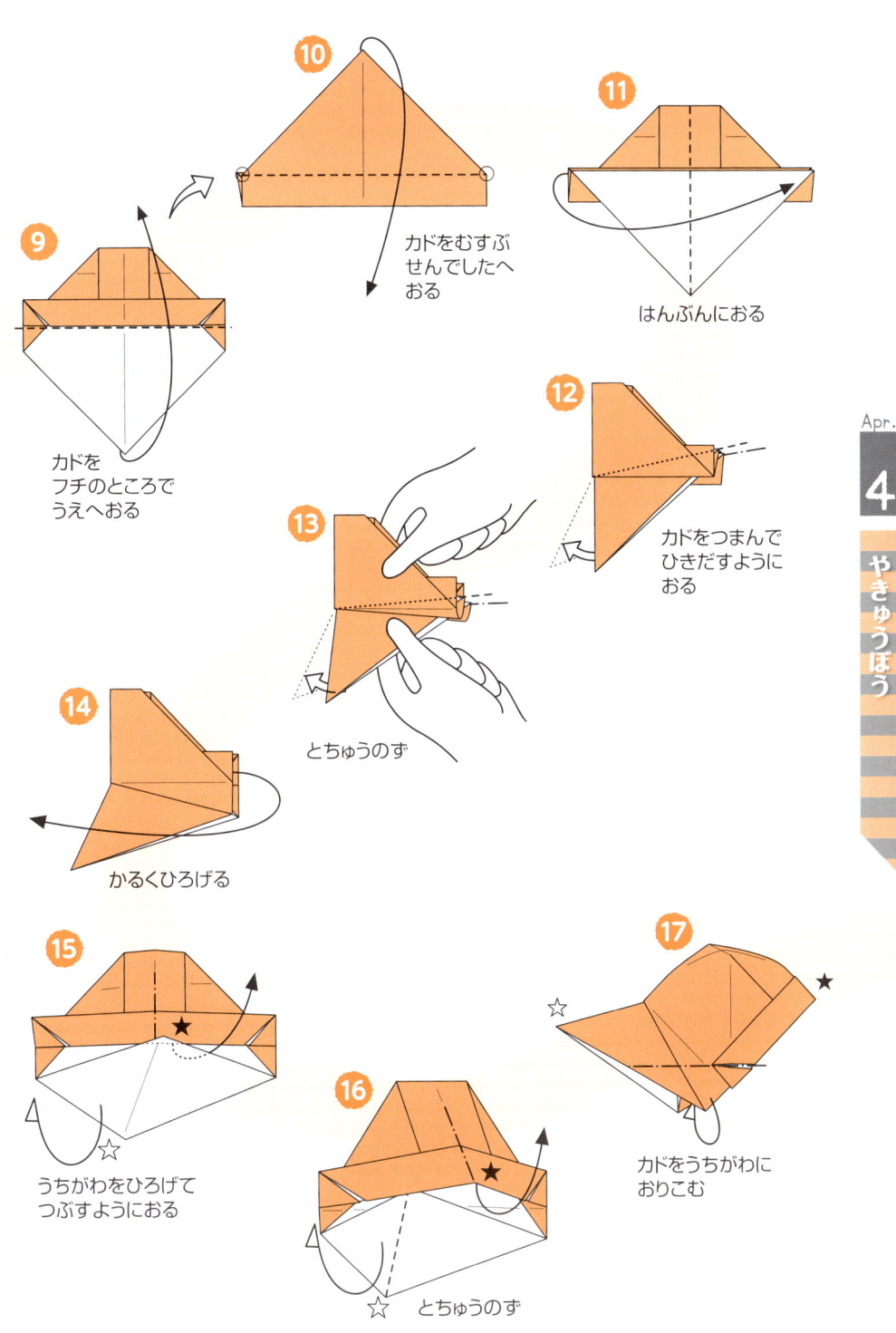

9 カドを
フチのところで
うえへおる

10 カドをむすぶ
せんでしたへ
おる

11 はんぶんにおる

12 カドをつまんで
ひきだすように
おる

13 とちゅうのず

14 かるくひろげる

15 うちがわをひろげて
つぶすようにおる

16 とちゅうのず

17 カドをうちがわに
おりこむ

Apr.
4
やきゅうぼう

105

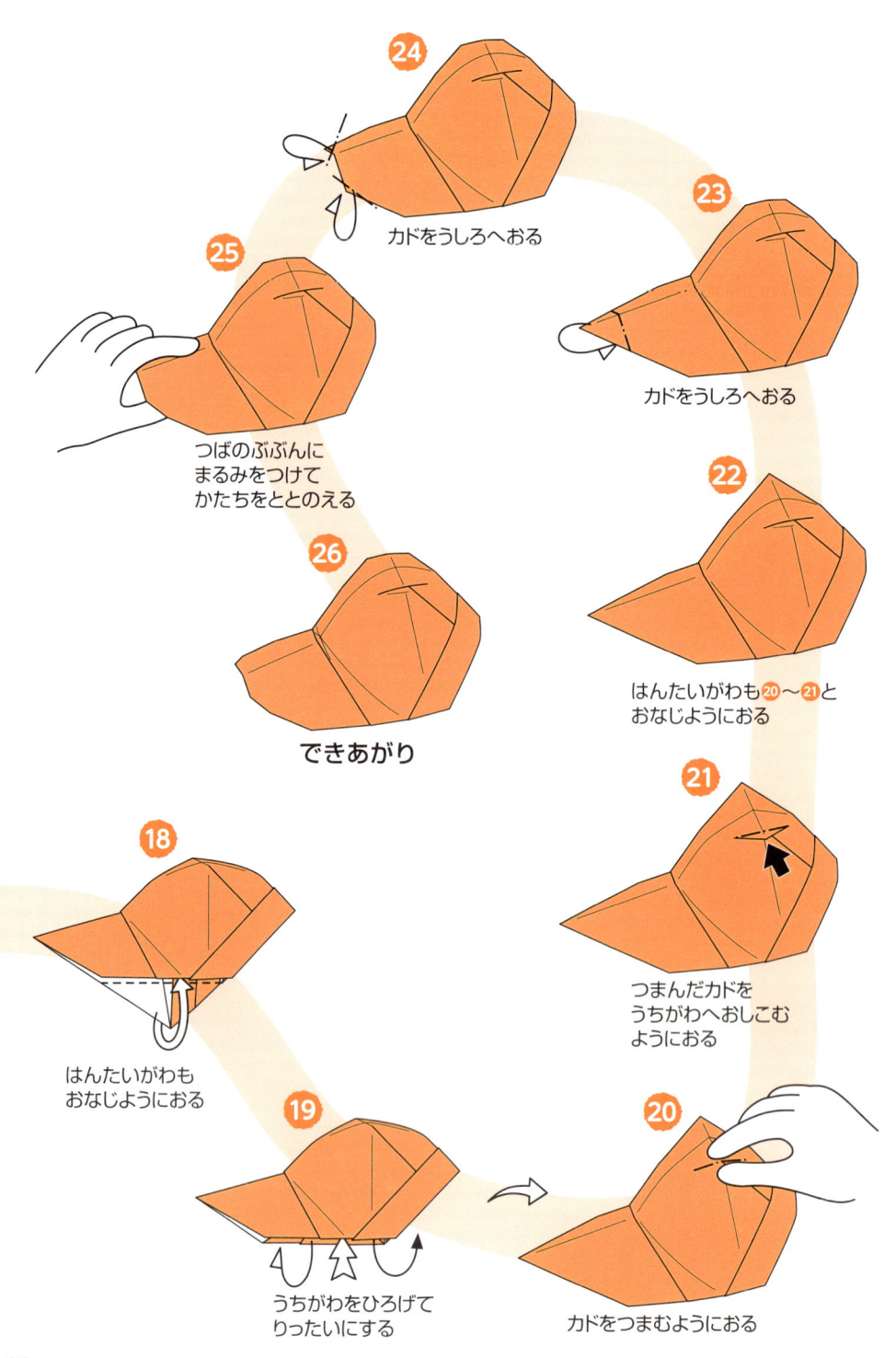

24 カドをうしろへおる

23 カドをうしろへおる

25 つばのぶぶんにまるみをつけてかたちをととのえる

22 はんたいがわも 20〜21 とおなじようにおる

26 できあがり

21 つまんだカドをうちがわへおしこむようにおる

18 はんたいがわもおなじようにおる

19 うちがわをひろげてりったいにする

20 カドをつまむようにおる

● しゃしんはP.91　ほんものみたいなカッターができるよ

4月 Apr. カッター
Cutter knife

● おりがみ 1まい　● むずかしさ

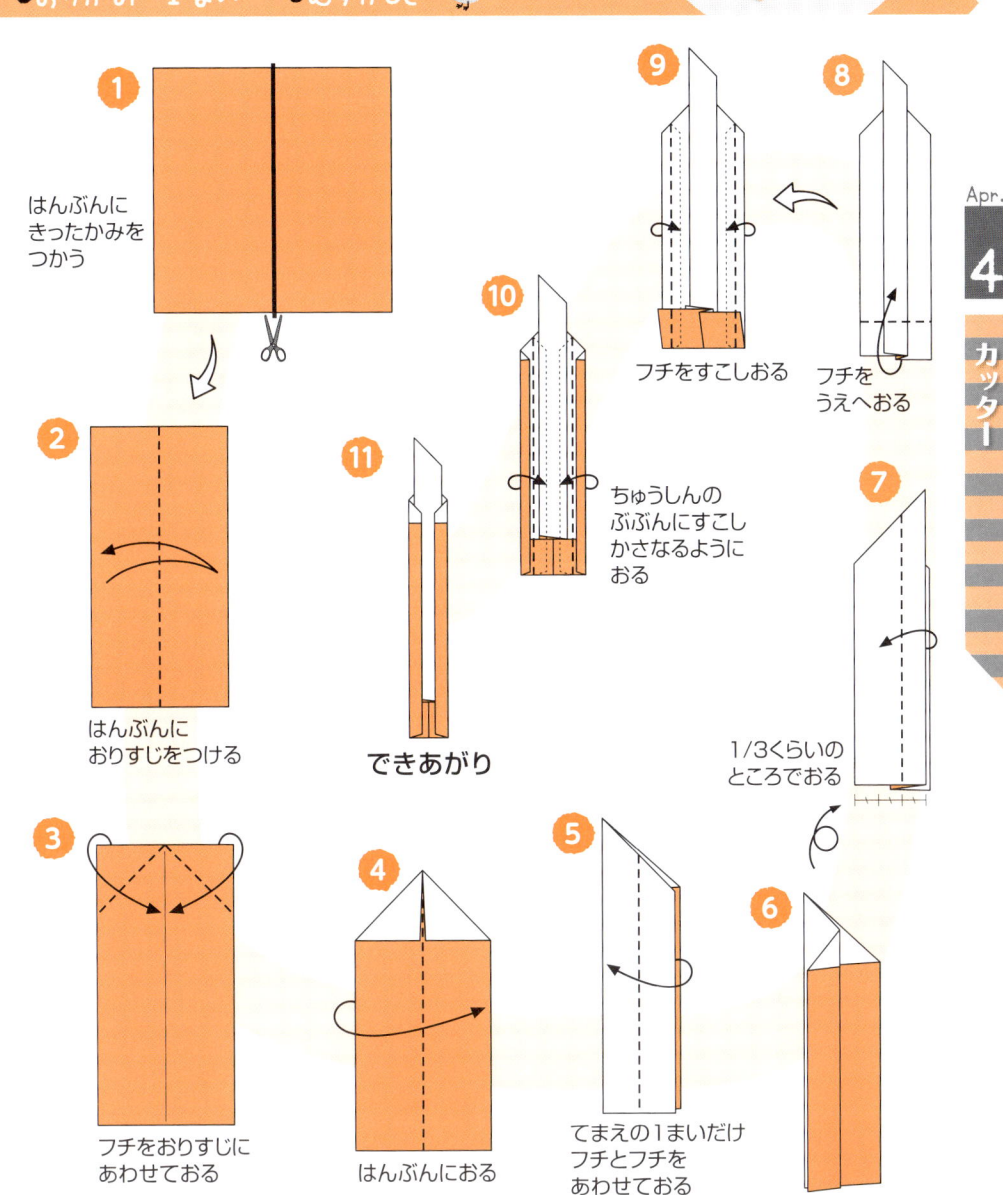

1 はんぶんにきったかみをつかう

2 はんぶんにおりすじをつける

3 フチをおりすじにあわせておる

4 はんぶんにおる

5 てまえの1まいだけフチとフチをあわせておる

6

7 1/3くらいのところでおる

8 フチをうえへおる

9 フチをすこしおる

10 ちゅうしんのぶぶんにすこしかさなるようにおる

11 できあがり

107

● しゃしんはP.91　**おもてとうらをうまくつかったさくひんです**

4月 Apr. えんぴつ
Pencil

● おりがみ 1 まい　● むずかしさ

1 はんぶんにおる

2 うえの1まいだけ フチとフチを あわせておる

3

4 フチとフチをあわせて おりすじをつける

5 フチとフチをあわせて おりすじをつける

6 カドがフチから すこしでるように おる

7 ついているおりすじで うしろへおる

8 ついているおりすじで うしろへおる

9 できあがり

108

えんぴつのしおり

1. パンチなどであなをあける
2. あなにリボンをとおす
3. リボンをむすぶ
4. できあがり

うしろのさんかくはのりづけしておくとしあがりもきれいです。のりはすくなめに

えんぴつクリップ

1. うしろのカドをもどす
2. かみのカドをすきまにさしこむ
3. さしこんだかみのカドといっしょにえんぴつのカドをもういちどうしろへおる
4. できあがり

ほそいえんぴつ

1.
2. はんぶんにおりすじをつける
3. フチをおりすじにあわせておる
4. ○のカドのところからフチをおる
5. はんたいがわもおなじ
6.
7. できあがり

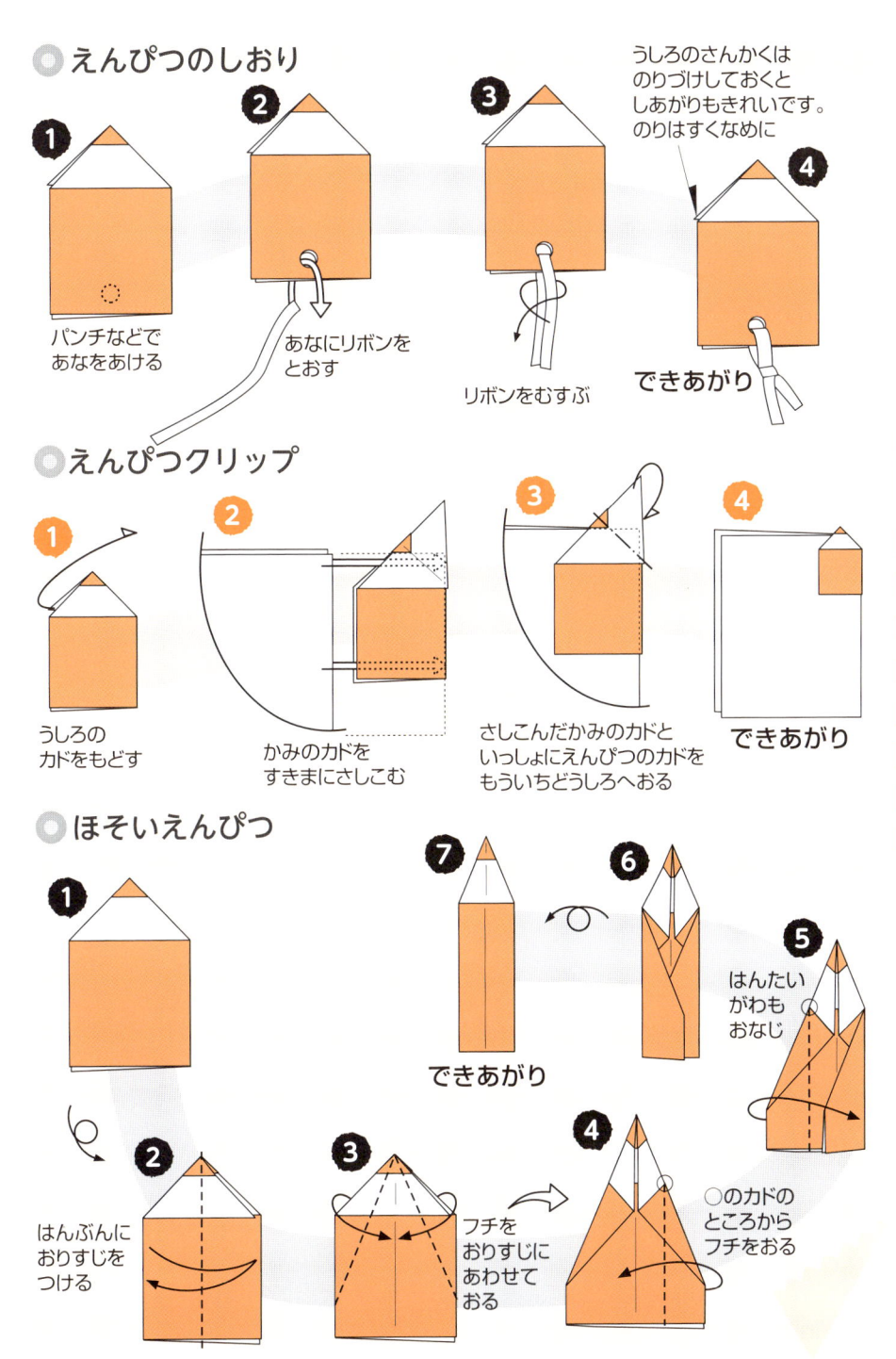

Apr.
4
えんぴつ

● しゃしんはP.91　**りったいてきなけしごむができるよ**

4月 Apr. けしごむ
Eraser

● おりがみ 1まい　● むずかしさ

1 はんぶんに おりすじを つける

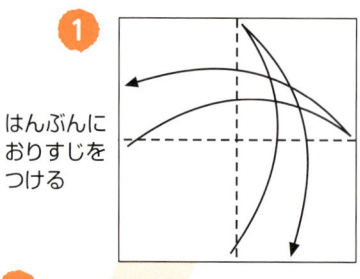

2 フチをおりすじに あわせておる

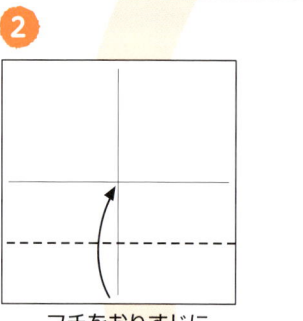

3

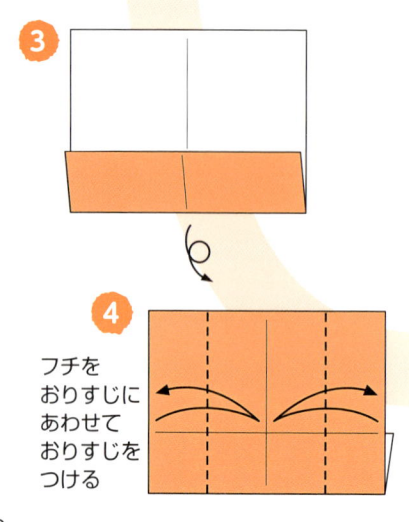

4 フチを おりすじに あわせて おりすじを つける

5 フチをおりすじにあわせて おりすじをつける

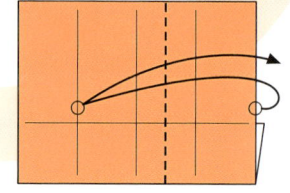

6 フチをおりすじに あわせておる

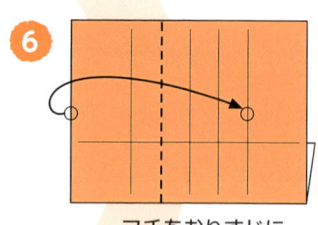

7 ついているおりすじを フチにあわせてだんおり

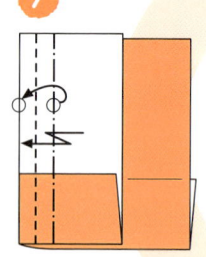

8 フチを はんたい がわへおる

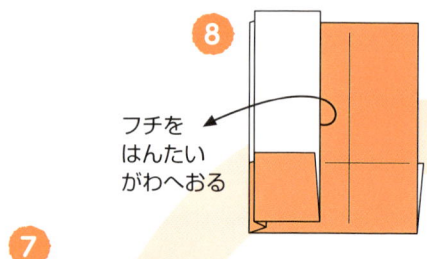

110

⓾ ついている おりすじを フチにあわせて だんおり

⓫ フチを ついている おりすじで おりながら すきまに さしこむ

⓯ フチをついている おりすじでおる

⓬ フチと フチをあわせて おりすじをつける

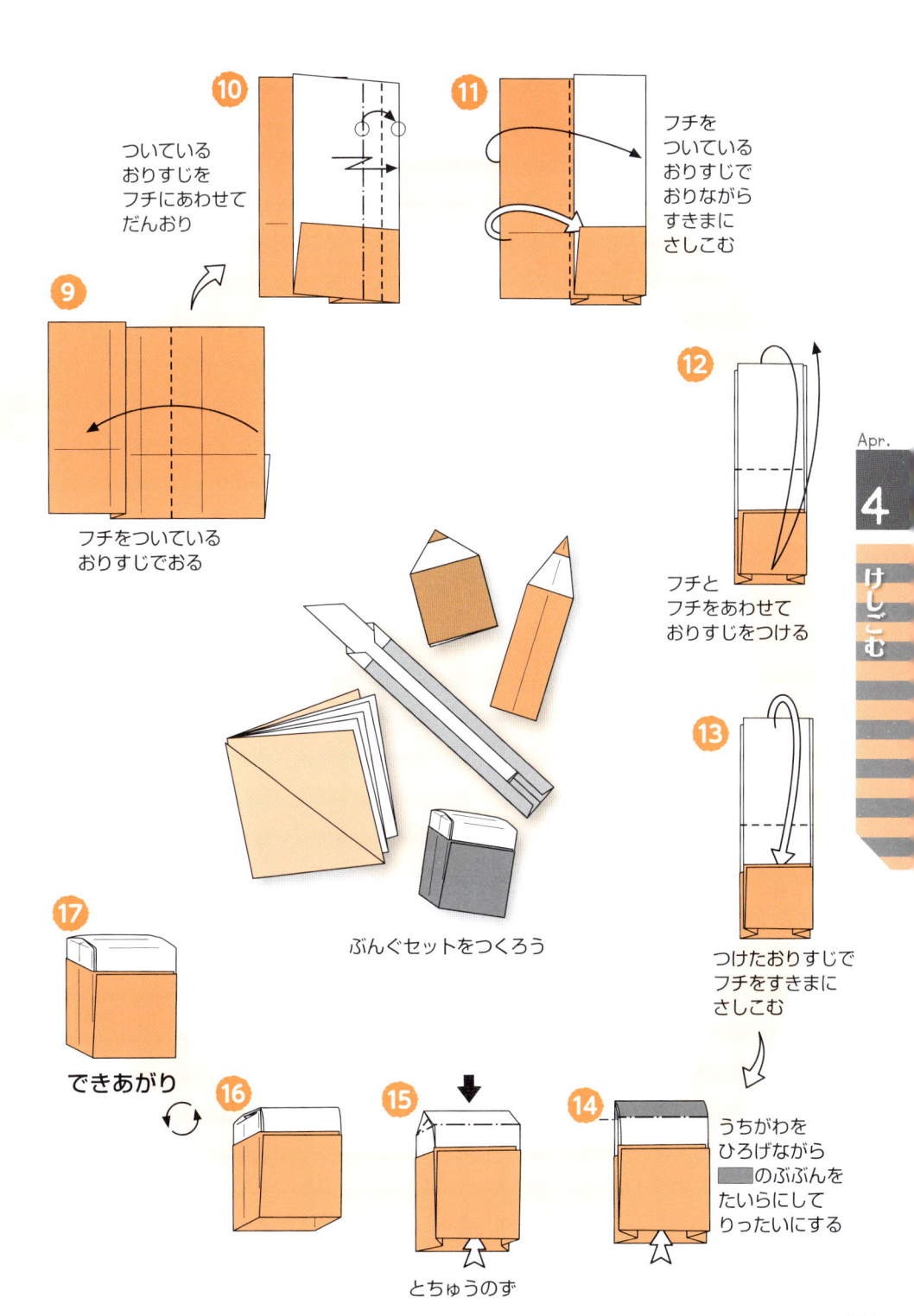

Apr.
4
けしごむ

ぶんぐセットをつくろう

⓭ つけたおりすじで フチをすきまに さしこむ

⓱ できあがり

⓰

⓯ とちゅうのず

⓮ うちがわを ひろげながら ■のぶぶんを たいらにして りったいにする

111

● しゃしんはP.91　**なかみが4ページのかわいいほんだよ**

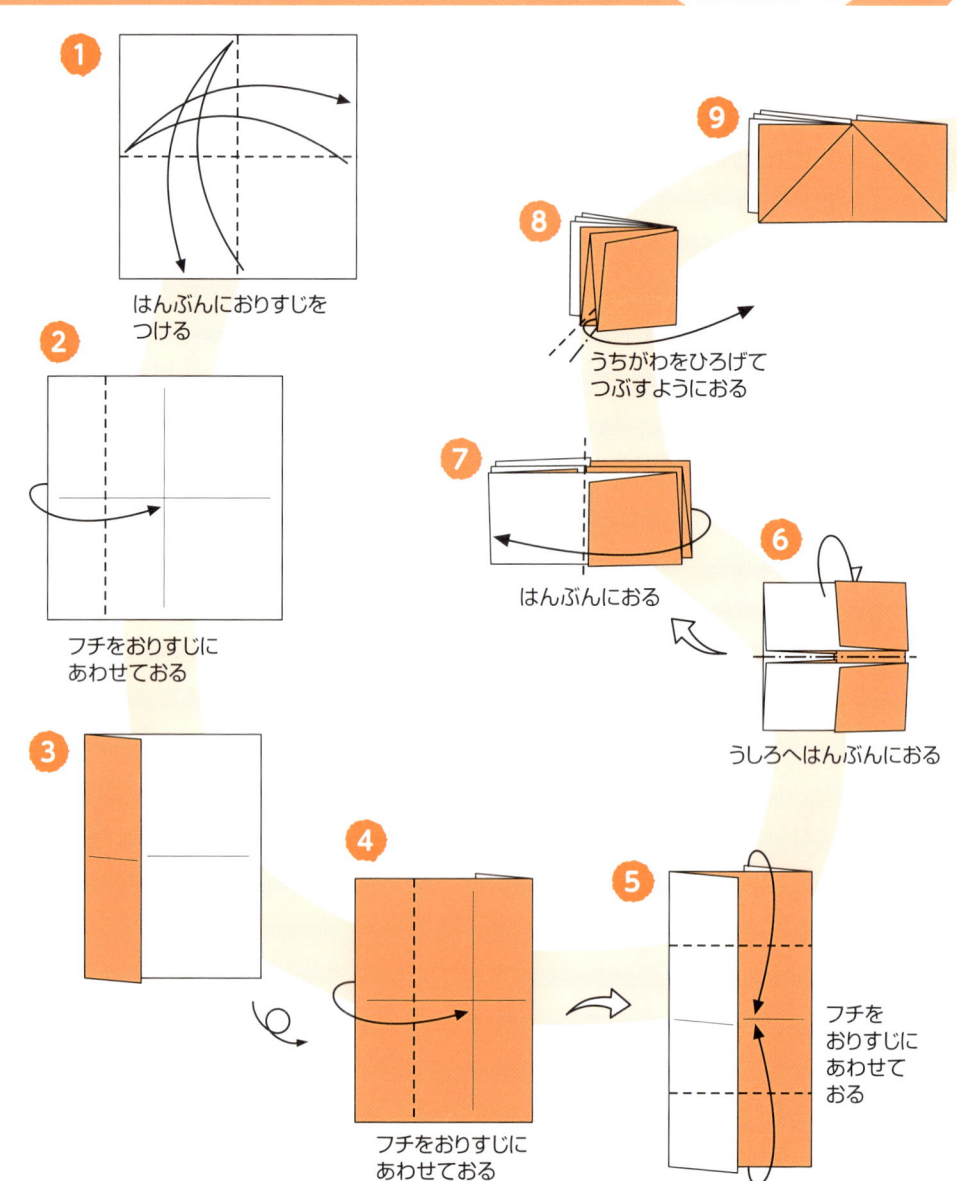

4月 Apr. ほん
Book

● おりがみ 1まい　● むずかしさ

1 はんぶんにおりすじをつける

2 フチをおりすじにあわせておる

3

4 フチをおりすじにあわせておる

5 フチをおりすじにあわせておる

6 うしろへはんぶんにおる

7 はんぶんにおる

8 うちがわをひろげてつぶすようにおる

9

112

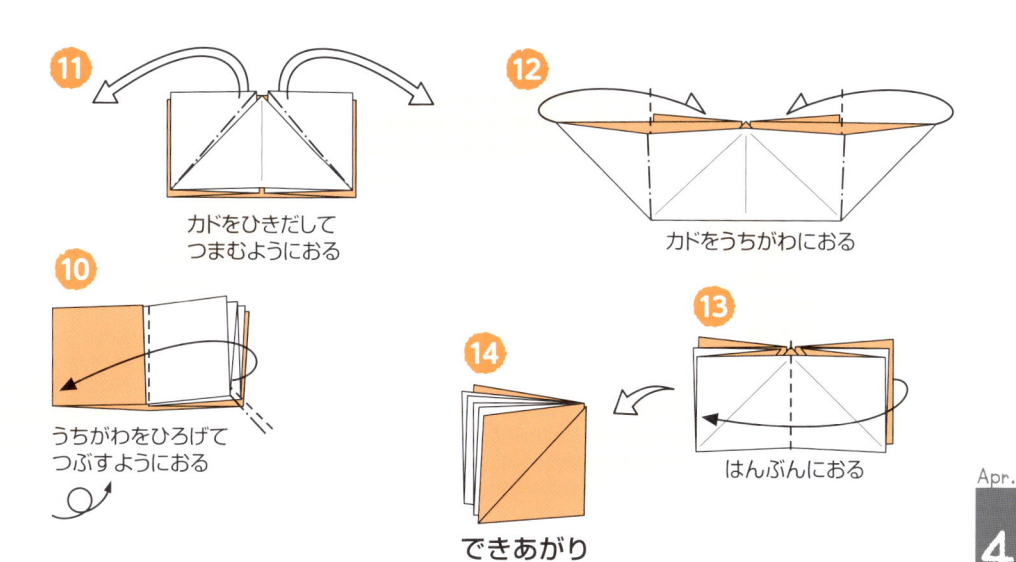

⑪ カドをひきだして つまむようにおる

⑫ カドをうちがわにおる

⑩ うちがわをひろげて つぶすようにおる

⑬ はんぶんにおる

⑭ できあがり

Apr.
4
ほん

●あつみのあるほん

⑬のかたちまでおってからはじめる

❶ すこしあける
ちゅうしんからすこし あけておる

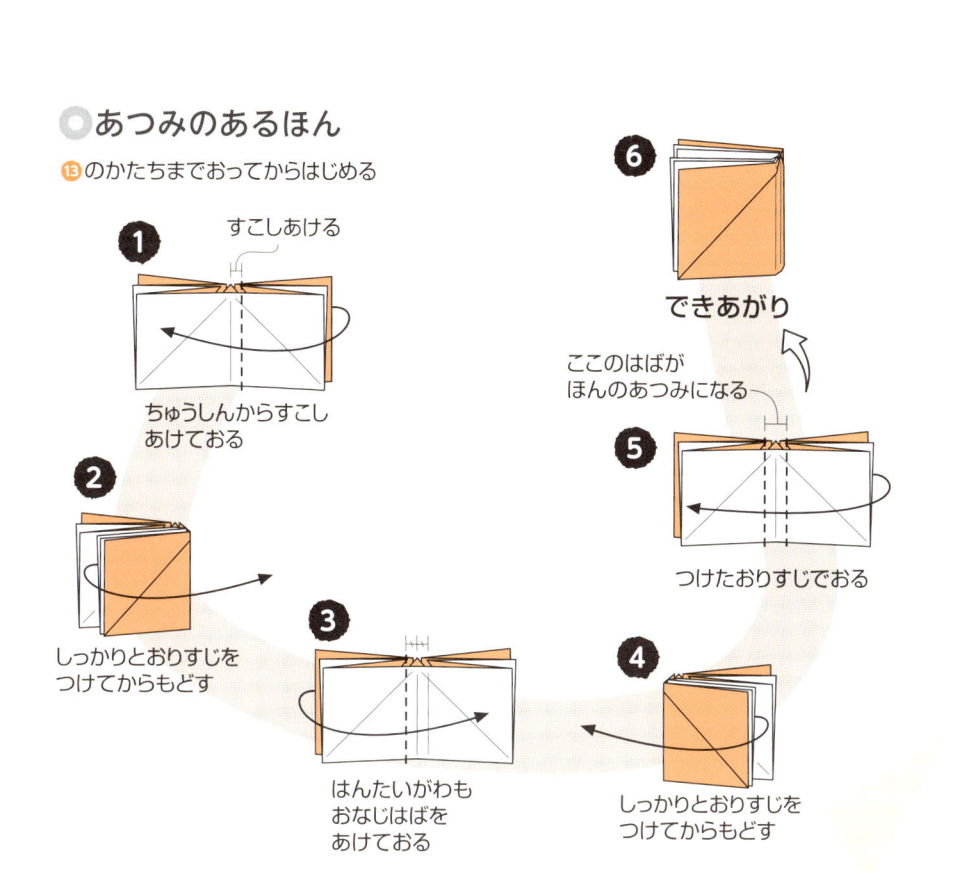

❷ しっかりとおりすじを つけてからもどす

❸ はんたいがわも おなじはばを あけておる

❹ しっかりとおりすじを つけてからもどす

❺ ここのはばが ほんのあつみになる
つけたおりすじでおる

❻ できあがり

113

● しゃしんはP.93　**とてもかんたん、2つにわかれるたまご**

4月 Apr. たまご
Egg

● おりがみ 2まい　　● むずかしさ

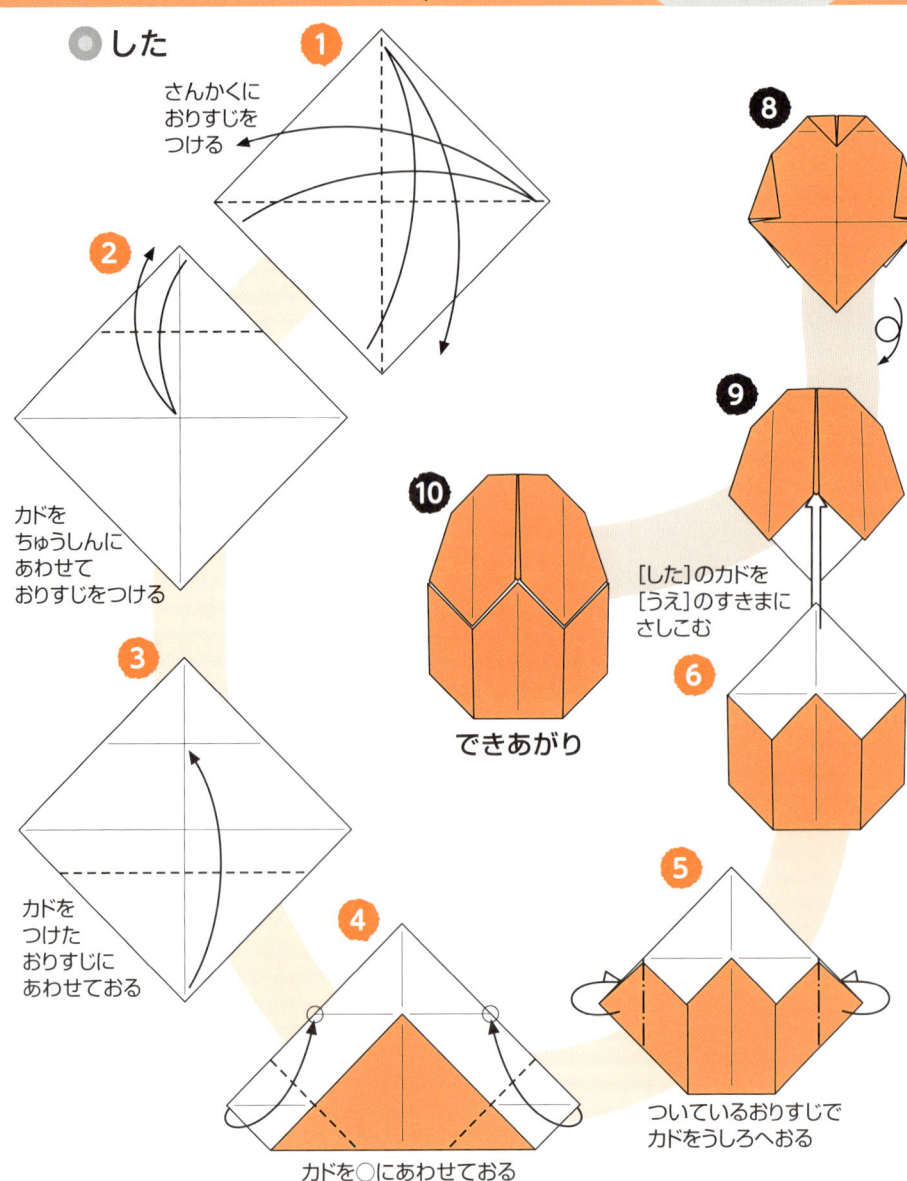

● した

1 さんかくにおりすじをつける

2 カドをちゅうしんにあわせておりすじをつける

3 カドをつけたおりすじにあわせておる

4 カドを○にあわせておる

5 ついているおりすじでカドをうしろへおる

6

[した]のカドを[うえ]のすきまにさしこむ

8

9

10 できあがり

114

うえ

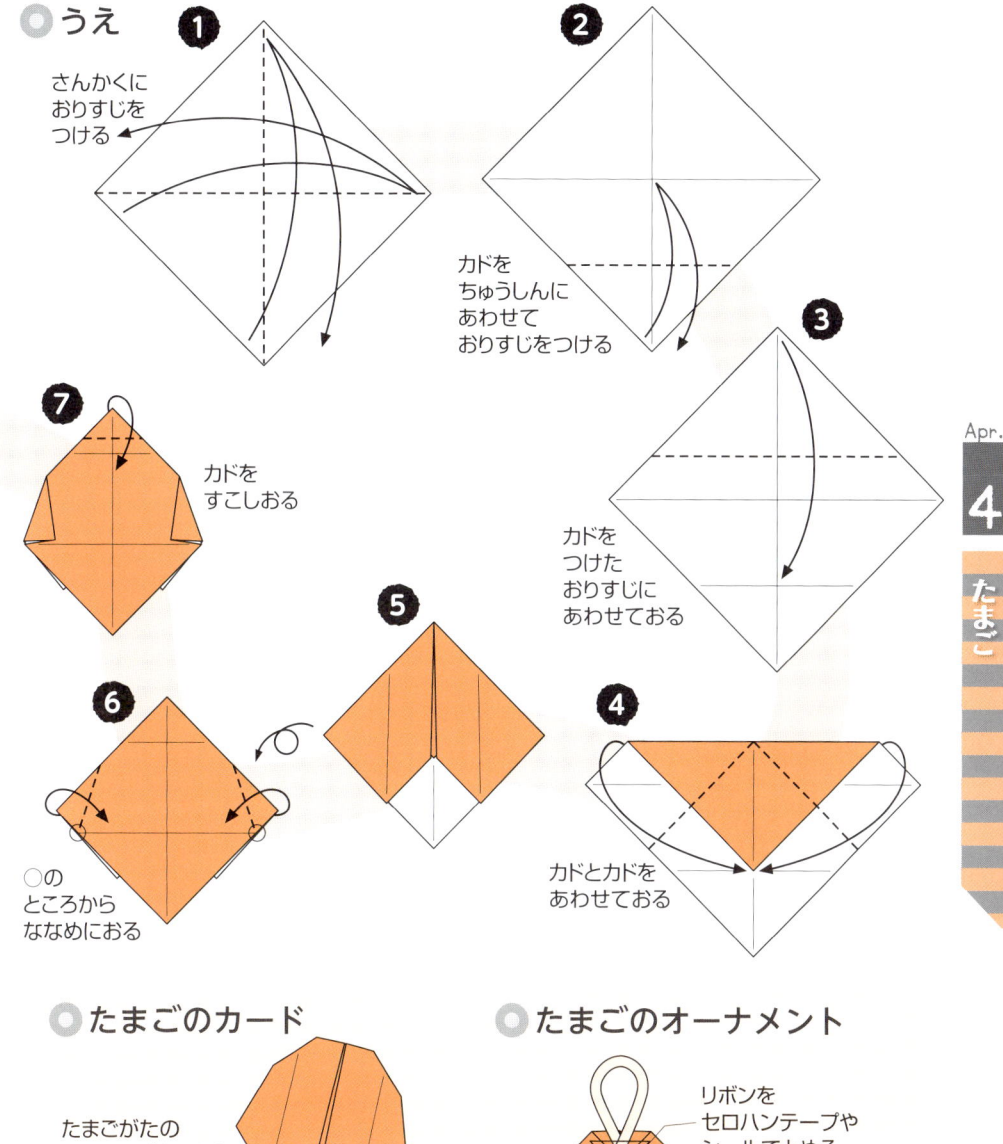

1 さんかくにおりすじをつける

2 カドをちゅうしんにあわせておりすじをつける

3 カドをつけたおりすじにあわせておる

4 カドとカドをあわせておる

5

6 ○のところからななめにおる

7 カドをすこしおる

Apr. 4 たまご

たまごのカード

たまごがたのメッセージカードをさしこむ

HAPPY EASTER!

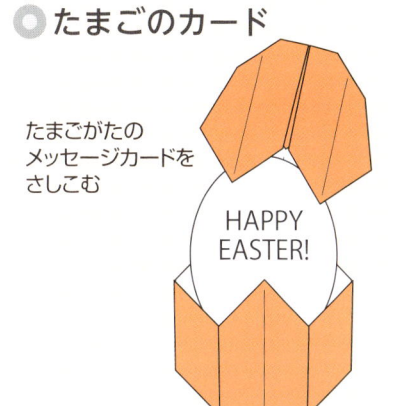

たまごのオーナメント

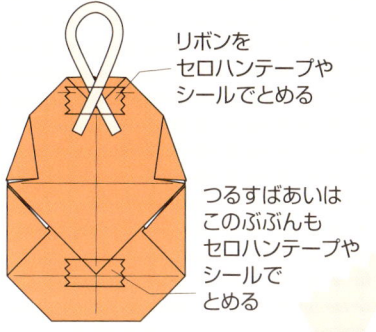

リボンをセロハンテープやシールでとめる

つるすばあいはこのぶぶんもセロハンテープやシールでとめる

● しゃしんはP.90　かおのぶぶんがあつくなるのでちゅうい

4月 Apr. うさぎ
Rabbit

● おりがみ 1まい　　● むずかしさ

---

1 はんぶんにおりすじをつける

2 フチをおりすじにあわせておる

3 フチとフチをあわせておりすじをつける

4 つけたおりすじでカドをうちがわにおる

5

6 カドを○にあわせておる

7 すこしすきまをあけてカドをおる　すきまをあける

8 すこしすきまをあけてフチをはんたいがわへおる　すきまをあける

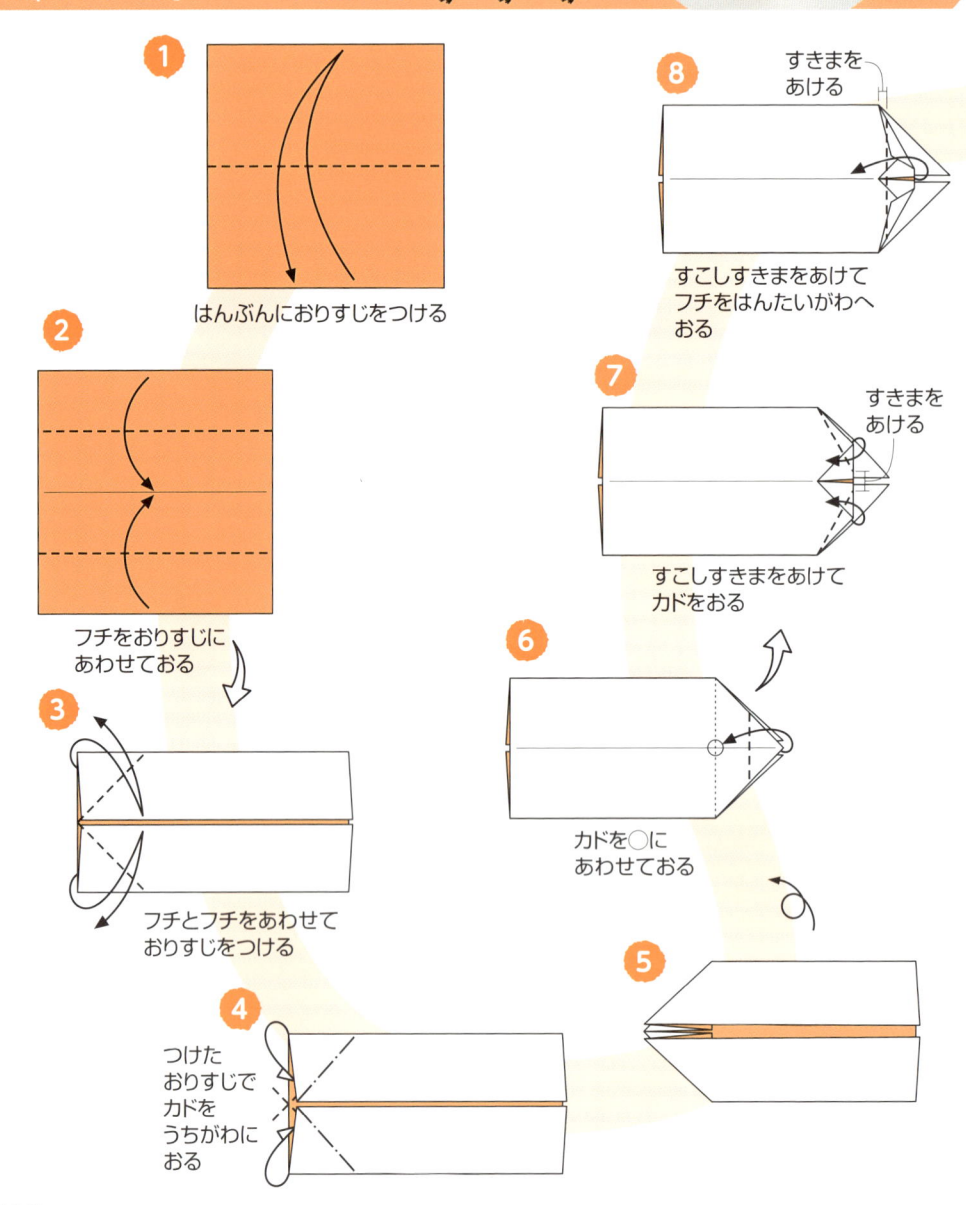

116

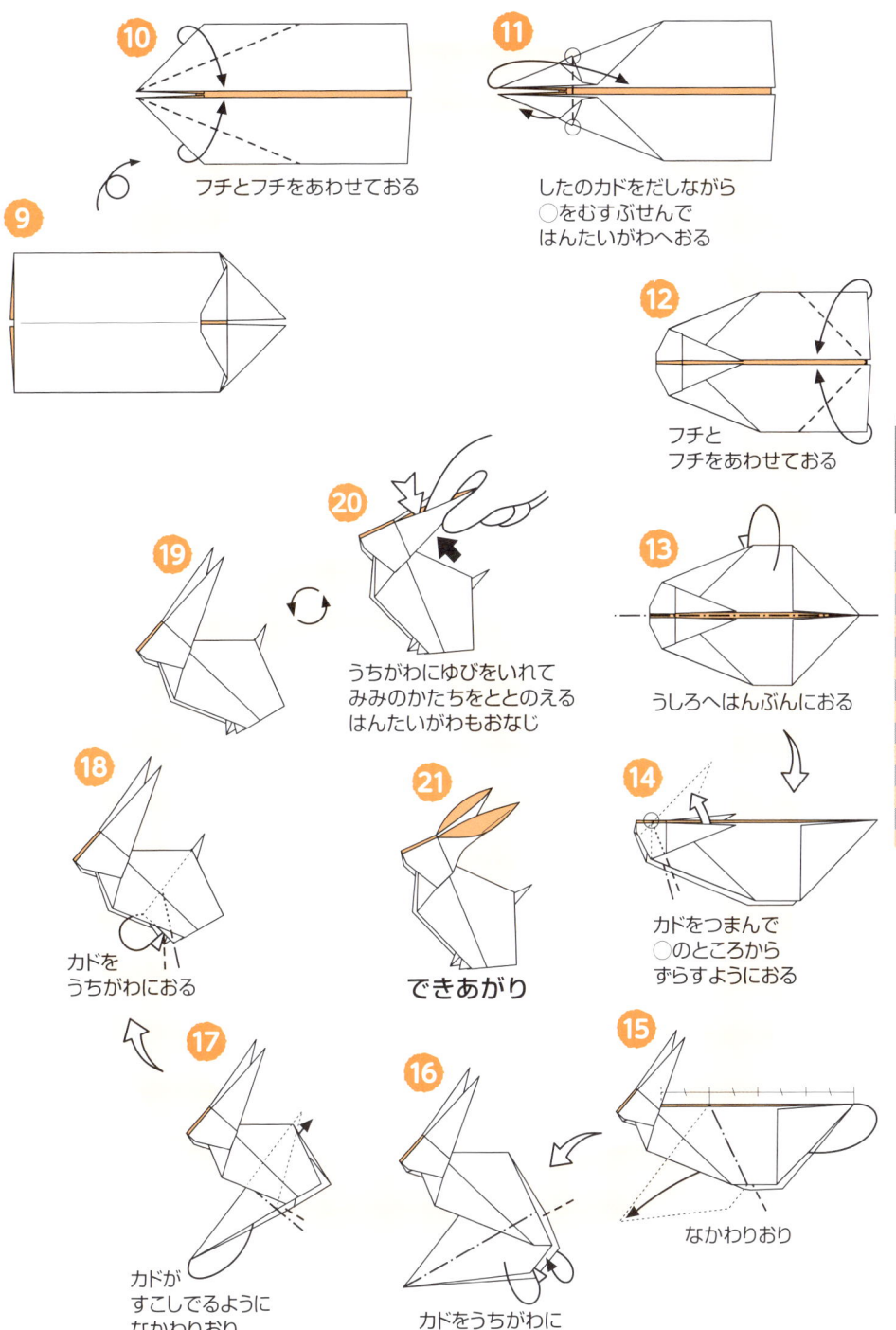

10
フチとフチをあわせておる

11
したのカドをだしながら
○をむすぶせんで
はんたいがわへおる

9

12
フチと
フチをあわせておる

13
うしろへはんぶんにおる

14
カドをつまんで
○のところから
ずらすようにおる

15
なかわりおり

16
カドをうちがわに
おりこむ

17
カドが
すこしでるように
なかわりおり

18
カドを
うちがわにおる

19

20
うちがわにゆびをいれて
みみのかたちをととのえる
はんたいがわもおなじ

21
できあがり

Apr.
4
うさぎ

●しゃしんはP.91　**よつばをみつけるとしあわせになれるね**

4月 Apr.
クローバー
Clover

●おりがみ 3～4まい　●むずかしさ

●よつばのクローバー

1 はんぶんにおりすじをつける

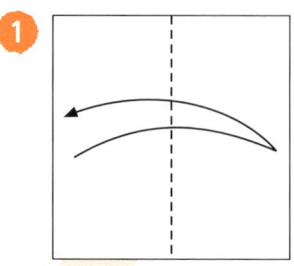

2 1/3くらいのところでおる

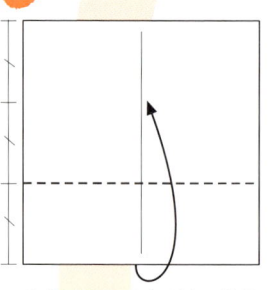

3

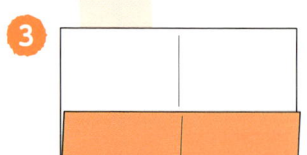

4 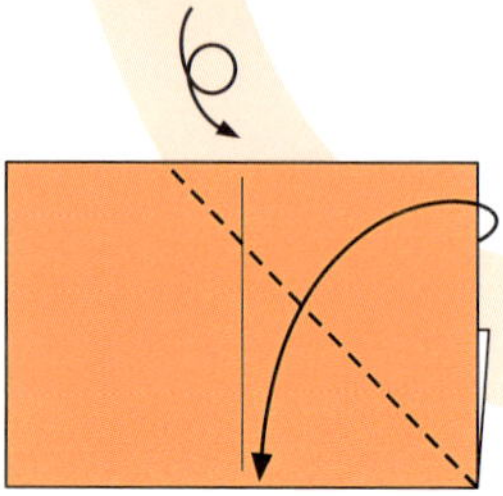 フチとフチをあわせておる

5 フチをついているおりすじでうしろへおる

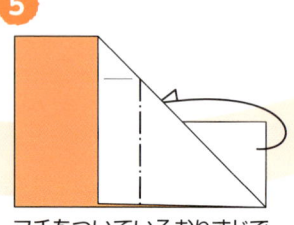

6 うちがわをひろげてつぶすようにおる

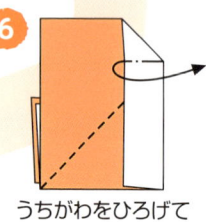

7 カドをフチにあわせておる

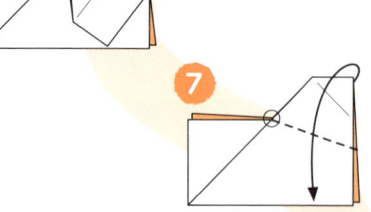

8

9 うえの1まいだけフチをおりすじにあわせておる

10 カドをそれぞれうしろへおる

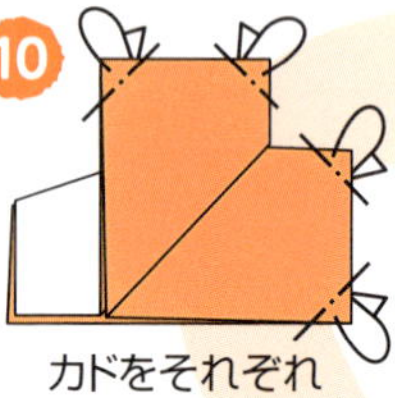

11 おなじものを4つつくる

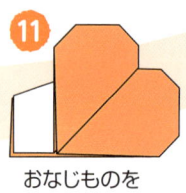

118

⑫

フチをそれぞれすきまに
さしこんでのりづけ

⑬

できあがり

⑧

できあがり

⑦

フチを
すきまに
おりこむ

⑥

カドをフチに
あわせておる

⑤

おなじようにして
フチをすきまに
さしこんでのりづけ

④

すこし
あける

フチをすきまに
さしこんでのりづけ

③

おなじものを
3つつくる

● みつばの クローバー

[よつばのクローバー]の
⑨のかたちまで
おってからはじめる

①

すこし
あける

フチをななめに
おる

②

カドをそれぞれ
うしろへおる

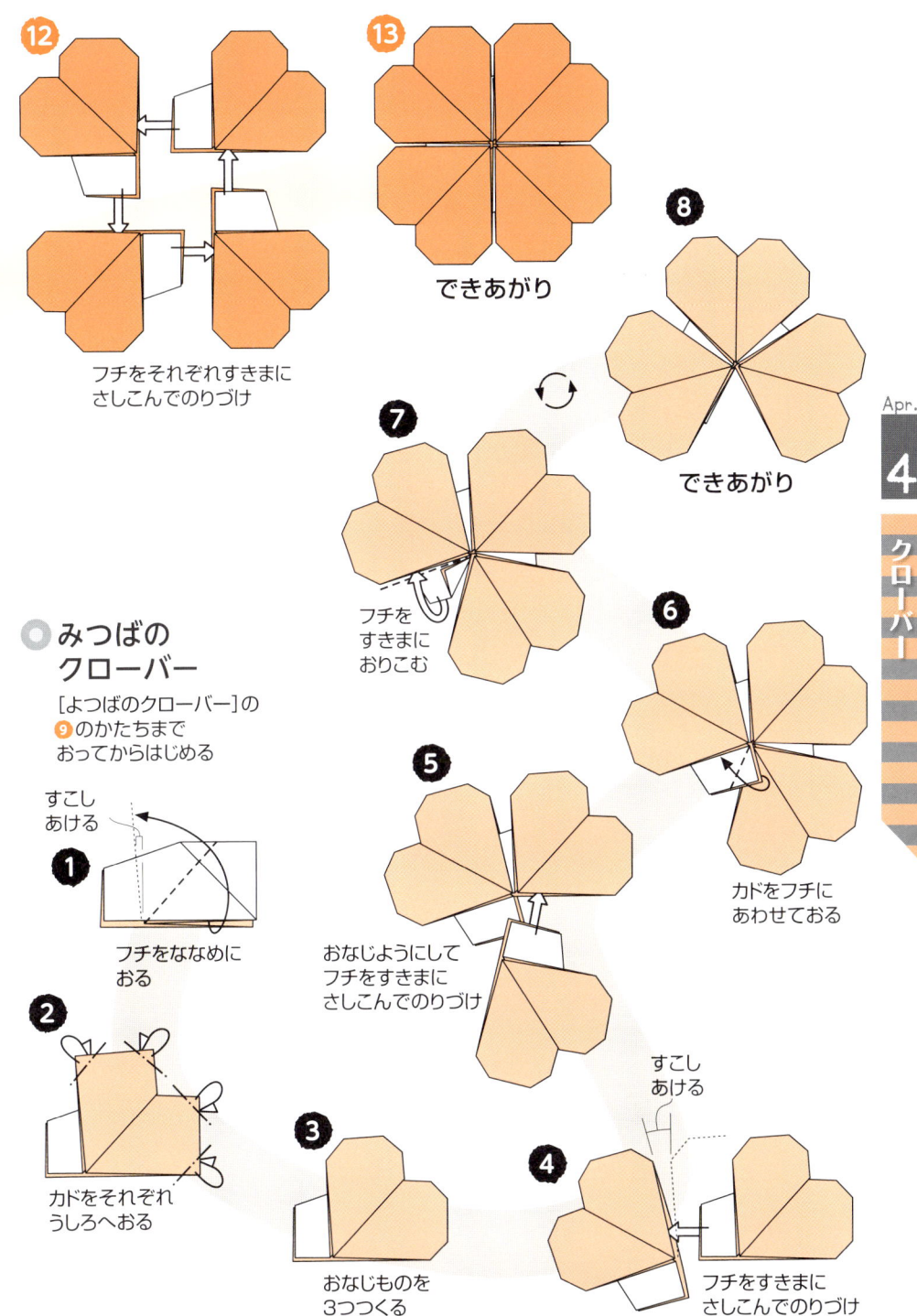

Apr.
4
クローバー

● しゃしんはP.91　あか、しろ、きいろ、どんないろでもかわいい

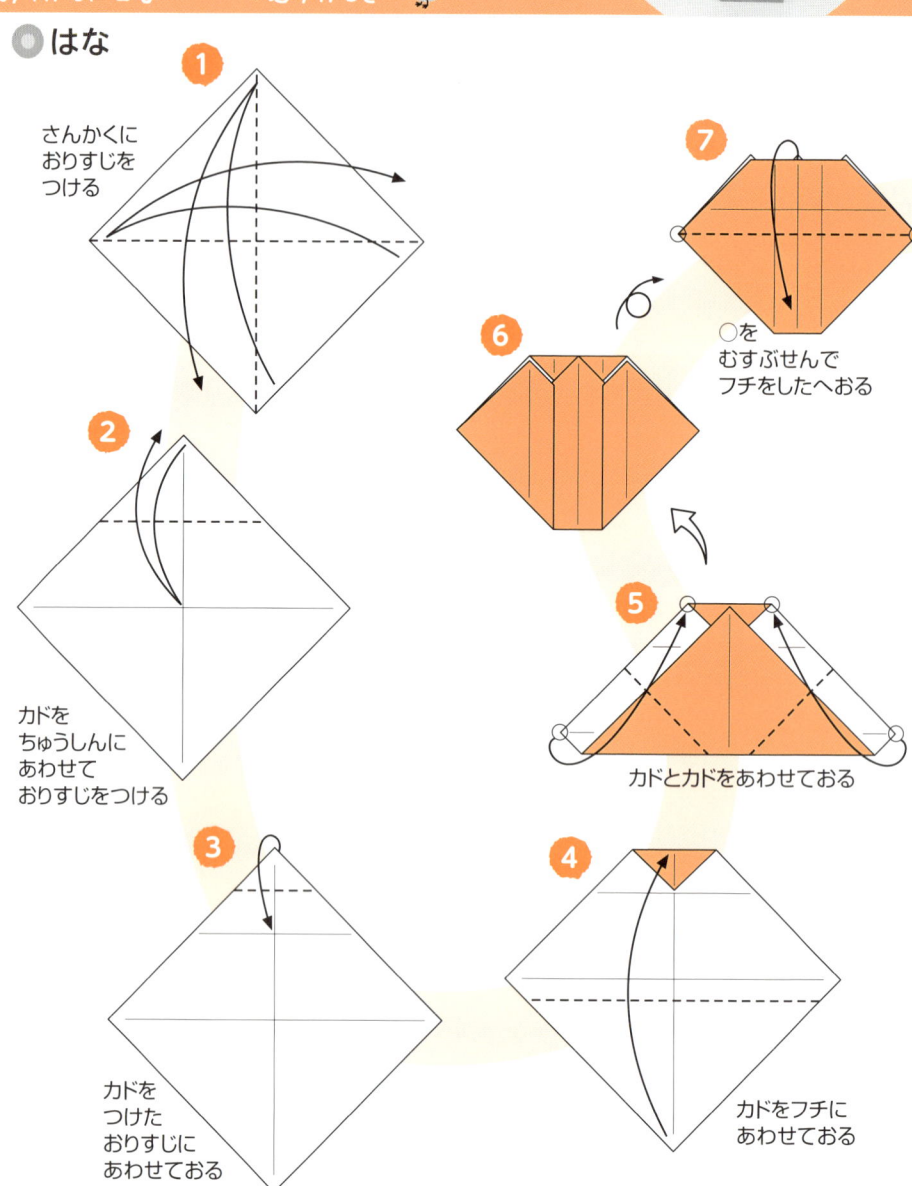

4月 Apr. チューリップ
Tulip

● おりがみ 2まい　● むずかしさ

● はな

1 さんかくにおりすじをつける

2 カドをちゅうしんにあわせておりすじをつける

3 カドをつけたおりすじにあわせておる

4 カドをフチにあわせておる

5 カドとカドをあわせておる

6

7 ○をむすぶせんでフチをしたへおる

9 フチのところで うえへおる

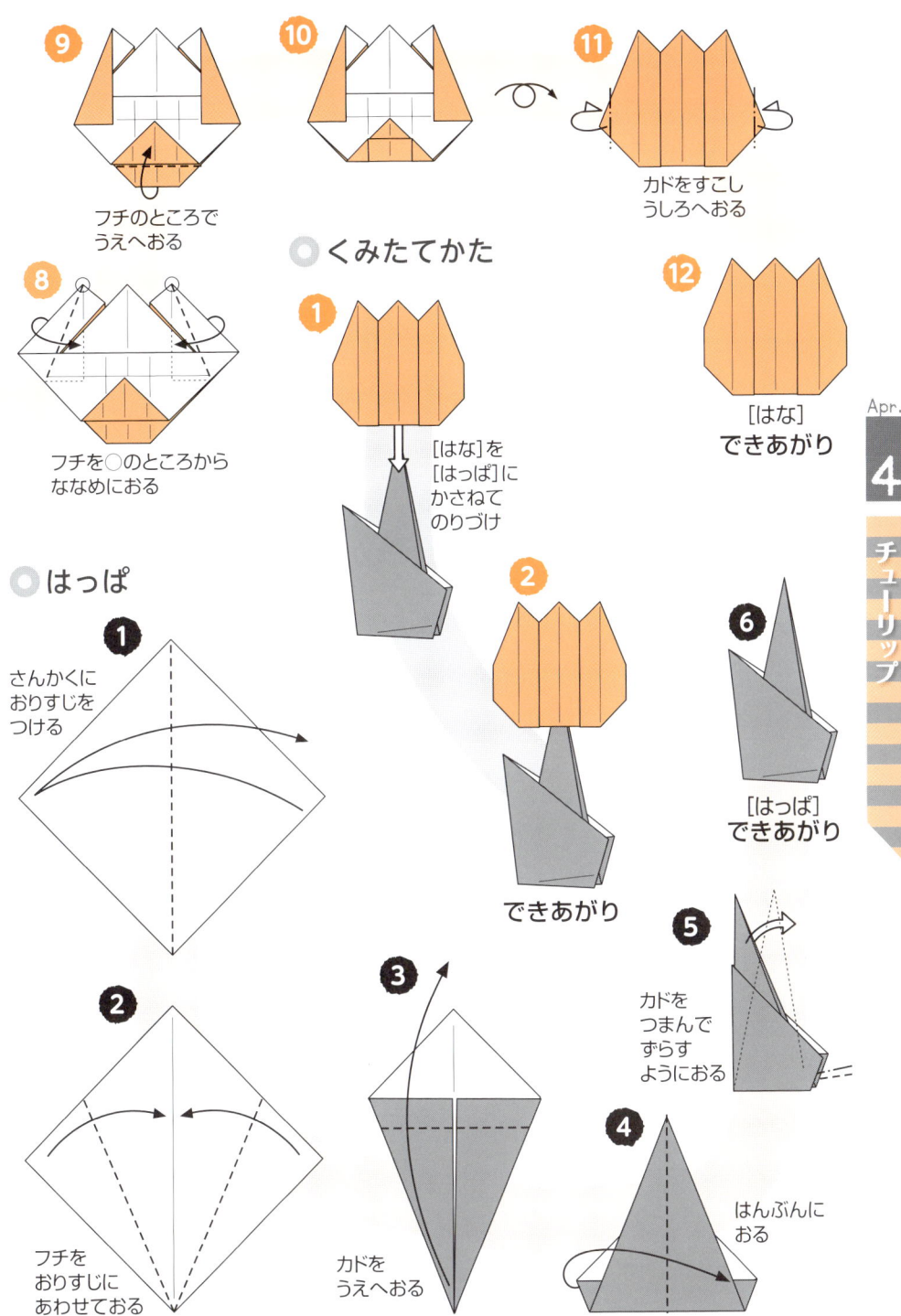

10

11 カドをすこし うしろへおる

8 フチを○のところから ななめにおる

○ くみたてかた

1 [はな]を [はっぱ]に かさねて のりづけ

2 できあがり

12 [はな] できあがり

Apr. 4 チューリップ

○ はっぱ

1 さんかくに おりすじを つける

2 フチを おりすじに あわせておる

3 カドを うえへおる

4 はんぶんに おる

5 カドを つまんで ずらす ようにおる

6 [はっぱ] できあがり

121

●しゃしんはP.91　ちゅうしんをしっかりあわせてくみたてよう

4月 Apr. さくら
Cherry blossom

●おりがみ 5まい　●むずかしさ

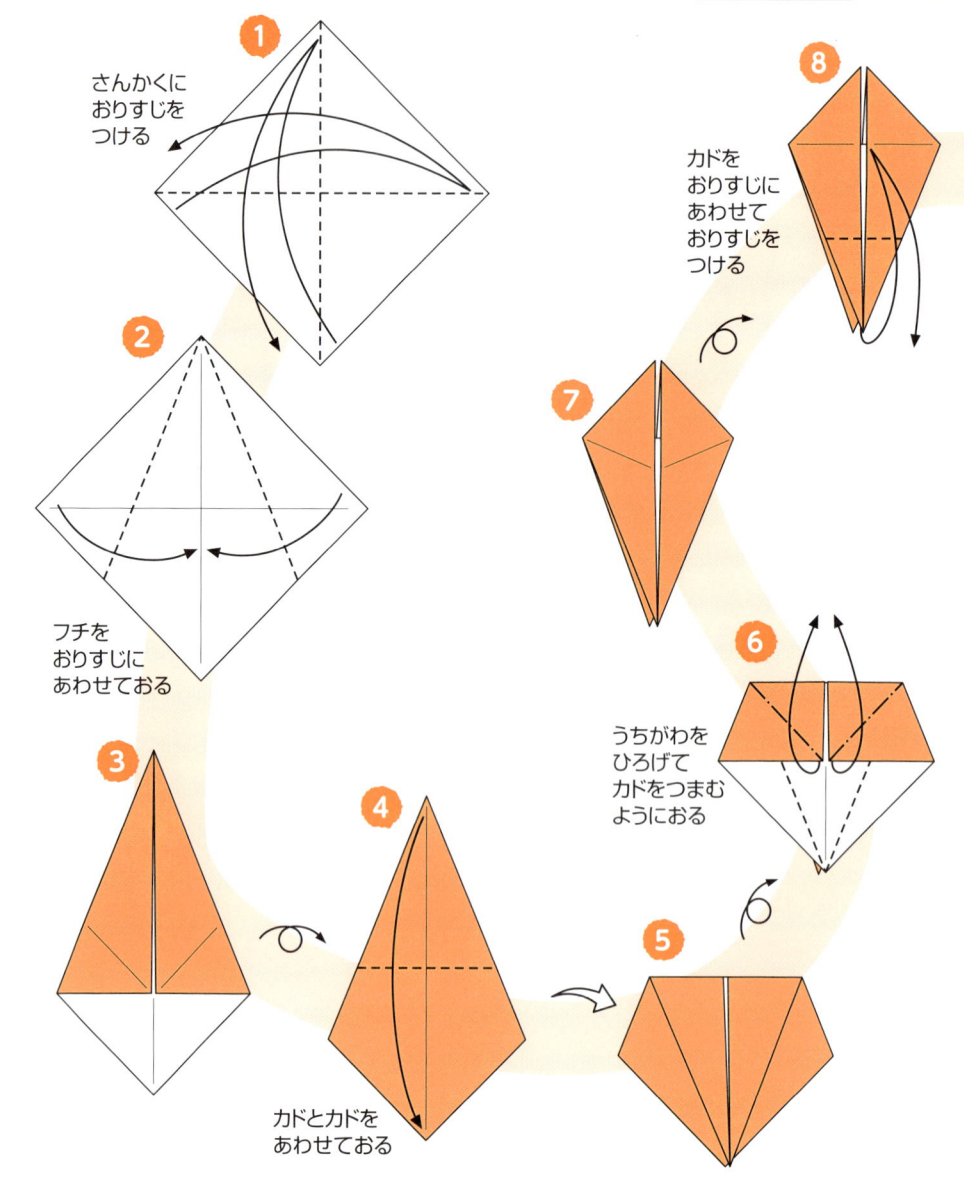

1 さんかくにおりすじをつける

2 フチをおりすじにあわせておる

3

4 カドとカドをあわせておる

5

6 うちがわをひろげてカドをつまむようにおる

7

8 カドをおりすじにあわせておりすじをつける

122

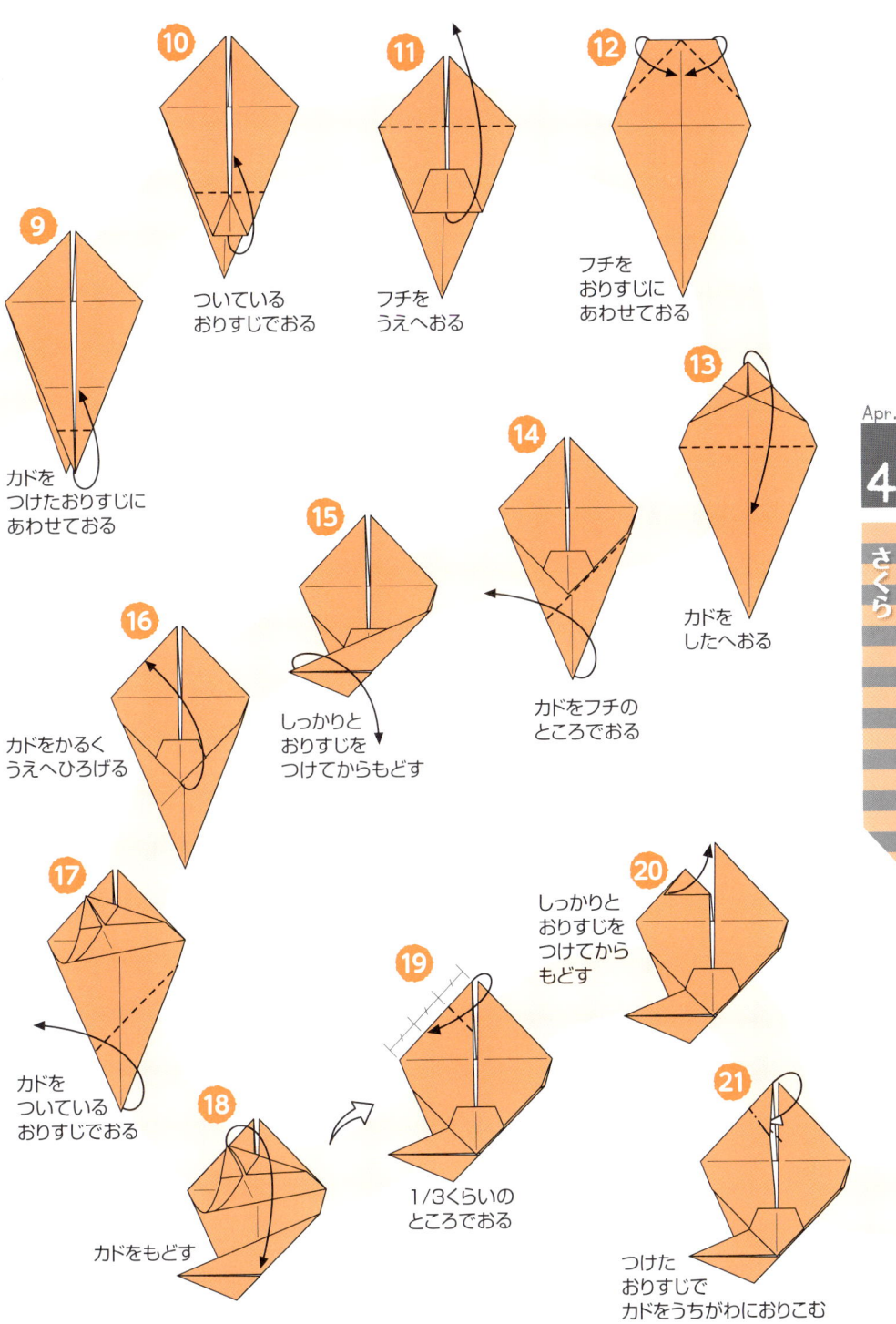

10
ついている
おりすじでおる

11
フチを
うえへおる

12
フチを
おりすじに
あわせておる

9
カドを
つけたおりすじに
あわせておる

13
カドを
したへおる

14
カドをフチの
ところでおる

15
しっかりと
おりすじを
つけてからもどす

16
カドをかるく
うえへひろげる

17
カドを
ついている
おりすじでおる

18
カドをもどす

19
1/3くらいの
ところでおる

20
しっかりと
おりすじを
つけてから
もどす

21
つけた
おりすじで
カドをうちがわにおりこむ

Apr.
4
さくら

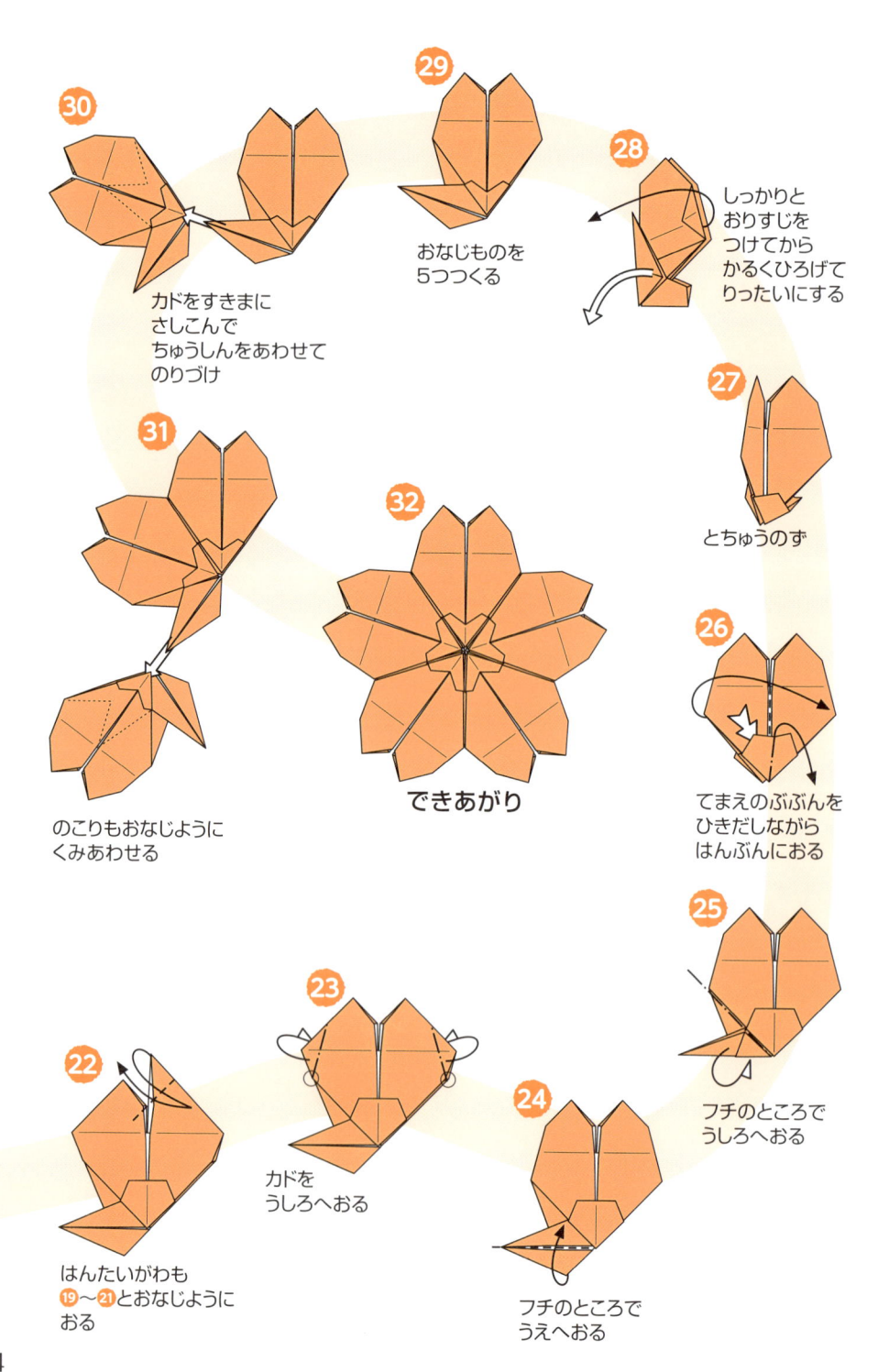

㉚ カドをすきまにさしこんでちゅうしんをあわせてのりづけ

㉙ おなじものを5つつくる

㉘ しっかりとおりすじをつけてからかるくひろげてりったいにする

㉛ のこりもおなじようにくみあわせる

㉜ できあがり

㉗ とちゅうのず

㉖ てまえのぶぶんをひきだしながらはんぶんにおる

㉕ フチのところでうしろへおる

㉔ フチのところでうえへおる

㉓ カドをうしろへおる

㉒ はんたいがわも⑲〜㉑とおなじようにおる

124

● しゃしんはP.92　えんぴつをいれてふでばこにもつかえるよ

4月 Apr. よこながの Rectangular gift box ギフトボックス

● おりがみ　2まい　● むずかしさ

● ほんたい

1 はんぶんにおりすじをつける

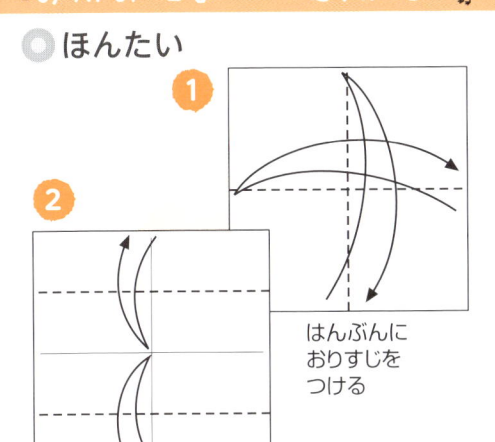

2 フチをおりすじにあわせておりすじをつける

3 フチをおりすじにあわせておりすじをつける

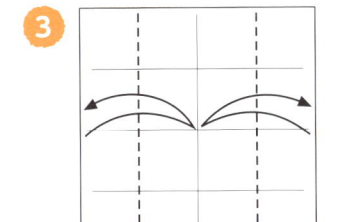

4 フチをつけたおりすじにあわせておる

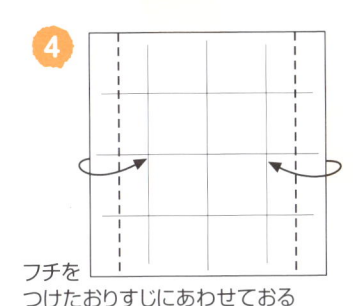

5 フチをついているおりすじでおる

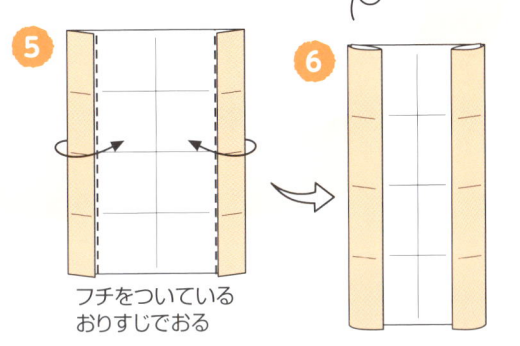

6

7 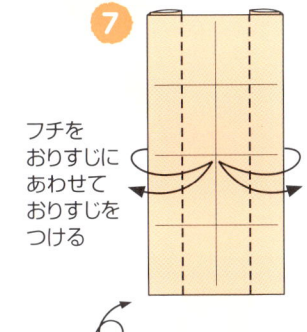 フチをおりすじにあわせておりすじをつける

8 フチをつけたおりすじにあわせておる

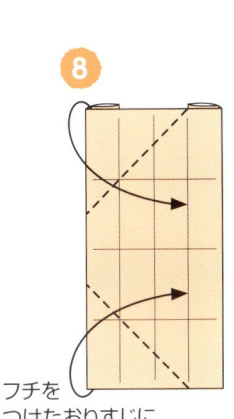

9 カドをうちがわにおりこむ

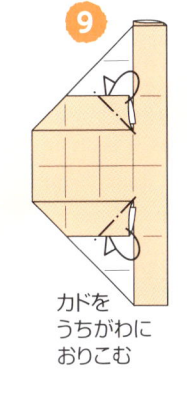

125

10 フチとフチをあわせてすきまにさしこむ

11 カドをすきまにおりこむ

12 うちがわをひろげてりったいにする

13 [ほんたい] できあがり

● ふた

1 はんぶんにおりすじをつける

2 フチをおりすじにあわせておりすじをつける

3 フチをおりすじにあわせておりすじをつける

4 カドをおりすじにあわせておる

5 フチをおりすじにあわせておる

6 しっかりとおりすじをつけてからぜんぶひろげる

7

8 フチをおりすじにあわせておりすじをつける

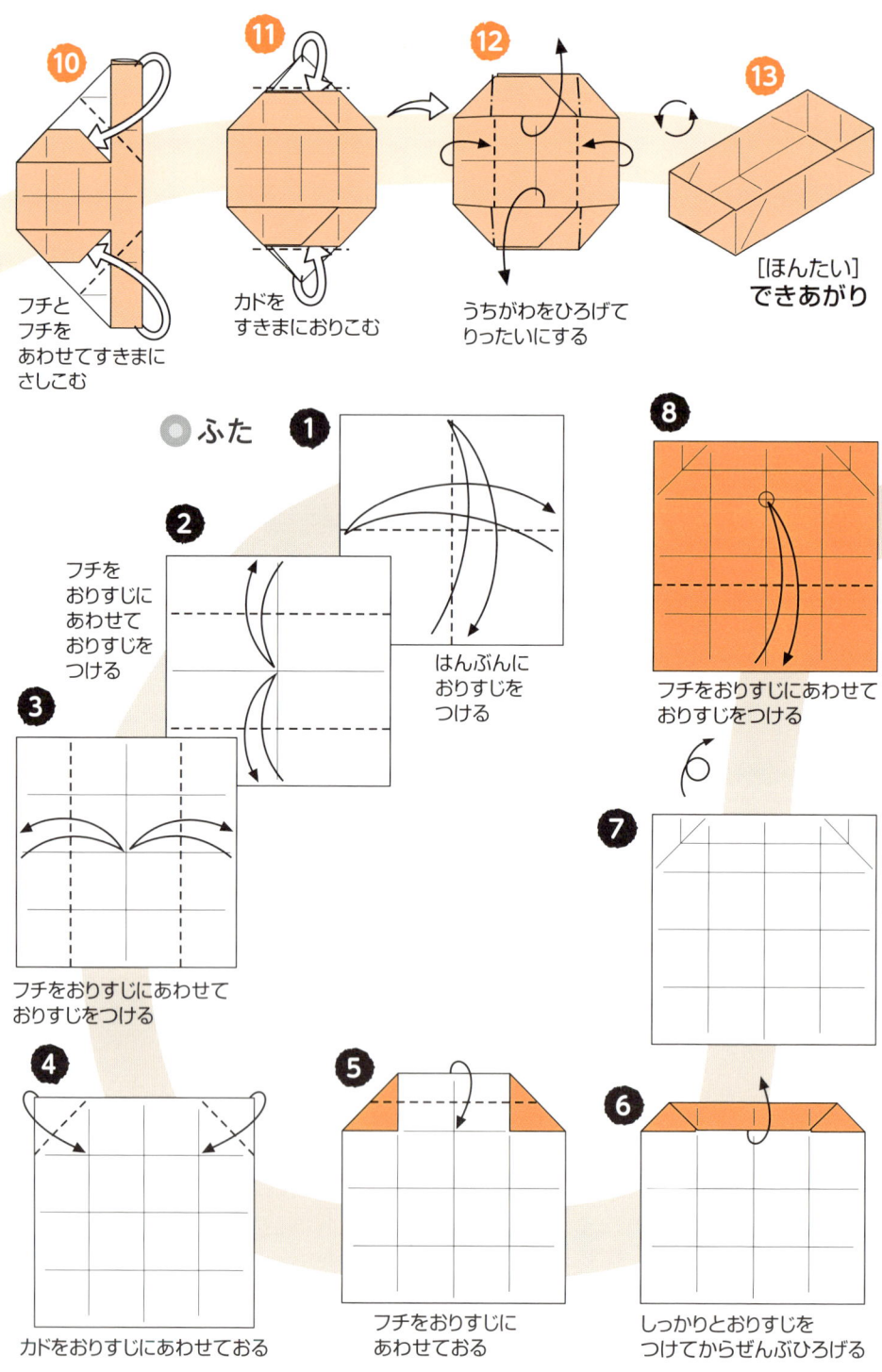

126

⑩ はんぶんにおる

⑪ フチをおりすじにあわせておる

⑨

⑫ うちがわをひろげてつぶすようにおる

⑬ フチとフチをあわせておりすじをつける

⑭ フチをはんたいがわへおる

⑮ ついているおりすじでフチをしたへおっておきあがってきたぶぶんをつぶすようにおる

⑯ フチをついているおりすじでおる

⑰ ついているおりすじでおりすじをつけなおす

⑱ フチをおりすじからすこしあけておる　すこしあける

⑲ しっかりとおりすじをつけてからもどす

Apr.
4

よこながのギフトボックス

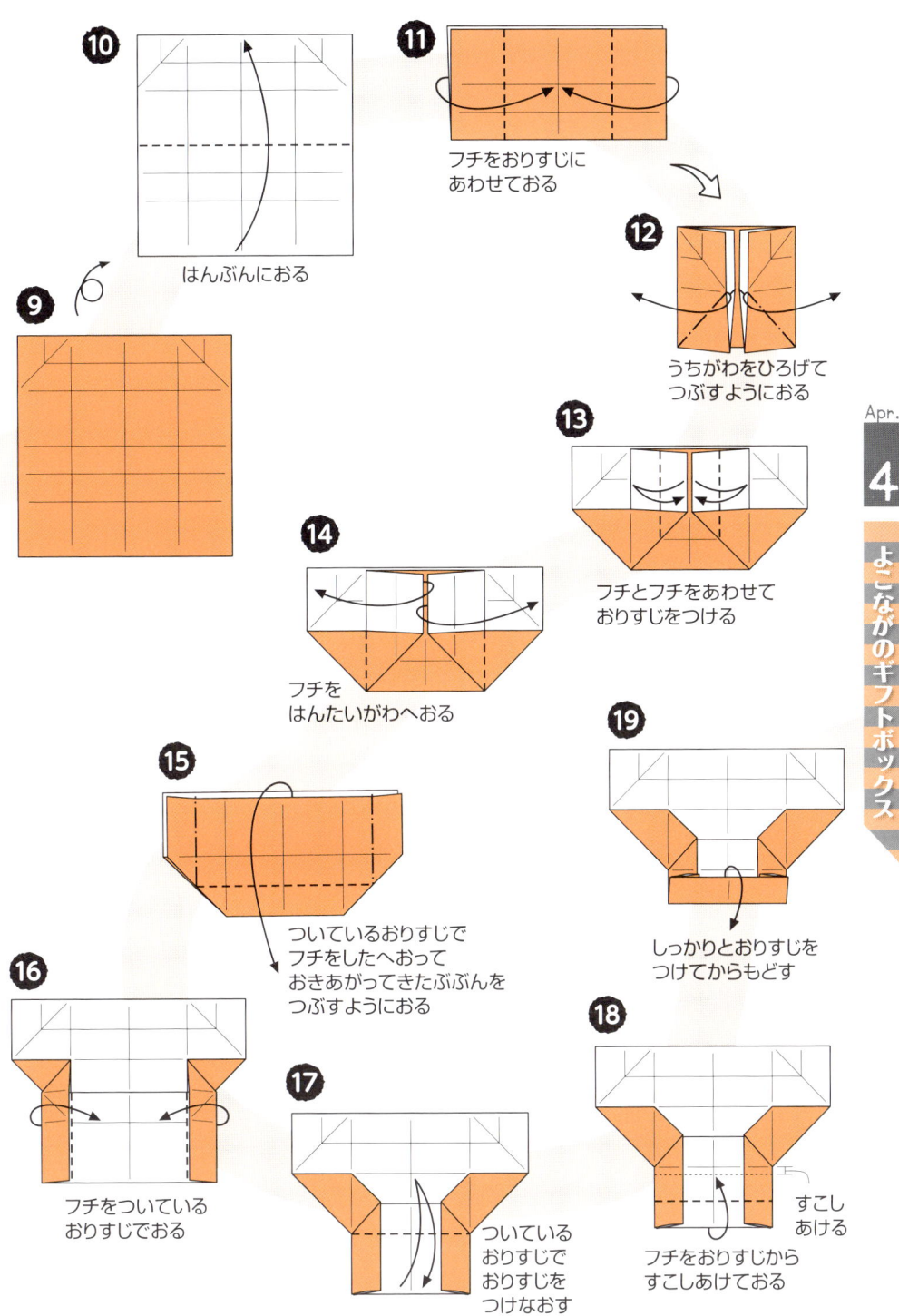

127

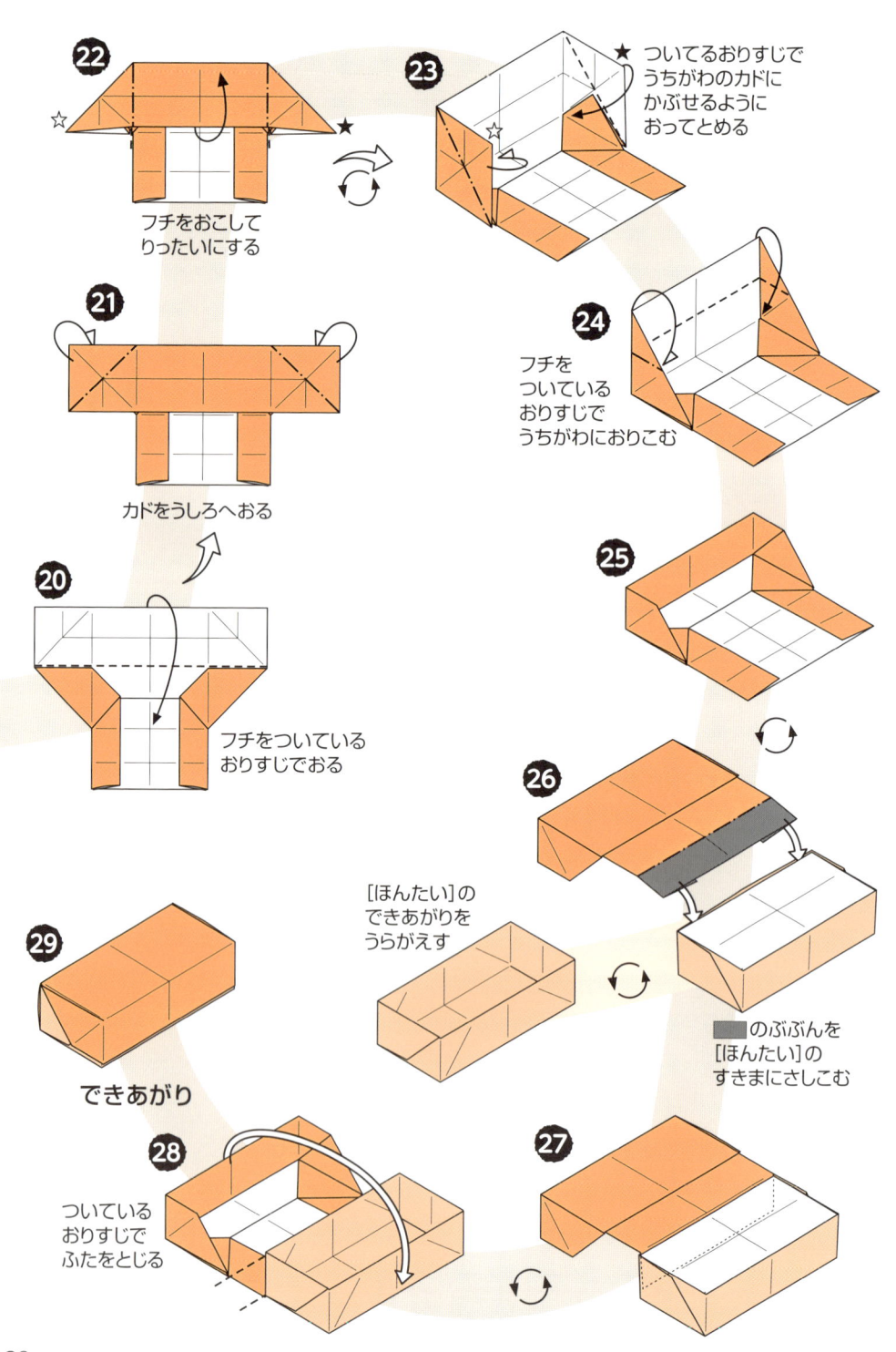

22 フチをおこして りったいにする

21 カドをうしろへおる

20 フチをついている おりすじでおる

23 ついてるおりすじで うちがわのカドに かぶせるように おってとめる

24 フチを ついている おりすじで うちがわにおりこむ

25

26 [ほんたい]の できあがりを うらがえす

■のぶぶんを [ほんたい]の すきまにさしこむ

27

28 ついている おりすじで ふたをとじる

29 できあがり

5月 May

春の壁面かざり

チョウ	P.226	7.5×15cm
いちご	P.148	9×9cm
はっぱ	P.162（あじさいのはっぱ）	4×4cm

花かごにはお菓子を
入れてもすてき

はなかご　P.146　15×15cm

端午の節句

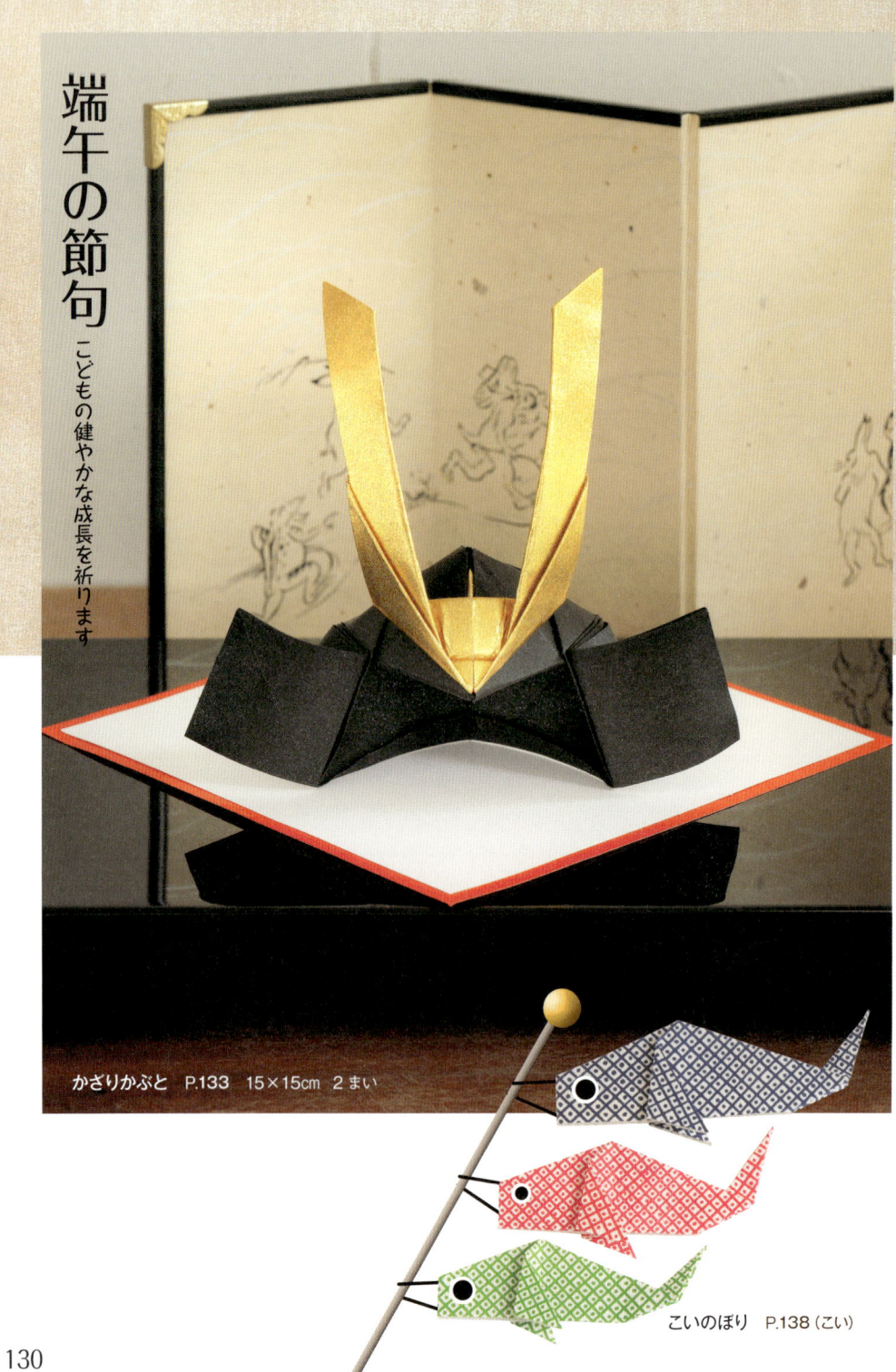

こどもの健やかな成長を祈ります

かざりかぶと　P.133　15×15cm　2まい

こいのぼり　P.138（こい）

かぶと　P.137　15×15cm
はなしょうぶ　P.139　はな：5×5cm
　　　　　　　　　　はっぱ：2.5×15cm

つばめ　P.150　15×15cm

ママ！いつもありがとう
日ごろの感謝をメッセージに添えて

カーネーション（カード）　P.142　はな：4×4cm　2まい、がく：4×2cm
バラ　P.144　7.5×7.5cm　2まい

- しゃしんはP.130　こどものひにかざられるりっぱなかぶとです

5月 May
かざりかぶと
Decorative samurai helmet

- おりがみ　2まい
- むずかしさ

かぶと

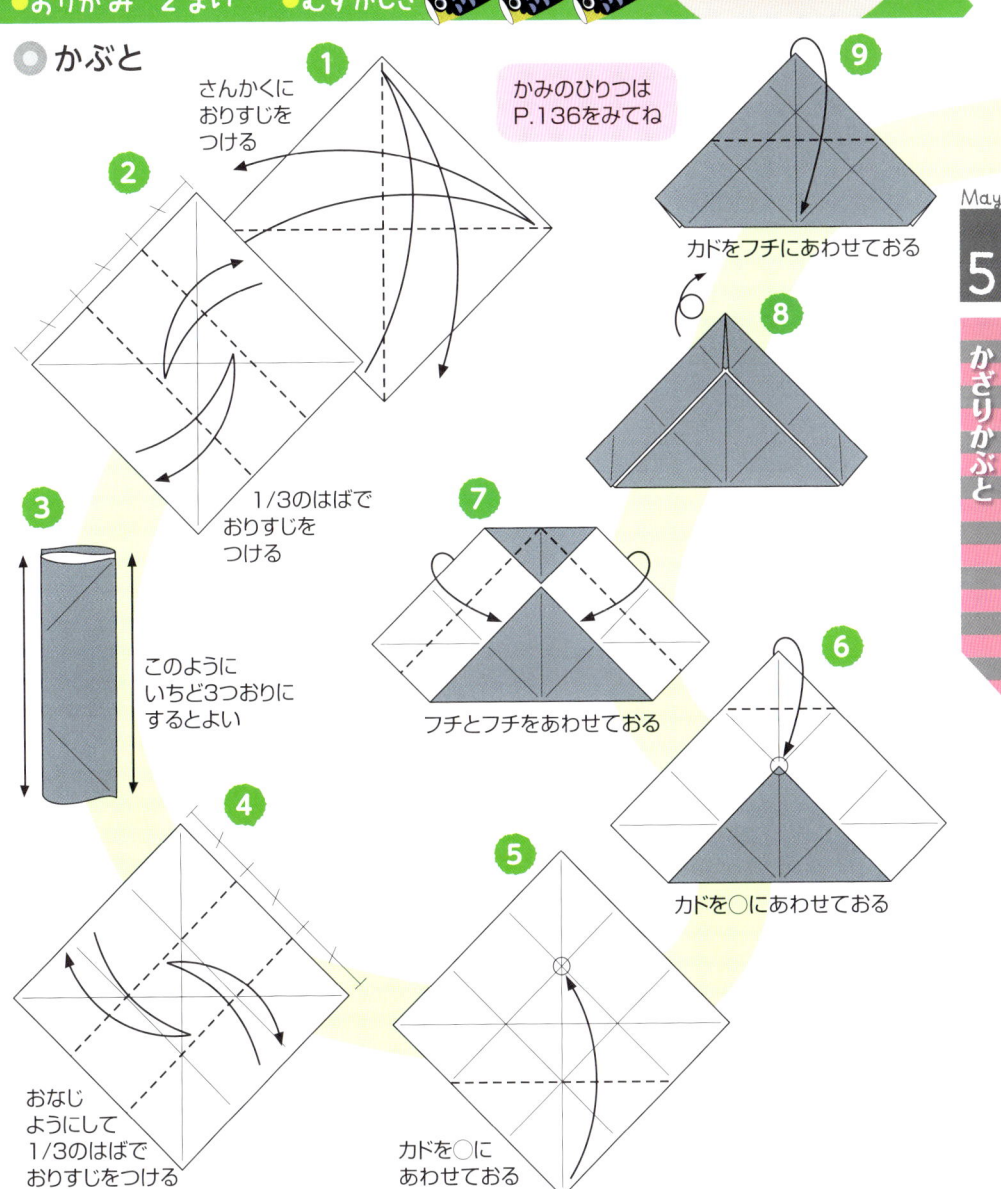

1. さんかくにおりすじをつける

かみのひりつはP.136をみてね

2. 1/3のはばでおりすじをつける

3. このようにいちど3つおりにするとよい

4. おなじようにして1/3のはばでおりすじをつける

5. カドを○にあわせておる

6. カドを○にあわせておる

7. フチとフチをあわせておる

8.

9. カドをフチにあわせておる

May 5 かざりかぶと

133

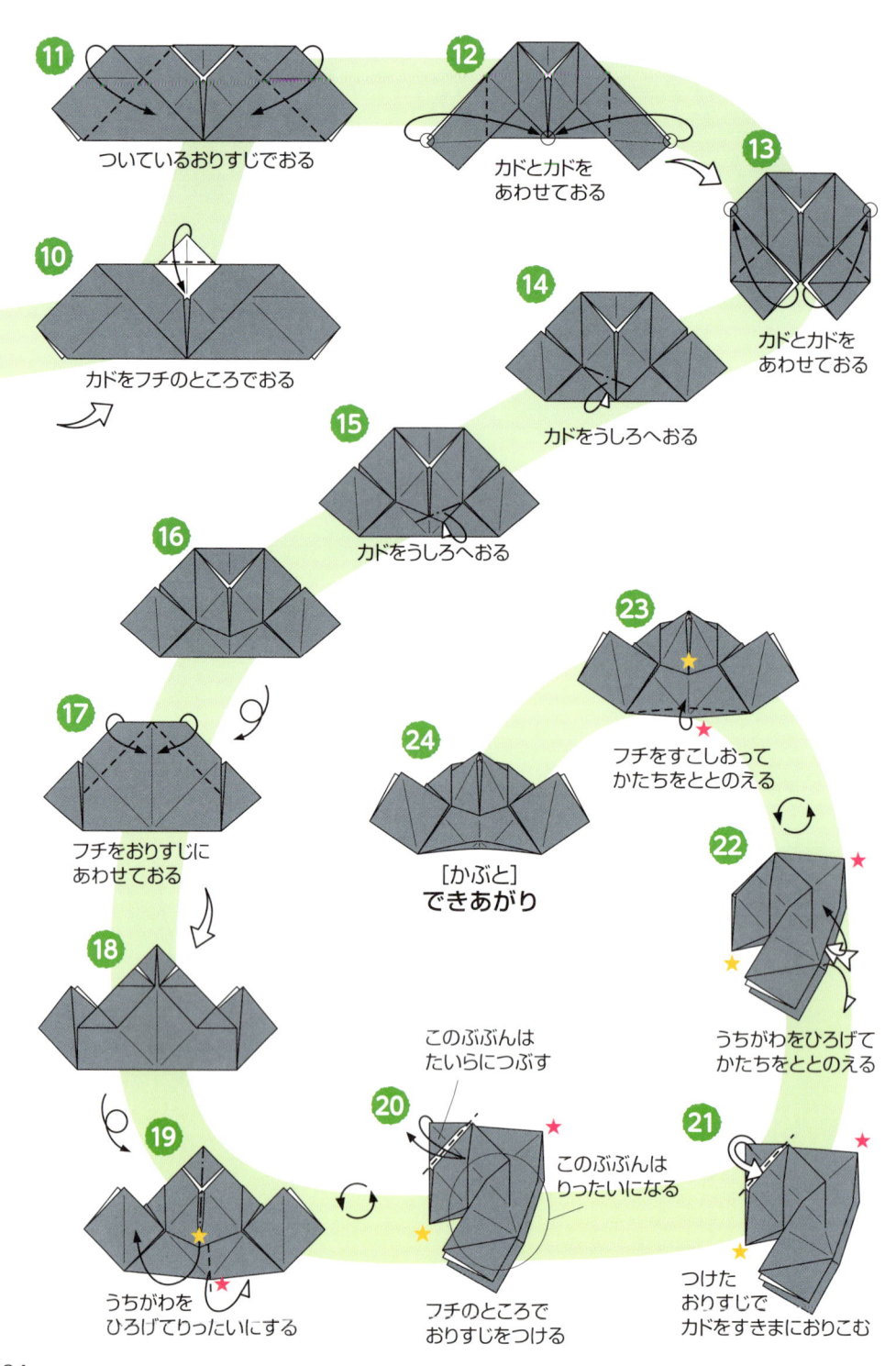

11 ついているおりすじでおる

10 カドをフチのところでおる

12 カドとカドをあわせておる

13 カドとカドをあわせておる

14 カドをうしろへおる

15 カドをうしろへおる

16

17 フチをおりすじにあわせておる

18

19 うちがわをひろげてりったいにする

20 このぶぶんはたいらにつぶす / このぶぶんはりったいになる / フチのところでおりすじをつける

21 つけたおりすじでカドをすきまにおりこむ

22 うちがわをひろげてかたちをととのえる

23 フチをすこしおってかたちをととのえる

24 [かぶと] できあがり

まえたて

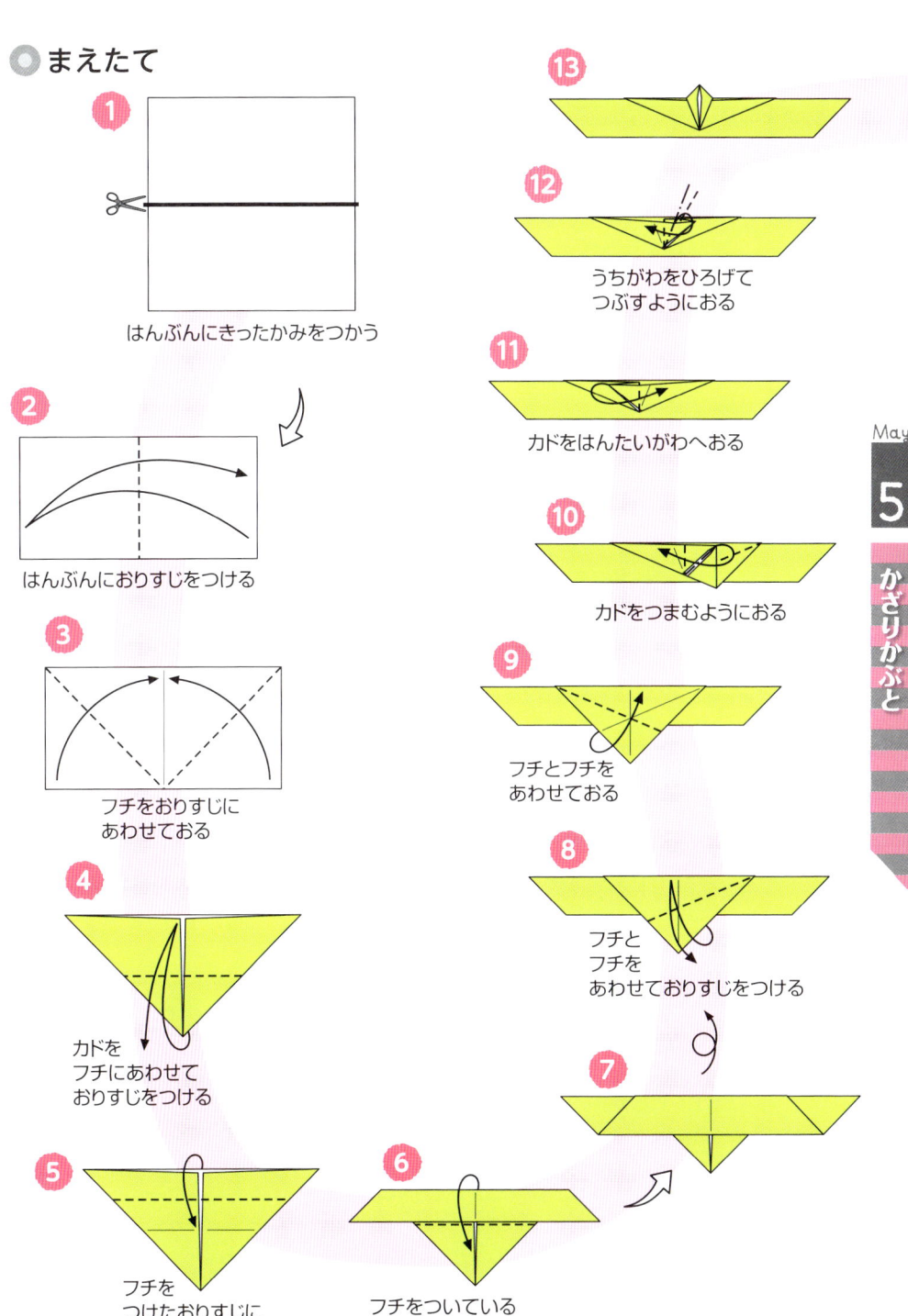

1. はんぶんにきったかみをつかう
2. はんぶんにおりすじをつける
3. フチをおりすじにあわせておる
4. カドをフチにあわせておりすじをつける
5. フチをつけたおりすじにあわせておる
6. フチをついているおりすじでしたへおる
7.
8. フチとフチをあわせておりすじをつける
9. フチとフチをあわせておる
10. カドをつまむようにおる
11. カドをはんたいがわへおる
12. うちがわをひろげてつぶすようにおる
13.

May 5 かざりかぶと

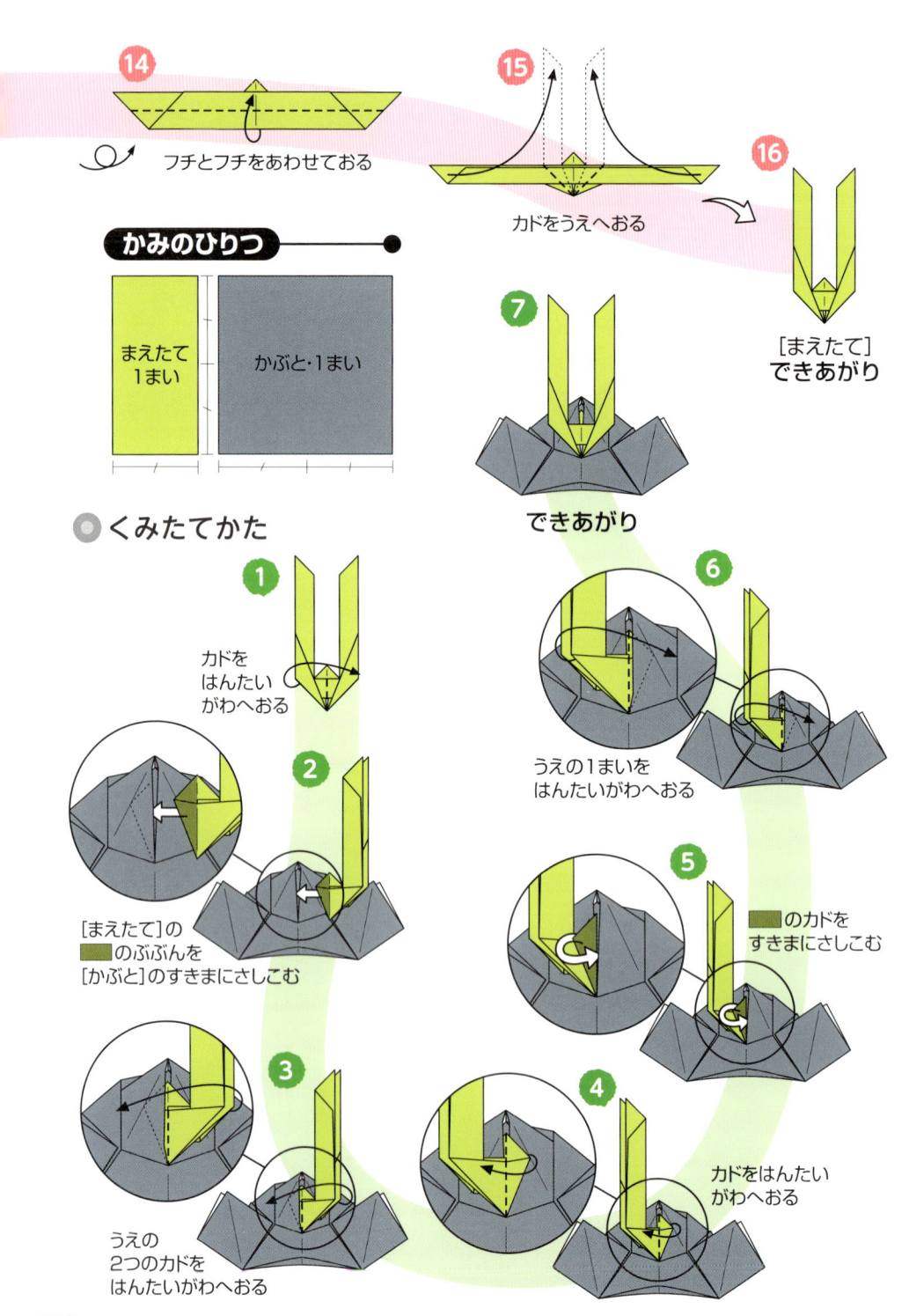

14 フチとフチをあわせておる

15 カドをうえへおる

16 [まえたて] できあがり

かみのひりつ

| まえたて 1まい | かぶと・1まい |

○ くみたてかた

7 できあがり

1 カドをはんたいがわへおる

[まえたて]の ■のぶぶんを [かぶと]のすきまにさしこむ

2

3 うえの 2つのカドを はんたいがわへおる

4 カドをはんたいがわへおる

5 ■のカドを すきまにさしこむ

6 うえの1まいを はんたいがわへおる

136

● しゃしんはP.131 **でんしょうさくひんのかぶとです**

5月 May かぶと
Samurai helmet

伝承作品

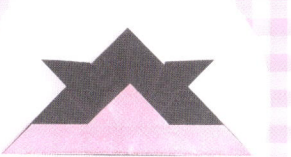

● おりがみ 1まい　● むずかしさ

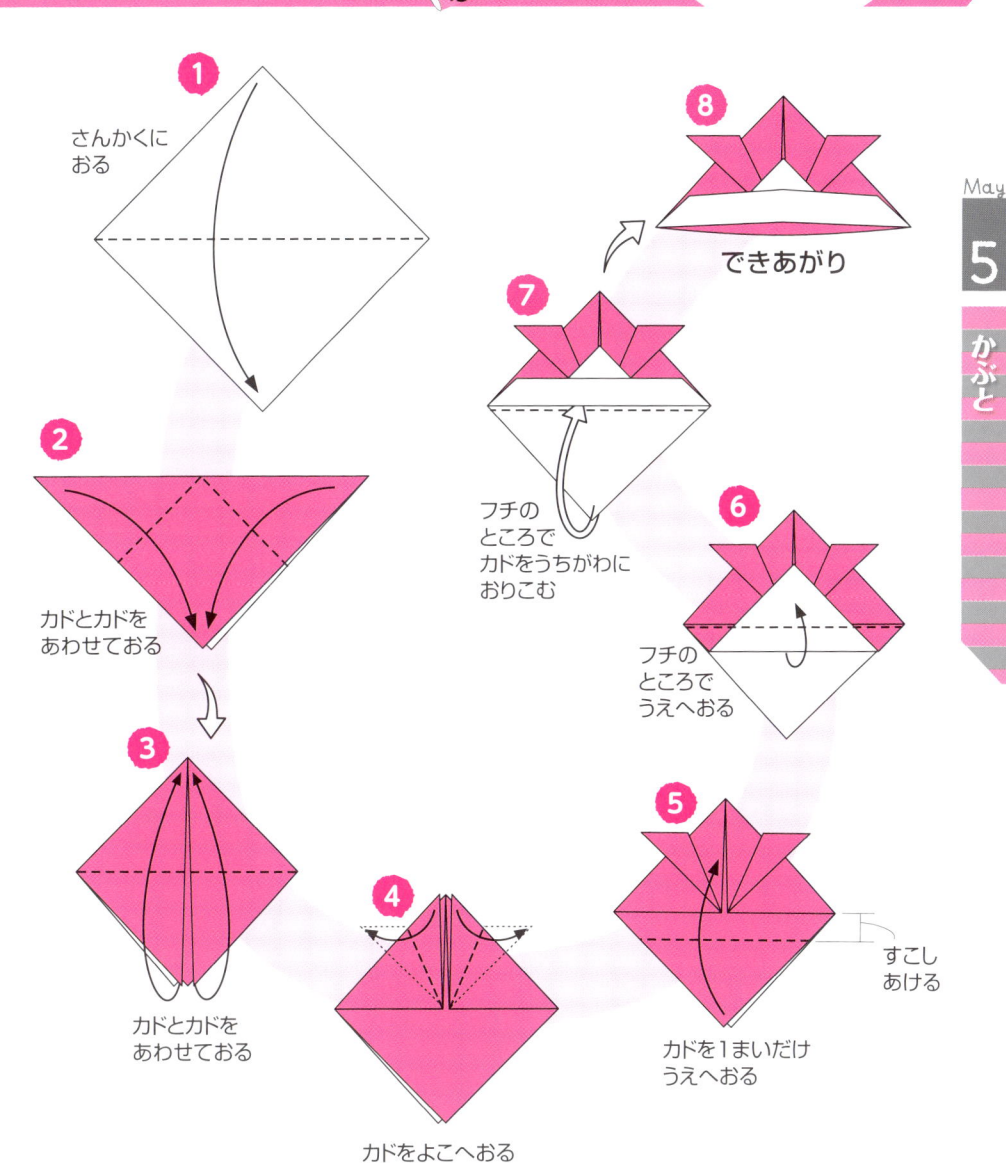

---

① さんかくにおる

② カドとカドをあわせておる

③ カドとカドをあわせておる

④ カドをよこへおる

⑤ カドを1まいだけうえへおる / すこしあける

⑥ フチのところでうえへおる

⑦ フチのところでカドをうちがわにおりこむ

⑧ できあがり

May 5 かぶと

137

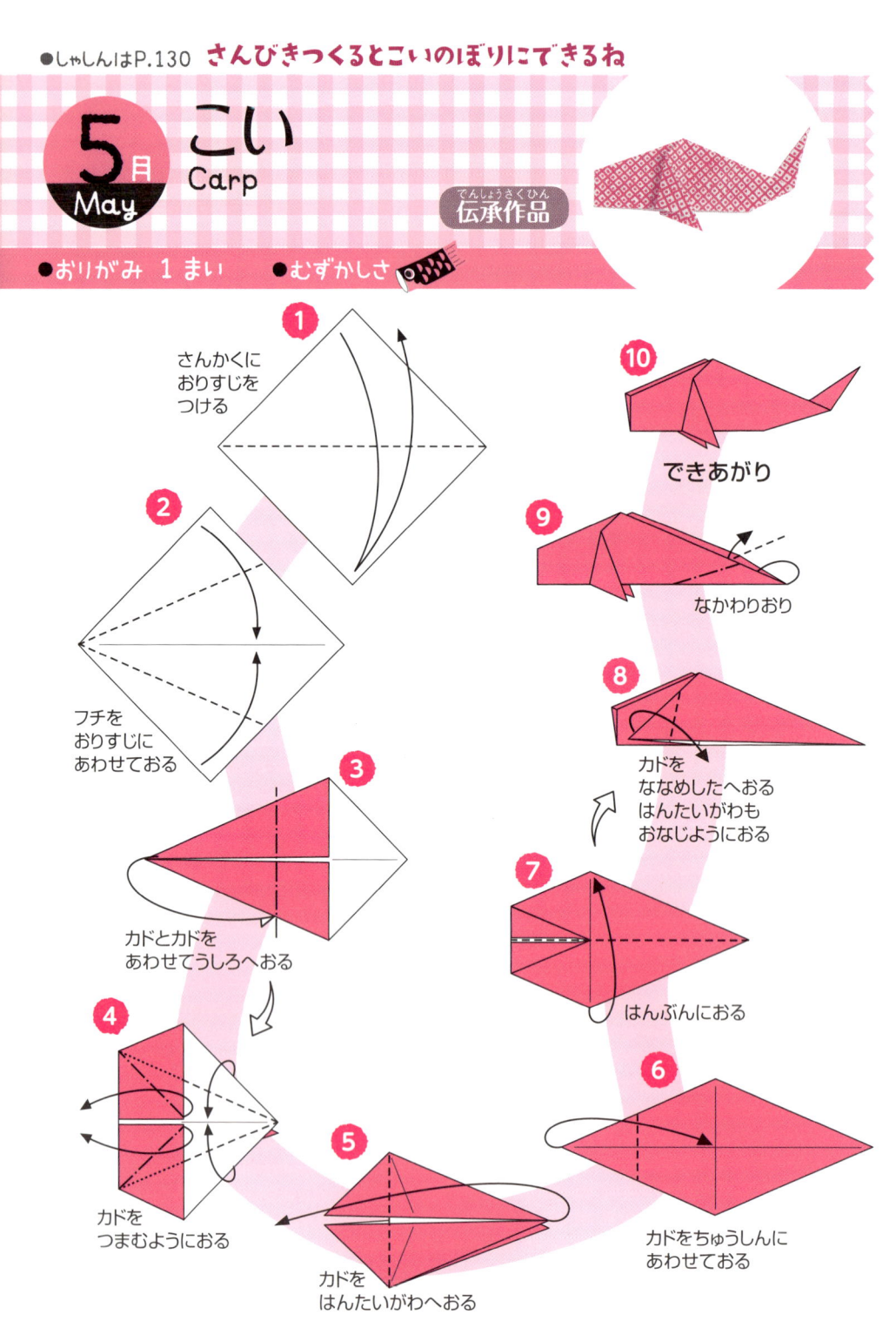

●しゃしんはP.130　さんびきつくるとこいのぼりにできるね

5月 May
こい
Carp

伝承作品

●おりがみ 1まい　●むずかしさ

1 さんかくにおりすじをつける

2 フチをおりすじにあわせておる

3 カドとカドをあわせてうしろへおる

4 カドをつまむようにおる

5 カドをはんたいがわへおる

6 カドをちゅうしんにあわせておる

7 はんぶんにおる

8 カドをななめしたへおる　はんたいがわもおなじようにおる

9 なかわりおり

10 できあがり

138

● しゃしんはP.131 **はっぱのひりつにちゅういしよう**

5月 May はなしょうぶ
Japanese iris

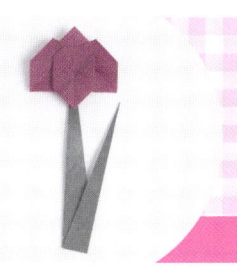

● おりがみ 2まい ● むずかしさ

○ はな

1 さんかくに おりすじを つける

2 はんぶんに おりすじを つける

かみのひりつは P.141をみてね

3 カドを ちゅうしんに あわせておる

4

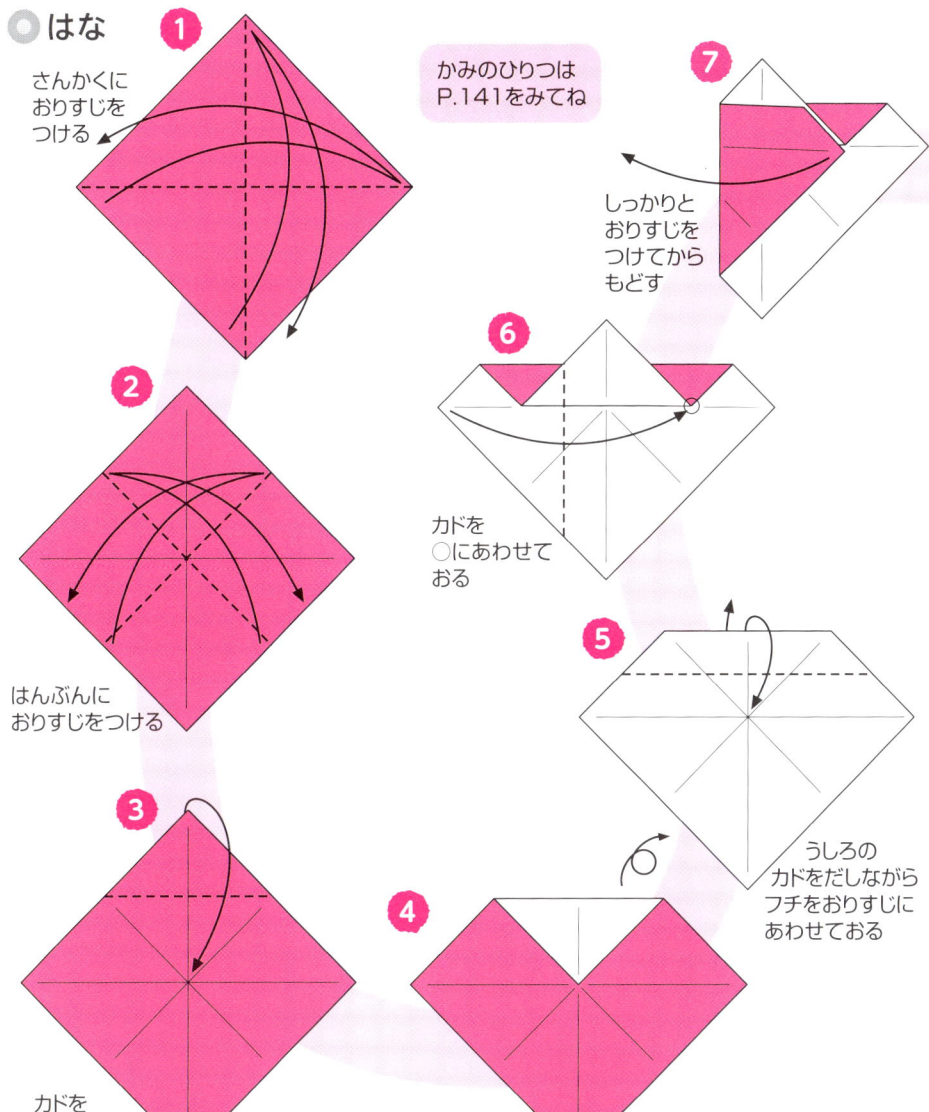

5 うしろの カドをだしながら フチをおりすじに あわせておる

6 カドを ○にあわせて おる

7 しっかりと おりすじを つけてから もどす

こい／はなしょうぶ

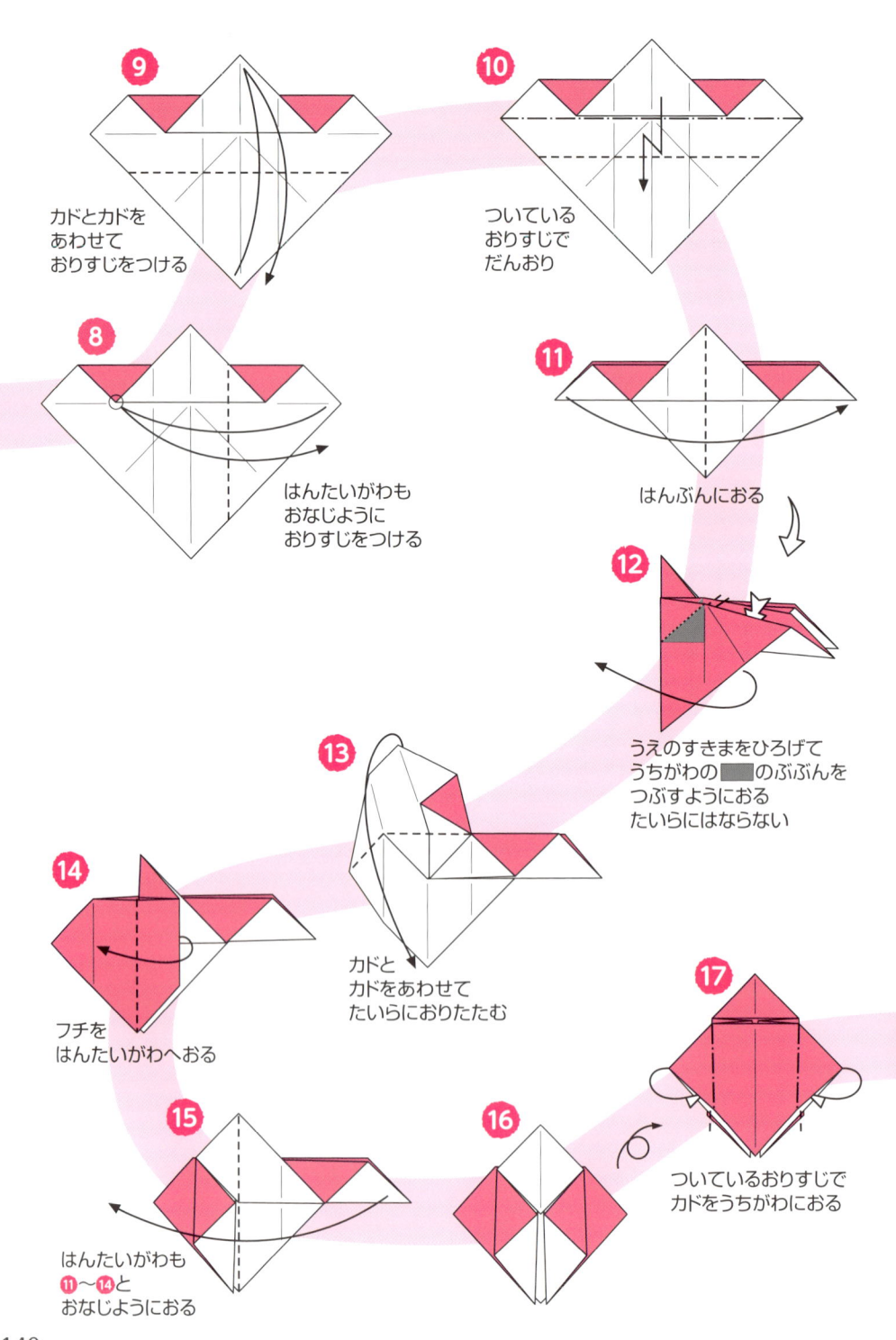

9 カドとカドをあわせておりすじをつける

10 ついているおりすじでだんおり

8 はんたいがわもおなじようにおりすじをつける

11 はんぶんにおる

12 うえのすきまをひろげてうちがわの■のぶぶんをつぶすようにおるたいらにはならない

13 カドとカドをあわせてたいらにおりたたむ

14 フチをはんたいがわへおる

15 はんたいがわも⑪〜⑭とおなじようにおる

16

17 ついているおりすじでカドをうちがわにおる

140

はっぱ

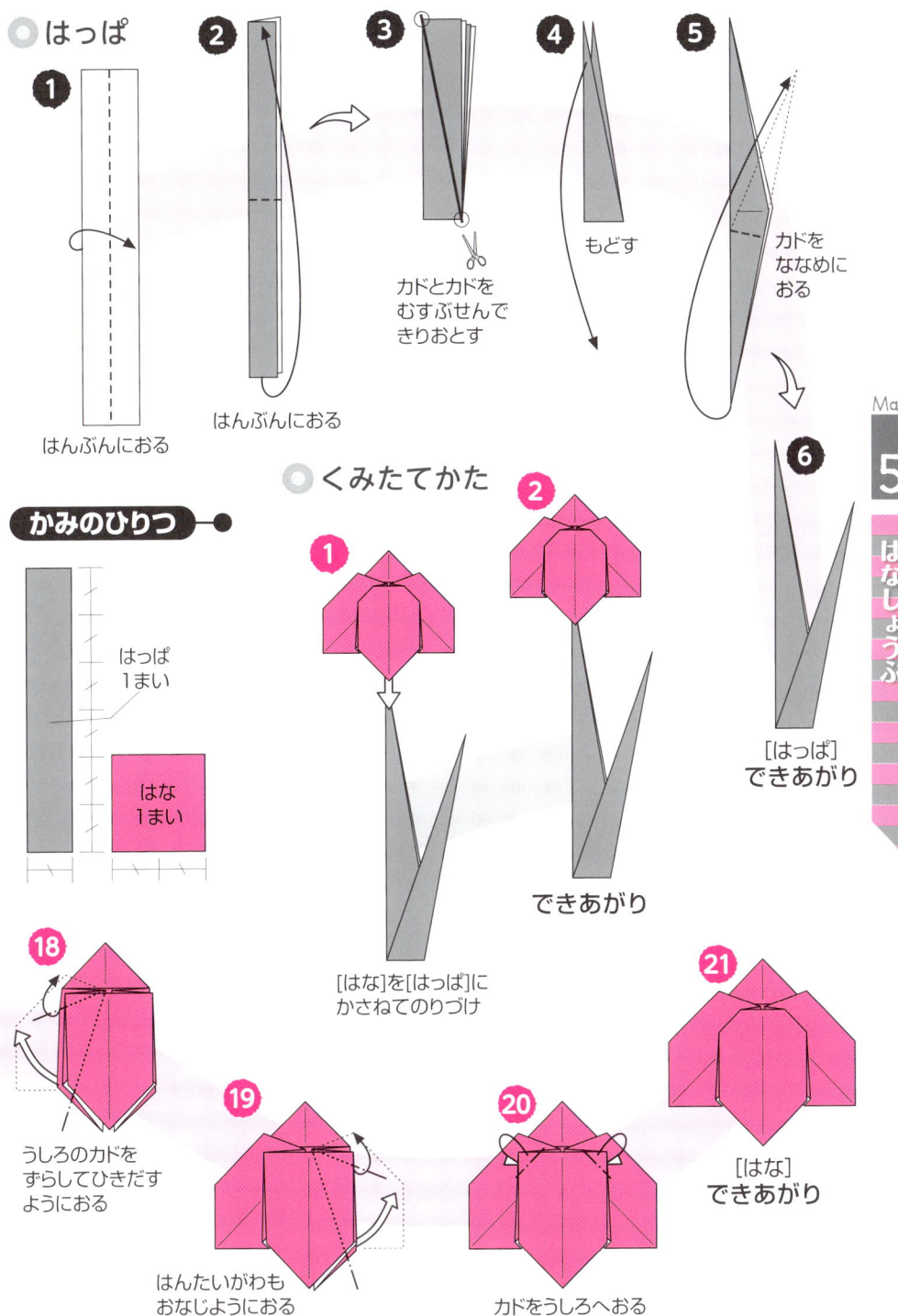

1 はんぶんにおる

2 はんぶんにおる

3 カドとカドをむすぶせんできりおとす

4 もどす

5 カドをななめにおる

6 [はっぱ] できあがり

かみのひりつ

はっぱ 1まい

はな 1まい

くみたてかた

1 [はな]を[はっぱ]にかさねてのりづけ

2 できあがり

May 5 はなしょうぶ

18 うしろのカドをずらしてひきだすようにおる

19 はんたいがわもおなじようにおる

20 カドをうしろへおる

21 [はな] できあがり

141

●しゃしんはP.132　**はははのひにカードをつくってみよう**

5月 May　カーネーション
Carnation

●おりがみ 3まい　●むずかしさ

● はな・ひだり

1 はんぶんにおる

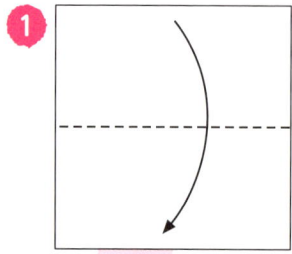

2 すこしあける／フチをはんたいがわへおる

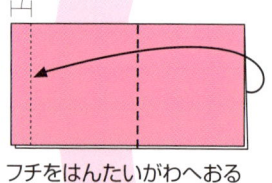

3 ななめにおる

4 ○のところから うちがわの2まいを ずらすようにおる

5 [はな・ひだり] できあがり

● はな・みぎ

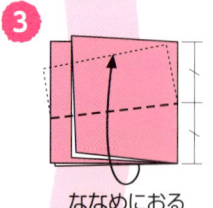

1 はんぶんにおる

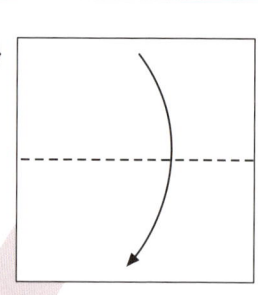

2 すこしあける／フチをはんたいがわへおる

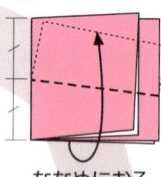

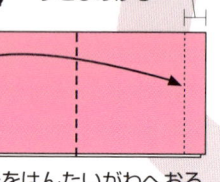

3 ななめにおる

4 ○のところから うちがわの2まいを ずらすようにおる

5 フチのところで うしろへおる

6 [はな・みぎ] できあがり

がく

1. はんぶんにきったかみをつかう
2. フチとフチをあわせておる
3. カドとカドをあわせておる
4. カドをフチにあわせておる
5. カドをよこへおる
6.
7. [がく] できあがり

かみのひりつ

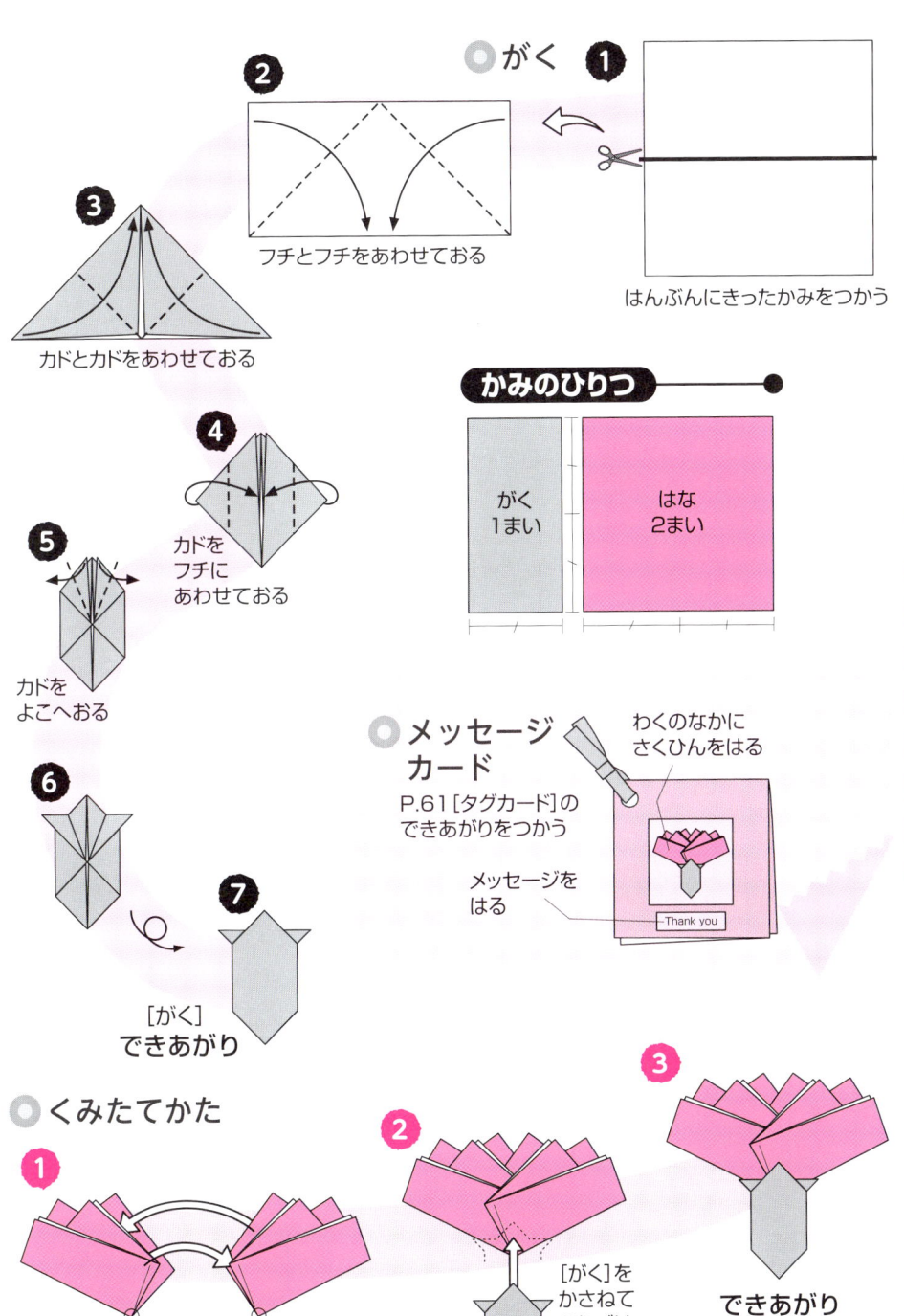

| がく 1まい | はな 2まい |

メッセージカード

P.61[タグカード]のできあがりをつかう

わくのなかにさくひんをはる

メッセージをはる

Thank you

くみたてかた

1. [はな・ひだり]と[はな・みぎ]の○をあわせてそれぞれすきまにさしこんでのりづけ
2. [がく]をかさねてのりづけ
3. できあがり

May 5 カーネーション

● しゃしんはP.132　「そとがわ」は、でんしょうの「つばき」だよ

5月 May　バラ Rose

● おりがみ 2まい　● むずかしさ

● そとがわ

1 さんかくにおりすじをつける

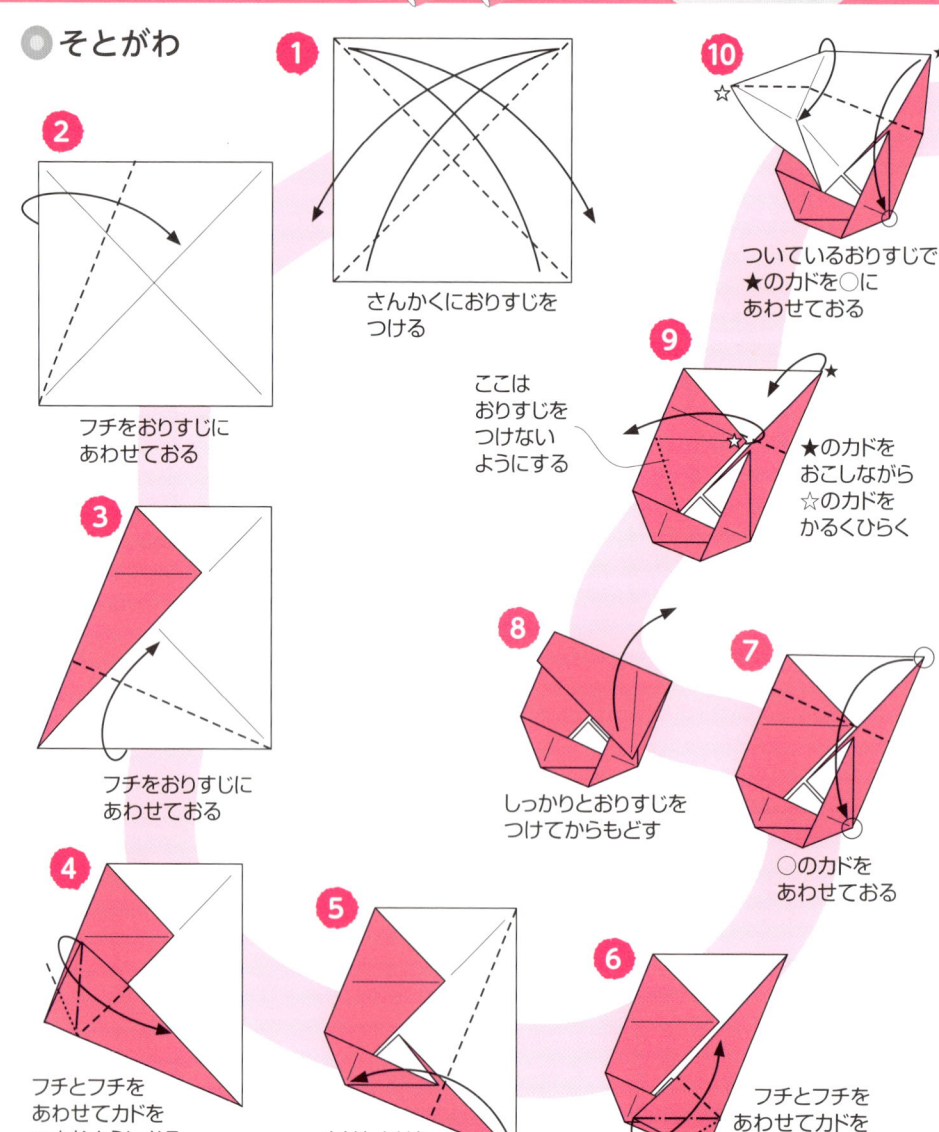

2 フチをおりすじにあわせておる

3 フチをおりすじにあわせておる

4 フチとフチをあわせてカドをつまむようにおる

5 カドとカドをあわせておる

6 フチとフチをあわせてカドをつまむようにおる

　ここはおりすじをつけないようにする

7 ○のカドをあわせておる

8 しっかりとおりすじをつけてからもどす

9 ★のカドをおこしながら☆のカドをかるくひらく

10 ついているおりすじで★のカドを○にあわせておる

144

12
カドを
つまむ
ようにおる

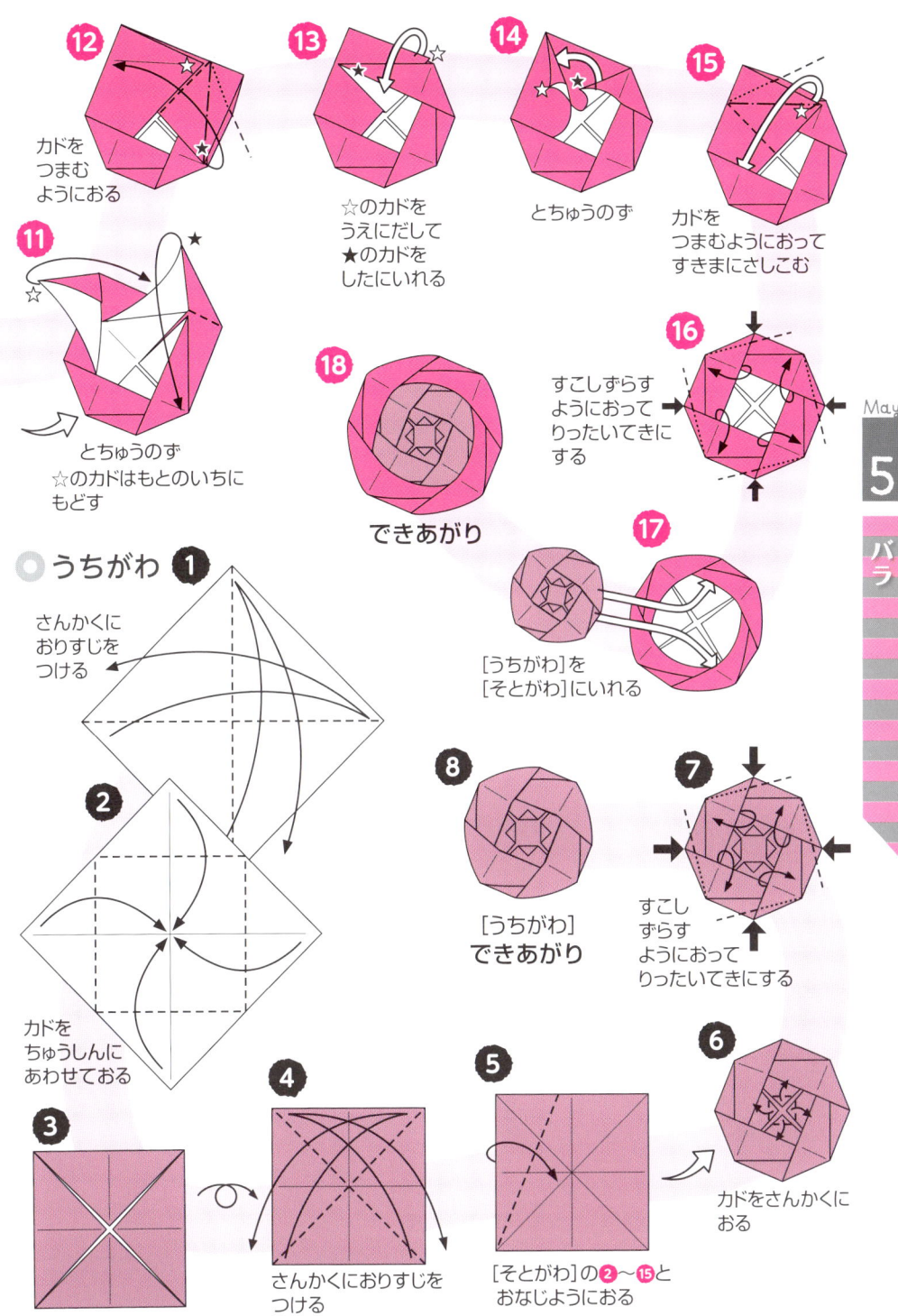

13
☆のカドを
うえにだして
★のカドを
したにいれる

14
とちゅうのず

15
カドを
つまむようにおって
すきまにさしこむ

11
とちゅうのず
☆のカドはもとのいちに
もどす

18
できあがり

16
すこしずらす
ようにおって
りったいてきに
する

17
[うちがわ]を
[そとがわ]にいれる

May 5 バラ

○ うちがわ 1
さんかくに
おりすじを
つける

2
カドを
ちゅうしんに
あわせておる

8
[うちがわ]
できあがり

7
すこし
ずらす
ようにおって
りったいてきにする

3

4
さんかくにおりすじを
つける

5
[そとがわ]の ❷〜⓯ と
おなじようにおる

6
カドをさんかくに
おる

145

●しゃしんはP.129 **かんたんにできてかわいいかたちのかご**

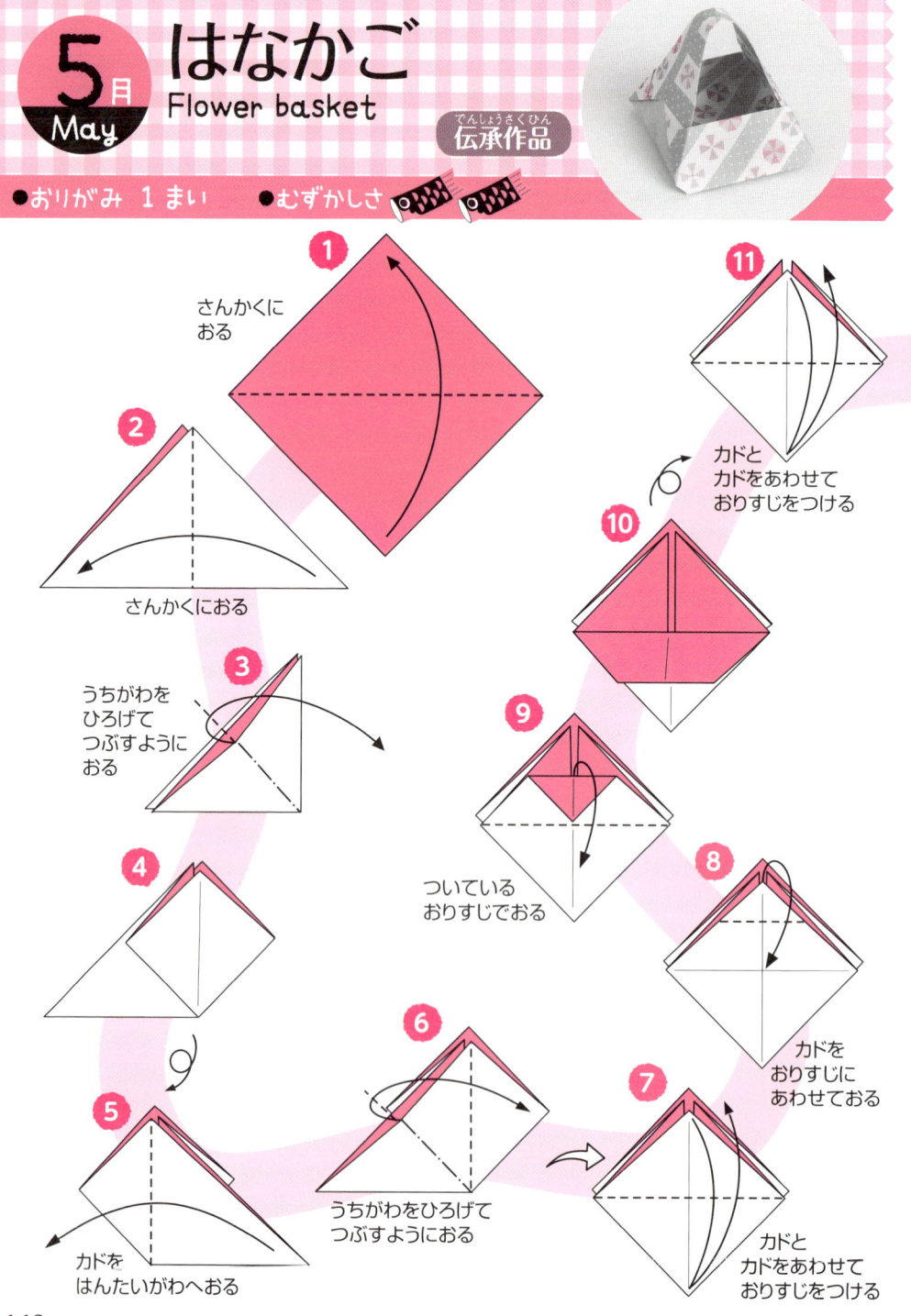

5月 May

はなかご
Flower basket

伝承作品

●おりがみ 1まい ●むずかしさ

1. さんかくにおる
2. さんかくにおる
3. うちがわをひろげてつぶすようにおる
4.
5. カドをはんたいがわへおる
6. うちがわをひろげてつぶすようにおる
7. カドとカドをあわせておりすじをつける
8. カドをおりすじにあわせておる
9. ついているおりすじでおる
10.
11. カドとカドをあわせておりすじをつける

146

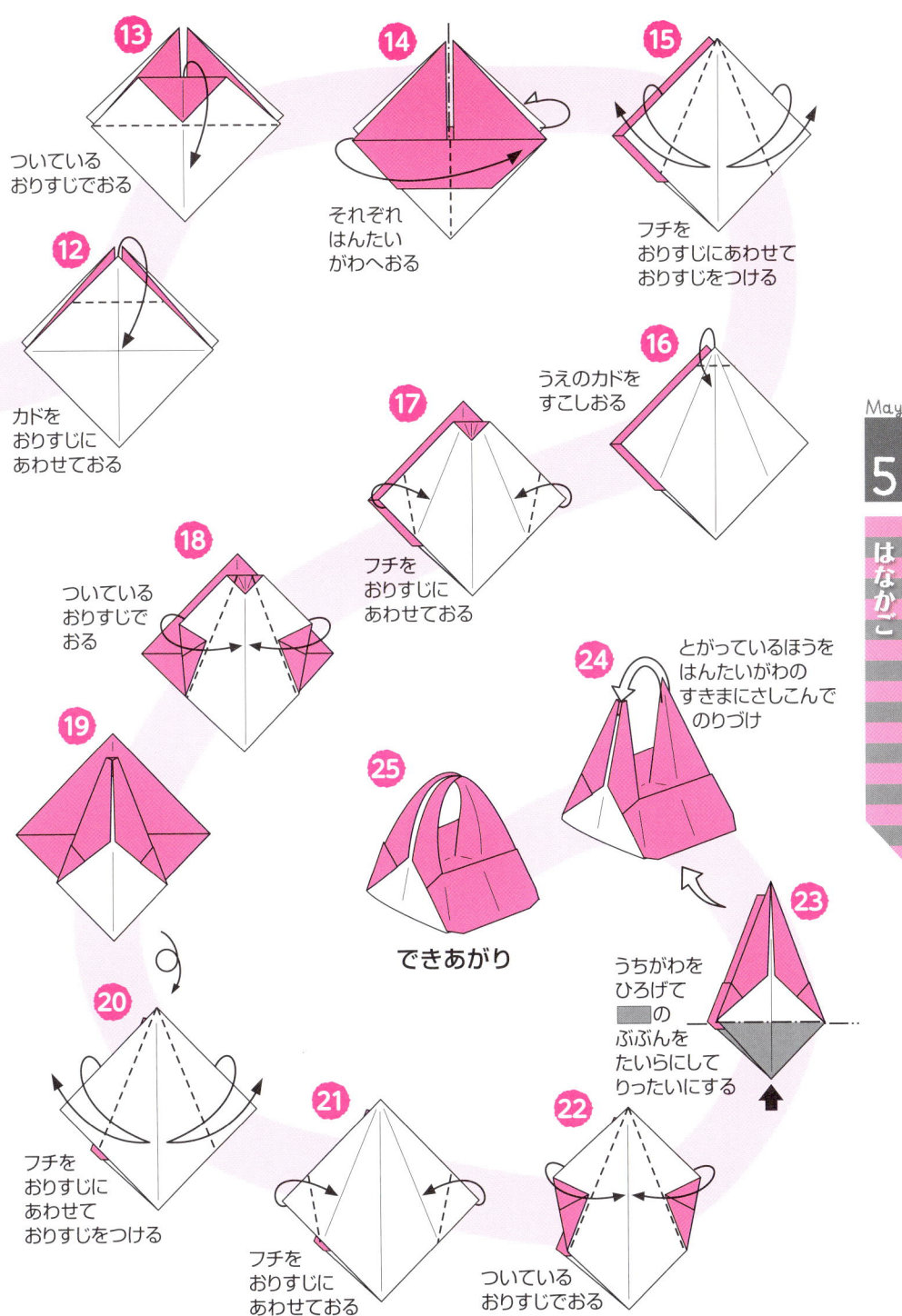

13 ついているおりすじでおる

14 それぞれはんたいがわへおる

15 フチをおりすじにあわせておりすじをつける

12 カドをおりすじにあわせておる

16 うえのカドをすこしおる

17 フチをおりすじにあわせておる

18 ついているおりすじでおる

19

24 とがっているほうをはんたいがわのすきまにさしこんでのりづけ

25 できあがり

23 うちがわをひろげて ■のぶぶんをたいらにしてりったいにする

20 フチをおりすじにあわせておりすじをつける

21 フチをおりすじにあわせておる

22 ついているおりすじでおる

May 5 はなかご

147

●しゃしんはP.129　ちゅうしんをたしかめながらすすめましょう

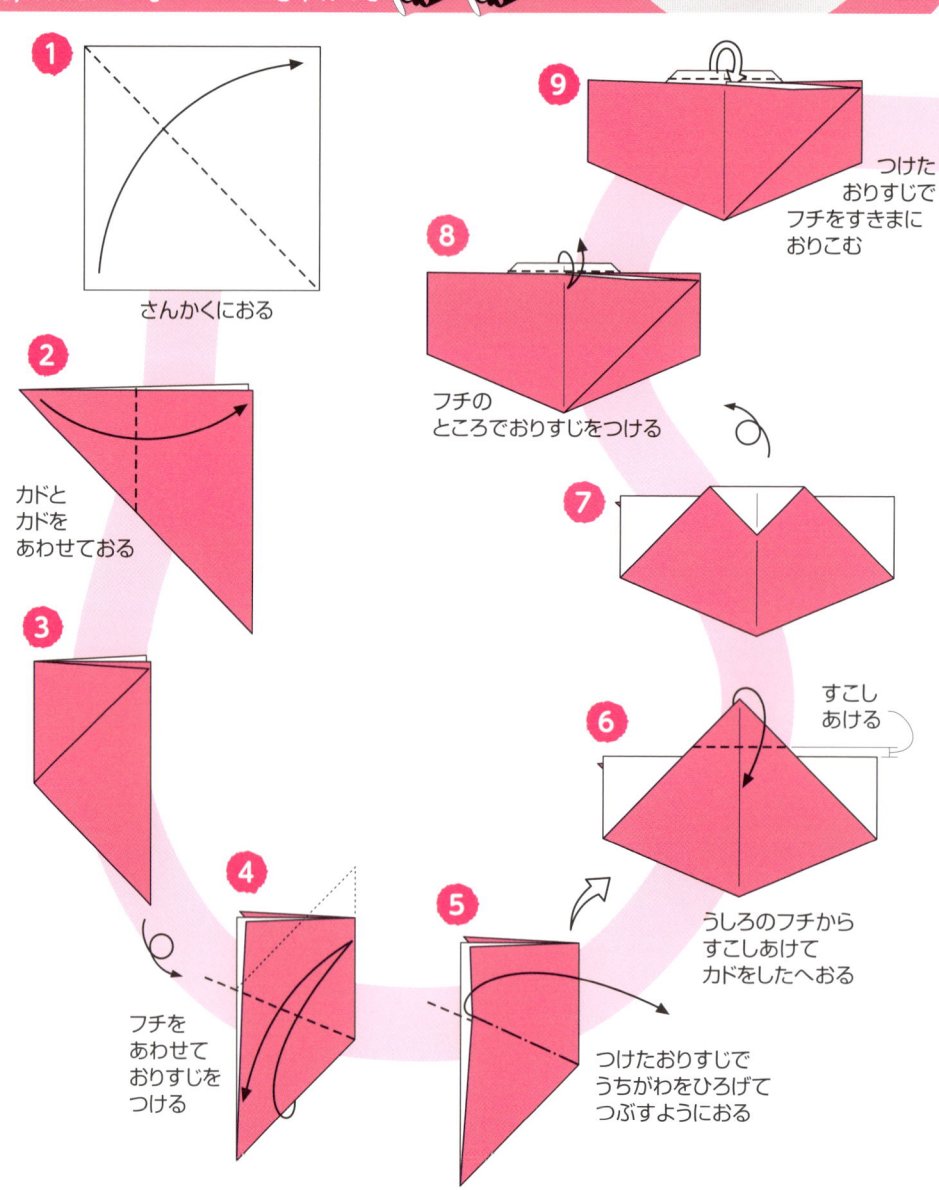

5月 May いちご Strawberry

●おりがみ 1まい　●むずかしさ

1 さんかくにおる

2 カドとカドをあわせておる

3

4 フチをあわせておりすじをつける

5 つけたおりすじでうちがわをひろげてつぶすようにおる

6 うしろのフチからすこしあけてカドをしたへおる　すこしあける

7

8 フチのところでおりすじをつける

9 つけたおりすじでフチをすきまにおりこむ

148

11
つけた
おりすじで
うちがわを
ひろげて
つぶすようにおる

12
カドを
おりすじに
あわせておる

10
フチを
おりすじにあわせて
おりすじをつける

13
フチを
1/3くらいの
はばでおる

May 5 いちご

14
○をむすぶ
せんでおる

20
カドを
うしろへおる

21
へたのぶぶんを
つまむようにおる

15
カドをななめにおる

19
カドを
うしろへおる

22
できあがり

16
はんたいがわも
おなじようにおる

18
カドを
ななめにおる

17

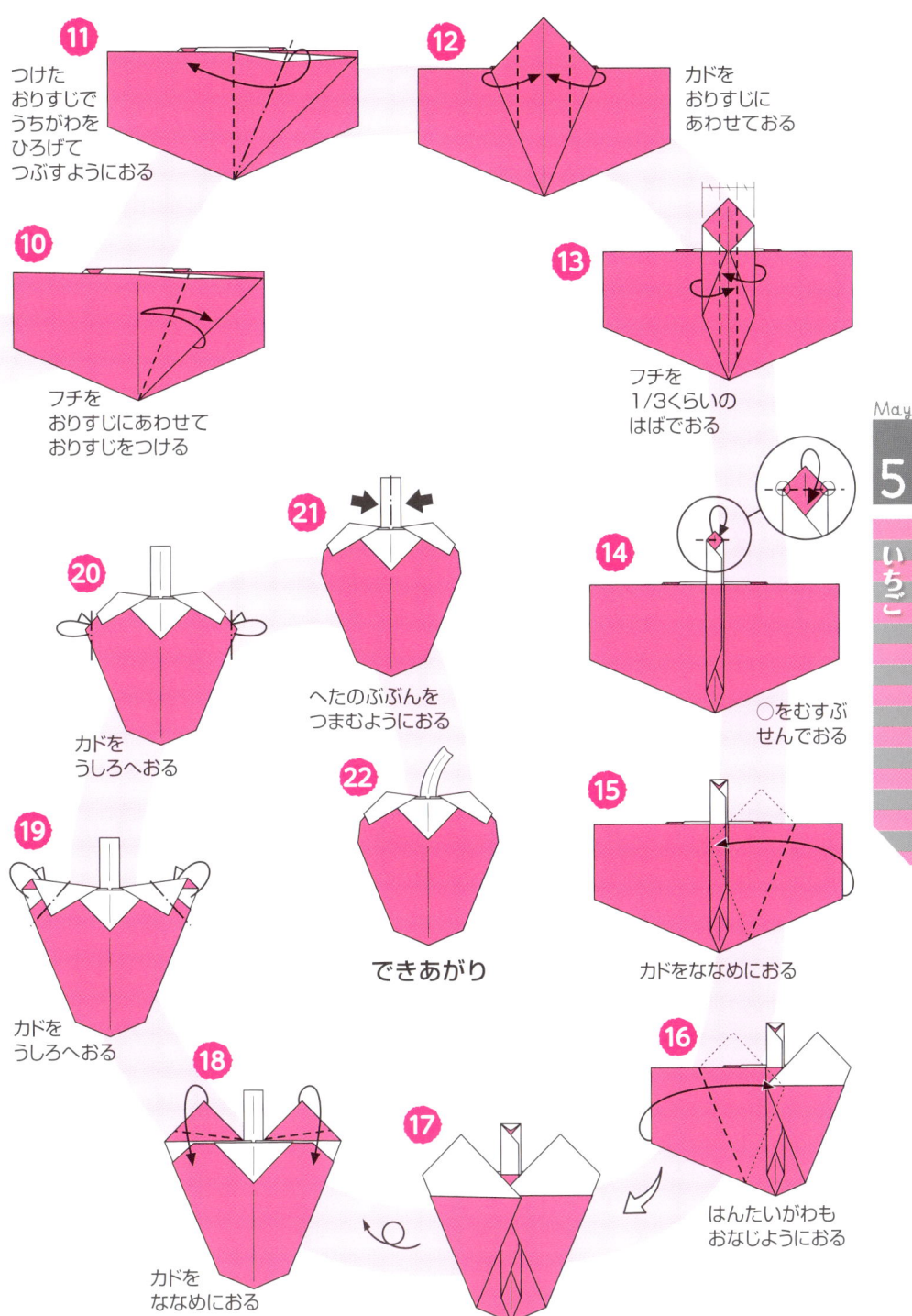

149

●しゃしんはP.131　**18ばんからのなかわりおりはていねいに**

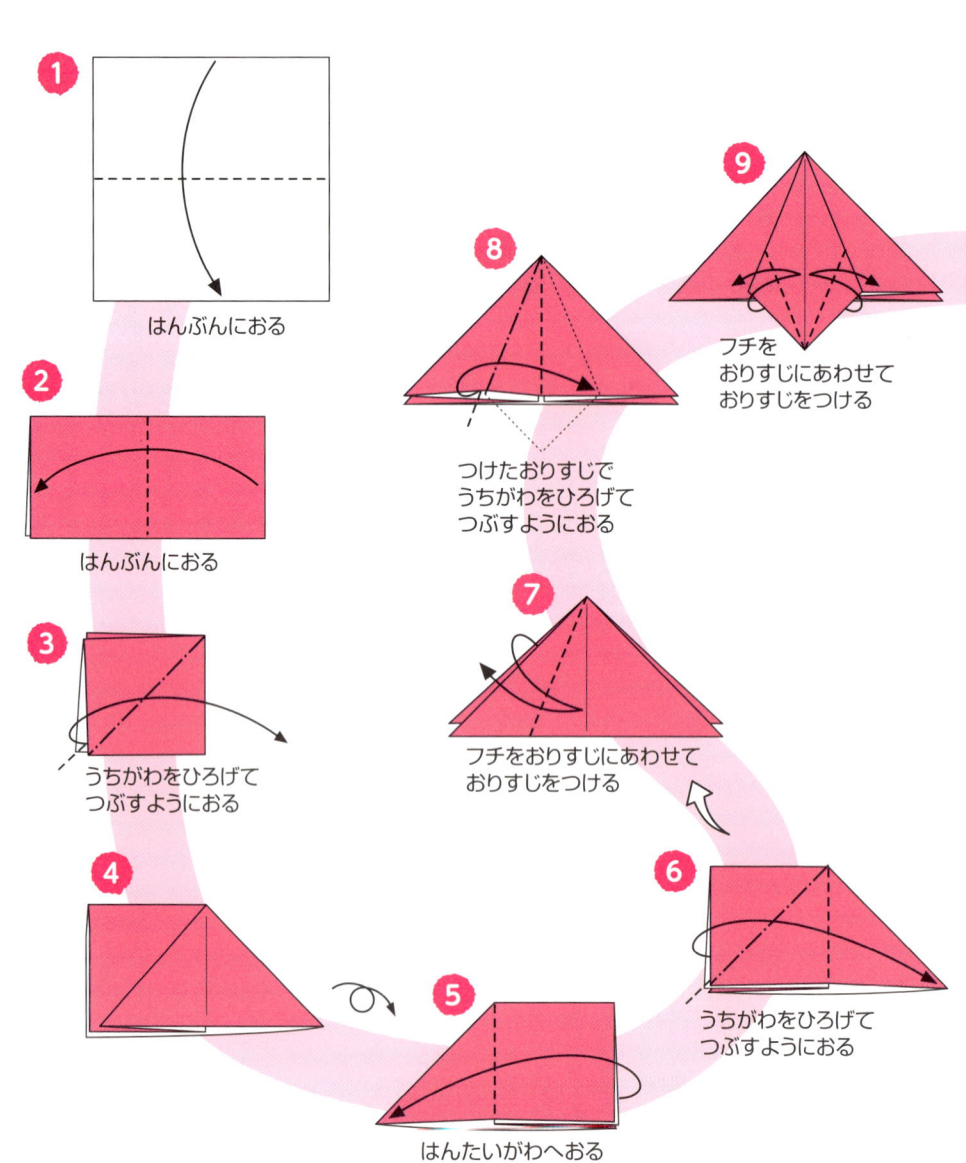

5月 May つばめ
Swallow

●おりがみ 1まい　●むずかしさ

1. はんぶんにおる
2. はんぶんにおる
3. うちがわをひろげてつぶすようにおる
4.
5. はんたいがわへおる
6. うちがわをひろげてつぶすようにおる
7. フチをおりすじにあわせておりすじをつける
8. つけたおりすじでうちがわをひろげてつぶすようにおる
9. フチをおりすじにあわせておりすじをつける

150

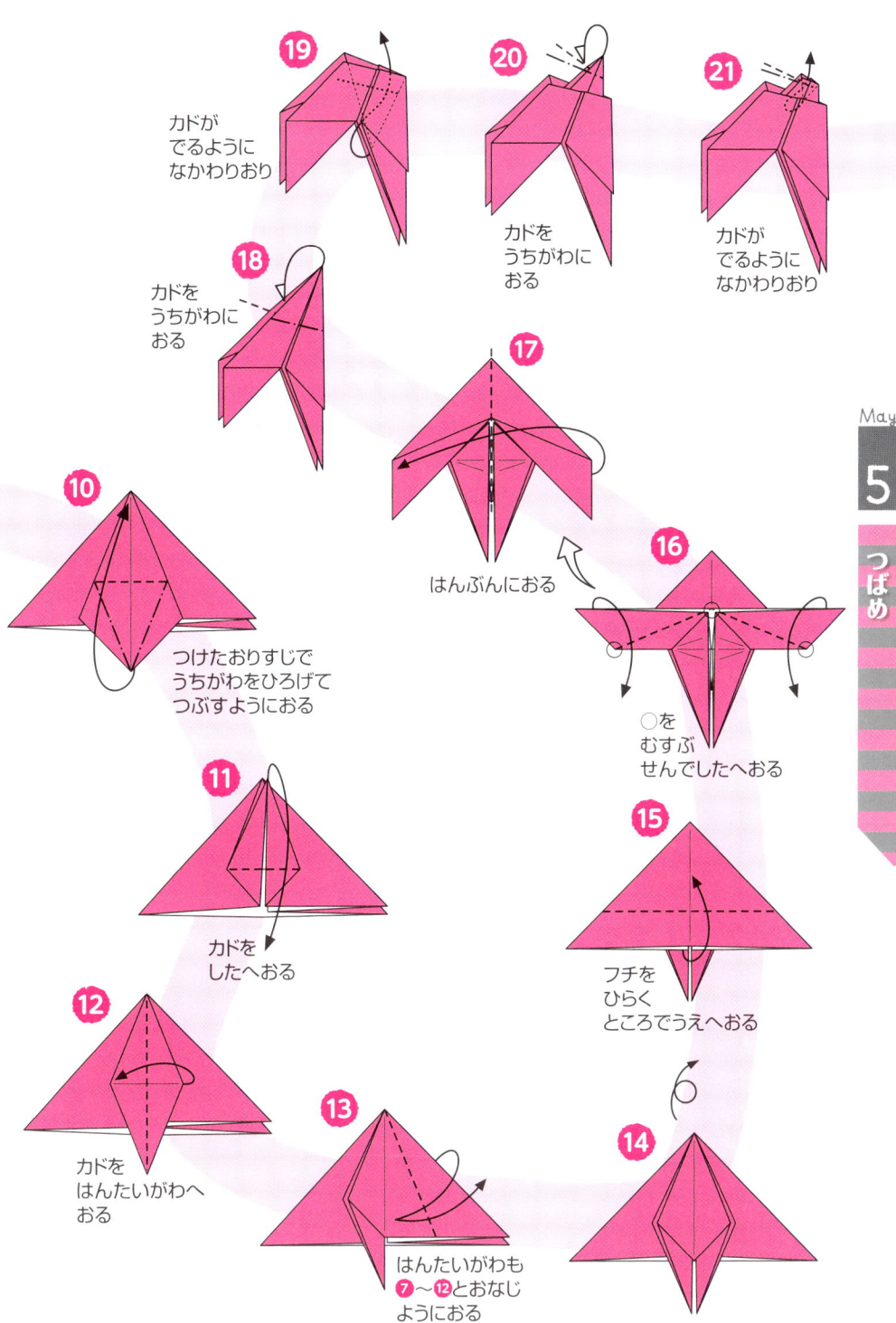

19 カドが でるように なかわりおり

20 カドを うちがわに おる

21 カドが でるように なかわりおり

18 カドを うちがわに おる

17

10 つけたおりすじで うちがわをひろげて つぶすようにおる

はんぶんにおる

16 ○を むすぶ せんでしたへおる

15 フチを ひらく ところでうえへおる

11 カドを したへおる

14

12 カドを はんたいがわへ おる

13 はんたいがわも 7〜12とおなじ ようにおる

May 5 つばめ

151

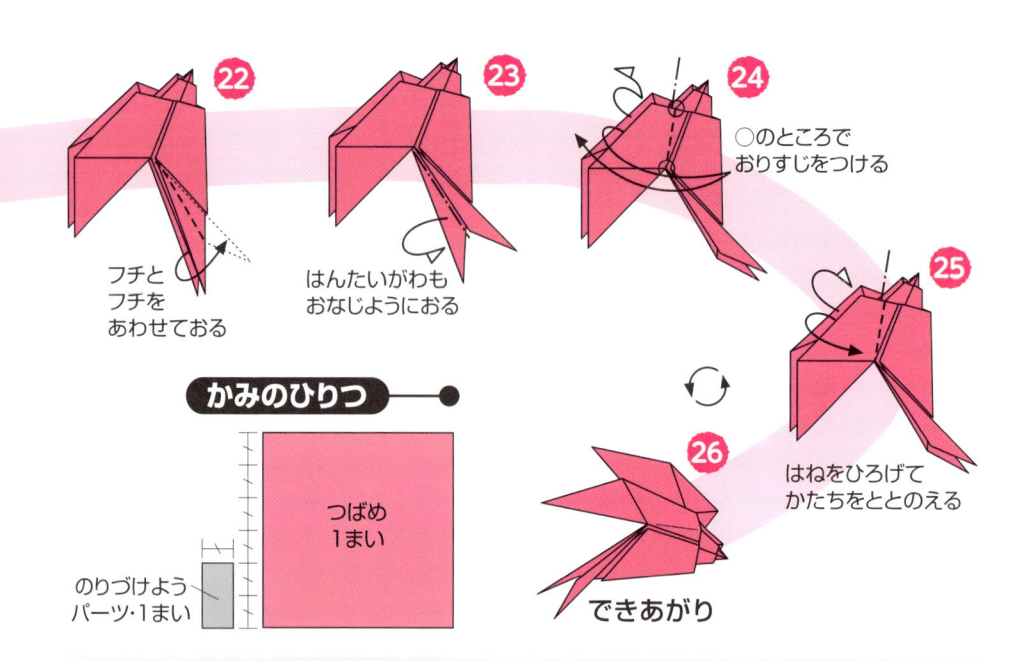

㉒ フチとフチをあわせておる

㉓ はんたいがわもおなじようにおる

㉔ ○のところでおりすじをつける

㉕ はねをひろげてかたちをととのえる

㉖ できあがり

かみのひりつ

つばめ 1まい

のりづけよう パーツ・1まい

●モビールのつくりかた

ピアノせんをつかうとよい

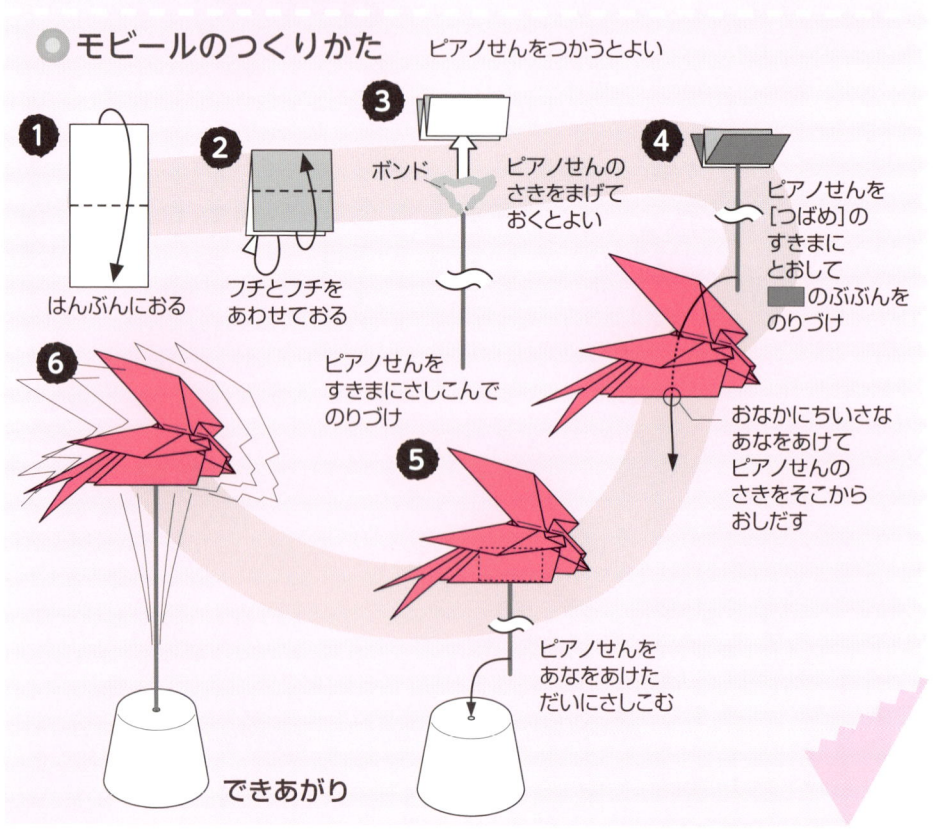

❶ はんぶんにおる

❷ フチとフチをあわせておる

❸ ボンド / ピアノせんのさきをまげておくとよい / ピアノせんをすきまにさしこんでのりづけ

❹ ピアノせんを[つばめ]のすきまにとおして ■のぶぶんをのりづけ / おなかにちいさなあなをあけてピアノせんのさきをそこからおしだす

❺ ピアノせんをあなをあけただいにさしこむ

❻ できあがり

152

雨の壁面かざり

あまだれぼうやが大活躍！

6月 Jun.

あまつぶ　P.161　5×5cm
かさ　P.168
　　かさ：10×10cm、え：10×2.5cm
ぼうし　P.172　5×5cm
レインコート　P.172　10×10cm
ながぐつ　P.170　7.5×7.5cm　2まい

ききょう　P.164
　　はな：5×5cm 5まい、はっぱ：15×15cm

153

梅雨のインテリア
たまにはお部屋でゆっくりと・・・

かたつむり　P.166　12×12cm
あじさい　P.162
　　はな：3×3cm　20まいくらい
　　はっぱ：9×9cm　2まい

ながぐつ　P.170　15×15cm　2まい

クレマチス P.157
はな：15×15cm
がく：4×4cm

クレマチスのアレンジメント
微妙な色合いをたのしみます

★パパ！大好き

シャツにネクタイ、お酒など、パパが好きなものをプレゼント

ネクタイ　P.174
　カード：9×6.5cm、カードのネクタイ：5×5cm、ラッピングのネクタイ：13×13cm
ギフトボックス　P.321　30×21cm　8まい

● しゃしんはP.155　**しずめるおりかたはずをよくみておりたたもう**

6月 Jun.　クレマチス
Clematis

● おりがみ 1まい　● むずかしさ

○ はな

1 さんかくにおりすじをつける

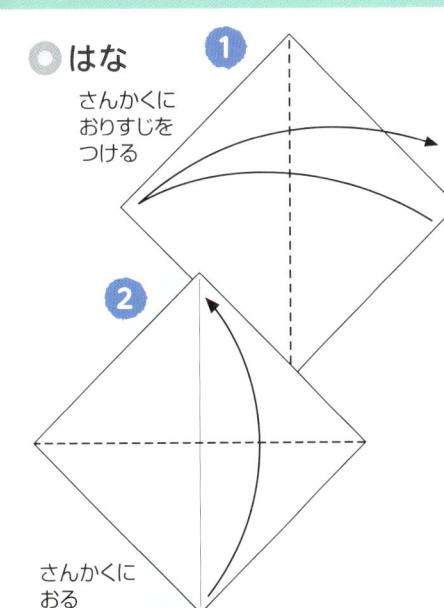

2 さんかくにおる

かみのひりつは P.160をみてね

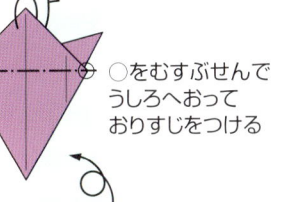

3 カドをおりすじにあわせてしるしをつける

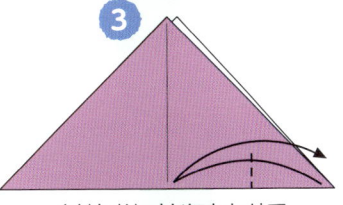

4 カドをつけたしるしにあわせておりすじをつける

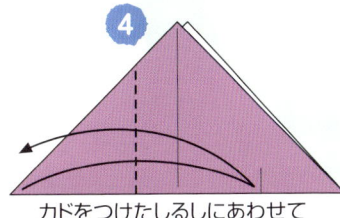

5 ●をきてんにして○と○をあわせておる

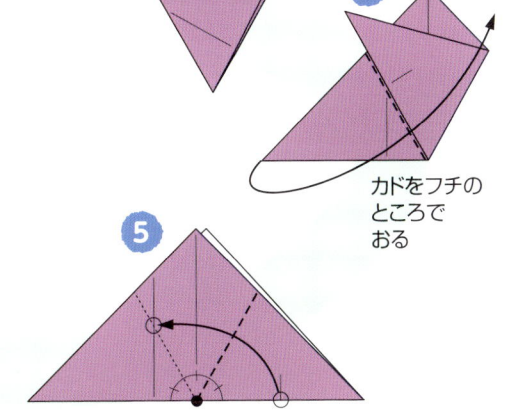

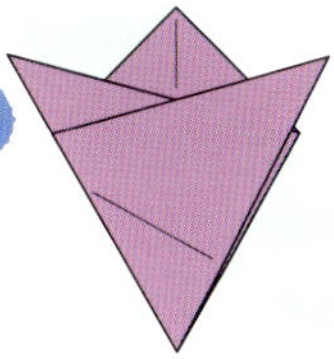

6 カドをフチのところでおる

7

8 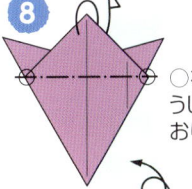 ○をむすぶせんでうしろへおっておりすじをつける

9 つけたおりすじできりおとす

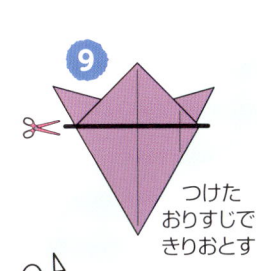

10 ひろげる

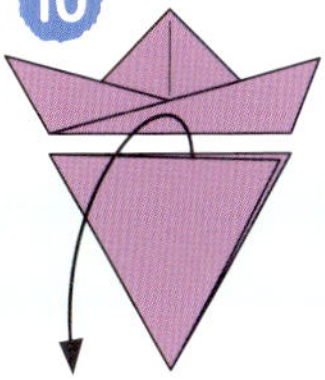

Jun.
6
クレマチス

12
カドとカドを
あわせて
おりすじを
つける

11
カドとカドを
むすぶせんで
おりすじをつける

13
つけた
おりすじを
つかって
おりたたむ

14
フチを
おりすじに
あわせておりすじを
つける

15
フチを
つけた
おりすじにあわせて
おりすじにつける

16
うちがわを
ひろげて
つぶすように
おる

17
カドを
はんたい
がわへおる

18
はんたい
がわも
おなじように
おる

19
のこりも
⑭〜⑱と
おなじにおる

20
ついている
おりすじで
うちがわの
カドをおる

21
⑳の
うちがわを
みたず

22
のこりも
おなじように
おる

23
はんぶんより
すこしすくなく
おる

24
しっかりと
おりすじを
つけてから
もどす

25
■のぶぶんを
しずめるように
おる

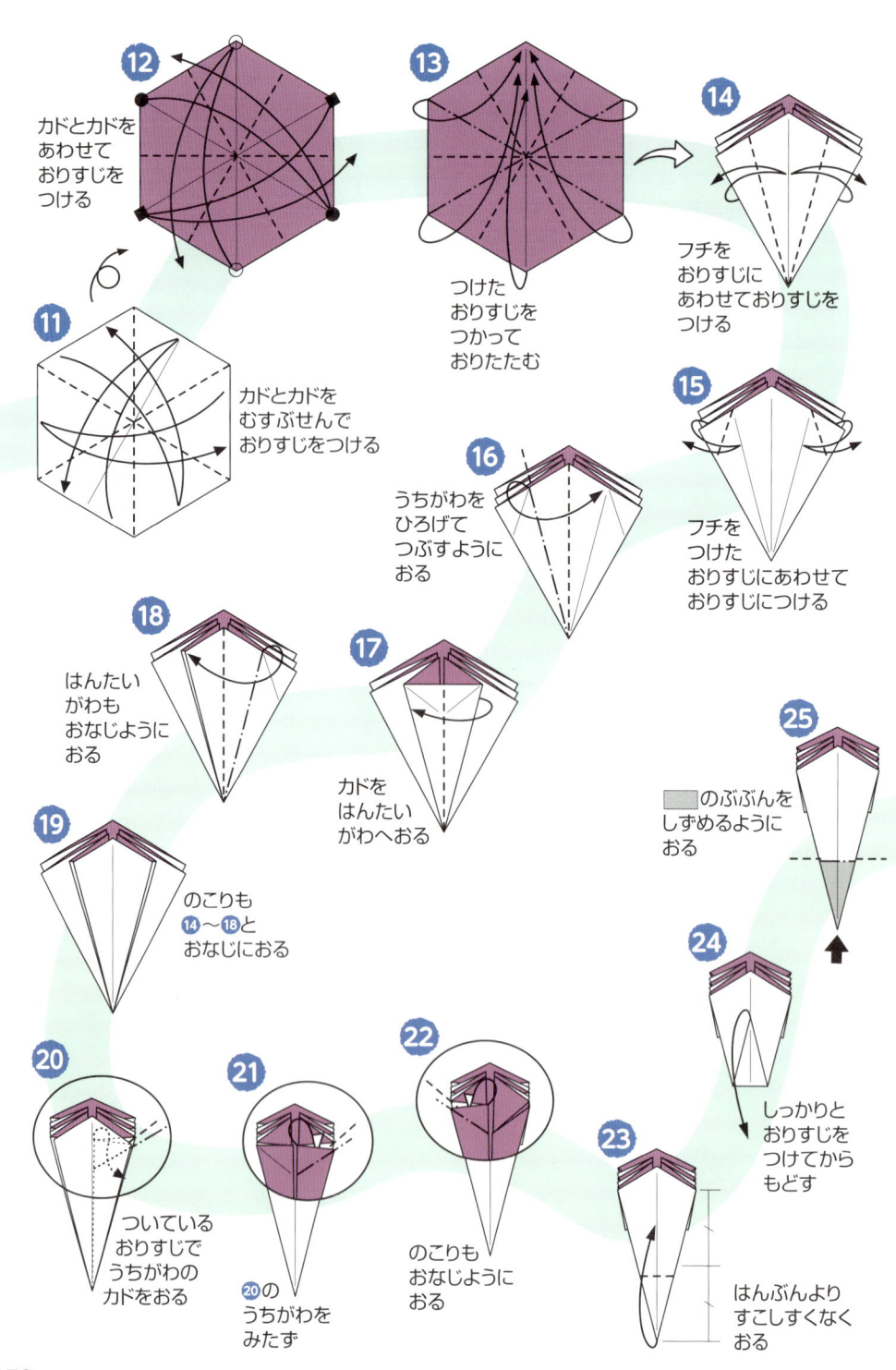

158

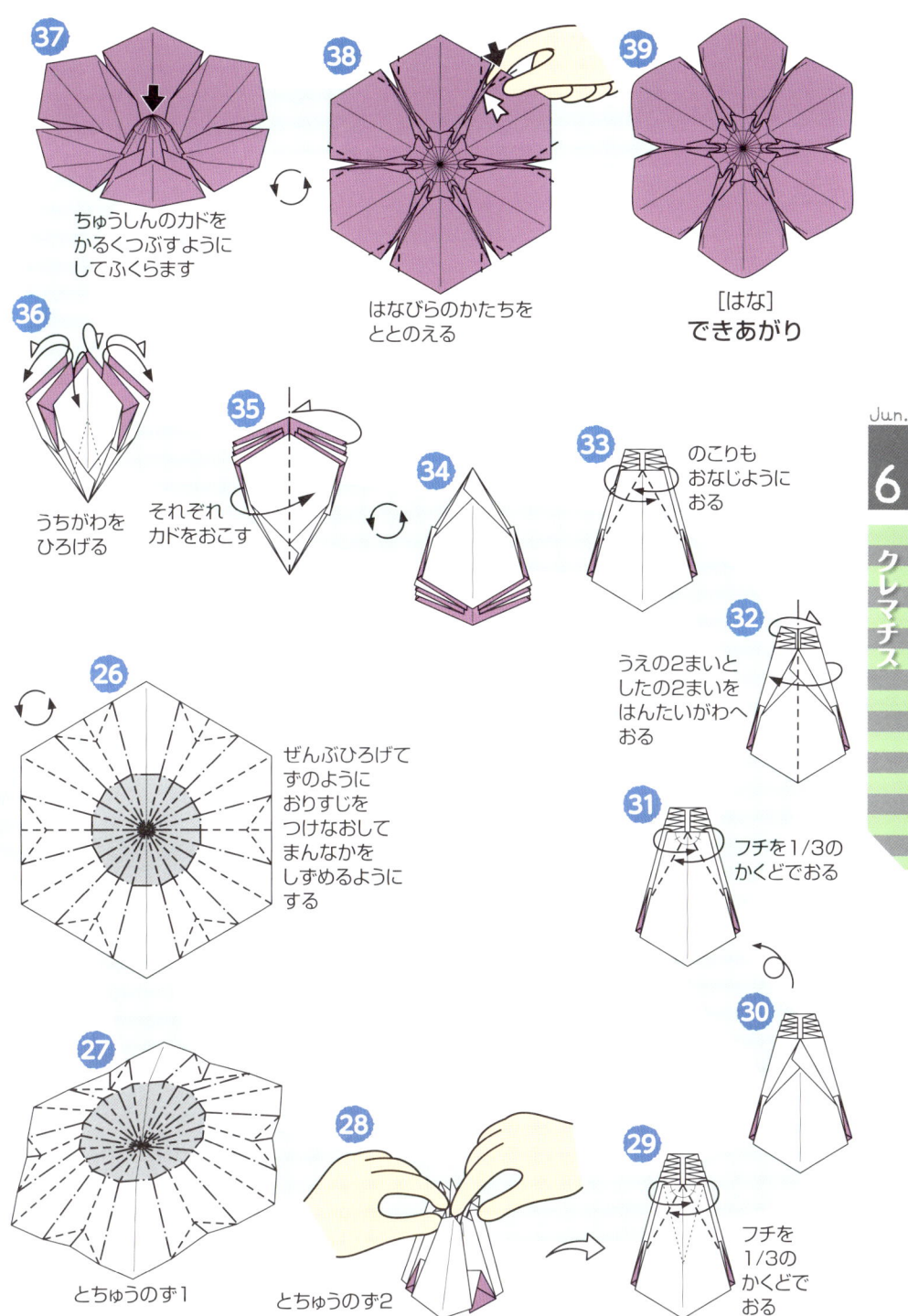

㊲ ちゅうしんのカドを
かるくつぶすように
してふくらます

㊳ はなびらのかたちを
ととのえる

㊴ [はな]
できあがり

㊱ うちがわを
ひろげる

それぞれ
カドをおこす

㉟

㉞

㉝ のこりも
おなじように
おる

㉜ うえの2まいと
したの2まいを
はんたいがわへ
おる

㉛ フチを1/3の
かくどでおる

㉚

㉙ フチを
1/3の
かくどで
おる

㉖ ぜんぶひろげて
ずのように
おりすじを
つけなおして
まんなかを
しずめるように
する

㉗ とちゅうのず1

㉘ とちゅうのず2

Jun.
6
クレマチス

◉がく

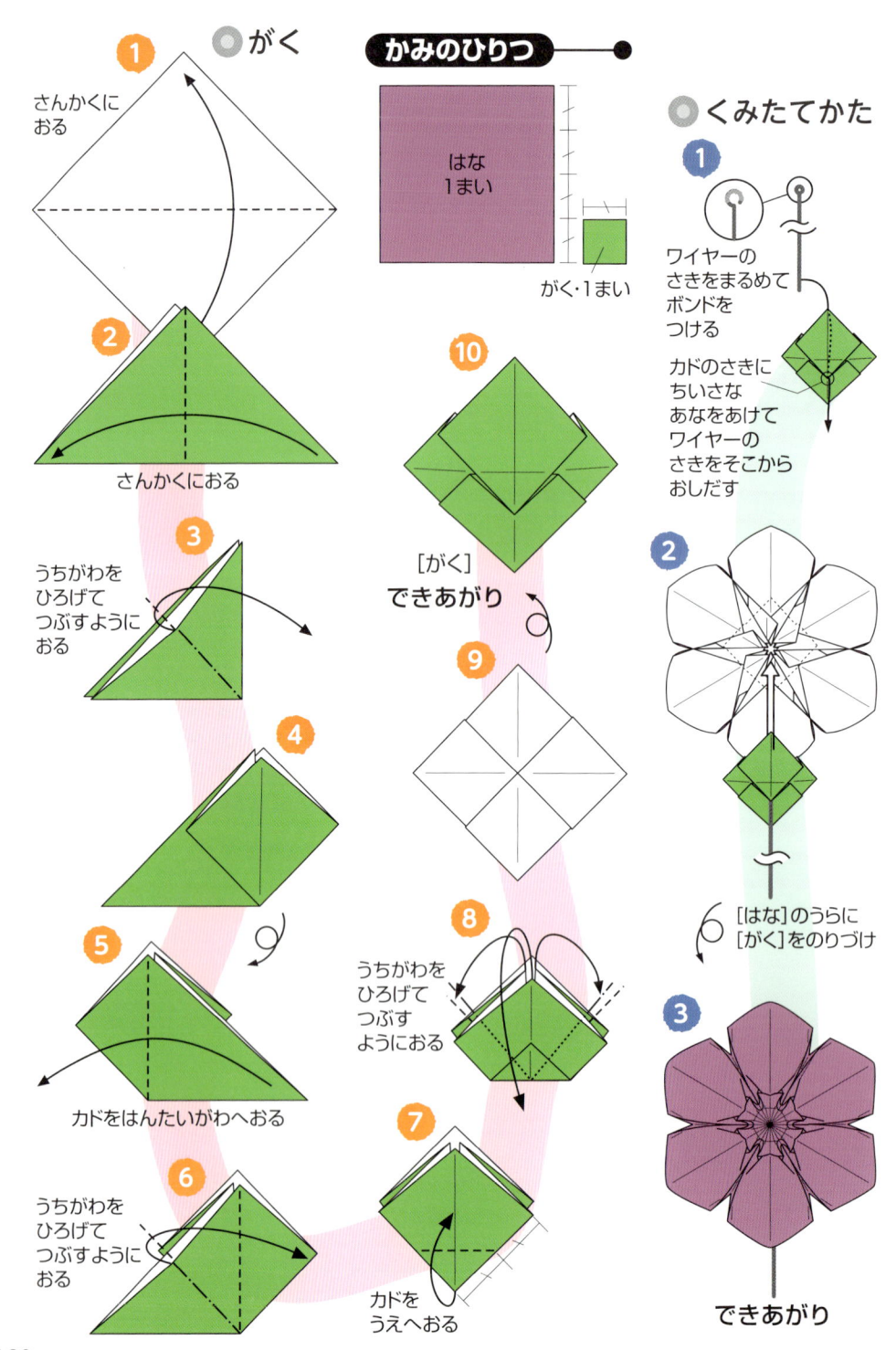

1 さんかくにおる

2 さんかくにおる

3 うちがわをひろげてつぶすようにおる

4

5 カドをはんたいがわへおる

6 うちがわをひろげてつぶすようにおる

7 カドをうえへおる

8 うちがわをひろげてつぶすようにおる

9

10 [がく] できあがり

かみのひりつ

はな 1まい

がく・1まい

◉くみたてかた

1 ワイヤーのさきをまるめてボンドをつける

カドのさきにちいさなあなをあけてワイヤーのさきをそこからおしだす

2 [はな]のうらに[がく]をのりづけ

3 できあがり

● しゃしんはP.153　しろいぶぶんにかおをかいてもかわいいね

あまつぶ
Raindrop

6月 Jun.

● おりがみ　1まい　● むずかしさ

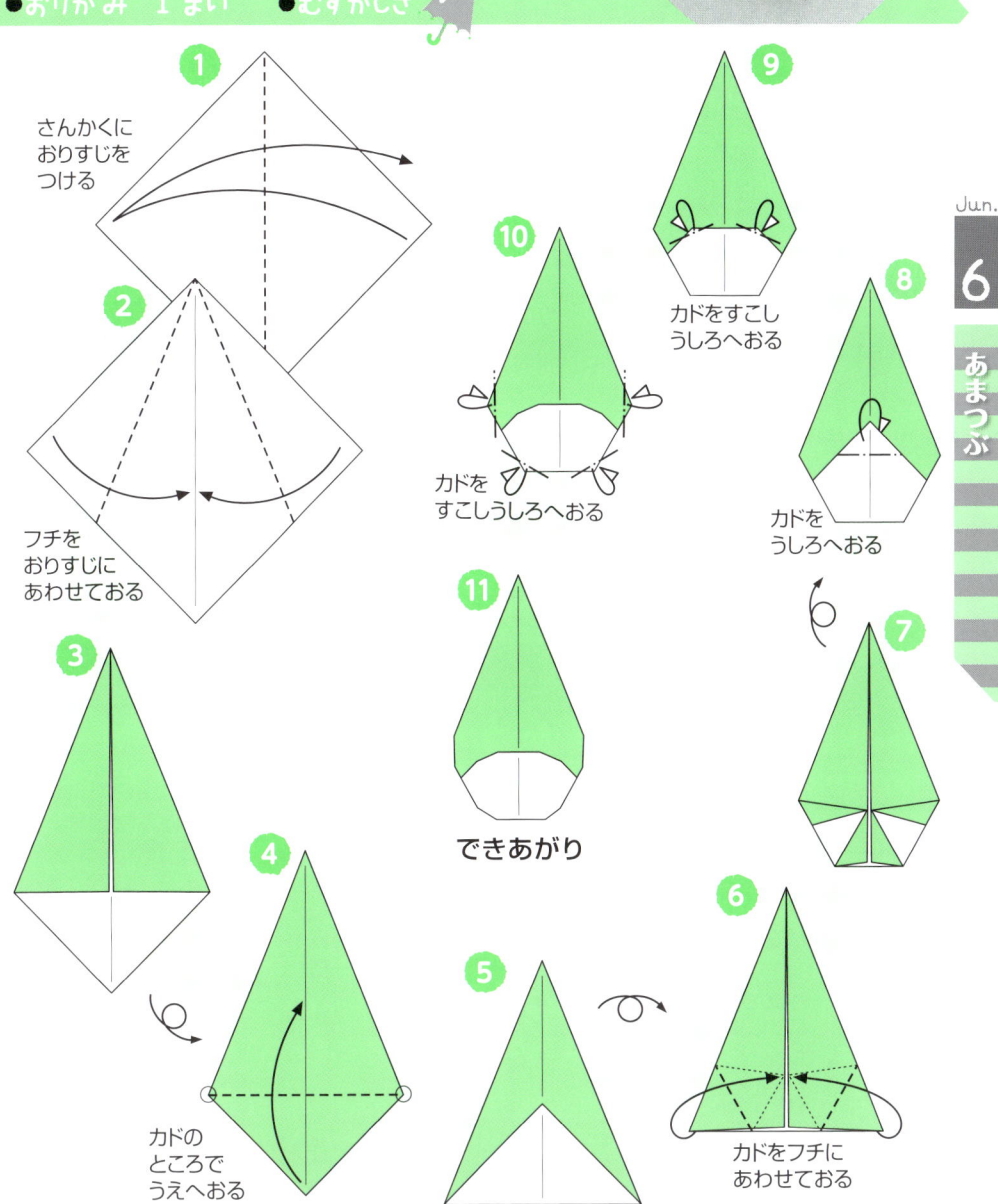

1. さんかくにおりすじをつける
2. フチをおりすじにあわせておる
3.
4. カドのところでうえへおる
5.
6. カドをフチにあわせておる
7.
8. カドをうしろへおる
9. カドをすこしうしろへおる
10. カドをすこしうしろへおる
11. できあがり

●しゃしんはP.154　**ちいさいはなをたくさんつくってね**

6月 Jun. あじさい
Hydrangea

● おりがみ 16まいくらい ● むずかしさ

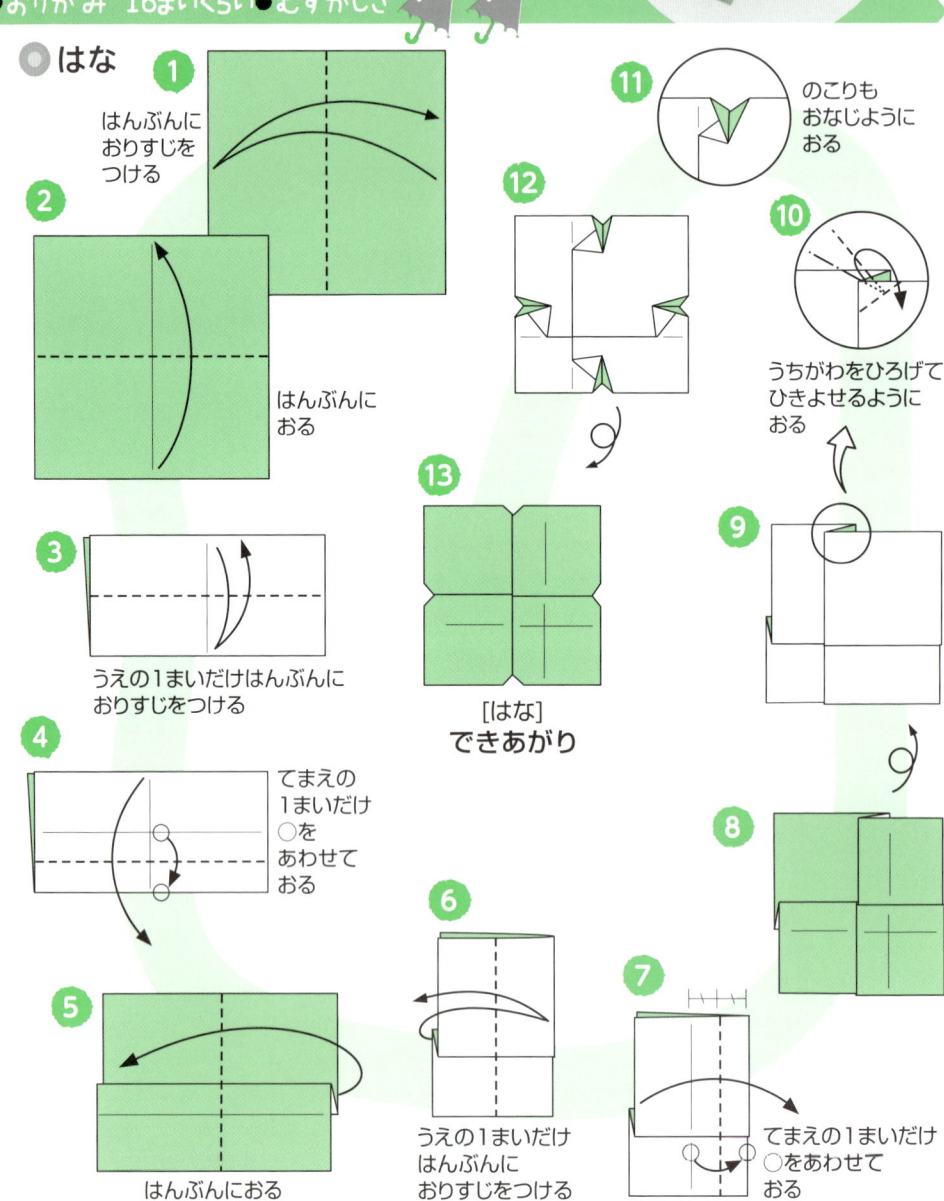

○ **はな**

1 はんぶんにおりすじをつける

2 はんぶんにおる

3 うえの1まいだけはんぶんにおりすじをつける

4 てまえの1まいだけ○をあわせておる

5 はんぶんにおる

6 うえの1まいだけはんぶんにおりすじをつける

7 てまえの1まいだけ○をあわせておる

8

9

10 うちがわをひろげてひきよせるようにおる

11 のこりもおなじようにおる

12

13 [はな] **できあがり**

162

はっぱ

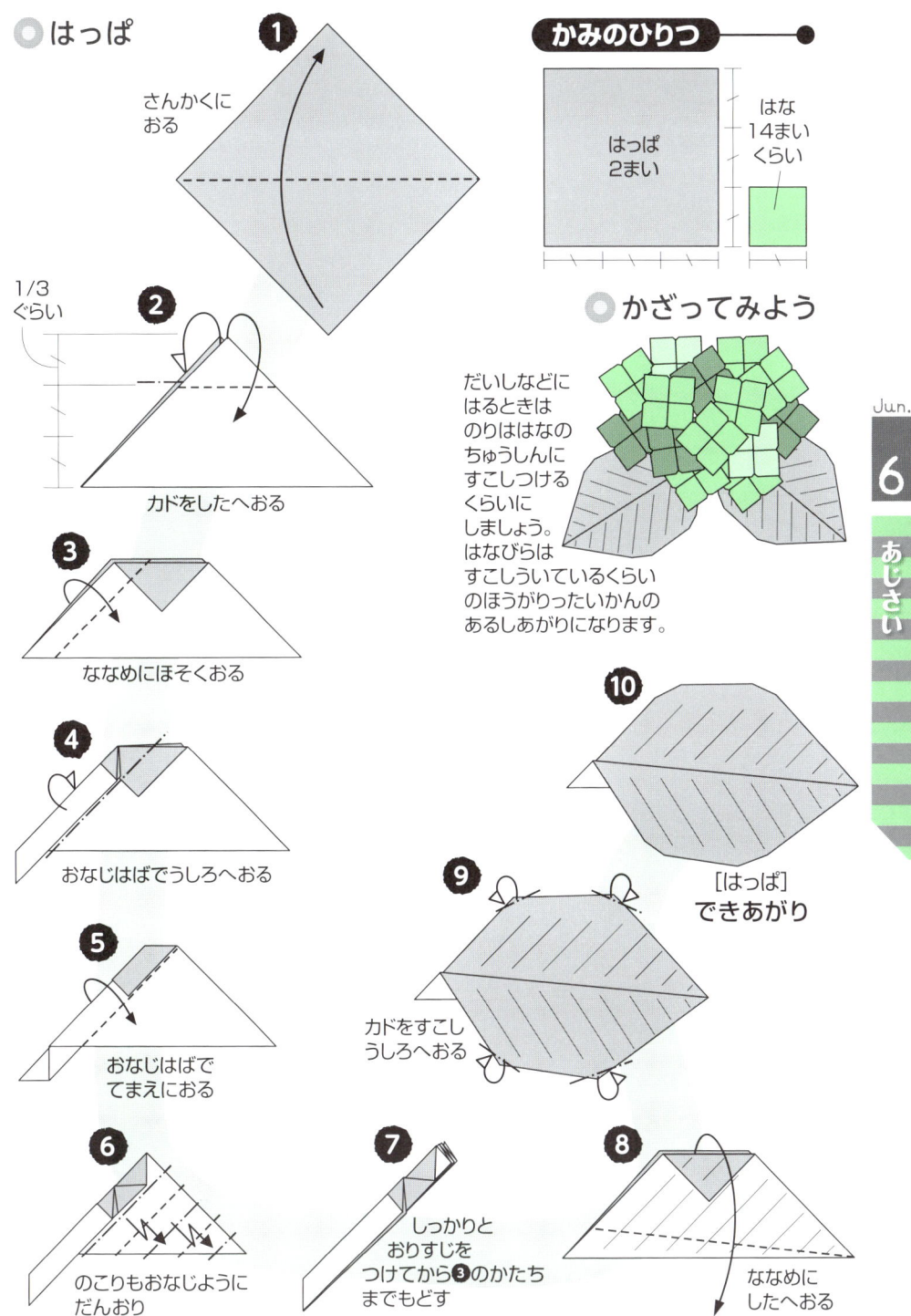

1 さんかくにおる

2 1/3ぐらい　カドをしたへおる

3 ななめにほそくおる

4 おなじはばでうしろへおる

5 おなじはばでてまえにおる

6 のこりもおなじようにだんおり

7 しっかりとおりすじをつけてから❸のかたちまでもどす

8 ななめにしたへおる

9 カドをすこしうしろへおる

10 [はっぱ] できあがり

かみのひりつ

はっぱ 2まい　／　はな 14まいくらい

かざってみよう

だいしなどにはるときはのりははなのちゅうしんにすこしつけるくらいにしましょう。はなびらはすこしういているくらいのほうがりったいかんのあるしあがりになります。

Jun. 6 あじさい

●しゃしんはP.153　**5まいくみあわせてつくるはなだよ**

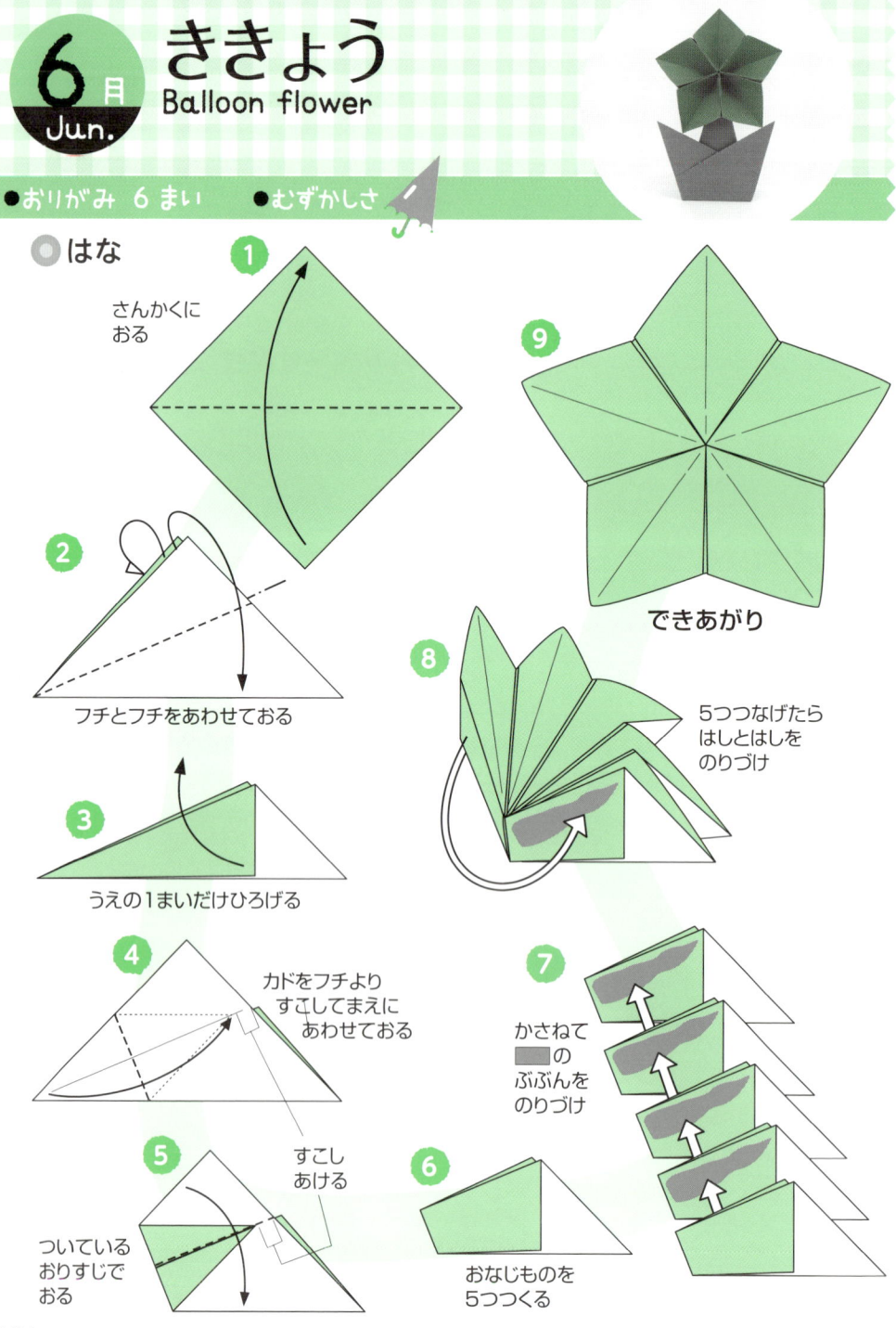

6月 Jun. ききょう
Balloon flower

●おりがみ 6まい　　●むずかしさ

◯ はな

1 さんかくにおる

2 フチとフチをあわせておる

3 うえの1まいだけひろげる

4 カドをフチよりすこしてまえにあわせておる

5 ついているおりすじでおる　すこしあける

6 おなじものを5つつくる

7 かさねて■のぶぶんをのりづけ

8 5つつなげたらはしとはしをのりづけ

9 できあがり

164

はっぱ

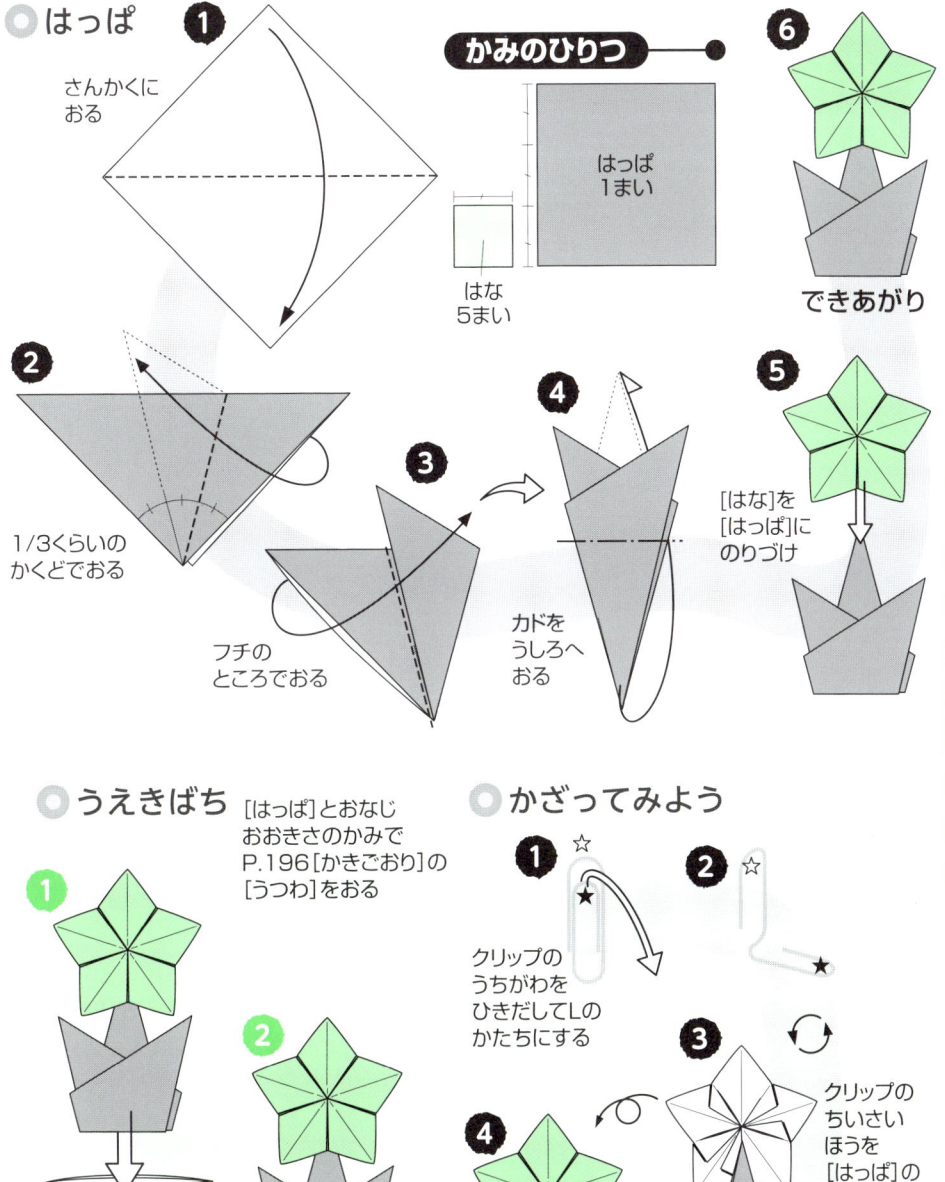

1 さんかくにおる

かみのひりつ
はっぱ 1まい
はな 5まい

2 1/3くらいのかくどでおる

3 フチのところでおる

4 カドをうしろへおる

5 [はな]を[はっぱ]にのりづけ

6 できあがり

Jun. 6 ききょう

うえきばち

[はっぱ]とおなじおおきさのかみでP.196[かきごおり]の[うつわ]をおる

1 はなをすきまにさしこむ

2 できあがり

かざってみよう

1 クリップのうちがわをひきだしてLのかたちにする

2

3 クリップのちいさいほうを[はっぱ]のうしろにセロハンテープではる

4 できあがり

165

●しゃしんはP.154 **あじさいといっしょにかざってみよう**

6月 Jun. かたつむり
Snail

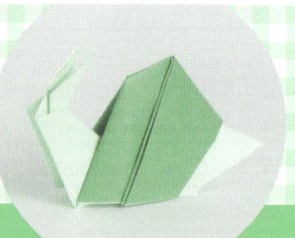

● おりがみ 1まい　● むずかしさ

1 さんかくにおりすじをつける

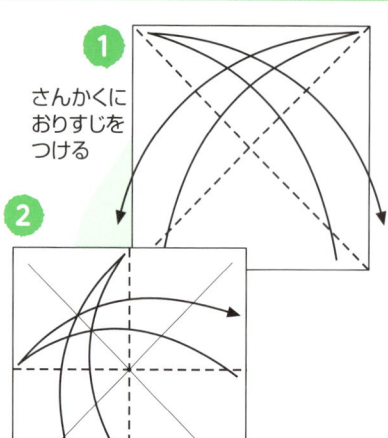

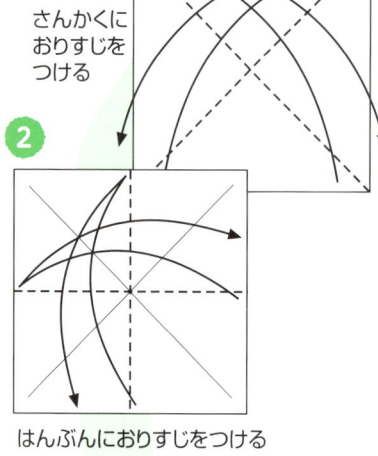

2 はんぶんにおりすじをつける

3 フチをおりすじにあわせておる

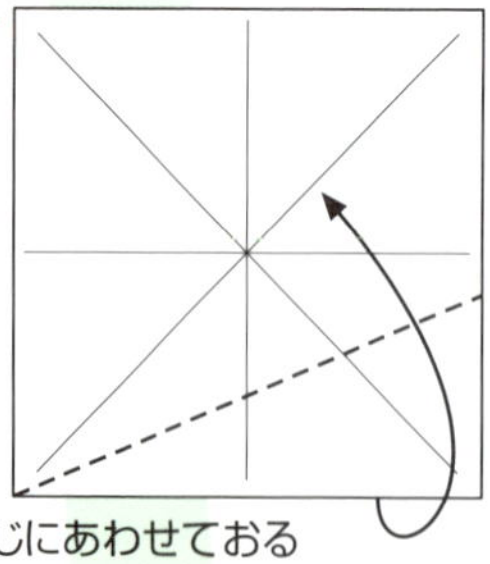

4 フチをおりすじにあわせておる

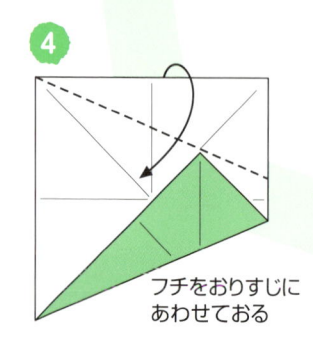

5

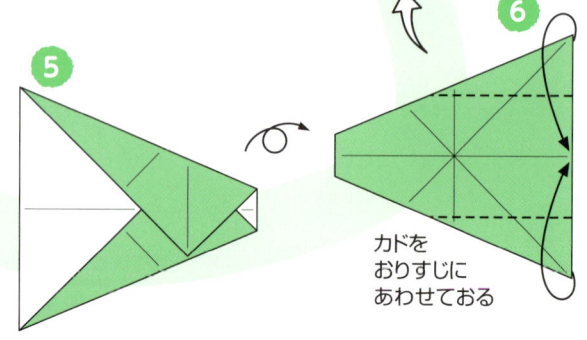

6 カドをおりすじにあわせておる

7 フチをおりすじにあわせておりすじをつける

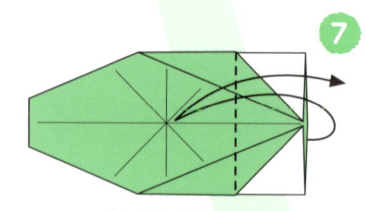

8 カドをつまむようにおる

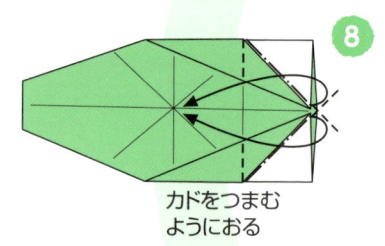

9 カドをおりすじにあわせておる

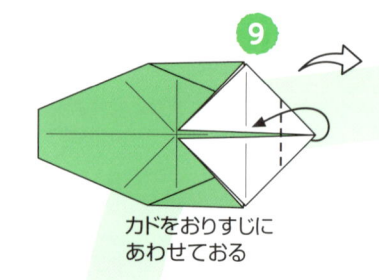

11
フチを
おりすじにあわせておる

12
はんぶんにおる

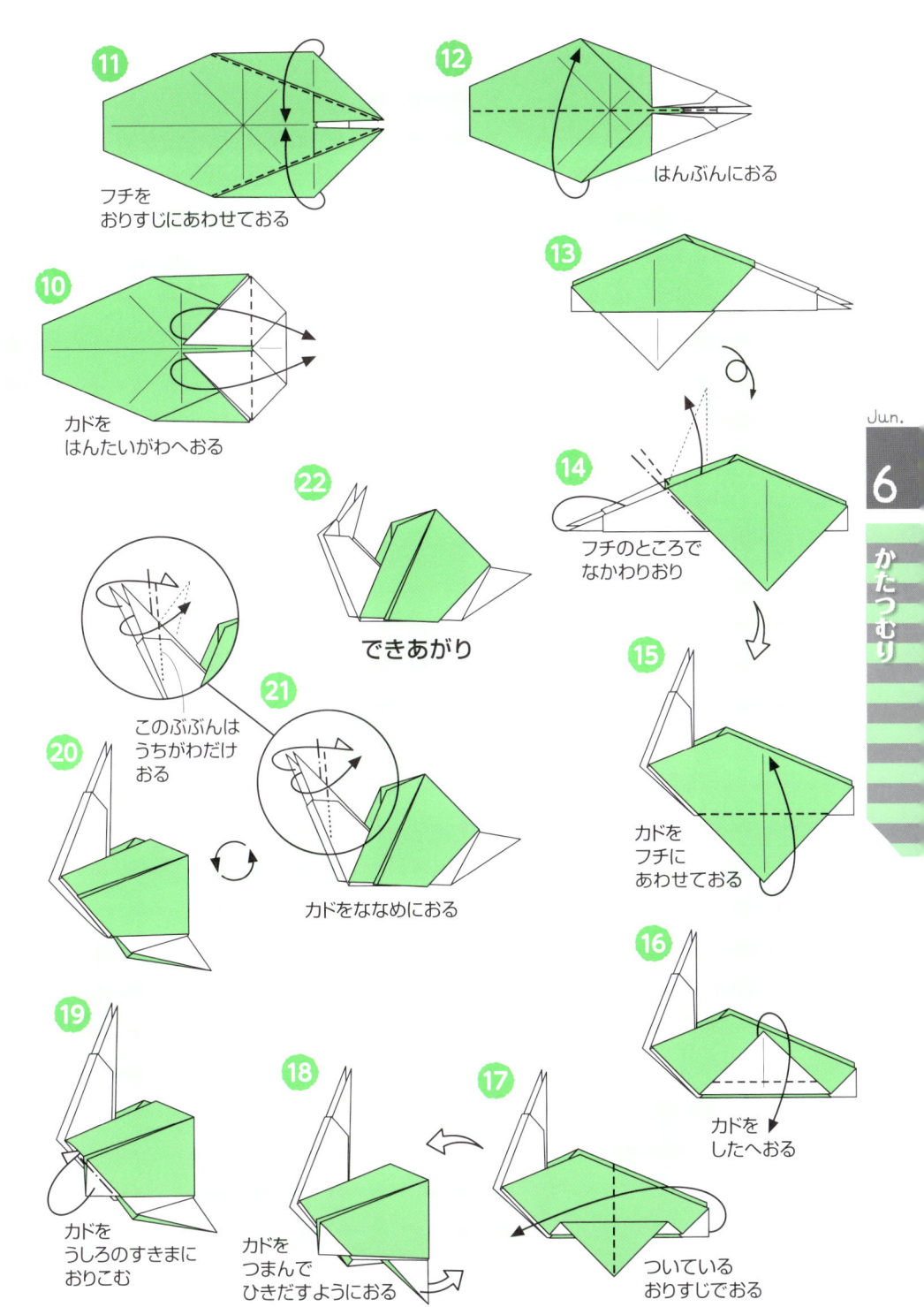

10
カドを
はんたいがわへおる

13

14
フチのところで
なかわりおり

15
カドを
フチに
あわせておる

16
カドを
したへおる

17
ついている
おりすじでおる

18
カドを
つまんで
ひきだすようにおる

19
カドを
うしろのすきまに
おりこむ

20

21
カドをななめにおる

このぶぶんは
うちがわだけ
おる

22
できあがり

Jun.
6
かたつむり

167

● しゃしんはP.153　よこからみたかたちのかさだよ

6月 Jun. かさ
Umbrella

● おりがみ 2まい　● むずかしさ

● かさ

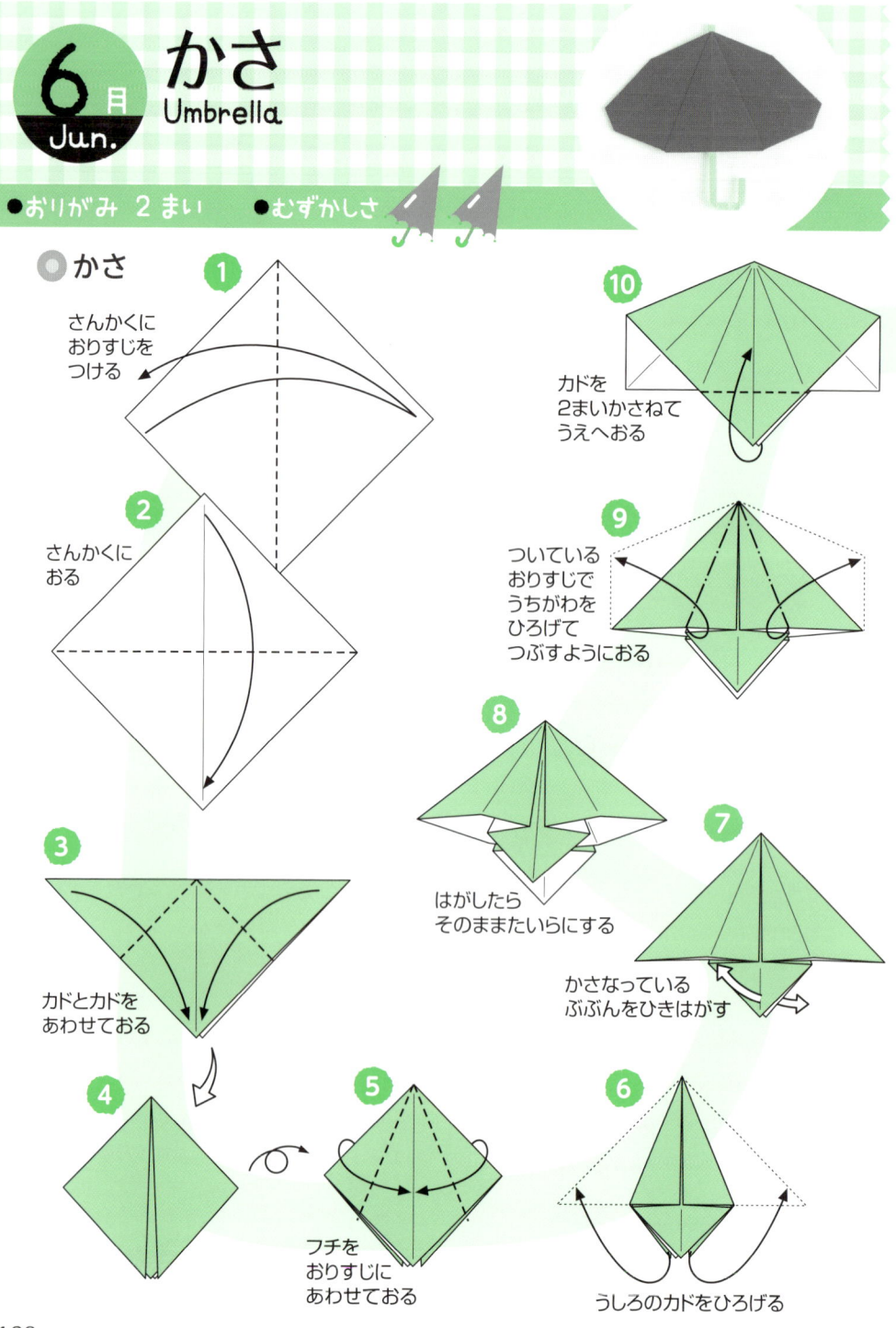

1 さんかくにおりすじをつける

2 さんかくにおる

3 カドとカドをあわせておる

4

5 フチをおりすじにあわせておる

6 うしろのカドをひろげる

7 かさなっているぶぶんをひきはがす

8 はがしたらそのままたいらにする

9 ついているおりすじでうちがわをひろげてつぶすようにおる

10 カドを2まいかさねてうえへおる

⑫ フチとフチをあわせておる

⑬ カドを○にあわせておる

⑭

⑪ フチとフチをあわせておる

⑮ [かさ] できあがり

Jun.

6

かさ

◎ え

① はんぶんにおりすじをつける

かみのひりつ
かさ・1まい
え・1まい

⑧ できあがり

⑦ [かさ]と[え]をかさねてのりづけ

② フチをおりすじにあわせておる

③ フチをちゅうしんにあわせておる

④ はんぶんにおる

⑤ なかわりおり

⑥ かぶせおり

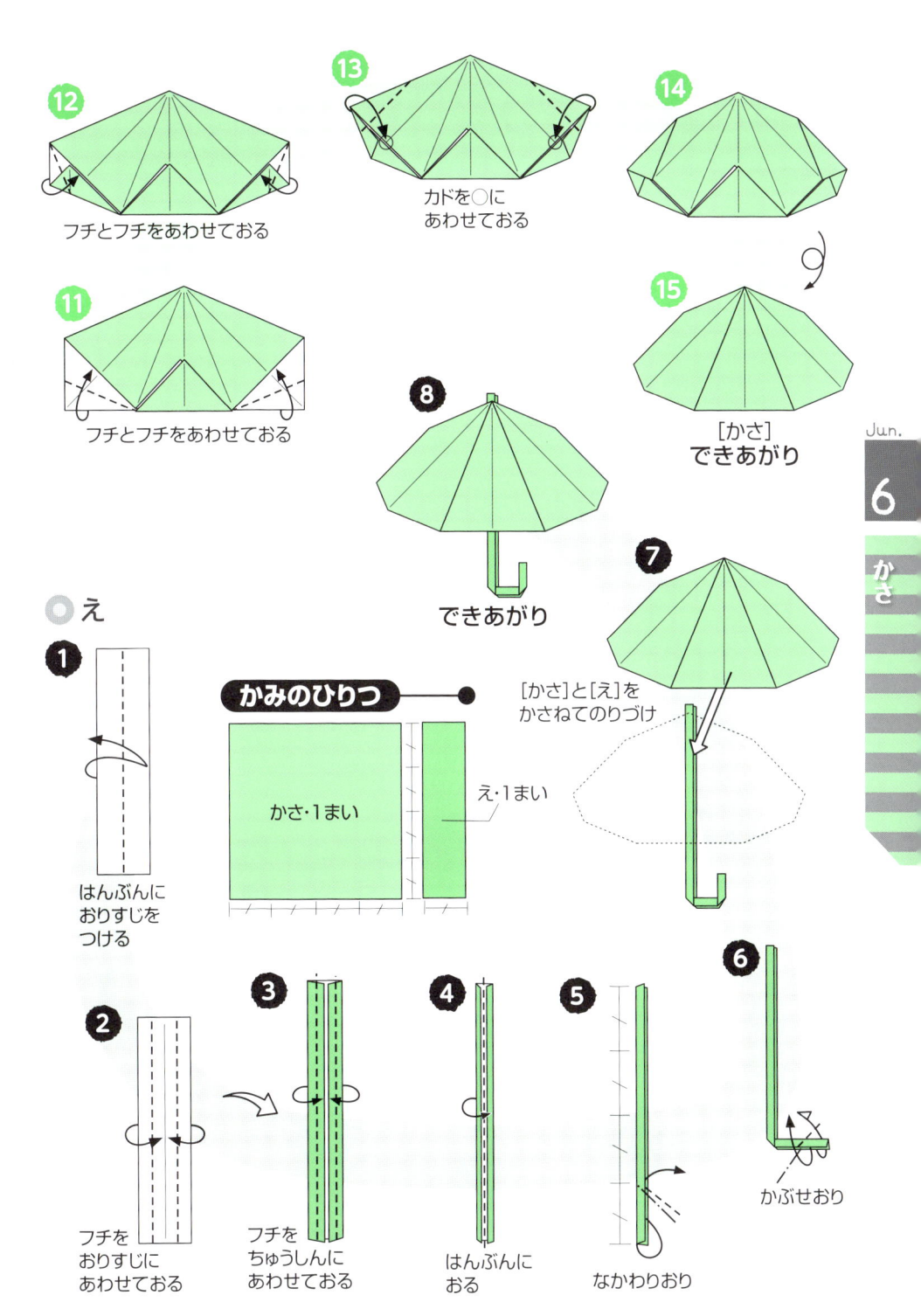

169

● しゃしんはP.153　　さゆうはんたいむきにおるのにきをつけて

6月 Jun.
ながぐつ
Rain boots

● おりがみ 2まい　　● むずかしさ

1 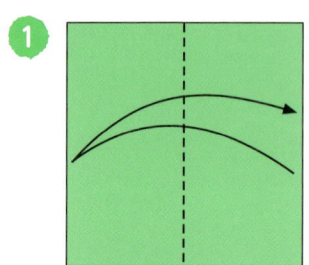 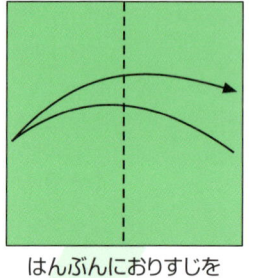 はんぶんにおりすじをつける

2 はんぶんにおる

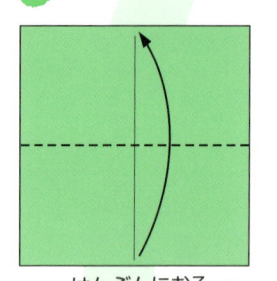

3 うえの1まいだけフチとフチをあわせておる

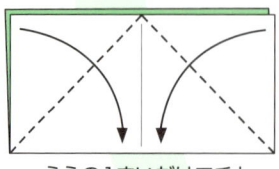

4 フチとフチをあわせておりすじをつける

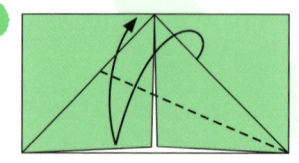

5 フチとフチをあわせておる

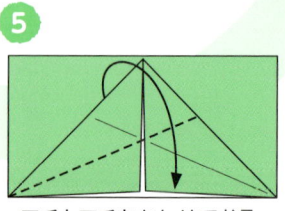

6 カドをつまむようにおる

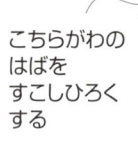

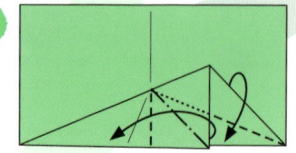

7 フチをすこしななめにおる
こちらがわのはばをすこしひろくする

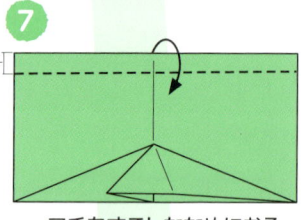

● ながぐつ みぎ

8

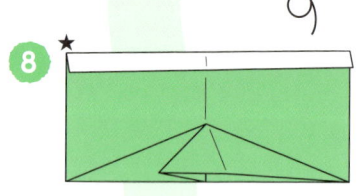

9 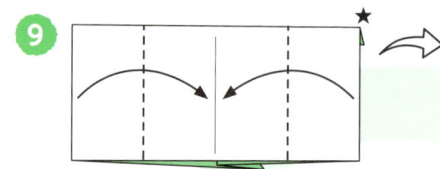 フチをおりすじにあわせておる

170

⑪ カドをうちがわにおりこむ

⑫

⑫

⑪ カドをうちがわにおりこむ

⑩ はんぶんにおりながらカドをすきまにさしこむ

⑬

⑬

できあがり

⑩ はんぶんにおりながらカドをすきまにさしこむ

⑨ フチをおりすじにあわせておる

Jun.
6
ながぐつ

○ ながぐつ・ひだり

⑦ こちらがわのはばをすこしひろくする

フチをすこしななめにおる

⑧

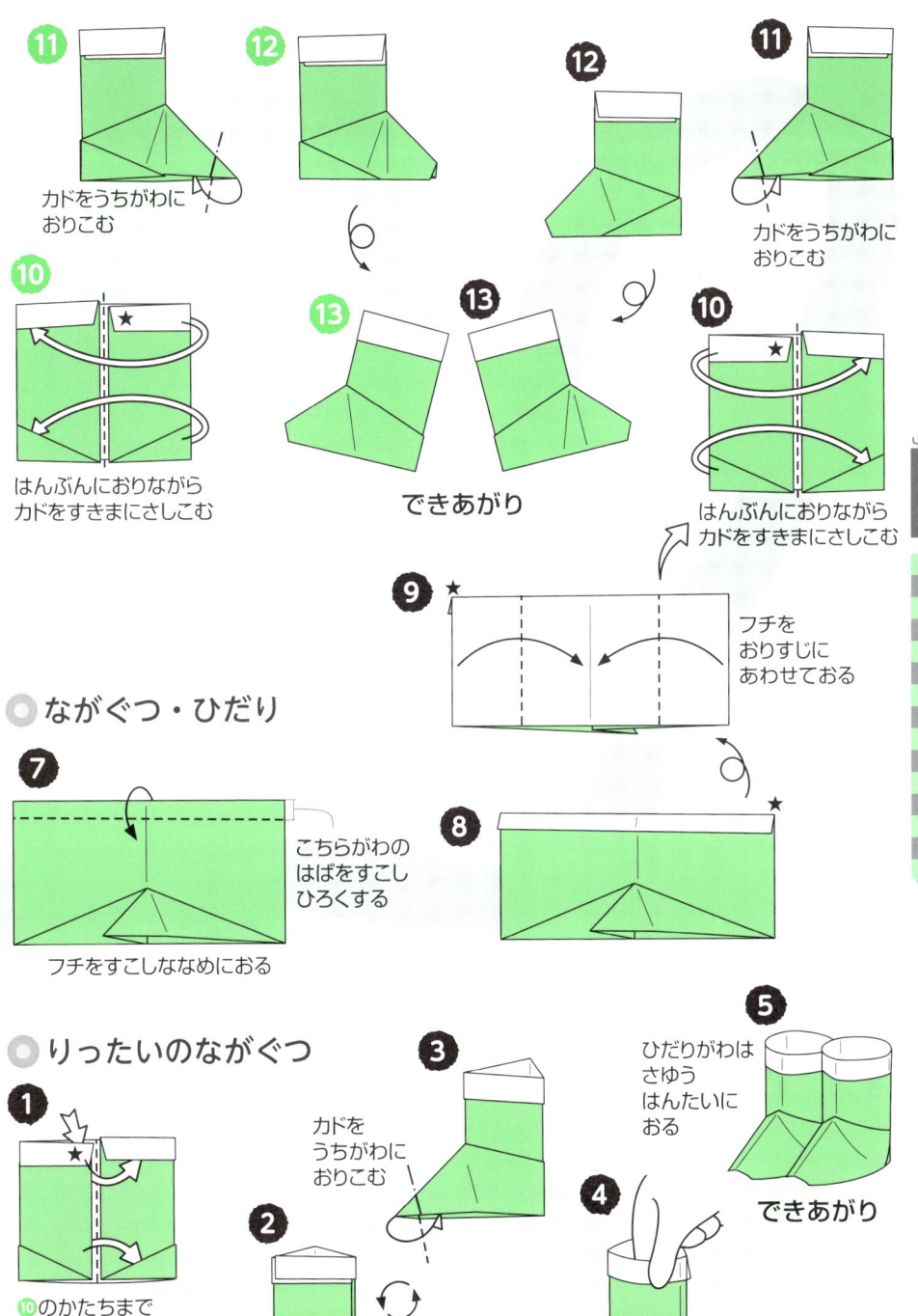

○ りったいのながぐつ

① ⑩のかたちまでおってからカドをすきまにさしこんでりったいにする

③ カドをうちがわにおりこむ

②

⑤ ひだりがわはさゆうはんたいにおる

④ うちがわをひろげてかたちをととのえる

できあがり

171

● しゃしんはP.153　**かさとながぐつとあわせてかざろう**

6月 Jun. レインコートと ぼうし Raincoat & hat

● おりがみ かく1まい ● むずかしさ

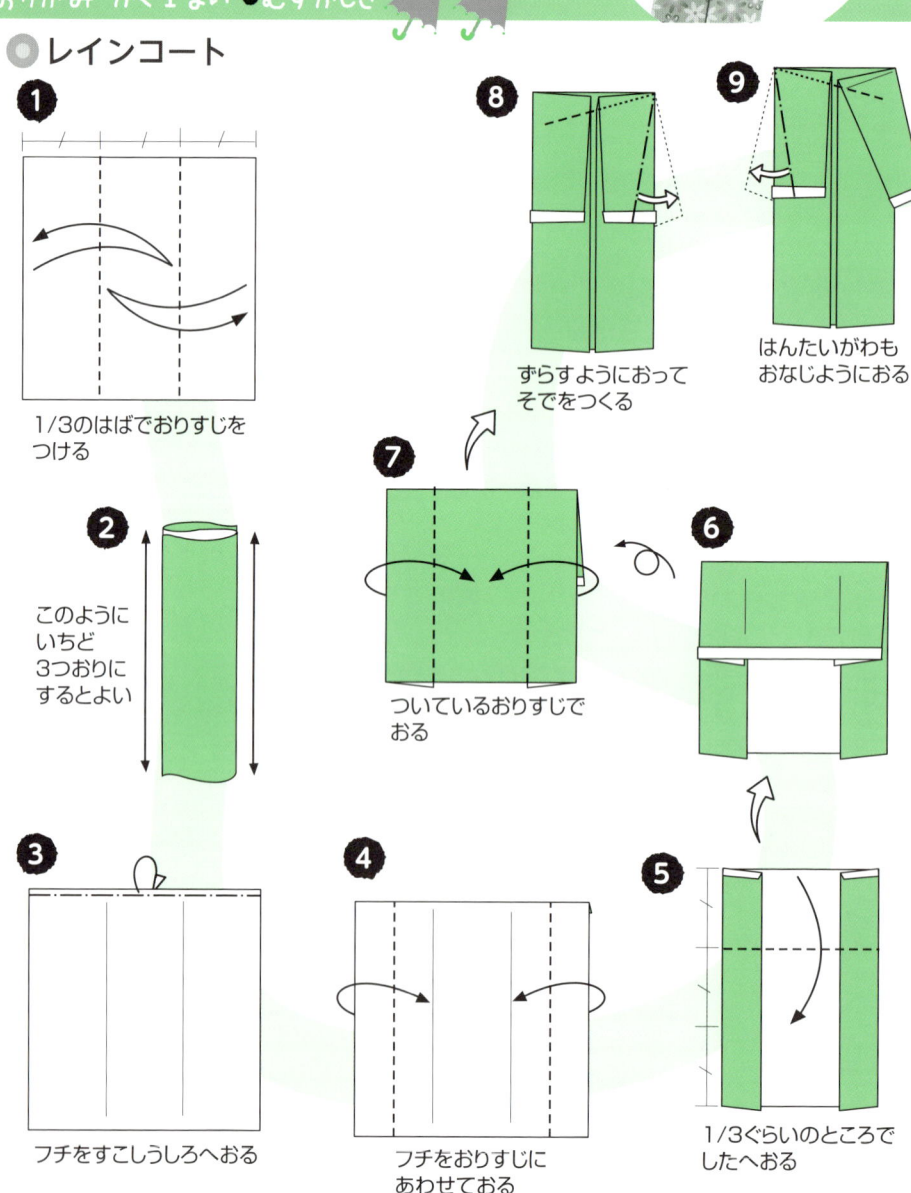

● レインコート

1 1/3のはばでおりすじをつける

2 このようにいちど3つおりにするとよい

3 フチをすこしうしろへおる

4 フチをおりすじにあわせておる

5 1/3ぐらいのところでしたへおる

6

7 ついているおりすじでおる

8 ずらすようにおってそでをつくる

9 はんたいがわもおなじようにおる

172

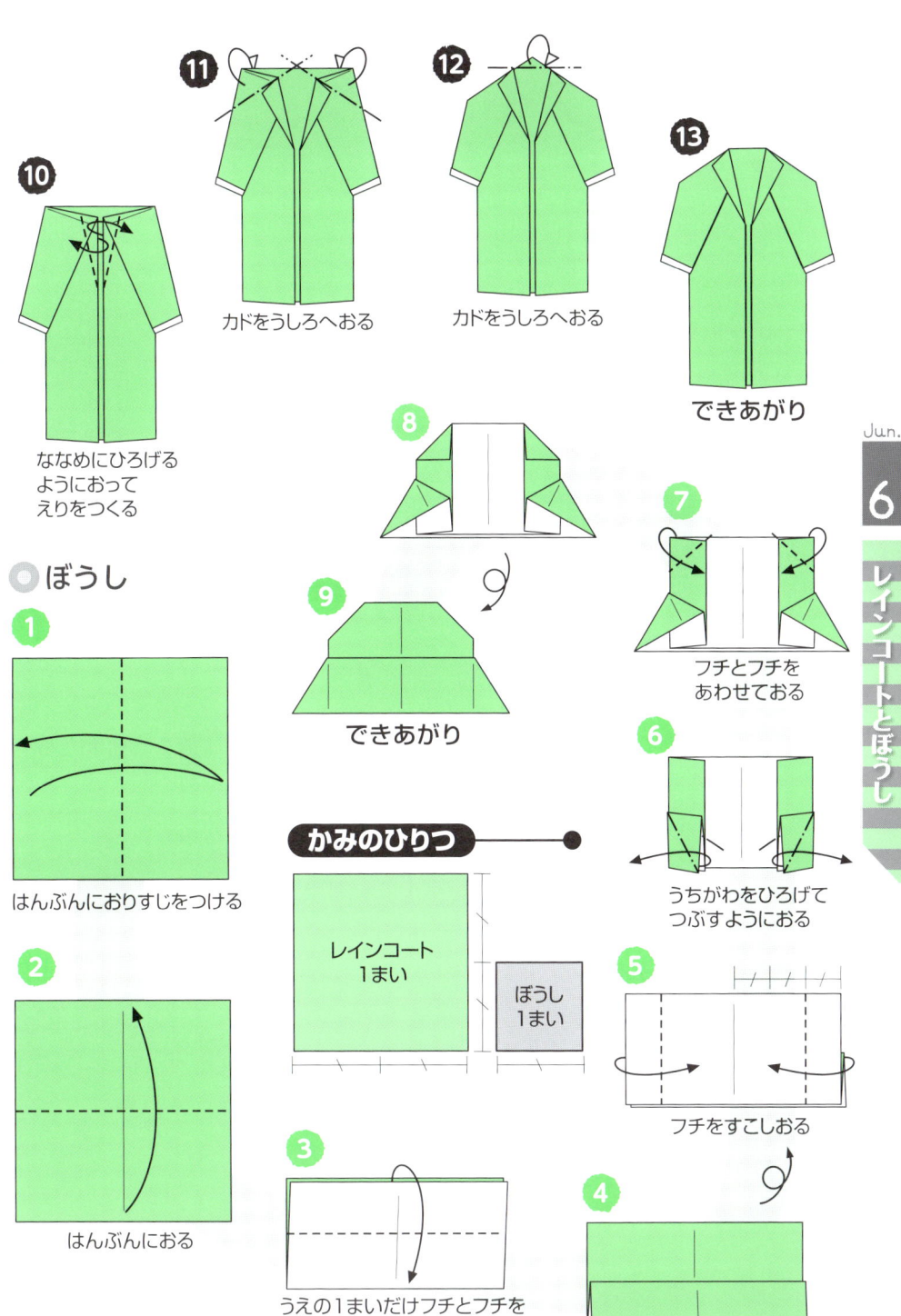

6 レインコートとぼうし

Jun.

10 ななめにひろげるようにおってえりをつくる

11 カドをうしろへおる

12 カドをうしろへおる

13 できあがり

○ぼうし

1 はんぶんにおりすじをつける

2 はんぶんにおる

3 うえの1まいだけフチとフチをあわせておる

4

5 フチをすこしおる

6 うちがわをひろげてつぶすようにおる

7 フチとフチをあわせておる

8

9 できあがり

かみのひりつ

レインコート 1まい

ぼうし 1まい

173

● しゃしんはP.156　**ちちのひのプレゼントにつかえるね**

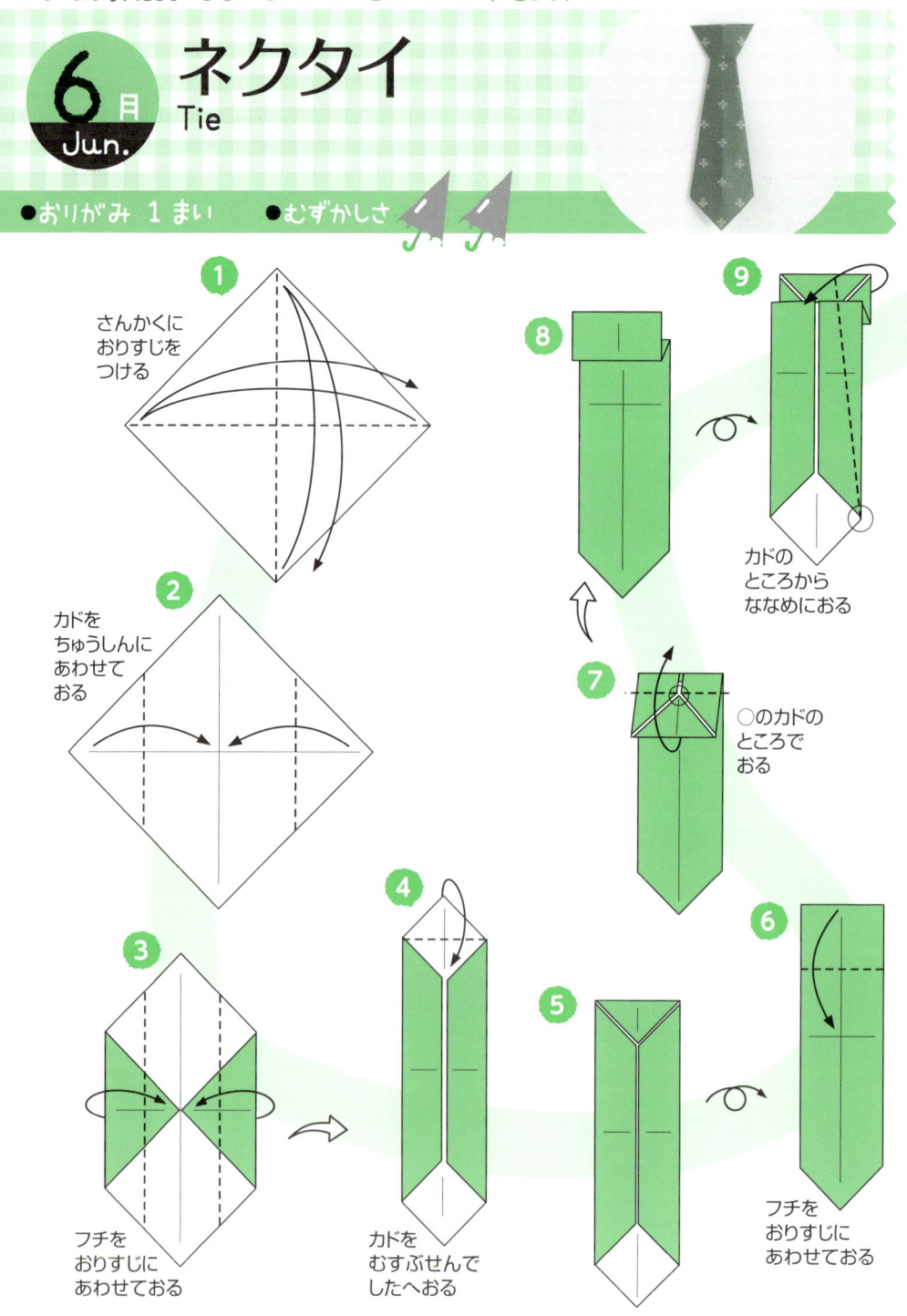

6月 Jun. ネクタイ
Tie

● おりがみ 1 まい　● むずかしさ

1 さんかくに おりすじを つける

2 カドを ちゅうしんに あわせて おる

3 フチを おりすじに あわせておる

4 カドを むすぶせんで したへおる

5

6 フチを おりすじに あわせておる

7 ○のカドの ところで おる

8

9 カドの ところから ななめにおる

174

⑩

⑪ うちがわを
ひろげて
カドをつまむ
ようにおる

はんたいがわも
⑨〜⑩とおなじように
おる

⑫

⑬

できあがり

○ ワイシャツラッピング

ネクタイをプレゼントラッピングの
ワンポイントにつかってみましょう。

かみぶくろなどをよういする

① プレゼントを
いれてから
フチをえりの
はばだけ
うしろへおる

ふうとうをつかえば
ミニパッケージに
なります。

⑥ できあがり

⑤ [ネクタイ]を
すきまにさしこんでのりづけ

② うしろへおった
フチにそって
きりこみをいれる

③ ちゅうしんで
カドがあうように
きりこみの
ながさを
ちょうせつする

カドとカドをあわせて
ななめにおる

④ カドをすこし
うしろへおる

Jun.

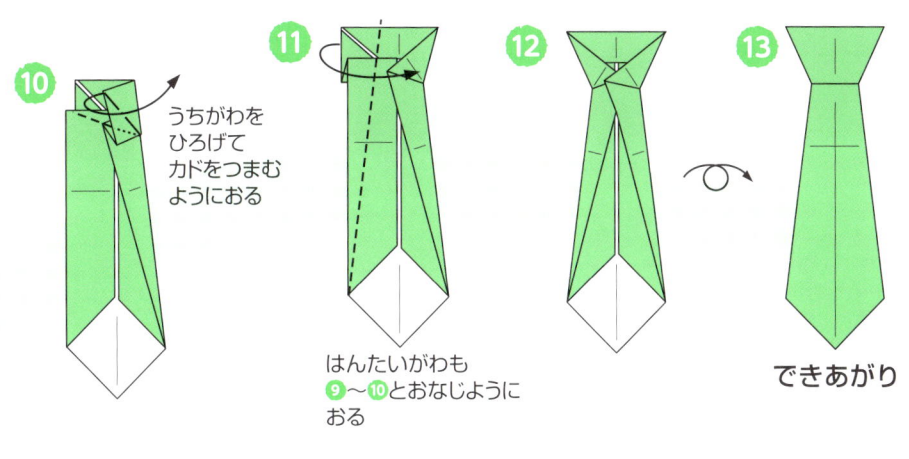

6

ネクタイ

175

● えりをつける

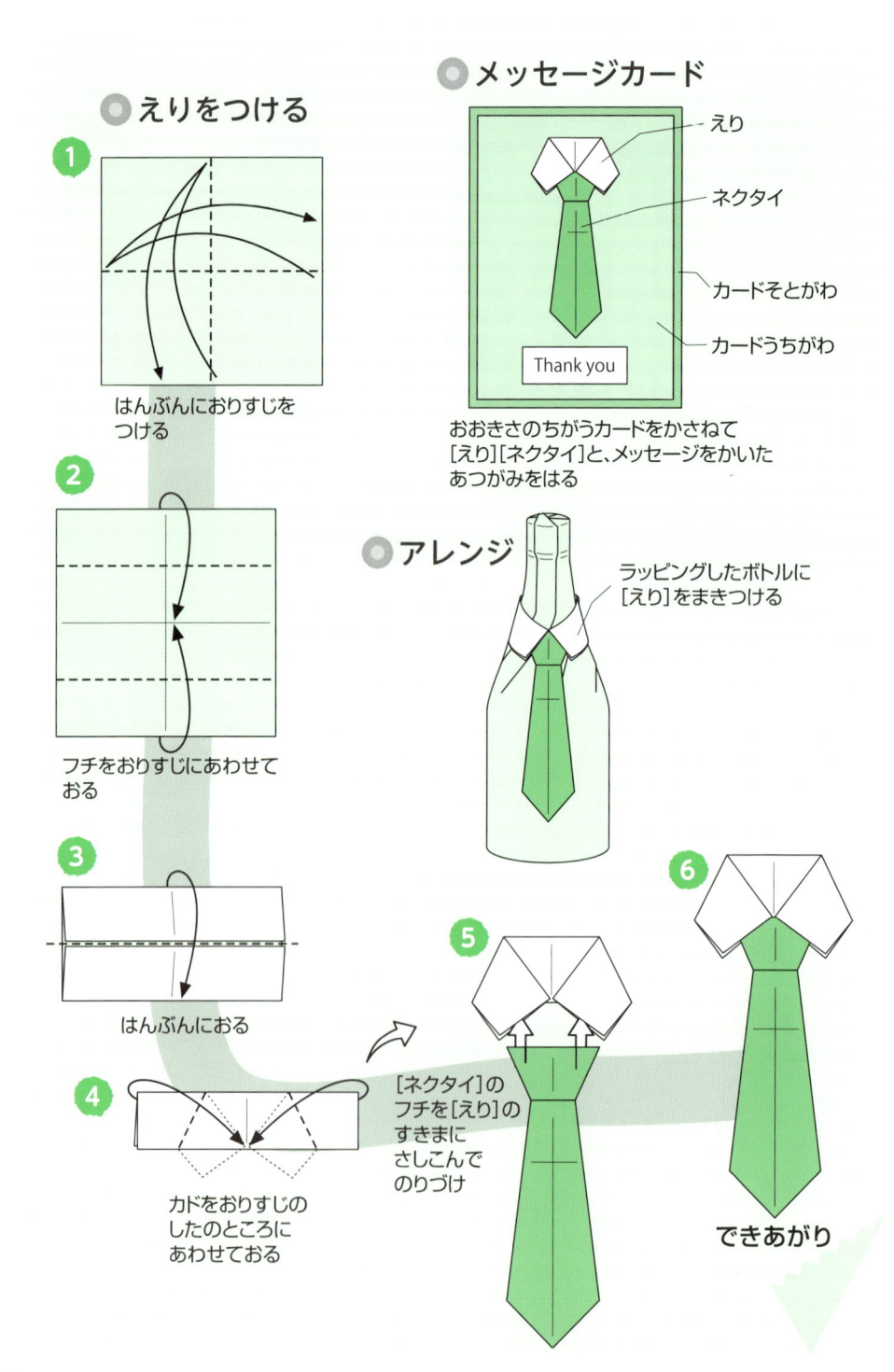

1 はんぶんにおりすじをつける

2 フチをおりすじにあわせておる

3 はんぶんにおる

4 カドをおりすじのしたのところにあわせておる

5 [ネクタイ]のフチを[えり]のすきまにさしこんでのりづけ

6 できあがり

● メッセージカード

- えり
- ネクタイ
- カードそとがわ
- カードうちがわ

Thank you

おおきさのちがうカードをかさねて[えり][ネクタイ]と、メッセージをかいたあつがみをはる

● アレンジ

ラッピングしたボトルに[えり]をまきつける

七夕の壁面かざり

おりひめとひこぼし、今年は会えるかな?

7月 Jul.

おりひめとひこぼし　P.181　あたま、はかま:8×8cm、きもの:12×12cm
かんたんなほし　P.186　だい:2.5×2.5cm　3まい、しょう:2×2cm　3まい

暑い夏も涼しげに・・・
ゆれるモビールで風を感じて

あさがお　P.190　15×15cm

てんとうむし　P.188

ヨット　P.200　7.5 × 7.5cm

暑中お見舞い
申し上げます

アイスキャンディー　P.194
　　アイス：6×6cm、ぼう：6×3cm
かきごおり　P.196
　　こおり：5×5cm、うつわ：5×5cm
　　スプーン：5×1.5cm

※郵送する時は手紙扱いとなるので注意してください

179

ガラスのインテリア

光沢のある紙や、透ける紙で折ると涼しげです

はすのはな　P.193
15×15cm

きんぎょ　P.198
12×12cm

180

- しゃしんはP.177　きものにはちよがみをつかってもいいね

7月 Jul. おりひめとひこぼし Orihime & Hikoboshi

- おりがみ かく3まい ●むずかしさ

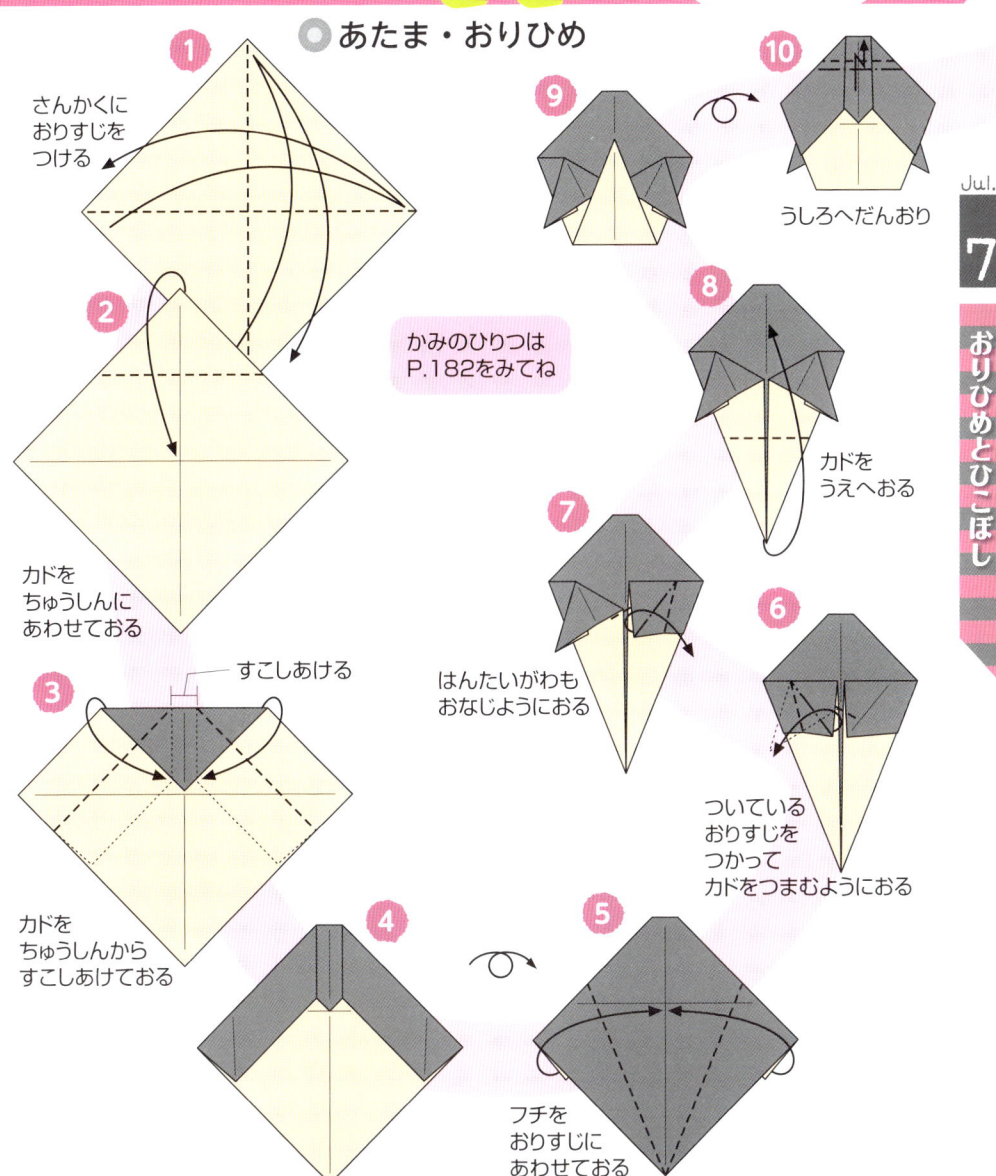

◉ あたま・おりひめ

1 さんかくにおりすじをつける

2 カドをちゅうしんにあわせておる

かみのひりつはP.182をみてね

3 すこしあける / カドをちゅうしんからすこしあけておる

4

5 フチをおりすじにあわせておる

6 ついているおりすじをつかってカドをつまむようにおる

7 はんたいがわもおなじようにおる

8 カドをうえへおる

9

10 うしろへだんおり

おりひめとひこぼし

181

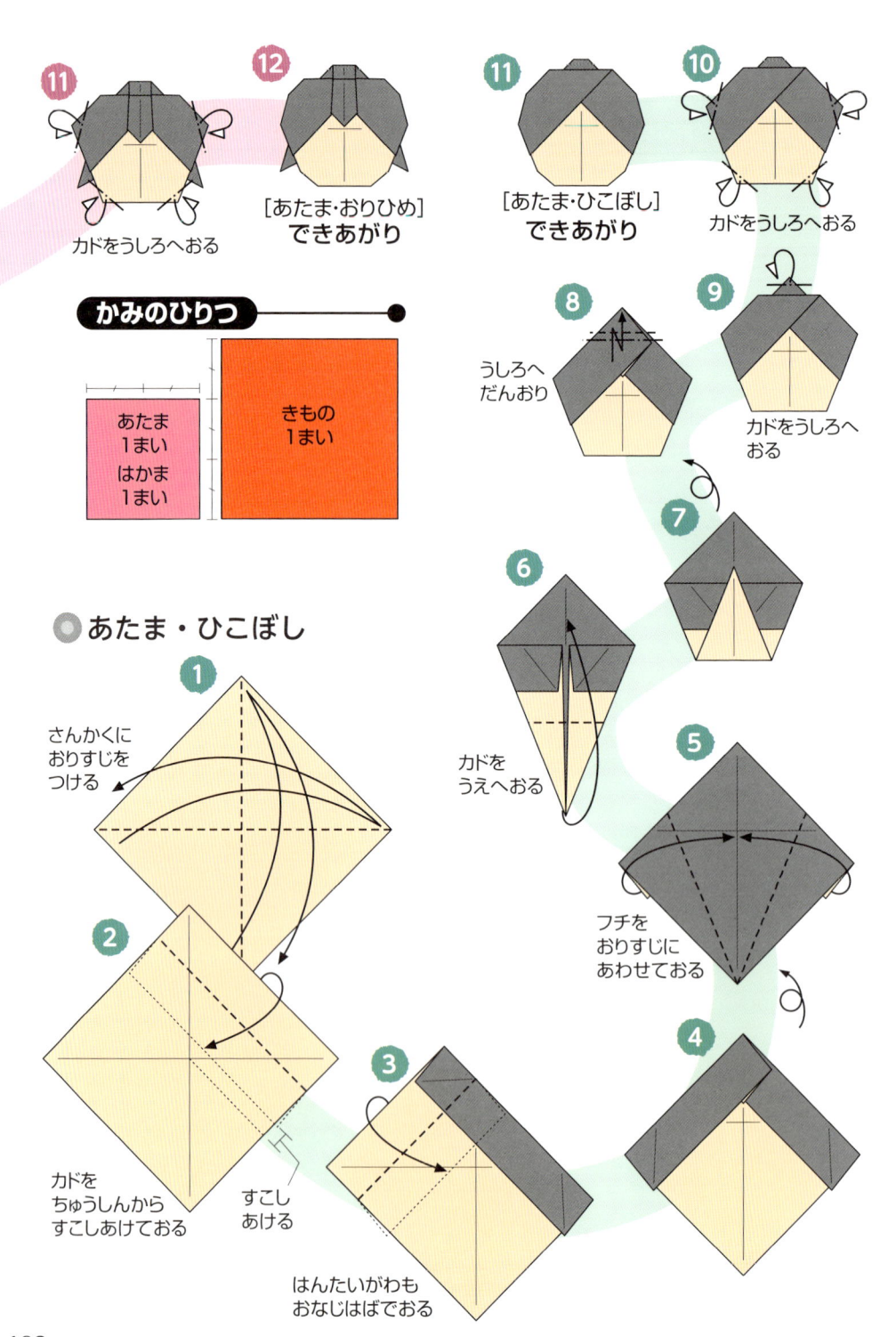

⑪ カドをうしろへおる

⑫ [あたま・おりひめ] できあがり

⑪ [あたま・ひこぼし] できあがり

⑩ カドをうしろへおる

かみのひりつ

| あたま 1まい はかま 1まい | きもの 1まい |

⑨ カドをうしろへおる

⑧ うしろへだんおり

⑦

⑥ カドをうえへおる

⑤ フチをおりすじにあわせておる

● あたま・ひこぼし

① さんかくにおりすじをつける

② カドをちゅうしんからすこしあけておる

すこしあける

③ はんたいがわもおなじはばでおる

④

182

◯ きもの

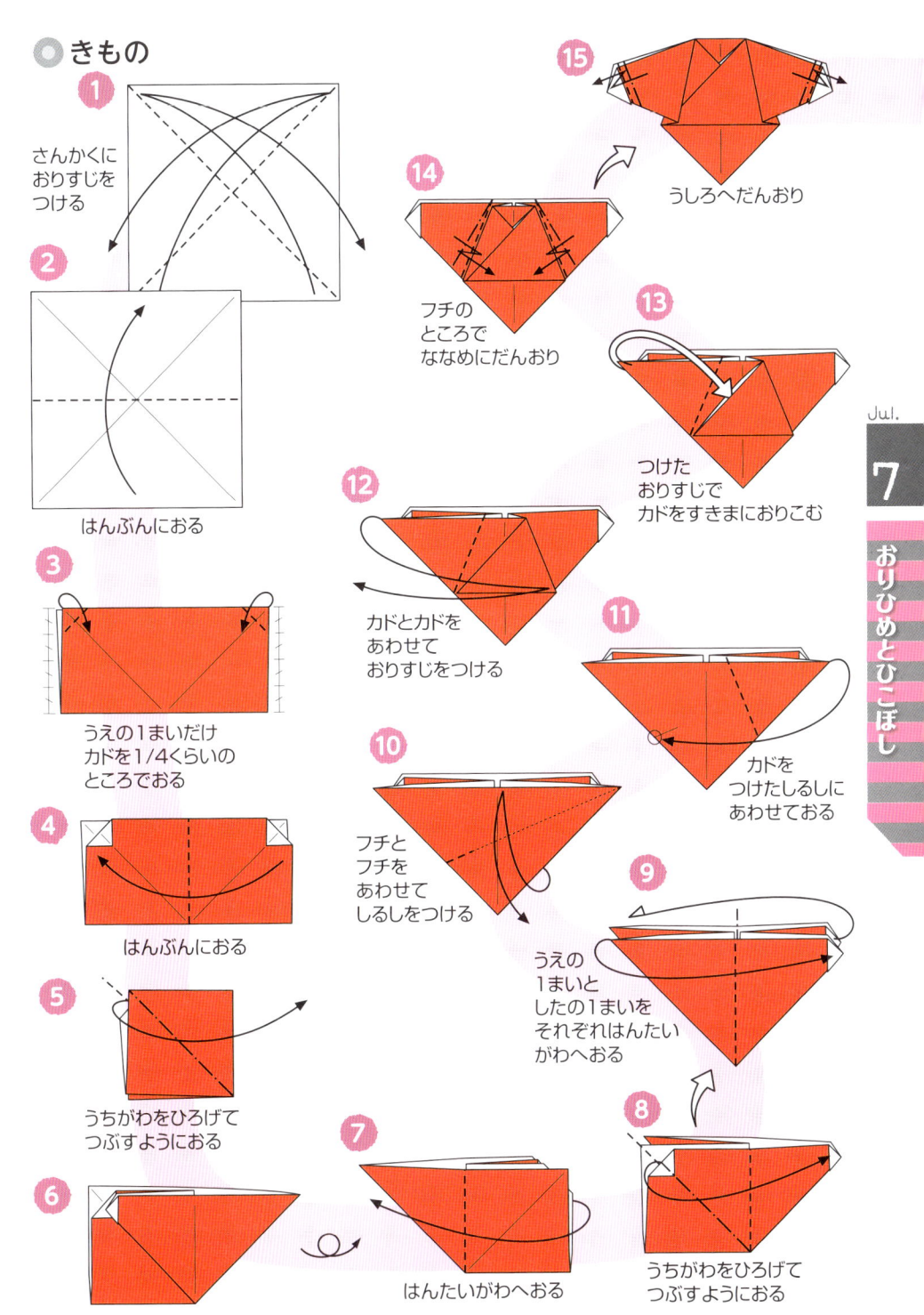

1 さんかくにおりすじをつける

2 はんぶんにおる

3 うえの1まいだけカドを1/4くらいのところでおる

4 はんぶんにおる

5 うちがわをひろげてつぶすようにおる

6

7 はんたいがわへおる

8 うちがわをひろげてつぶすようにおる

9 うえの1まいとしたの1まいをそれぞれはんたいがわへおる

10 フチとフチをあわせてしるしをつける

11 カドをつけたしるしにあわせておる

12 カドとカドをあわせておりすじをつける

13 つけたおりすじでカドをすきまにおりこむ

14 フチのところでななめにだんおり

15 うしろへだんおり

Jul.

7

おりひめとひこぼし

183

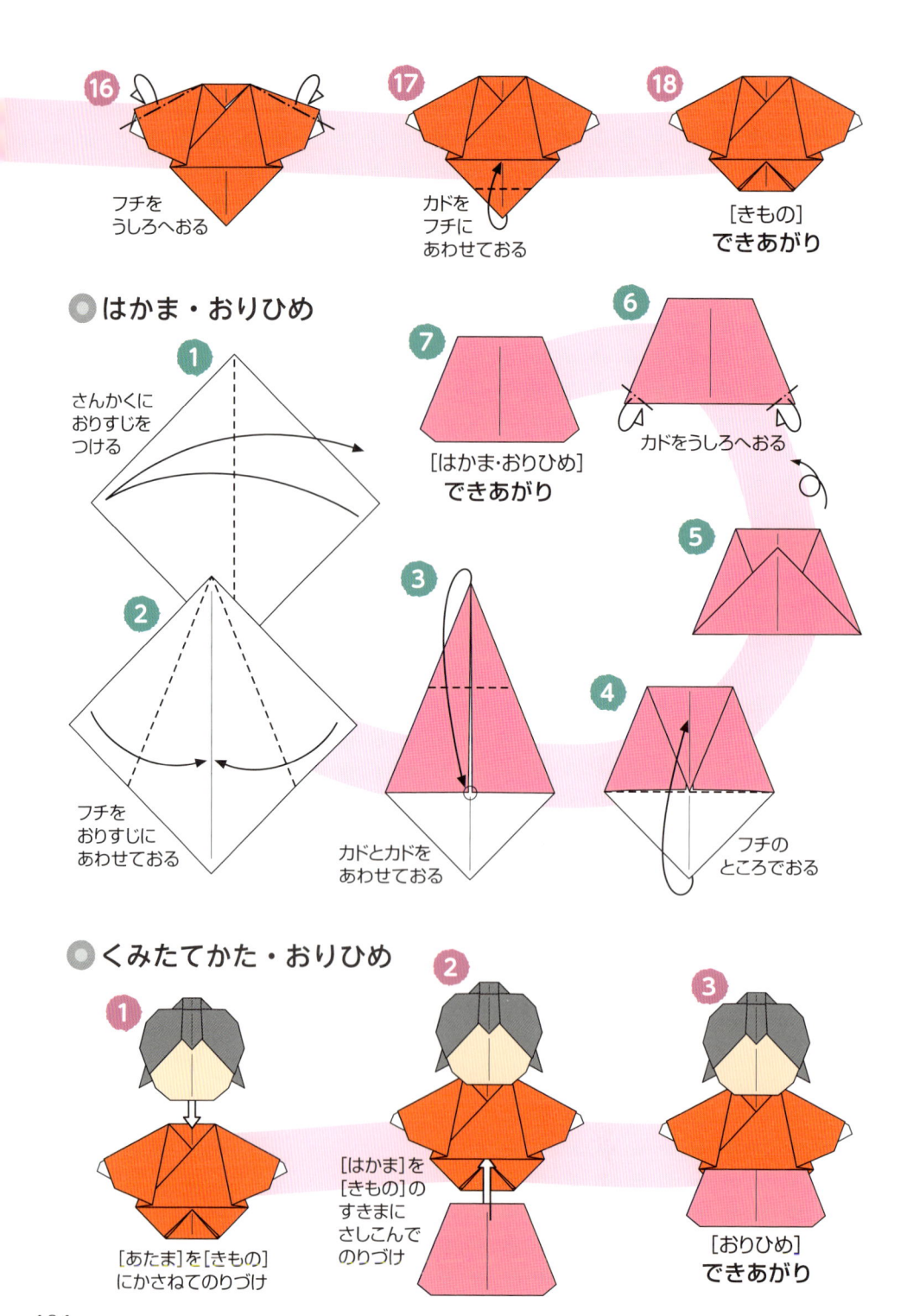

16 フチをうしろへおる

17 カドをフチにあわせておる

18 [きもの] できあがり

◯ はかま・おりひめ

1 さんかくにおりすじをつける

2 フチをおりすじにあわせておる

3 カドとカドをあわせておる

4 フチのところでおる

5

6 カドをうしろへおる

7 [はかま・おりひめ] できあがり

◯ くみたてかた・おりひめ

1 [あたま]を[きもの]にかさねてのりづけ

2 [はかま]を[きもの]のすきまにさしこんでのりづけ

3 [おりひめ] できあがり

184

はかま・ひこぼし

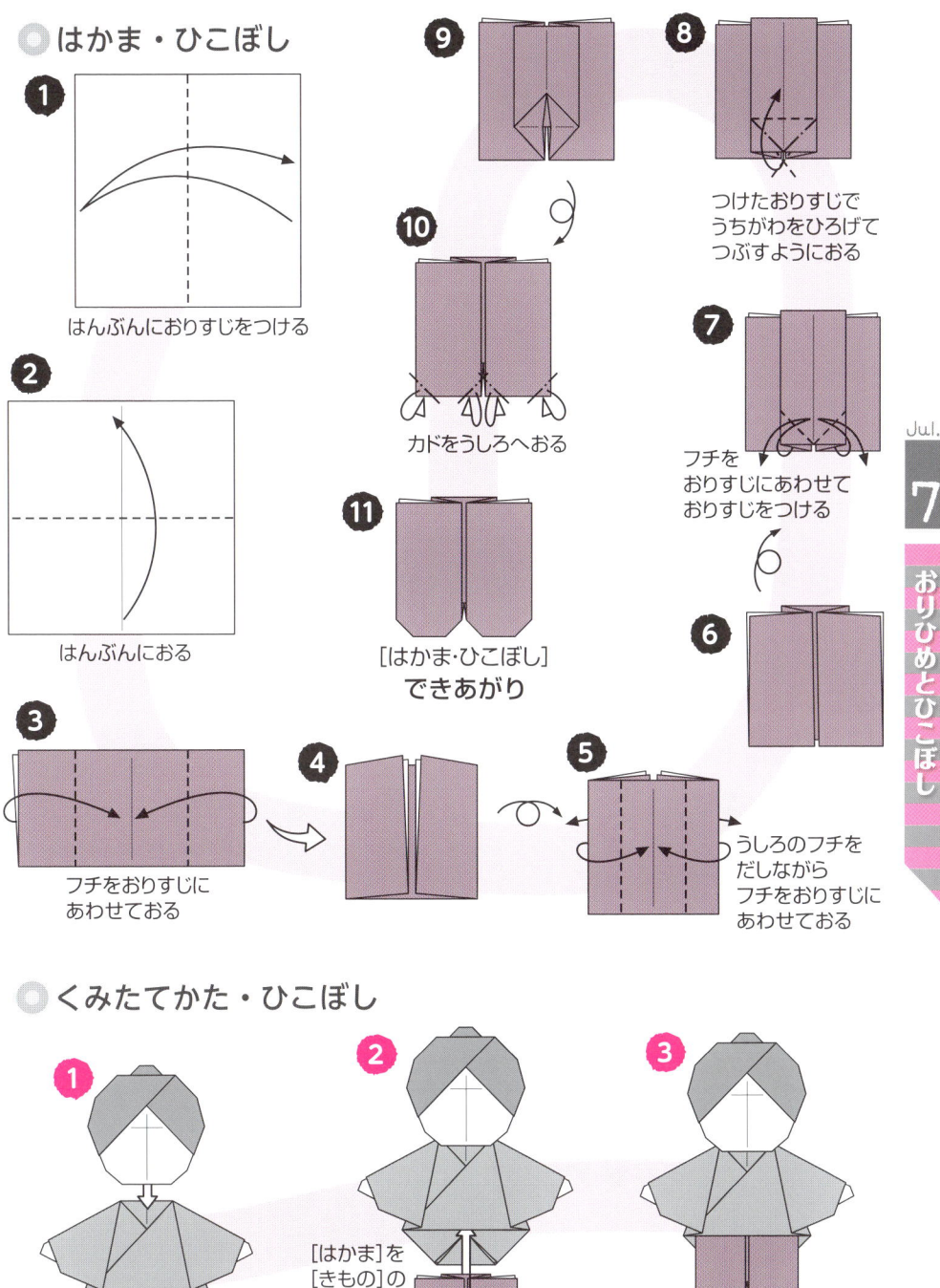

1 はんぶんにおりすじをつける

2 はんぶんにおる

3 フチをおりすじにあわせておる

4

5 うしろのフチをだしながらフチをおりすじにあわせておる

6

7 フチをおりすじにあわせておりすじをつける

8 つけたおりすじでうちがわをひろげてつぶすようにおる

9

10 カドをうしろへおる

11 [はかま・ひこぼし] できあがり

Jul. 7 おりひめとひこぼし

くみたてかた・ひこぼし

1 [あたま]を[きもの]にかさねてのりづけ

2 [はかま]を[きもの]のすきまにさしこんでのりづけ

3 [ひこぼし] できあがり

●しゃしんはP.177　**たんざくにしてねがいごとをかいてみよう**

7月 Jul. かんたんなほし Star

●おりがみ 3まい　●むずかしさ 一

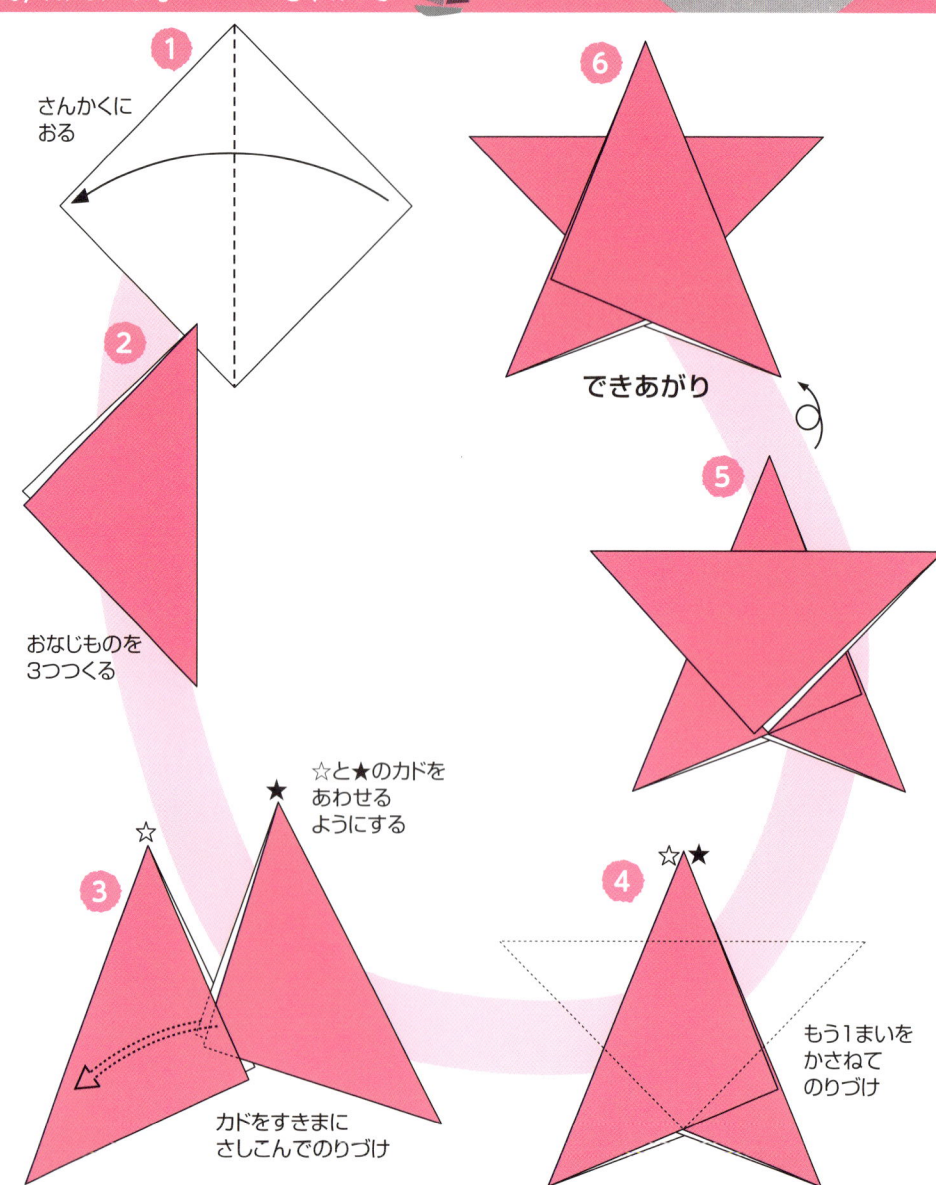

1 さんかくにおる

2 おなじものを3つつくる

3 ☆と★のカドをあわせるようにする
カドをすきまにさしこんでのりづけ

4 ☆★ もう1まいをかさねてのりづけ

5

6 できあがり

186

●ほしのたんざく

1

たんざくを
ほしのすきまに
さしこんで
のりづけ

2

ほそいひも
セロハンテープ

セロハン
テープで
うらにひもを
つける

●ほしのカード

1

ほしをうらがえして
てまえのさんかくを
ひろげる

2

ねがいごとや
メッセージを
かきこむ

3

あなをあけて
リボンやいとを
とおす

4

できあがり

ほしにたんざくをつけなくても、
ちょくせつねがいごとをかいて
ほしだけかざってもよいでしょう

4

ねがいごとや
メッセージを
かきこむ

できあがり

Jul.

7

かんたんなほし

187

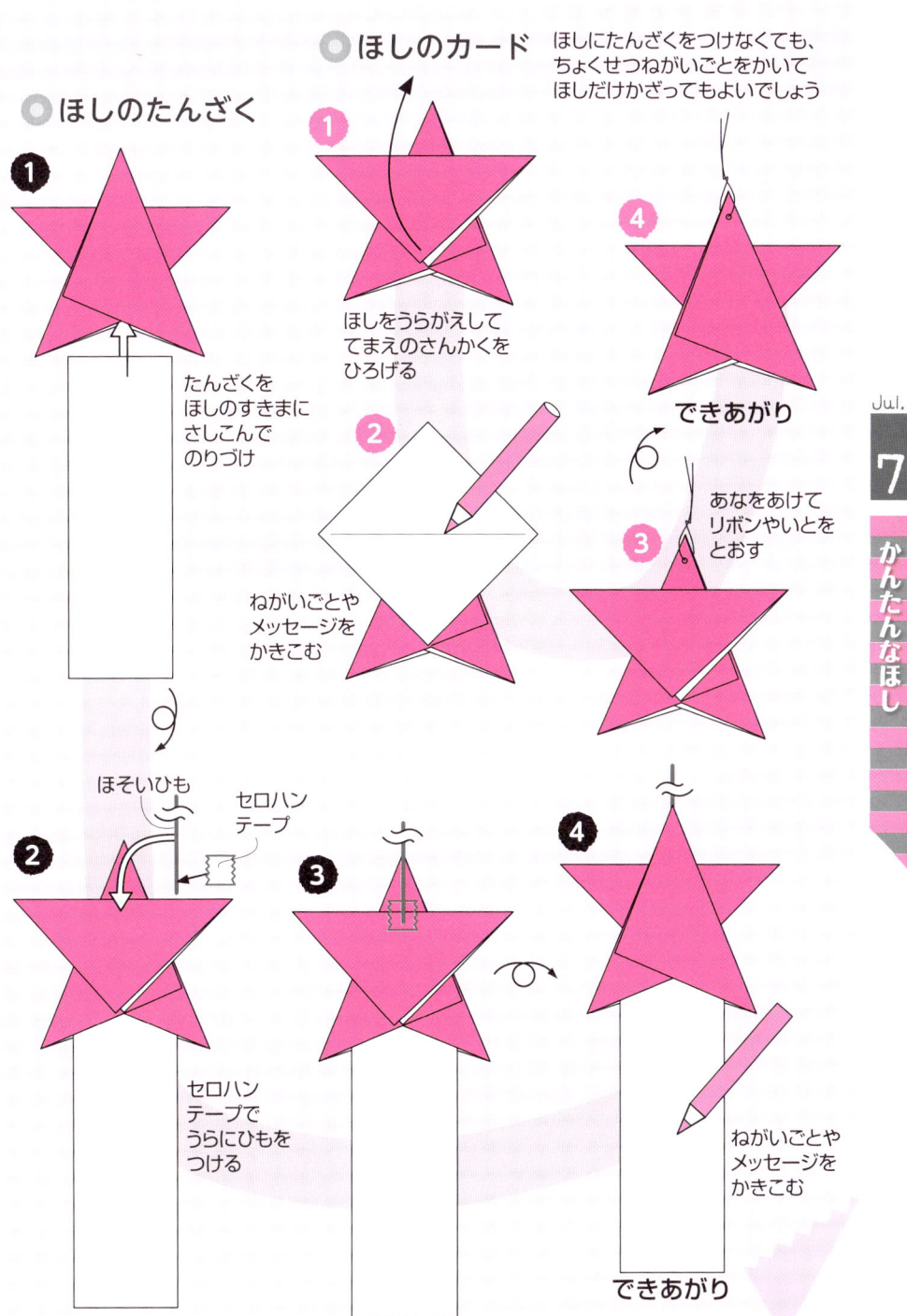

● しゃしんはP.178　せなかにくろいまるをかいてあげよう

7月 Jul. てんとうむし
Ladybug

● おりがみ 1まい　● むずかしさ

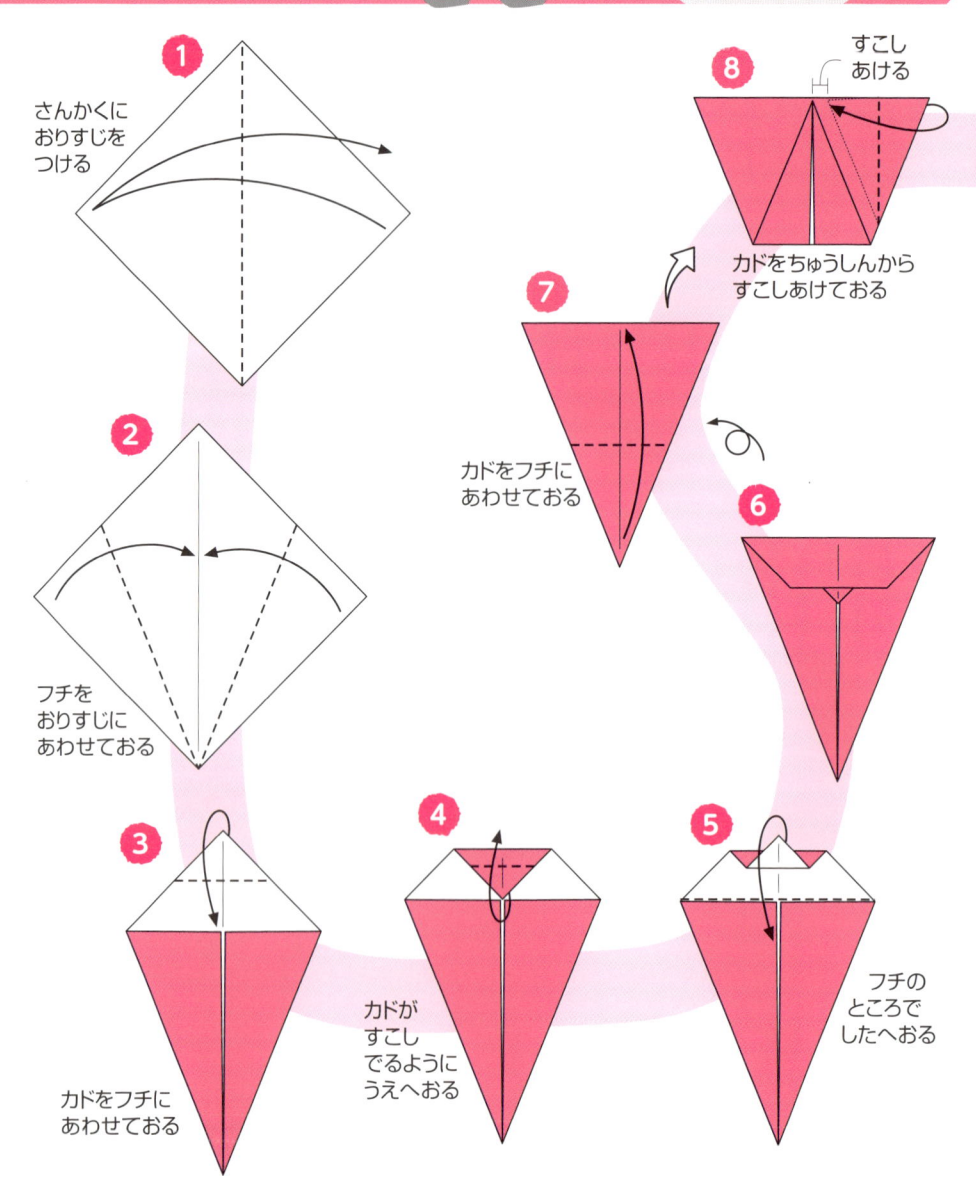

1 さんかくにおりすじをつける

2 フチをおりすじにあわせておる

3 カドをフチにあわせておる

4 カドがすこしでるようにうえへおる

5 フチのところでしたへおる

6

7 カドをフチにあわせておる

8 すこしあける／カドをちゅうしんからすこしあけておる

188

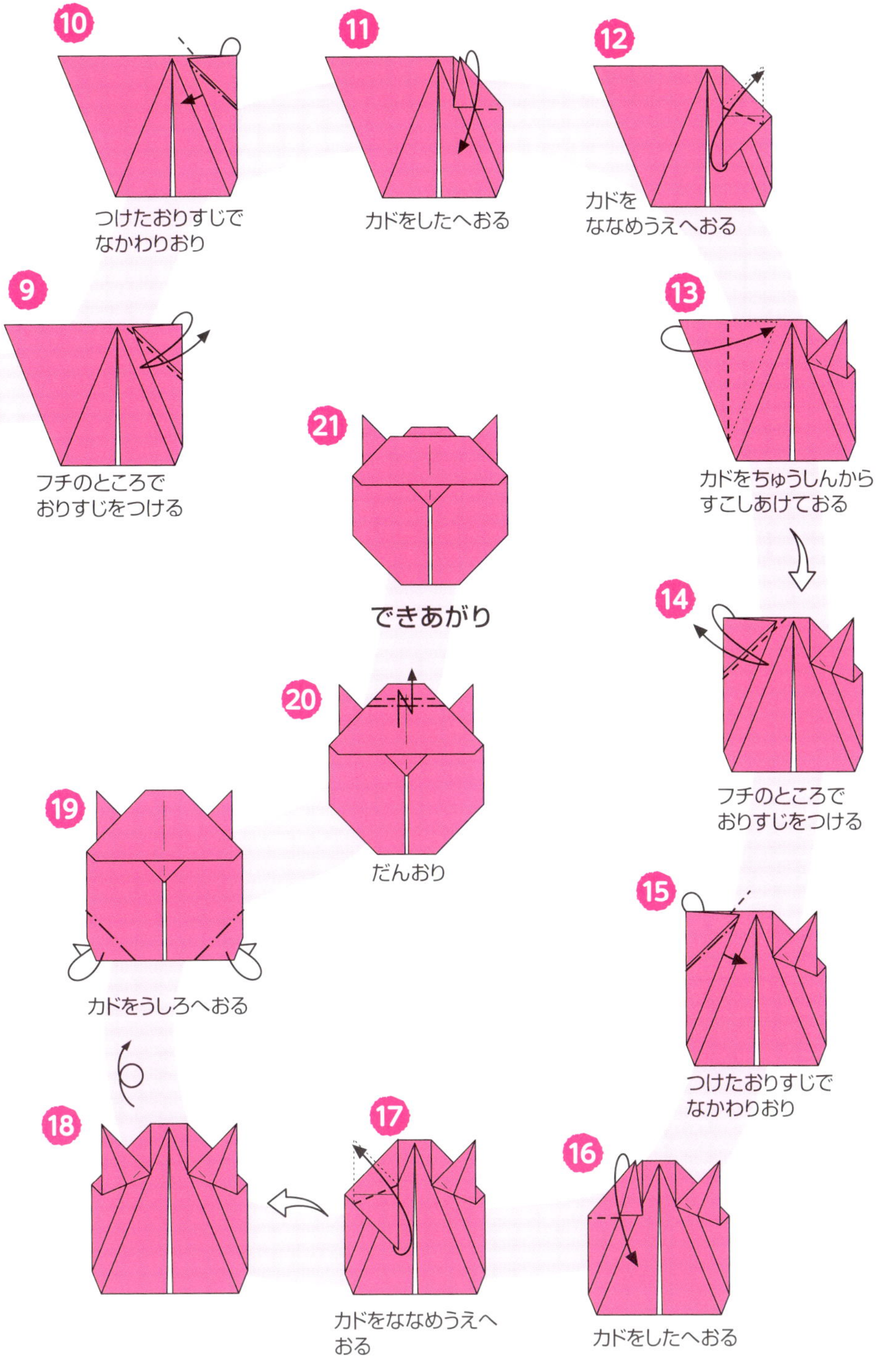

10
つけたおりすじで
なかわりおり

11
カドをしたへおる

12
カドを
ななめうえへおる

9
フチのところで
おりすじをつける

21
できあがり

13
カドをちゅうしんから
すこしあけておる

14
フチのところで
おりすじをつける

20
だんおり

19
カドをうしろへおる

15
つけたおりすじで
なかわりおり

18

17
カドをななめうえへ
おる

16
カドをしたへおる

Jul.
7
てんとうむし

● しゃしんはP.178　**ろっかくけいのかみからつくります**

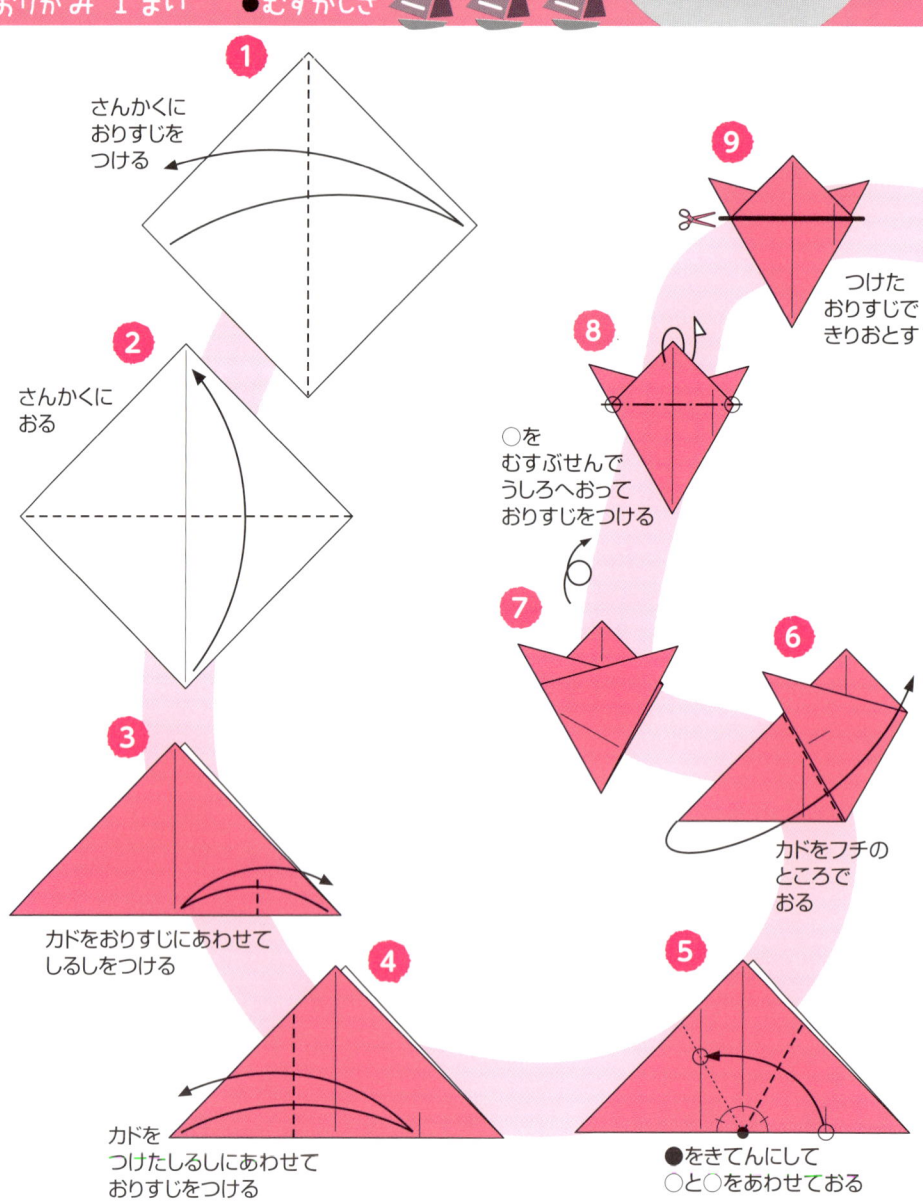

7月 Jul. あさがお
Morning glory

● おりがみ 1まい　● むずかしさ

1 さんかくにおりすじをつける

2 さんかくにおる

3 カドをおりすじにあわせてしるしをつける

4 カドをつけたしるしにあわせておりすじをつける

5 ●をきてんにして○と○をあわせておる

6 カドをフチのところでおる

7

8 ○をむすぶせんでうしろへおっておりすじをつける

9 つけたおりすじできりおとす

190

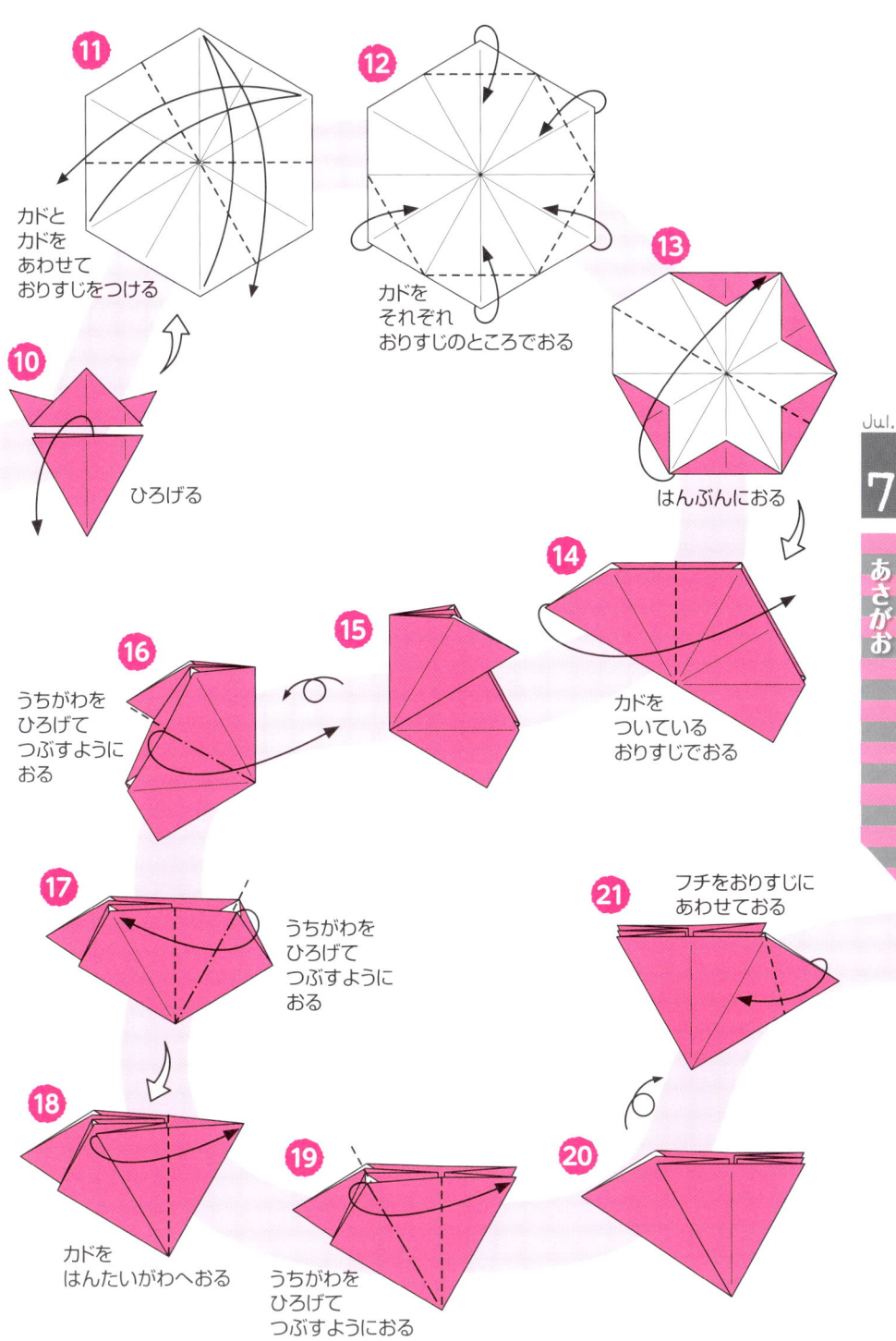

⑪ カドとカドをあわせておりすじをつける

⑩ ひろげる

⑫ カドをそれぞれおりすじのところでおる

⑬ はんぶんにおる

⑭ カドをついているおりすじでおる

⑮

⑯ うちがわをひろげてつぶすようにおる

⑰ うちがわをひろげてつぶすようにおる

⑱ カドをはんたいがわへおる

⑲ うちがわをひろげてつぶすようにおる

⑳

㉑ フチをおりすじにあわせておる

Jul.

7

あさがお

191

32
うちがわをひろげて
りったいにする

31
○をむすぶ
せんでおる

30
カドを
すこしおる

29
さいごの
カドも
なかわりおり

33
カドをうしろへおる

36
できあがり

28
ついている
おりすじで
うちがわのカドを
なかわりおり

34
カドをむすぶせんで
うしろへおる

35
フチを
ひろげてかたちを
ととのえる

27
はんたい
がわもおなじように
おりすじをつける

22
ついている
おりすじでおる

26
しっかりと
おりすじを
つけてからもどす

23
カドをフチに
あわせてしるしをつける

24
カドを
つけた
しるしにあわせて
おりすじをつける

25
フチを○の
ところからおる

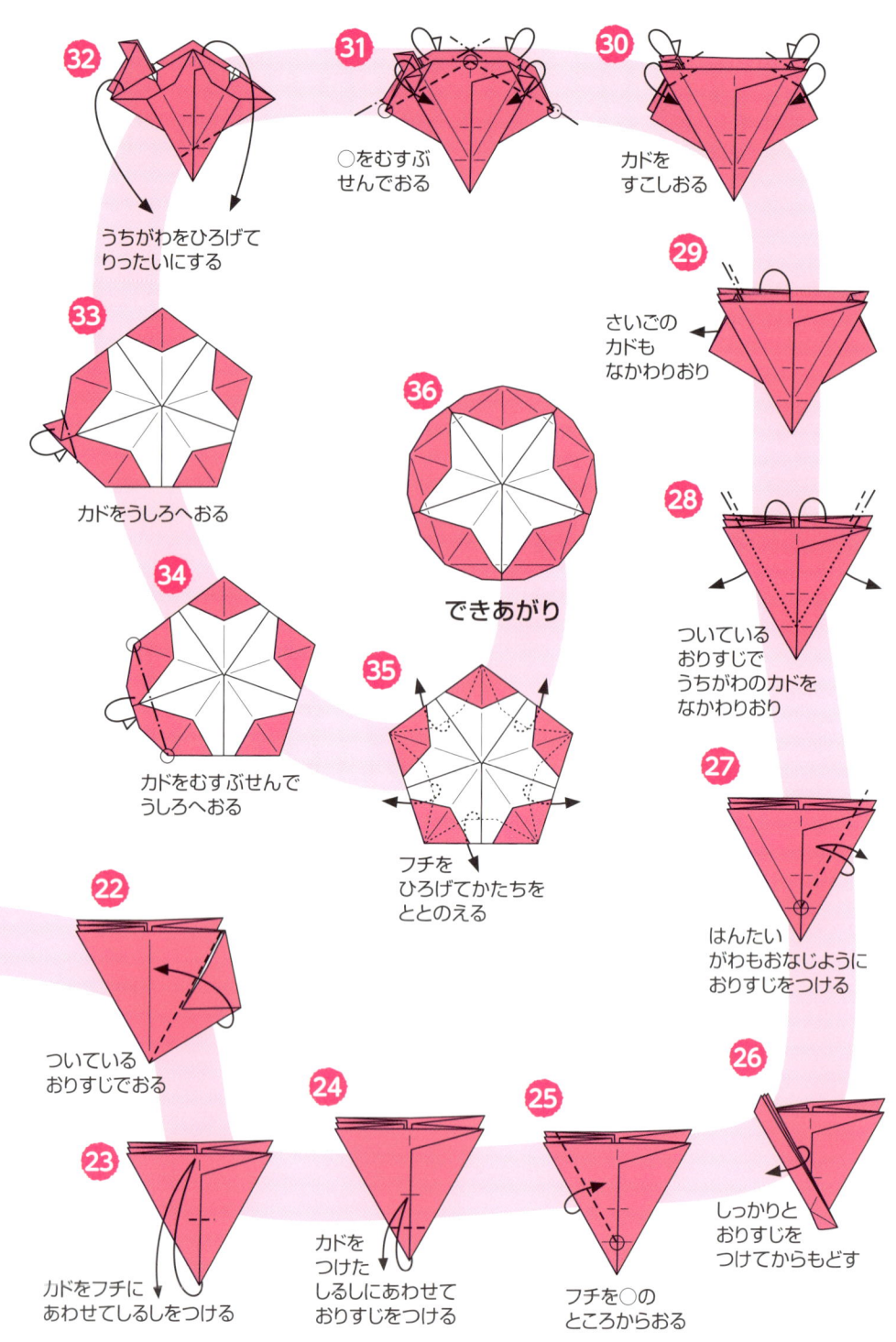

●しゃしんはP.180　やぶかないようていねいにうらがえそう

7月 Jul. はすのはな
Lotus flower

伝承さくひん
伝承作品

●おりがみ　1まい　●むずかしさ

1. さんかくにおりすじをつける
2. カドをちゅうしんにあわせておる
3. カドをちゅうしんにあわせておる
4. 
5. 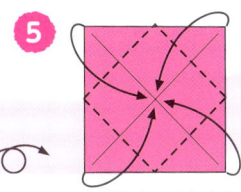 カドをちゅうしんにあわせておる
6. カドをすこしおる
7. うしろのカドをうらがえすようにおる
8. てまえのカドをおさえながらうしろのカドをひきあげる

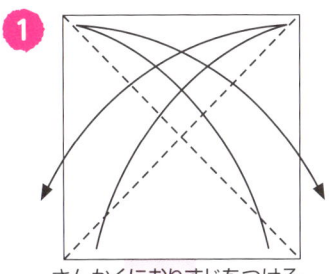

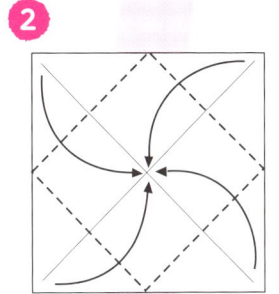

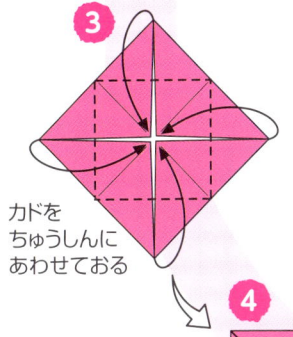

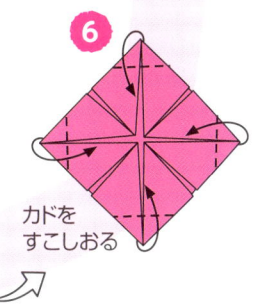

とちゅうのず

9. のこりも 7〜8 と おなじようにおる
10. のこっているうしろのカドもうらがえすようにおってりったいにする
11. **できあがり**

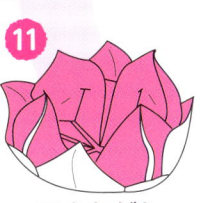

● しゃしんはP.179　**いろをかえていろんなあじをつくってみよう**

7月 Jul. アイスキャンディー
Ice pop

● おりがみ 2まい　● むずかしさ

○ アイス

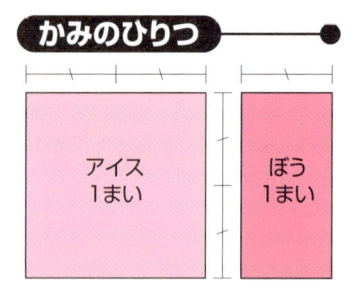

かみのひりつ

| アイス 1まい | ぼう 1まい |

1 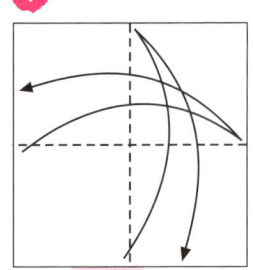 はんぶんにおりすじをつける

2 フチをおりすじにあわせておる

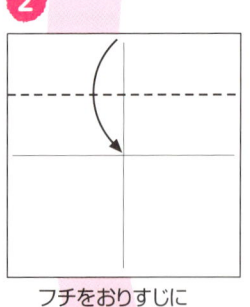

3 フチをすこしうえへおる

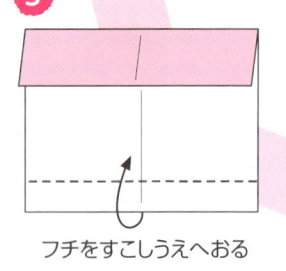

4 フチをおりすじにあわせておりすじをつける

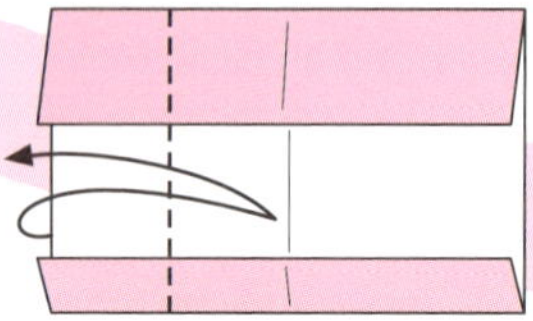

5 フチをつけたおりすじにあわせておる

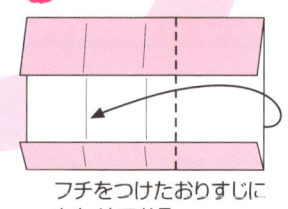

6 フチをついているおりすじでおりながらすきまにさしこむ

7 カドをうちがわにおりこむ

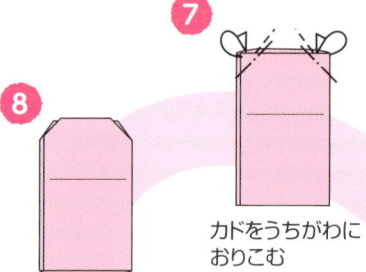

8 [アイス] できあがり

194

ぼう

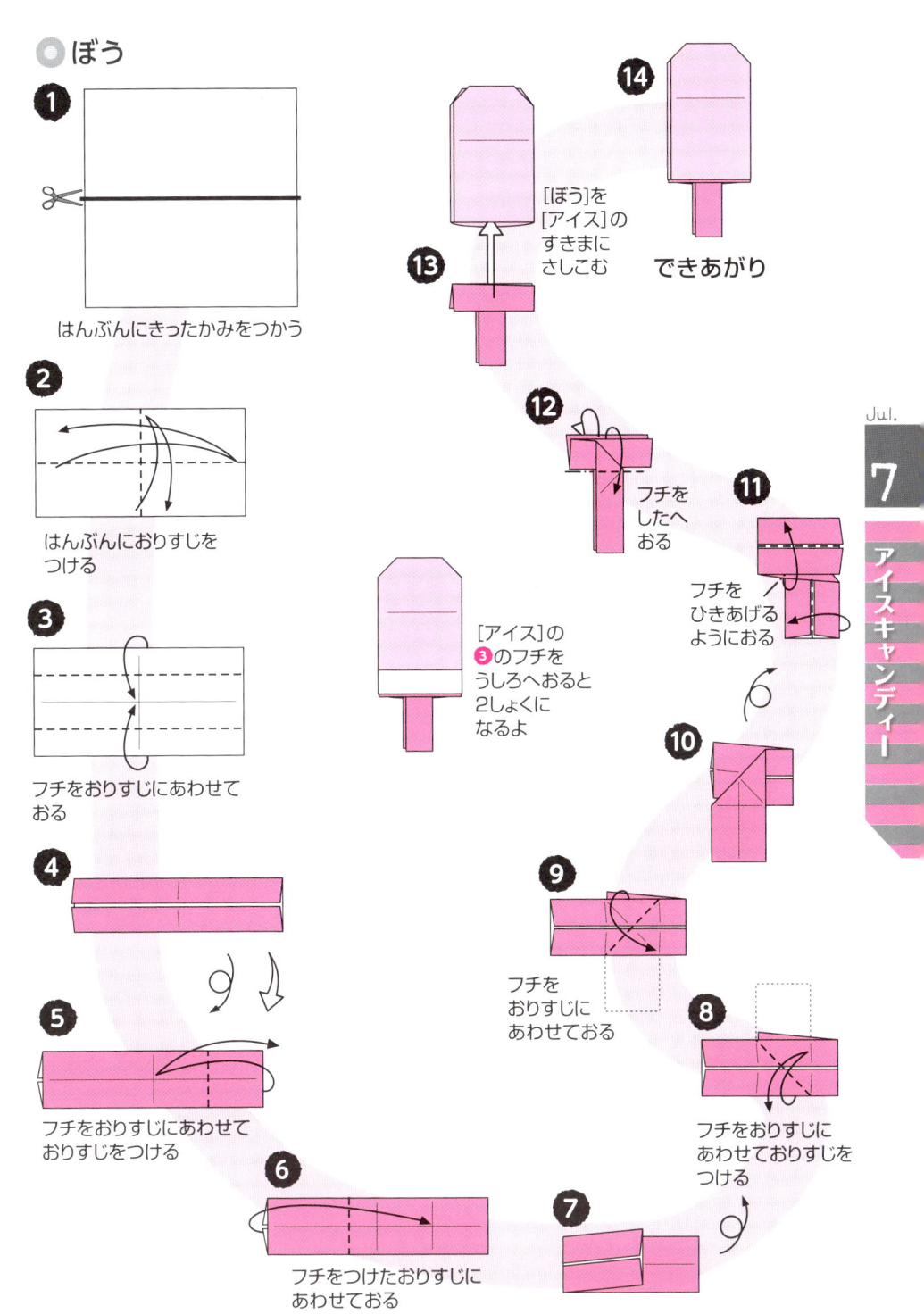

1 はんぶんにきったかみをつかう

2 はんぶんにおりすじをつける

3 フチをおりすじにあわせておる

4

5 フチをおりすじにあわせておりすじをつける

6 フチをつけたおりすじにあわせておる

7

8 フチをおりすじにあわせておりすじをつける

9 フチをおりすじにあわせておる

10

11 フチをひきあげるようにおる

12 フチをしたへおる

[アイス]の❸のフチをうしろへおると2しょくになるよ

13 [ぼう]を[アイス]のすきまにさしこむ

14 できあがり

Jul.

7

アイスキャンディー

●しゃしんはP.179　かみのいろでシロップのしゅるいがかわるよ

7月 Jul. かきごおり
Shaved ice

●おりがみ 3まい　●むずかしさ

◉こおり

かみのひりつ

こおり 1まい
うつわ 1まい

スプーン 1まい

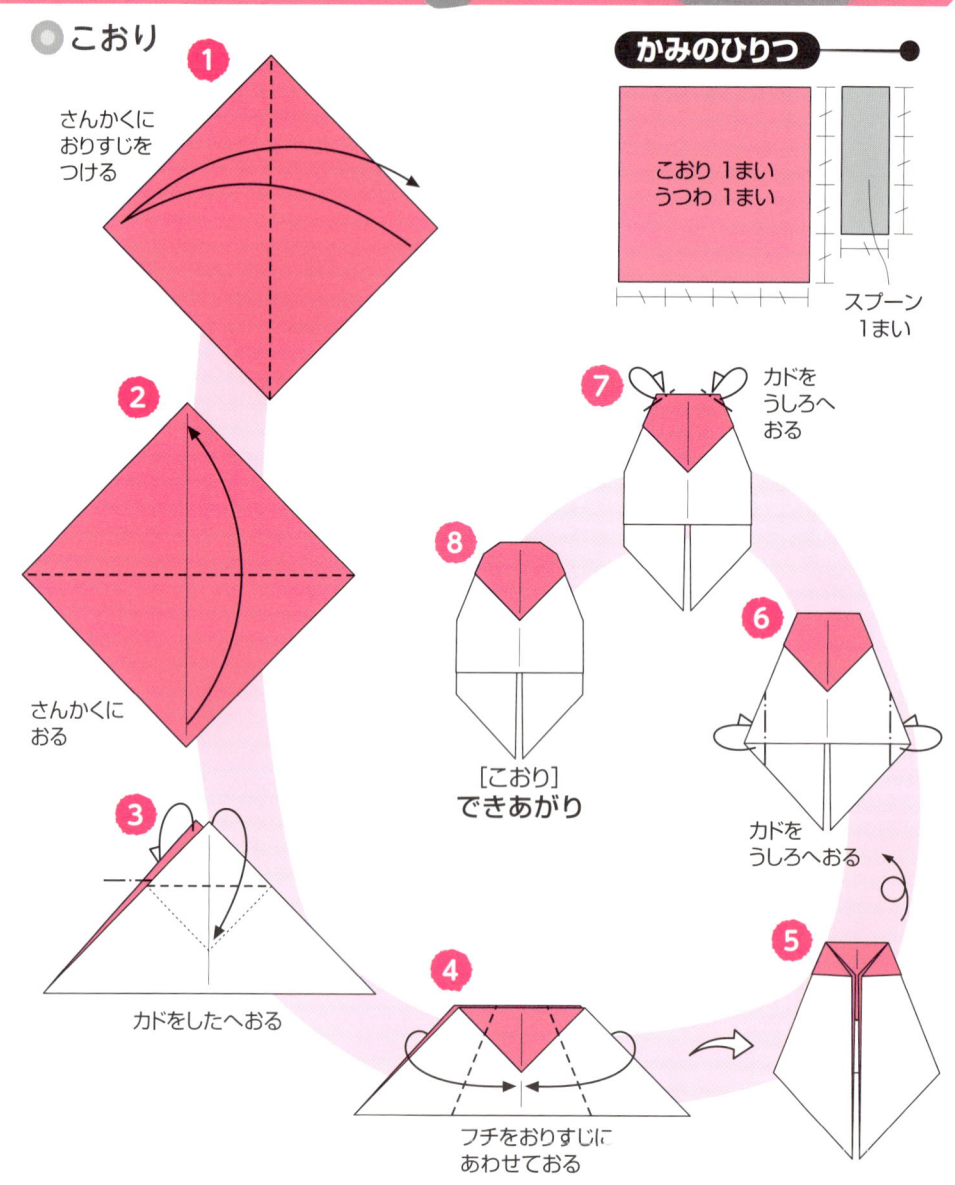

1 さんかくにおりすじをつける

2 さんかくにおる

3 カドをしたへおる

4 フチをおりすじにあわせておる

5

6 カドをうしろへおる

7 カドをうしろへおる

8 [こおり] できあがり

196

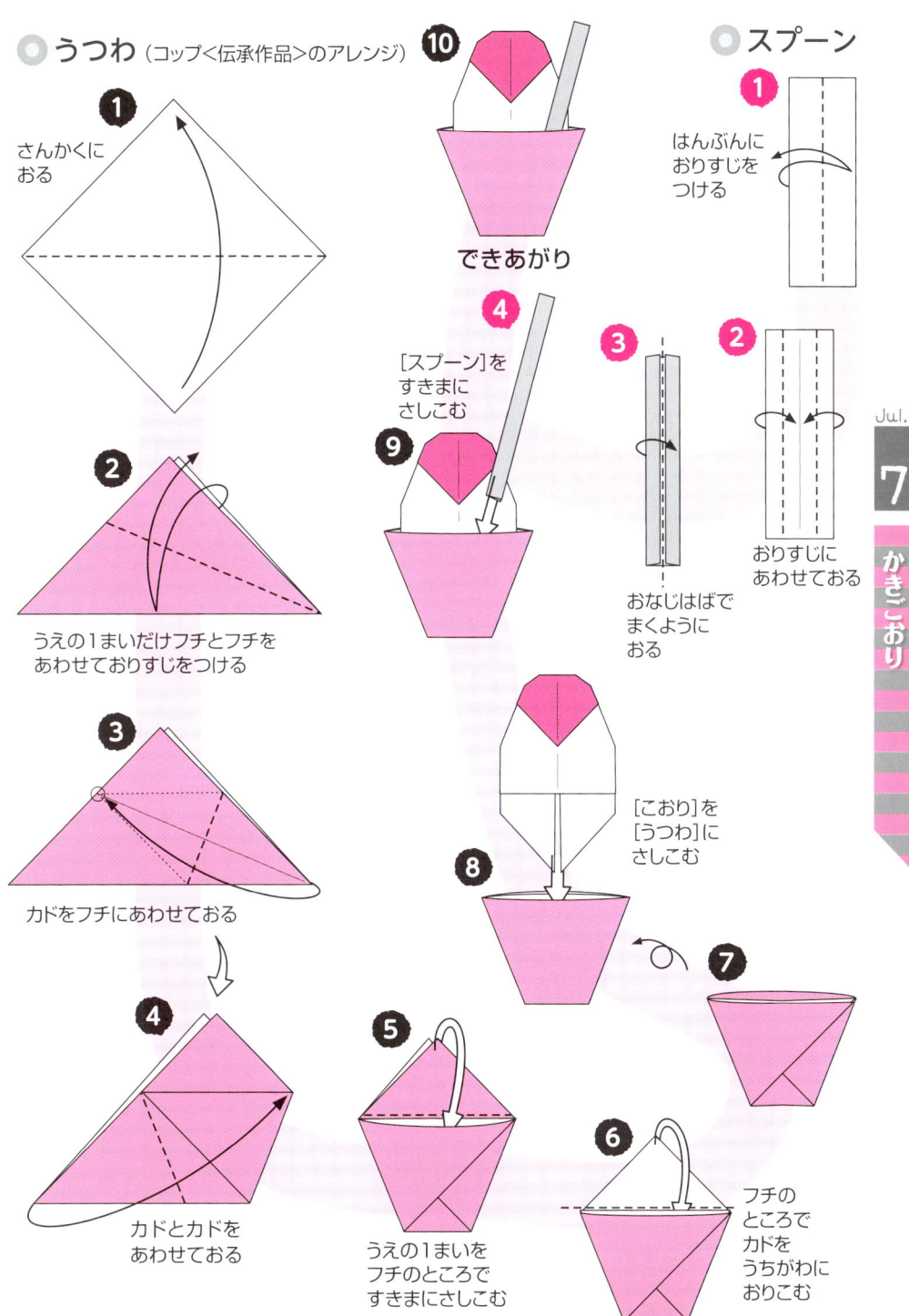

◉ うつわ（コップ＜伝承作品＞のアレンジ） ◉ スプーン

1 さんかくにおる

1 はんぶんにおりすじをつける

2 うえの1まいだけフチとフチをあわせておりすじをつける

2 おりすじにあわせておる

3 カドをフチにあわせておる

3 おなじはばでまくようにおる

4 カドとカドをあわせておる

4 [スプーン]をすきまにさしこむ

5 うえの1まいをフチのところですきまにさしこむ

6 フチのところでカドをうちがわにおりこむ

7

8 [こおり]を[うつわ]にさしこむ

9

10 できあがり

Jul. 7 かきごおり

197

● しゃしんはP.180　**きんぎょすくいですくえるかな？**

7月 Jul.
きんぎょ
Goldfish

● おりがみ 1まい　●むずかしさ

1. さんかくにおりすじをつける

2. フチをおりすじにあわせておる

3. カドとカドをあわせてうしろへおる

4. カドをつまむようにおる

5. カドをはんたいがわへおる　すこしあける

6. カドのところでおる

7.

8. すきまをあける　カドをちゅうしんにあわせておる

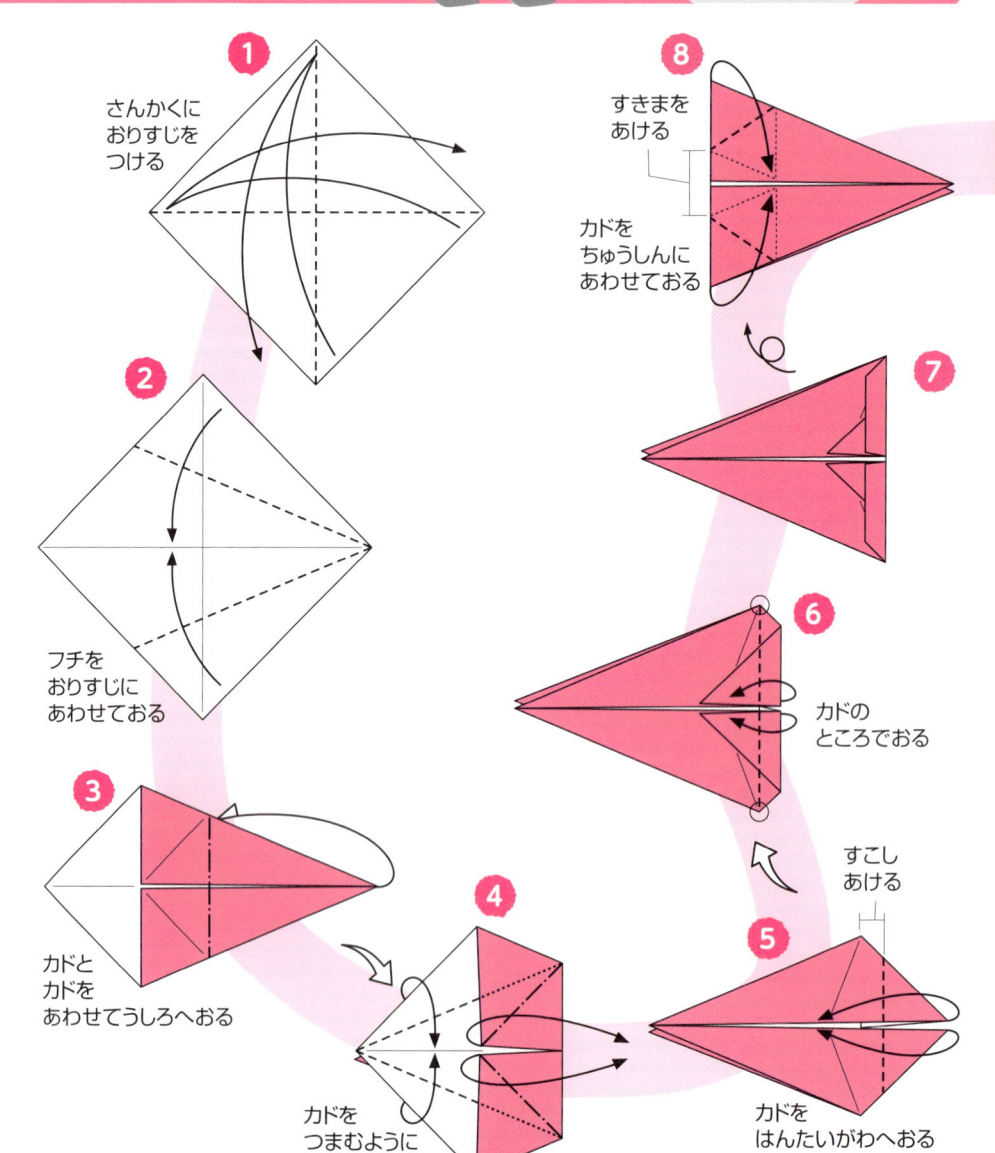

198

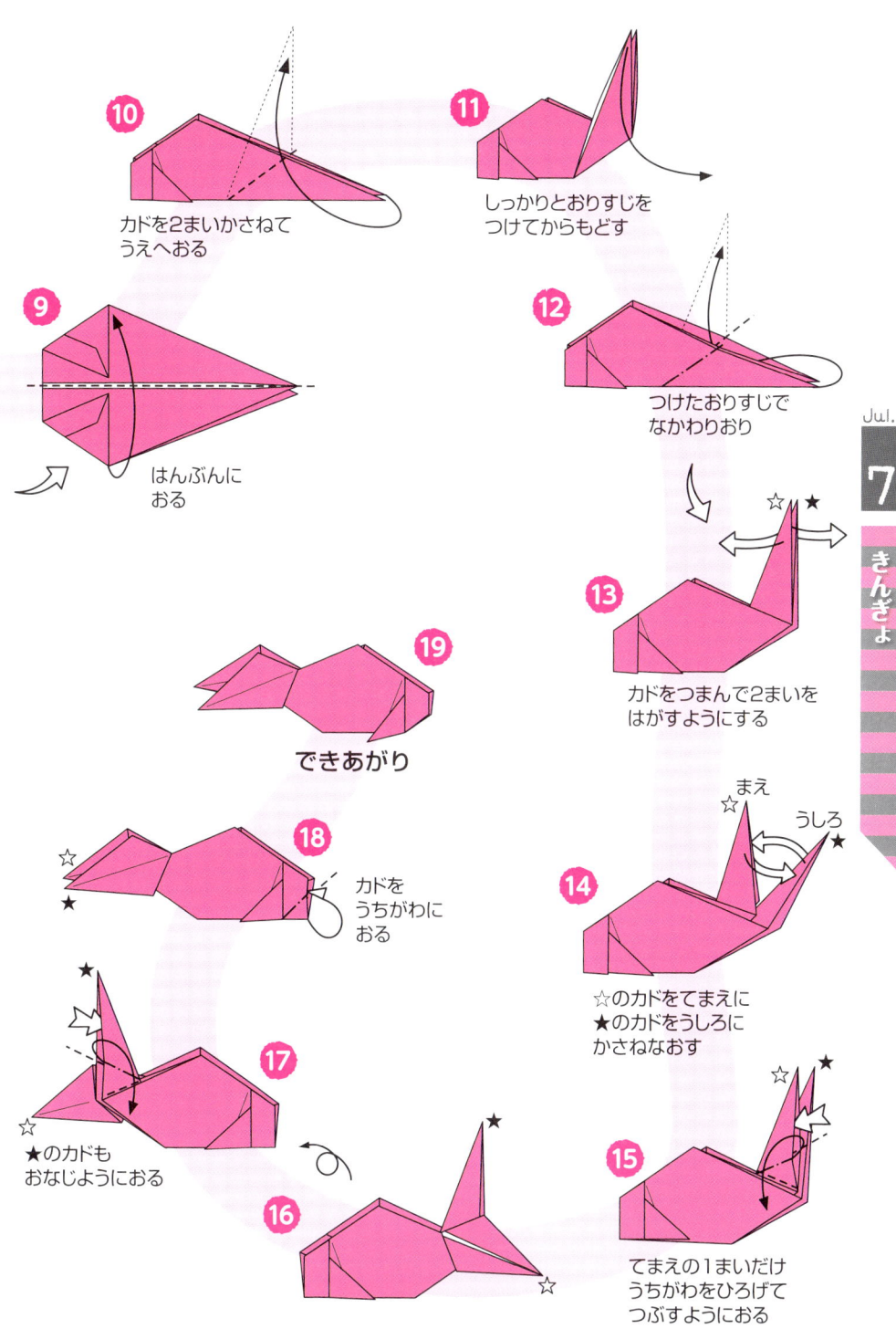

10
カドを2まいかさねて
うえへおる

11
しっかりとおりすじを
つけてからもどす

9
はんぶんに
おる

12
つけたおりすじで
なかわりおり

13
カドをつまんで2まいを
はがすようにする

19
できあがり

18
カドを
うちがわに
おる

14
まえ
うしろ
☆のカドをてまえに
★のカドをうしろに
かさねなおす

17
★のカドも
おなじようにおる

16

15
てまえの1まいだけ
うちがわをひろげて
つぶすようにおる

Jul.
7
きんぎょ

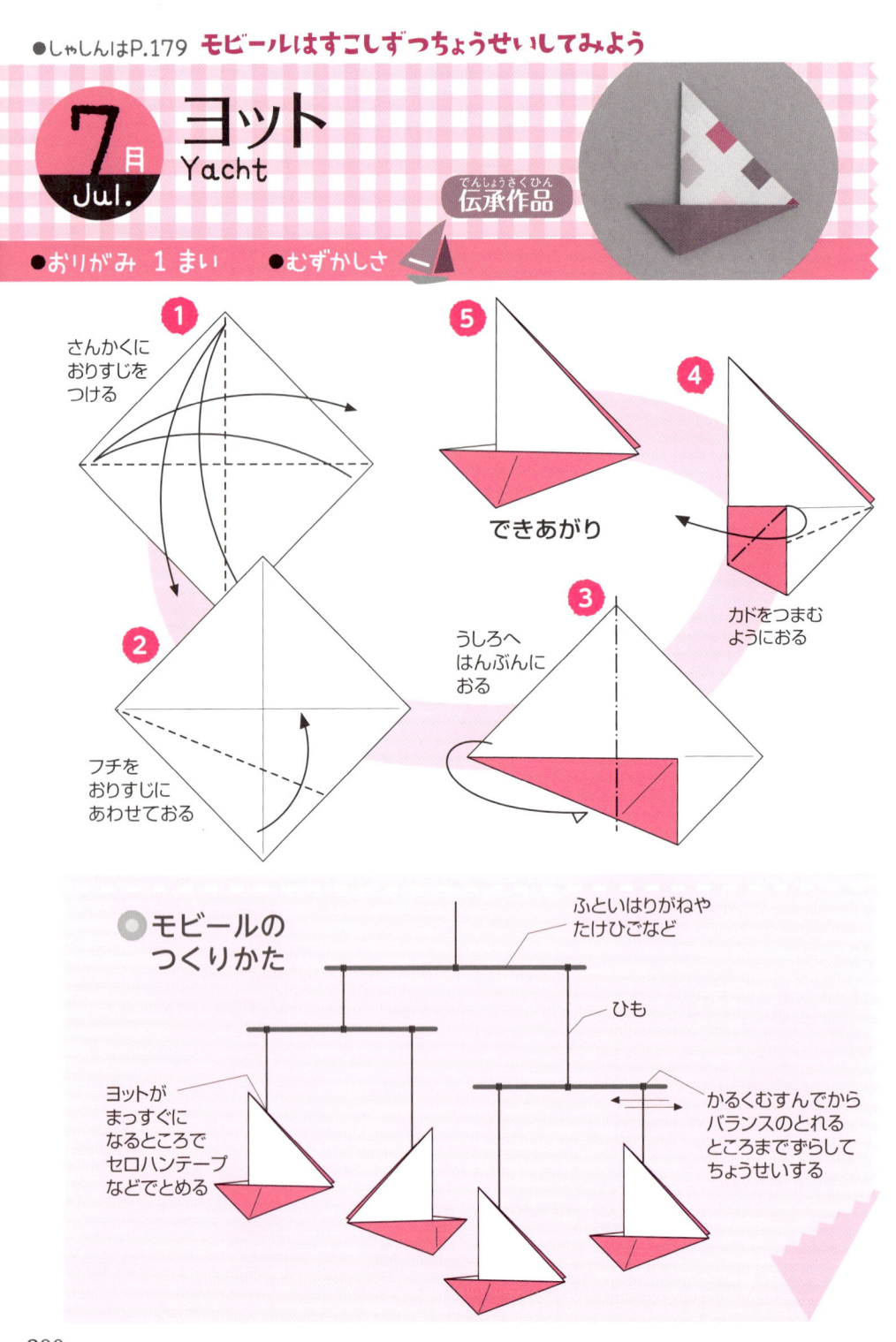

● しゃしんはP.179　**モビールはすこしずつちょうせいしてみよう**

7月 Jul.

ヨット
Yacht

伝承作品

●おりがみ 1まい　●むずかしさ ⛵

1 さんかくに おりすじを つける

2 フチを おりすじに あわせておる

3 うしろへ はんぶんに おる

4 カドをつまむ ようにおる

5 できあがり

● モビールのつくりかた

ふといはりがねや たけひごなど

ひも

ヨットが まっすぐに なるところで セロハンテープ などでとめる

かるくむすんでから バランスのとれる ところまでずらして ちょうせいする

200

8月 Aug.

なつやすみの思い出

7月21日　むしとりをした

カブトムシ　P.222
からだ：15×15cm、あし：15×7.5cm　2まい

クワガタムシ　P.218
からだ：15×15cm、あし：15×7.5cm　2まい

7月28日　自由研究もばっちり

チョウ　P.226　15×15cm
セミ　P.225　15×15cm

Papilio Linnaeus

Graptopsaltria nigrofuscata

8月1日　海に遊びに行った

ペンギン　　　P.212　　だい：15×15cm、しょう：10×10cm
チョウチョウウオ　P.206　　15×15cm

セイウチ　P.214　15×15cm　2まい
マンタ　P.209　18×18cm
こざかな　P.23（たづくり）　10×10cm

8月7日　バッタをみつけたよ

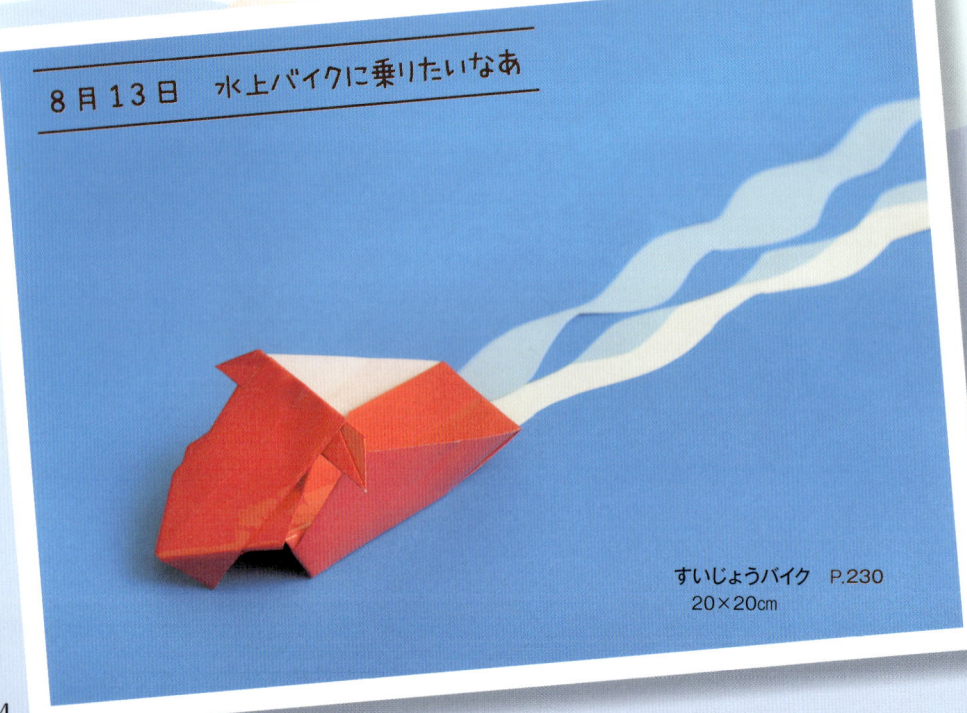

バッタ　P.228　15×15cm

8月13日　水上バイクに乗りたいなあ

すいじょうバイク　P.230
20×20cm

8月18日　ハイキングに行った

ひまわり　P.233
しん：15×15cm、はなびら7.5×7.5cm　2まい
はっぱ：7.5×7.5cm　2まい
くき：15×4cm

8月29日　もう夏も終わりだ…

つきみそう　P.238
7.5×7.5cm

●しゃしんはP.202 **みなみのうみにすんでいるねったいぎょ**

8月 Aug. チョウチョウウオ Butterfly fish

●おりがみ 1まい　●むずかしさ

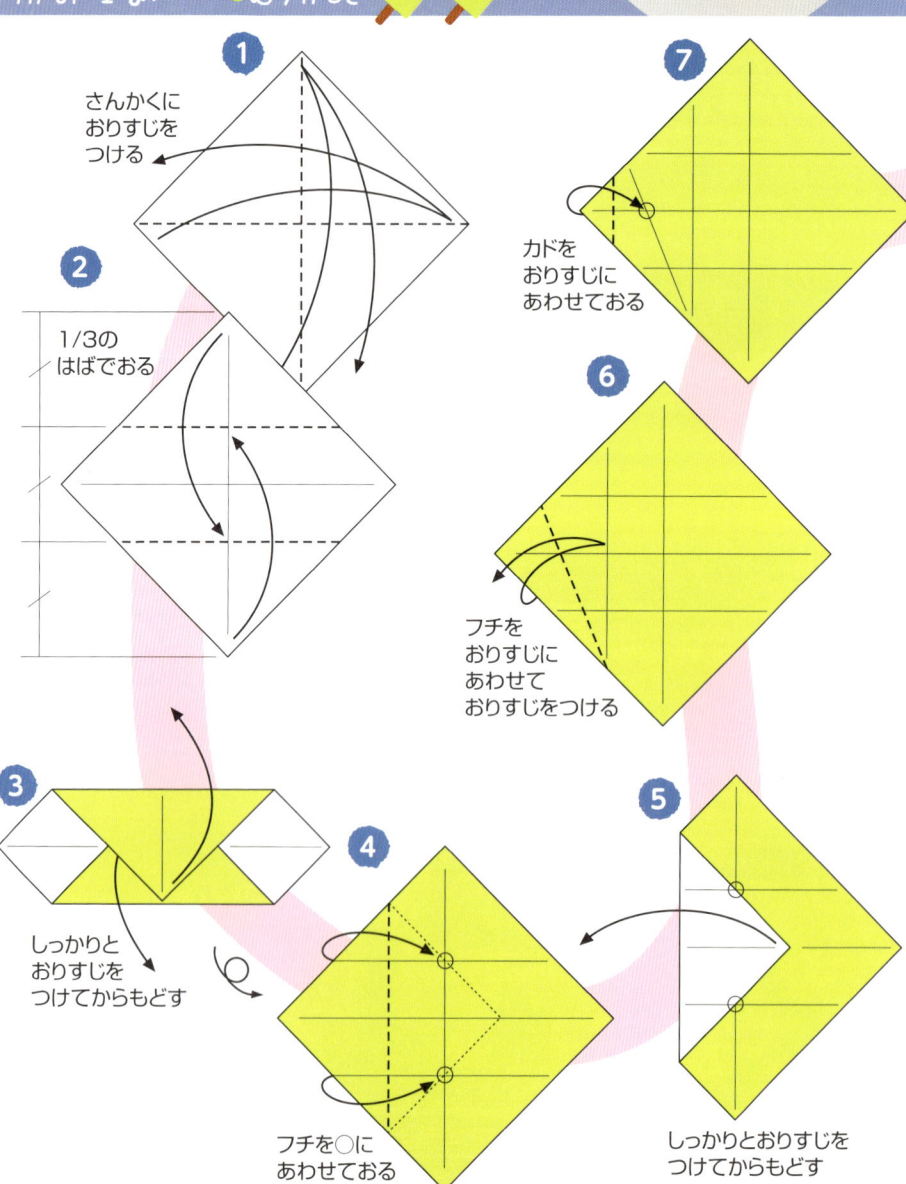

1 さんかくにおりすじをつける

2 1/3のはばでおる

3 しっかりとおりすじをつけてからもどす

4 フチを○にあわせておる

5 しっかりとおりすじをつけてからもどす

6 フチをおりすじにあわせておりすじをつける

7 カドをおりすじにあわせておる

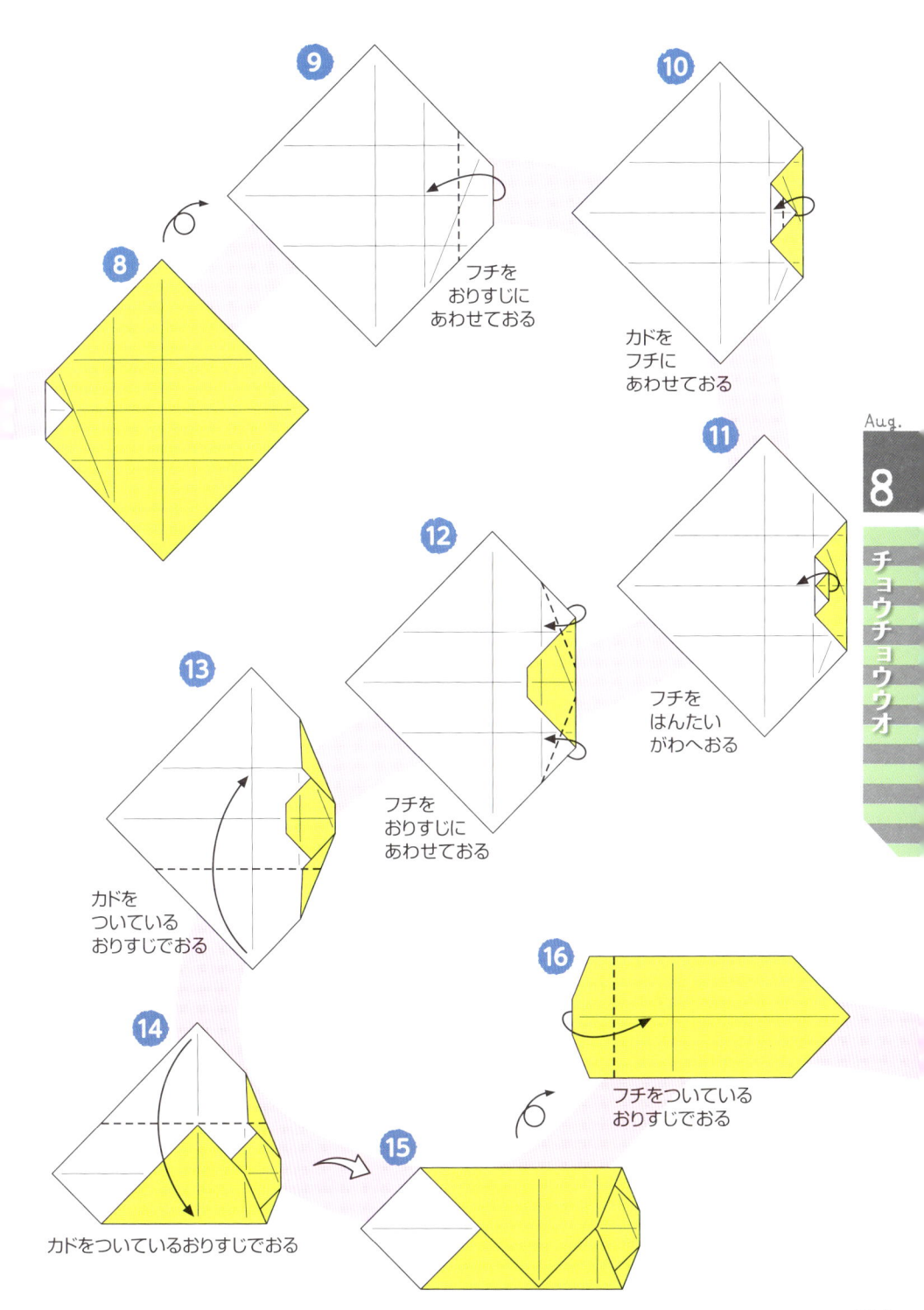

9
フチを
おりすじに
あわせておる

10
カドを
フチに
あわせておる

8

11
フチを
はんたい
がわへおる

12
フチを
おりすじに
あわせておる

13
カドを
ついている
おりすじでおる

14
カドをついているおりすじでおる

15

16
フチをついている
おりすじでおる

Aug.
8
チョウチョウウオ

24 カドとカドを
あわせておる

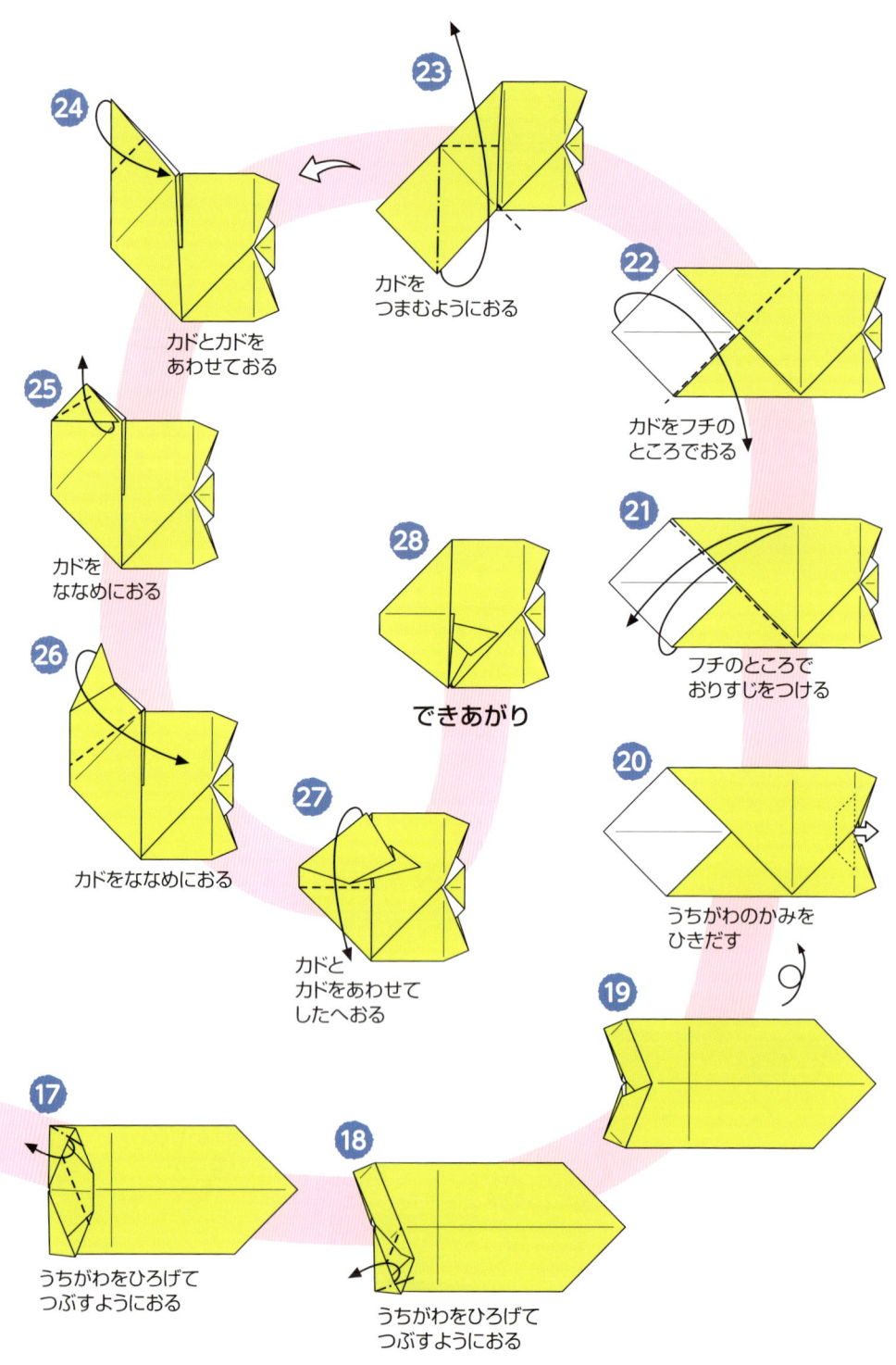

23 カドを
つまむようにおる

22 カドをフチの
ところでおる

25 カドを
ななめにおる

28 できあがり

21 フチのところで
おりすじをつける

26 カドを
ななめにおる

27 カドと
カドをあわせて
したへおる

20 うちがわのかみを
ひきだす

19

17 うちがわをひろげて
つぶすようにおる

18 うちがわをひろげて
つぶすようにおる

208

● しゃしんはP.203　**せかいでいちばんおおきいエイのなかまだよ**

8月 Aug.
マンタ
Manta ray

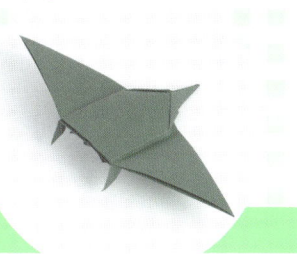

● おりがみ　1まい　● むずかしさ

1. はんぶんにおる
2. はんぶんにおる
3. うちがわをひろげてつぶすようにおる
4.
5. 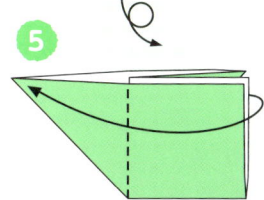 はんたいがわへおる
6. うちがわをひろげてつぶすようにおる
7. カドをはんたいがわへおる
8. フチをおりすじにあわせておる
9. 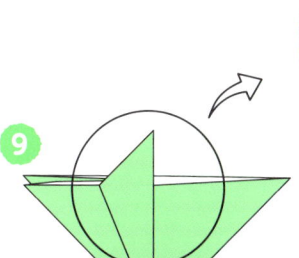
10. 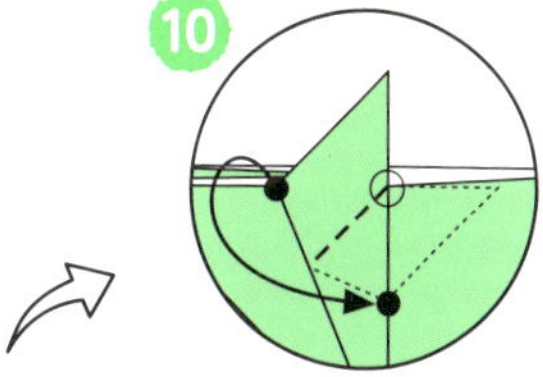 ○のところからカドをフチにあわせておる
11. カドをななめにおる

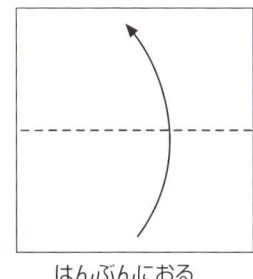

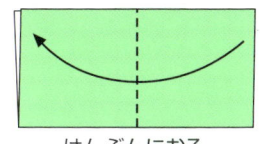

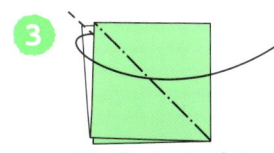

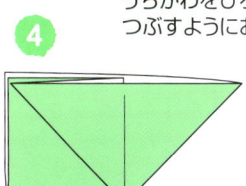

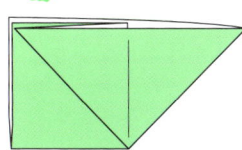

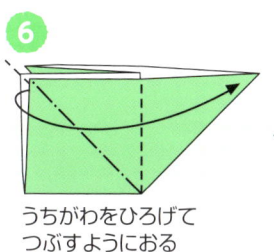

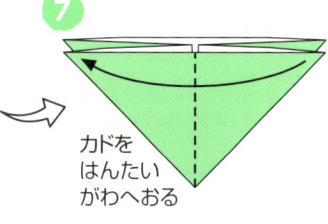

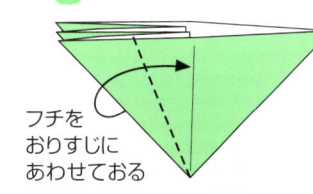

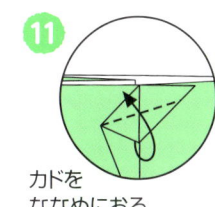

Aug. 8 マンタ

209

13

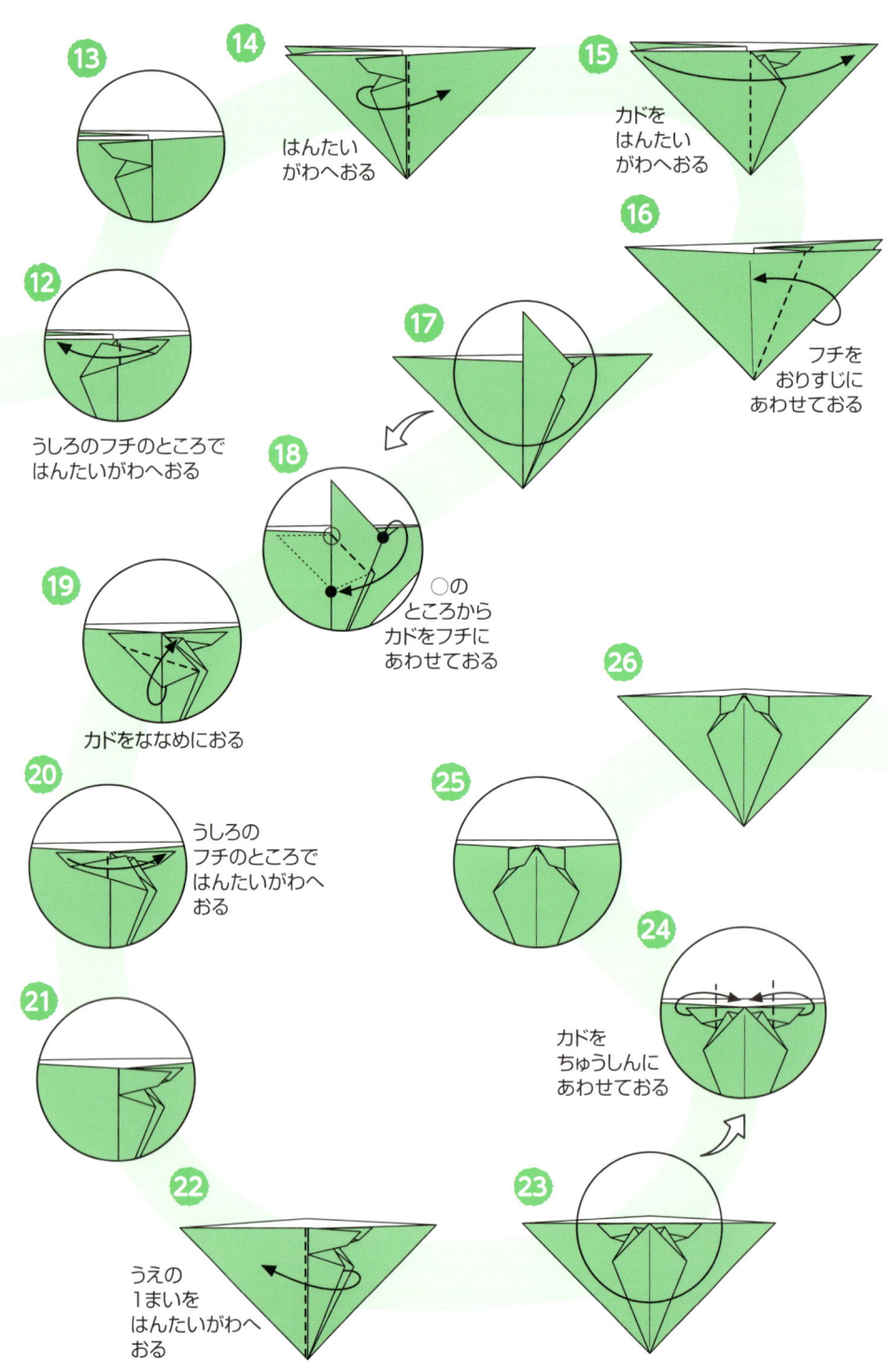

14
はんたい
がわへおる

15
カドを
はんたい
がわへおる

16
フチを
おりすじに
あわせておる

12
うしろのフチのところで
はんたいがわへおる

17

18
○の
ところから
カドをフチに
あわせておる

19
カドをななめにおる

20
うしろの
フチのところで
はんたいがわへ
おる

26

25

24
カドを
ちゅうしんに
あわせておる

21

22
うえの
1まいを
はんたいがわへ
おる

23

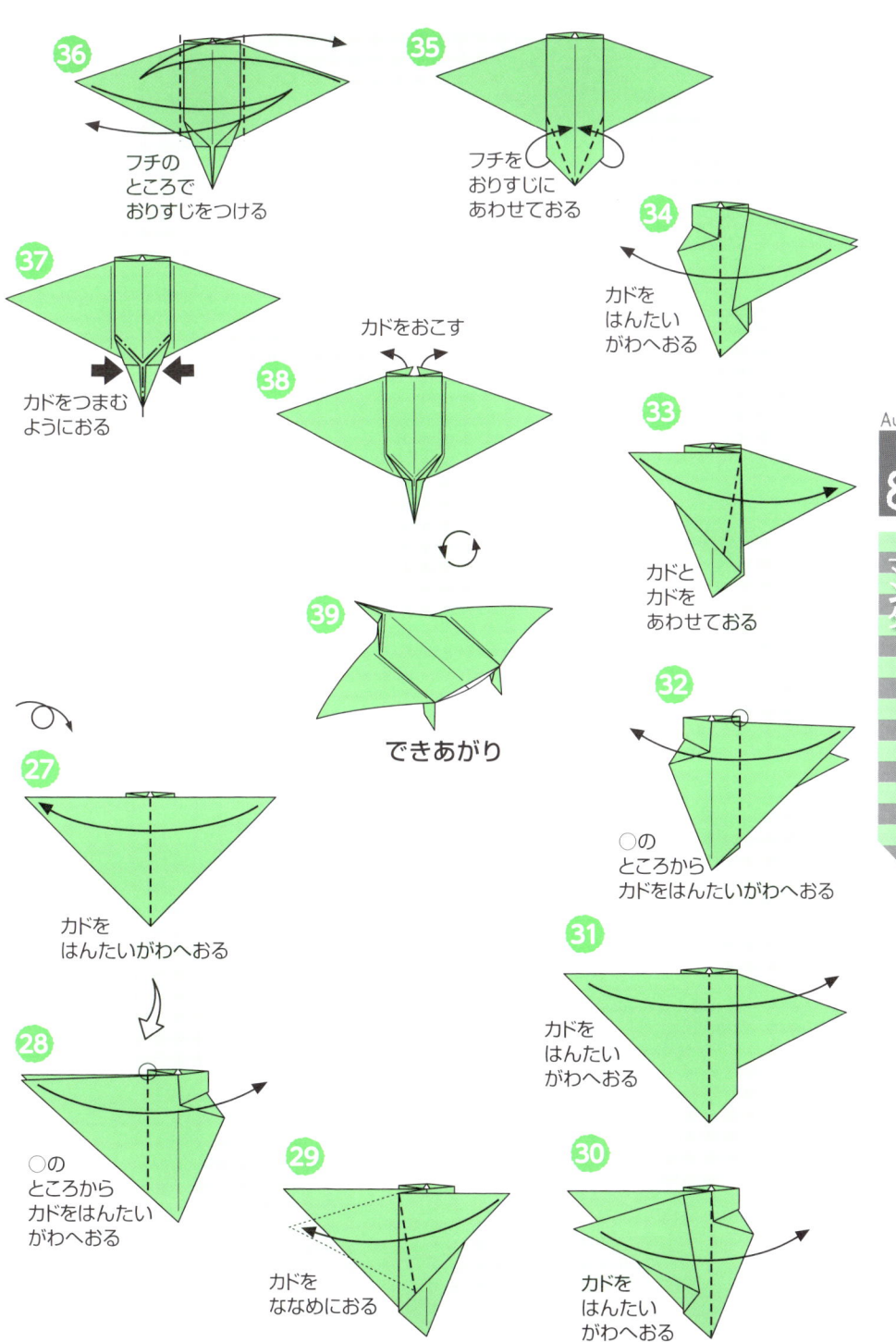

36
フチの
ところで
おりすじをつける

35
フチを
おりすじに
あわせておる

34
カドを
はんたい
がわへおる

37
カドをつまむ
ようにおる

38
カドをおこす

33
カドと
カドを
あわせておる

32
○の
ところから
カドをはんたいがわへおる

39
できあがり

27
カドを
はんたいがわへおる

31
カドを
はんたい
がわへおる

28
○の
ところから
カドをはんたい
がわへおる

29
カドを
ななめにおる

30
カドを
はんたい
がわへおる

Aug.
8
マンタ

● しゃしんはP.202 **うみのなかをとぶようにおよぐよ**

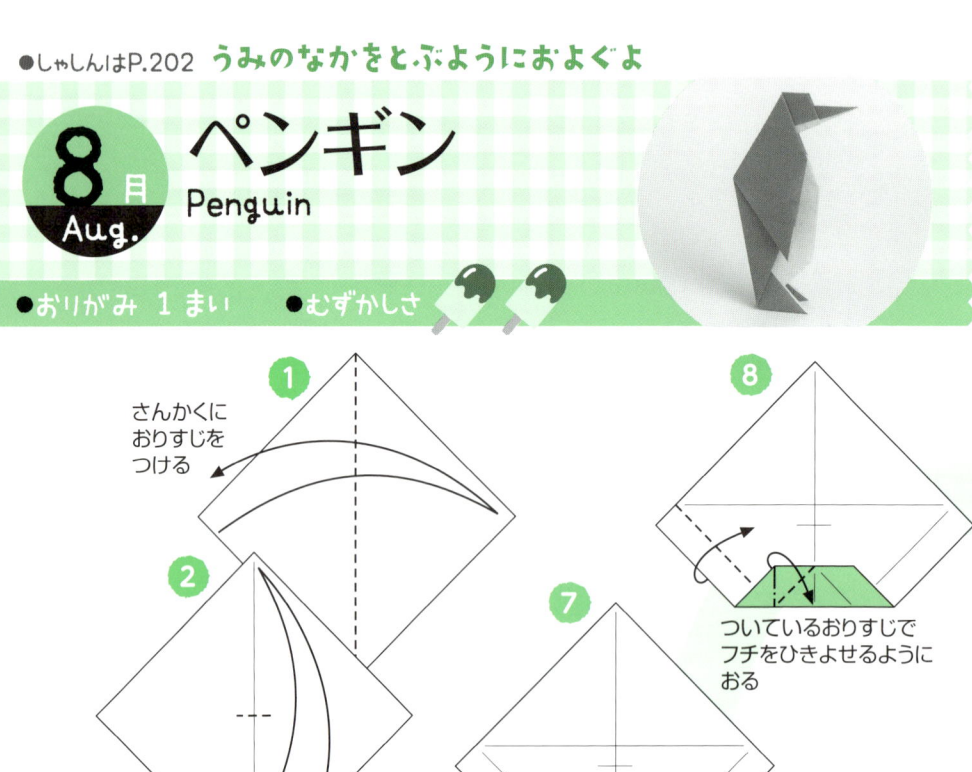

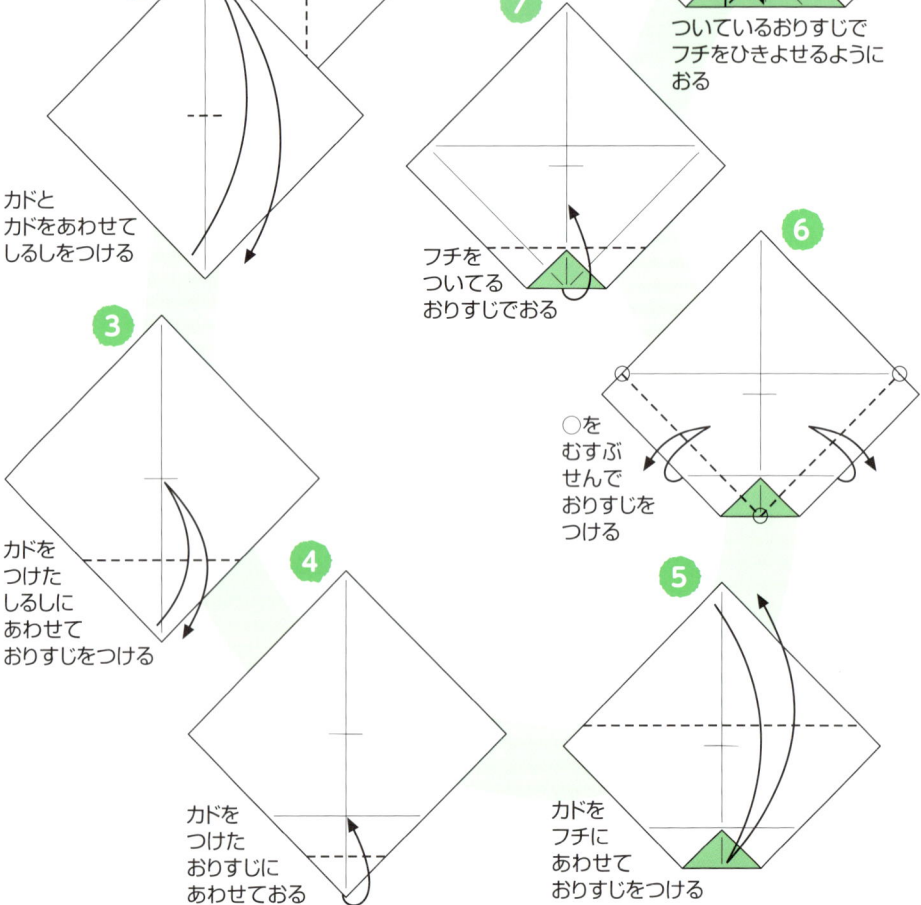

8月 ペンギン
Aug. Penguin

● おりがみ 1まい　● むずかしさ

1 さんかくに おりすじを つける

2 カドと カドをあわせて しるしをつける

3 カドを つけた しるしに あわせて おりすじをつける

4 カドを つけた おりすじに あわせておる

5 カドを フチに あわせて おりすじをつける

6 ○を むすぶ せんで おりすじを つける

7 フチを ついてる おりすじでおる

8 ついているおりすじで フチをひきよせるように おる

212

10
うしろへ
はんぶんに
おる

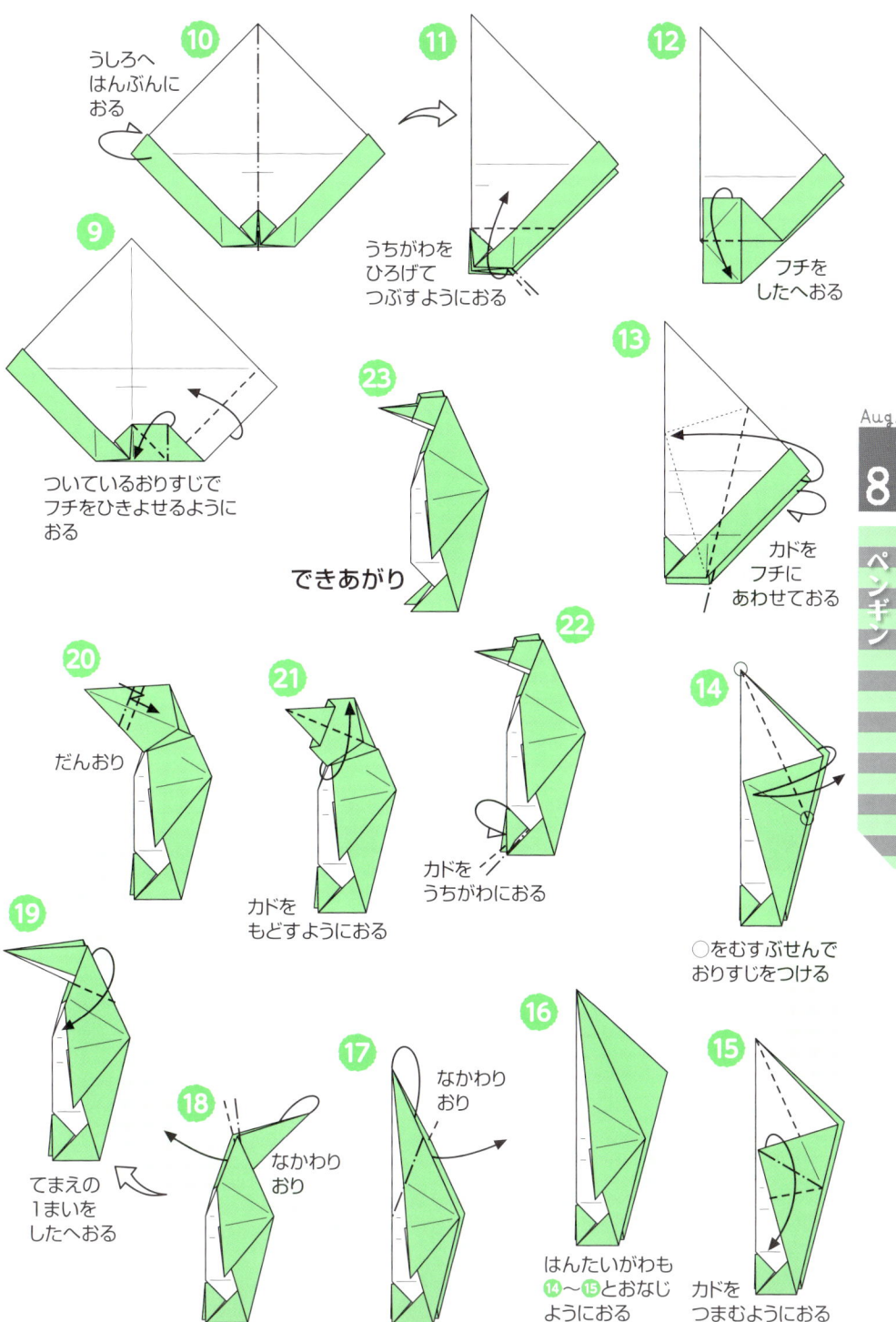

11
うちがわを
ひろげて
つぶすようにおる

12
フチを
したへおる

9
ついているおりすじで
フチをひきよせるように
おる

23
できあがり

13
カドを
フチに
あわせておる

Aug.
8
ペンギン

20
だんおり

21
カドを
もどすようにおる

22
カドを
うちがわにおる

14
○をむすぶせんで
おりすじをつける

19
てまえの
1まいを
したへおる

18

17
なかわり
おり

なかわり
おり

16
はんたいがわも
⑭〜⑮とおなじ
ようにおる

15
カドを
つまむようにおる

213

●しゃしんはP.203　おおきなきばをもったうみのいきもの

8月 セイウチ
Aug. Walrus

● おりがみ 2まい　● むずかしさ

● あたま

1 はんぶんにおりすじをつける

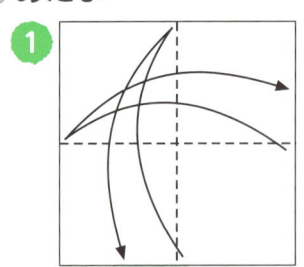

2 カドをちゅうしんにあわせておりすじをつける

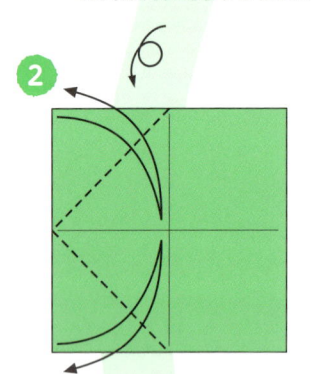

3 フチをおりすじにあわせておる

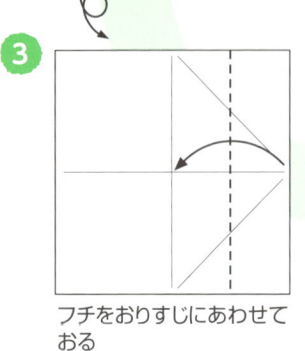

4 フチをおりすじにあわせておる

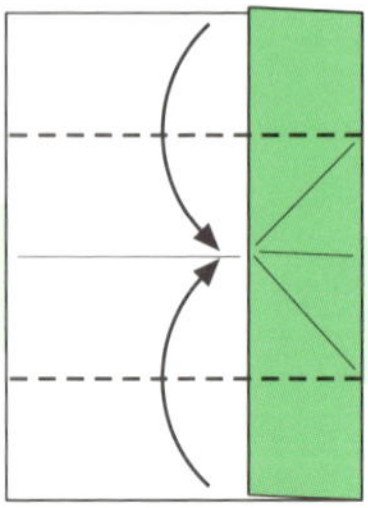

5 フチとフチをあわせておる

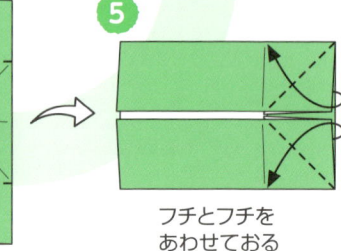

6 カドをつまんでひきだすようにおる

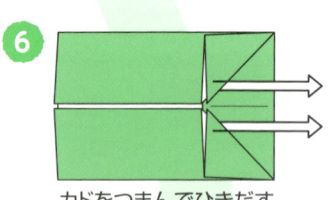

7 フチとフチをあわせておる

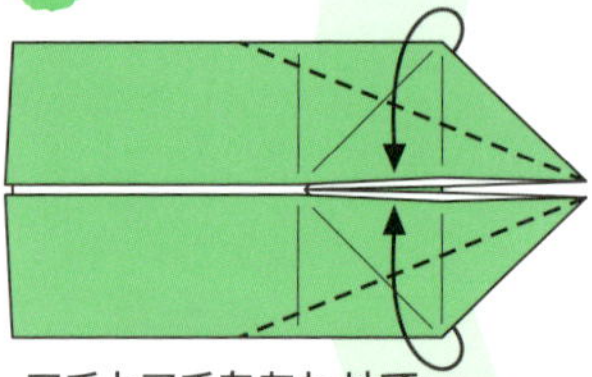

8 カドをななめにおる

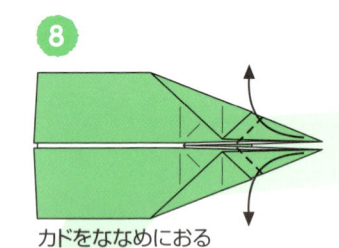

214

⑩ カドをすこしおる

⑬ フチをおりすじにあわせておりすじをつける

⑭ つけたおりすじをつかってだんおり

⑮ フチとフチをあわせておりすじをつける

⑯ うしろへはんぶんにおる

⑰ カドをつまんでひきあげるようにおる

⑱ かぶせるようにだんおり

⑲ カドをうちがわにおる

⑳ [あたま] できあがり

Aug.

8

セイウチ

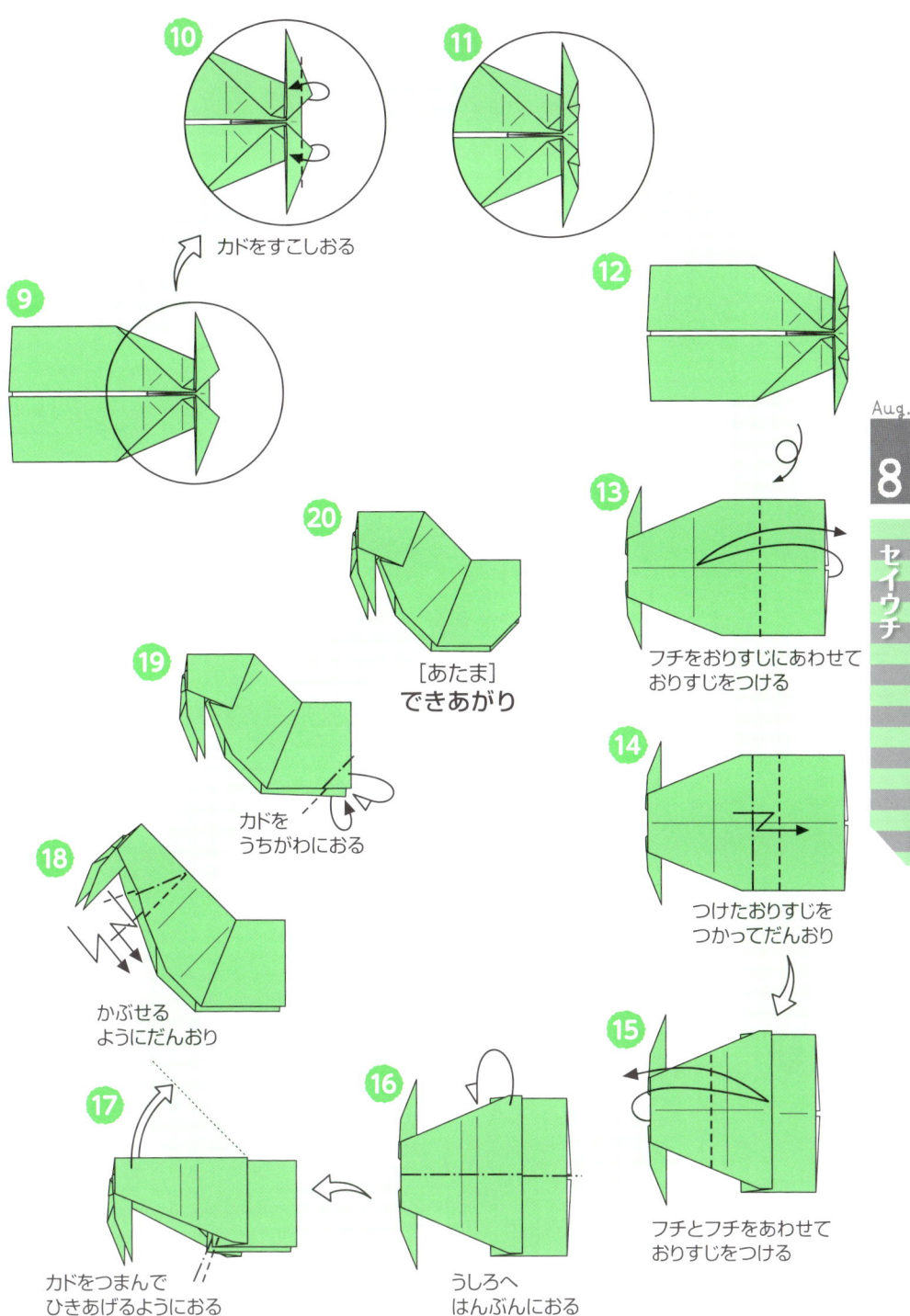

215

● からだ

1 さんかくにおりすじをつける

2 はんぶんにおりすじをつける

3 カドをちゅうしんにあわせておりすじをつける

4 フチをおりすじにあわせておる

5 フチをおりすじにあわせておる

6 フチとフチをあわせておる

7 カドをつまんでひきだすようにおる

8 カドをななめにおる

9 カドをうしろのフチのところでおる

10 カドをななめにおる

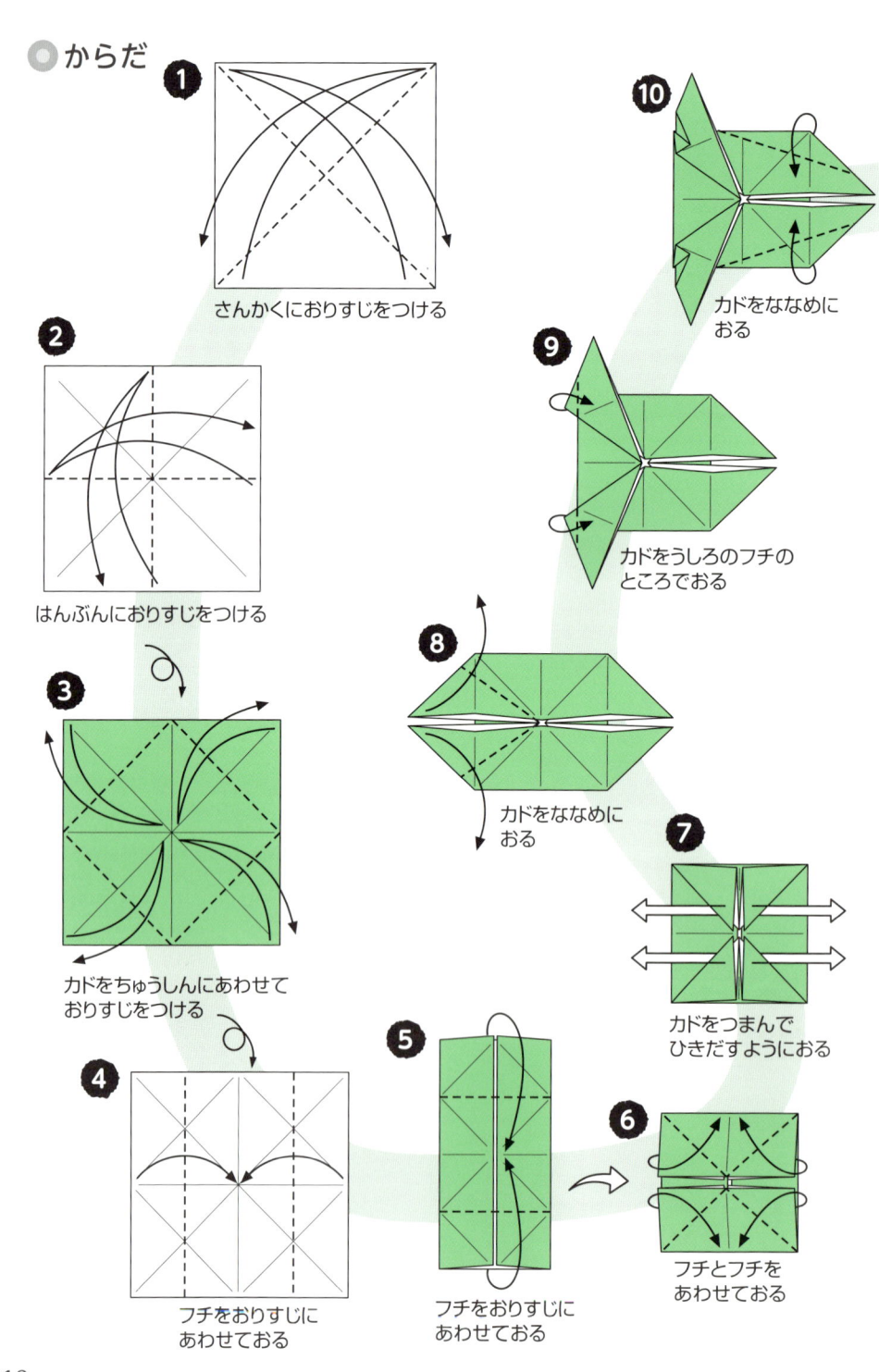

11

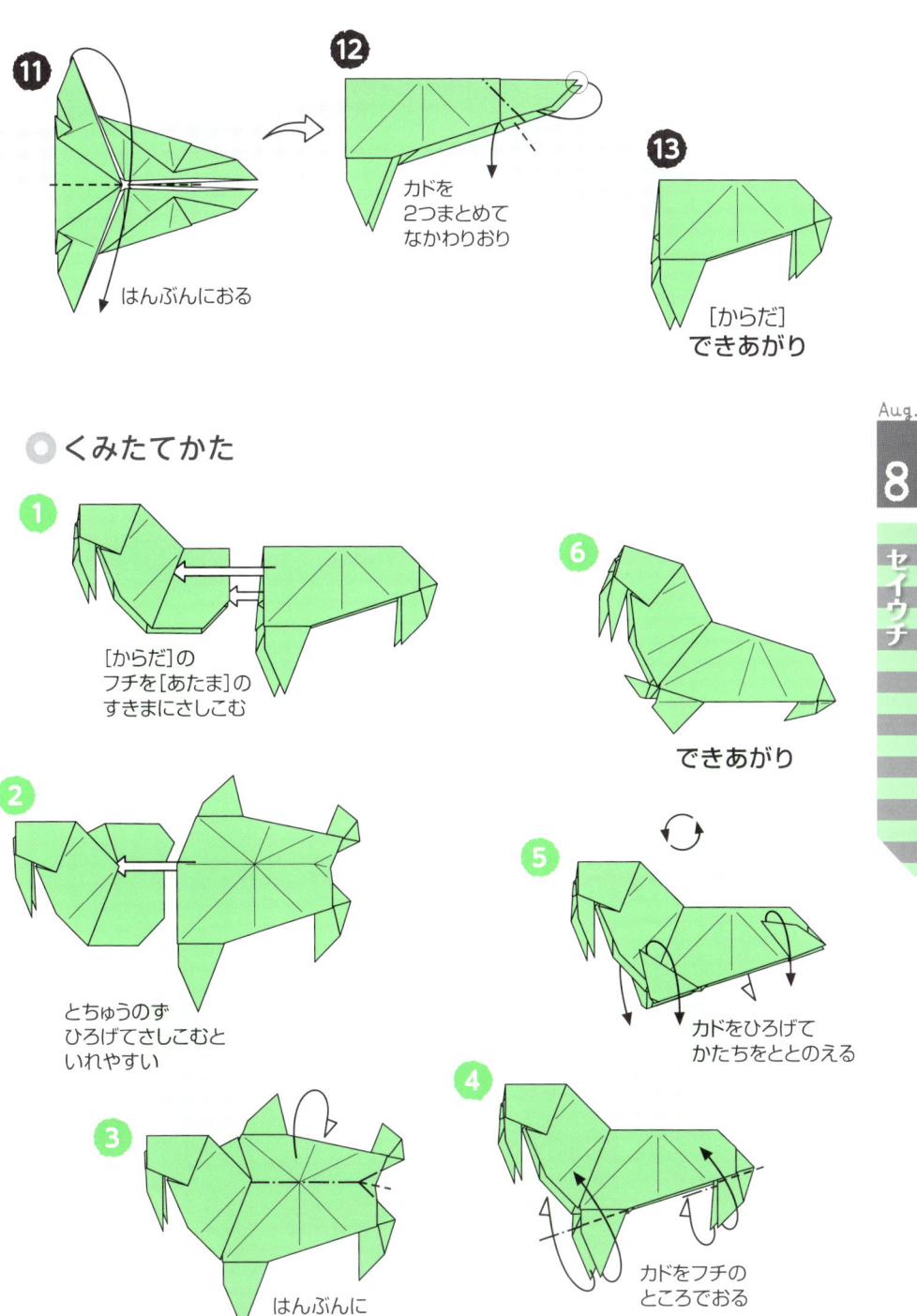

はんぶんにおる

12

カドを
2つまとめて
なかわりおり

13

[からだ]
できあがり

◯ くみたてかた

1

[からだ]の
フチを[あたま]の
すきまにさしこむ

2

とちゅうのず
ひろげてさしこむと
いれやすい

3

はんぶんに
うしろへおる

4

カドをフチの
ところでおる

5

カドをひろげて
かたちをととのえる

6

できあがり

Aug.

8

セイウチ

217

●しゃしんはP.201 みんながすきななつのこんちゅうのていばん

8月 Aug. クワガタムシ
Stag beetle

● おりがみ 3まい　●むずかしさ

● からだ

1. はんぶんにおりすじをつける

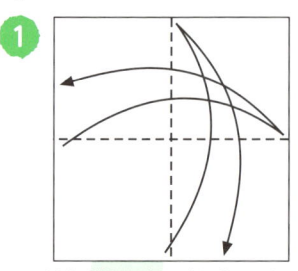

2. フチをおりすじにあわせておる

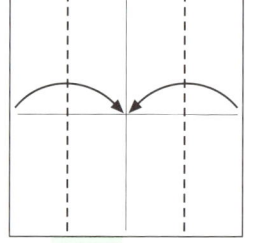

3.

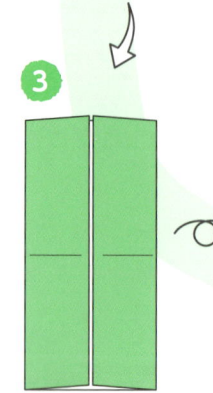

4. 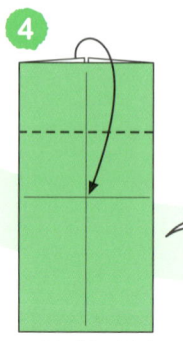 フチをおりすじにあわせておる

5. うちがわをひろげてつぶすようにおる

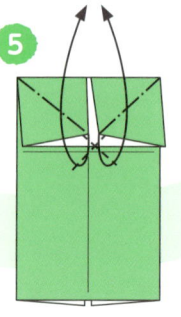

6. カドを○にあわせておりすじをつける

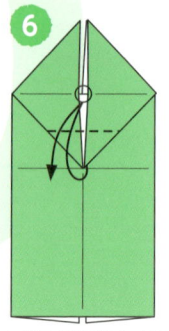

7. つけたおりすじでうちがわをひろげてつぶすようにおる

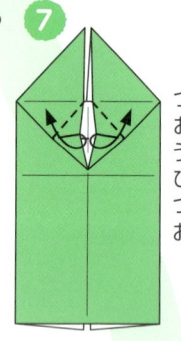

8. すきまをあける / すこしすきまをあけてフチをうえへおる

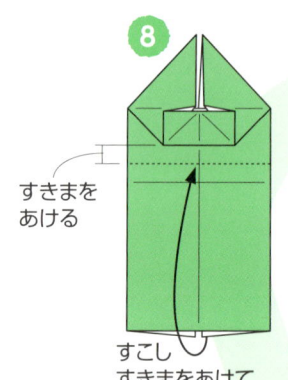

9.

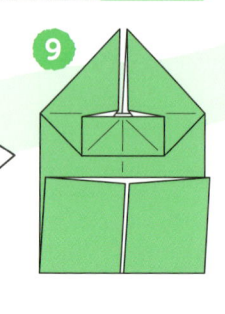

218

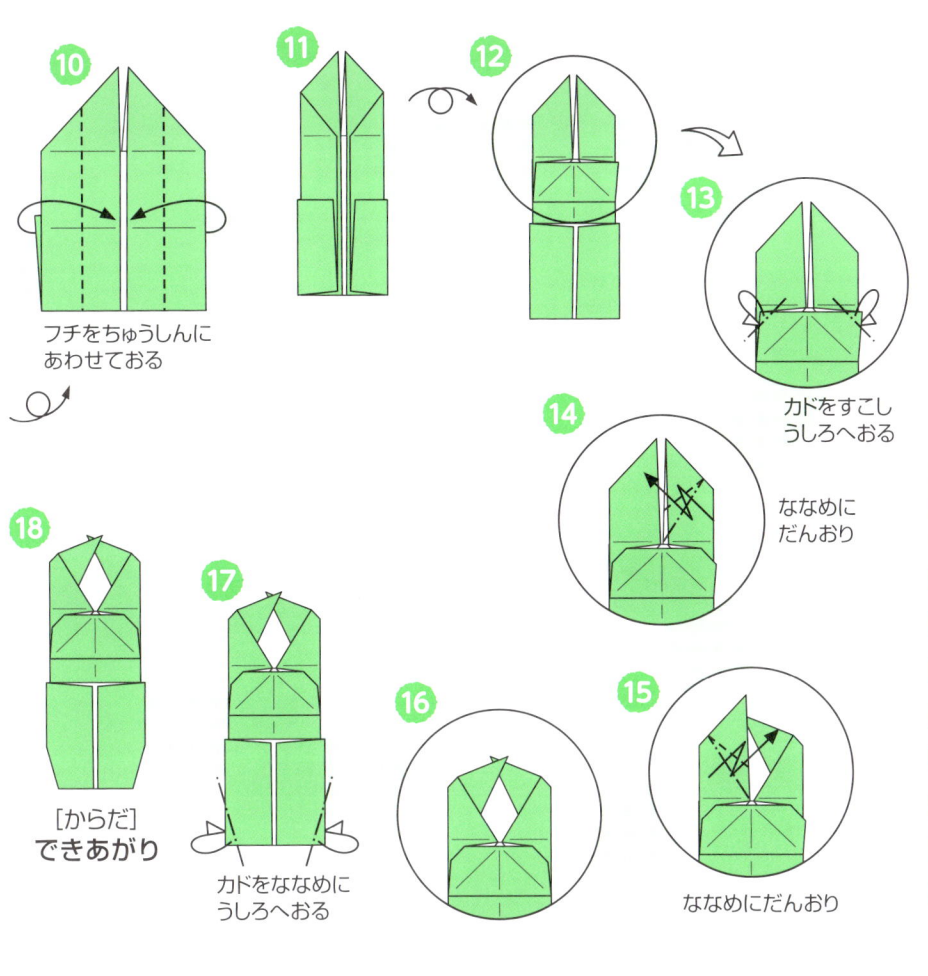

⑩ フチをちゅうしんにあわせておる

⑪

⑫

⑬ カドをすこしうしろへおる

⑭ ななめにだんおり

⑮ ななめにだんおり

⑯

⑰ カドをななめにうしろへおる

⑱ [からだ] できあがり

Aug. 8 クワガタムシ

かみのひりつ

からだ 1まい

あし1 1まい
あし2 1まい

○あし1

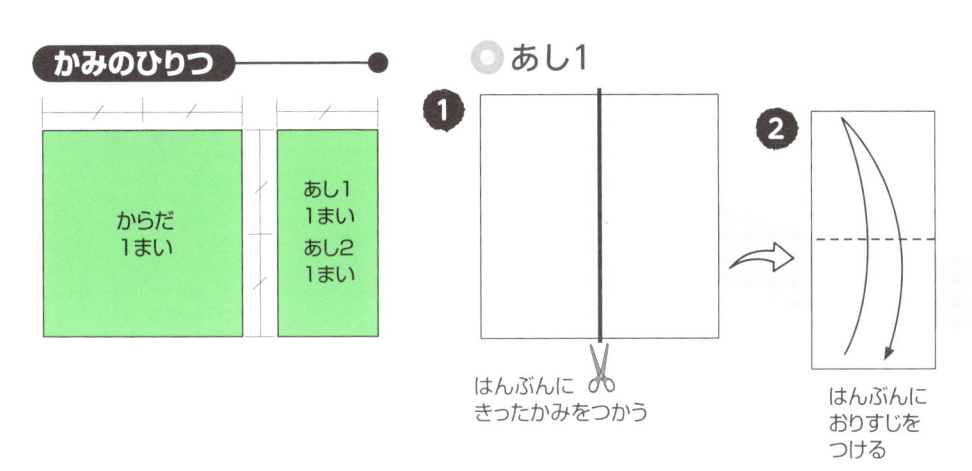

❶ はんぶんにきったかみをつかう

❷ はんぶんにおりすじをつける

219

●あし2

[あし1]の❽のかたちからはじめる

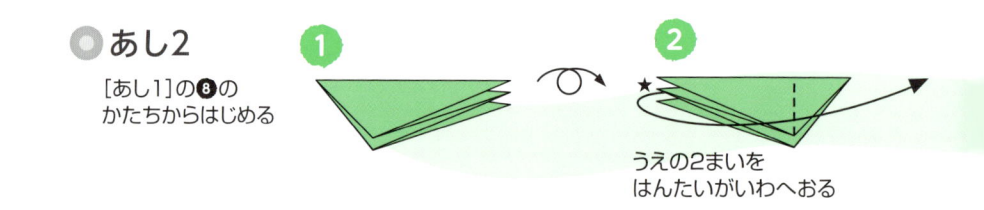

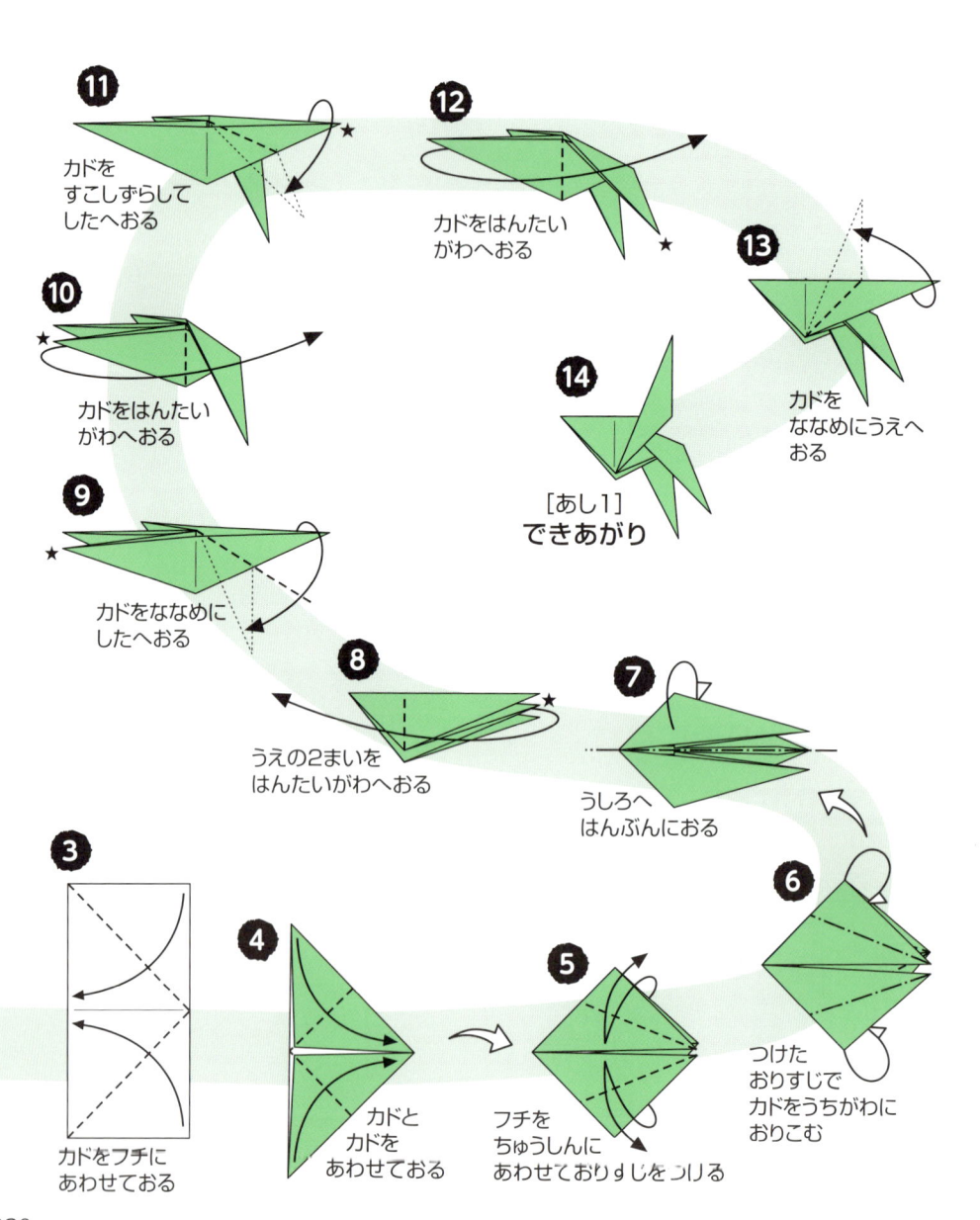

1

2 うえの2まいをはんたいがわへおる

11 カドをすこしずらしてしたへおる

12 カドをはんたいがわへおる

13 カドをななめにうえへおる

10 カドをはんたいがわへおる

14 [あし1] できあがり

9 カドをななめにしたへおる

8 うえの2まいをはんたいがわへおる

7 うしろへはんぶんにおる

3 カドをフチにあわせておる

4 カドとカドをあわせておる

5 フチをちゅうしんにあわせておりすじをつける

6 つけたおりすじでカドをうちがわにおりこむ

3
カドを
ななめにしたへおる

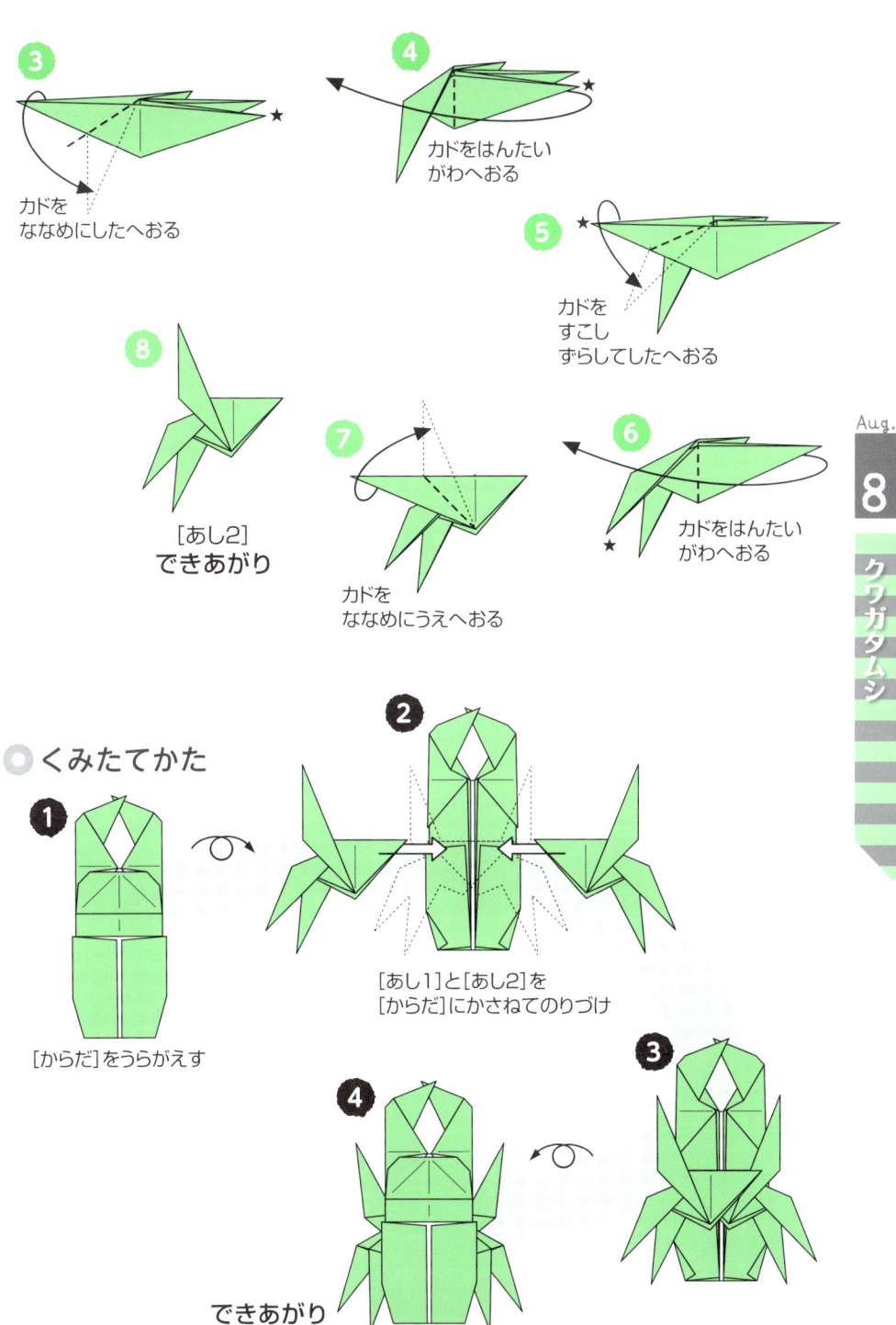

4
カドをはんたい
がわへおる

5
カドを
すこし
ずらしてしたへおる

6
カドをはんたい
がわへおる

7
カドを
ななめにうえへおる

8
[あし2]
できあがり

Aug.
8
クワガタムシ

○くみたてかた

1
[からだ]をうらがえす

2
[あし1]と[あし2]を
[からだ]にかさねてのりづけ

3

4
できあがり

221

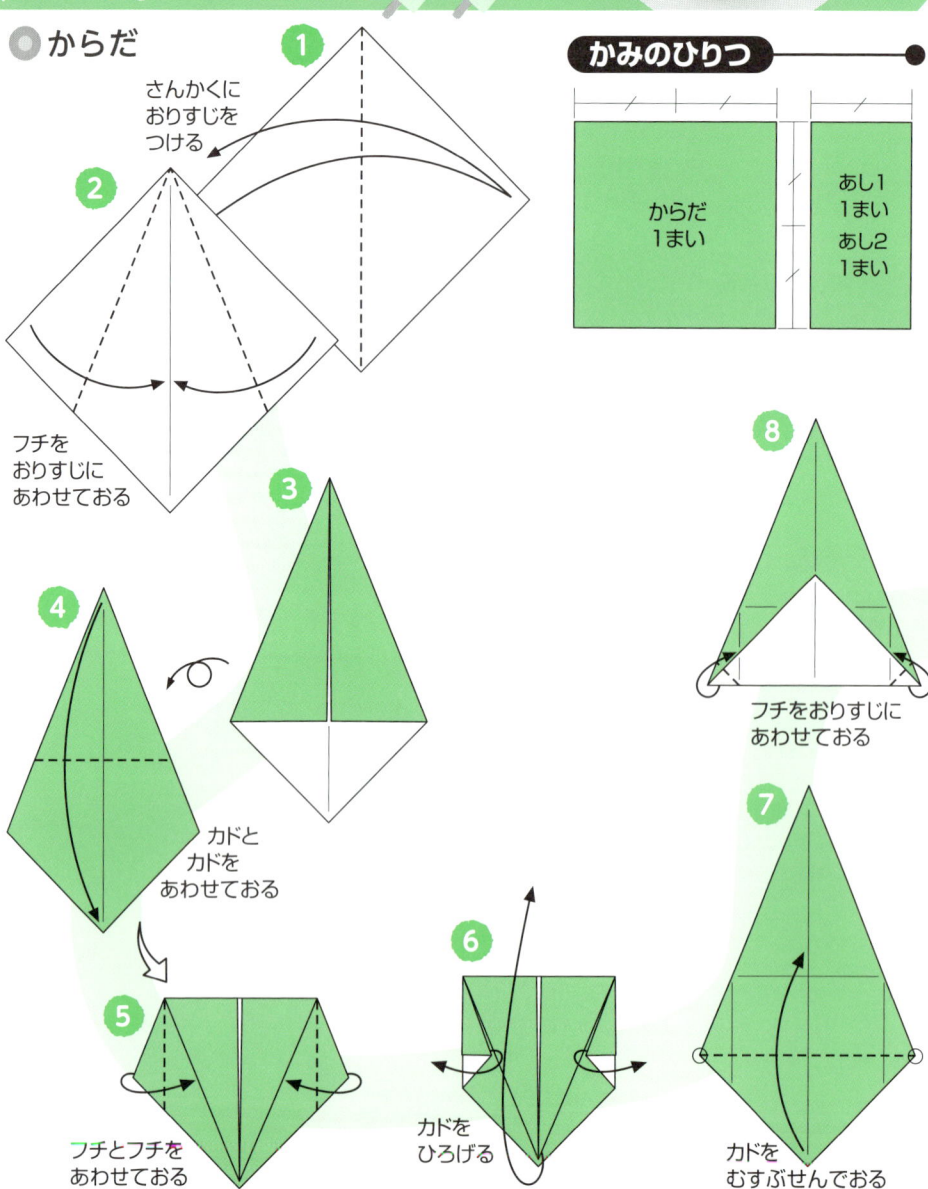

● しゃしんはP.201　あしのつくりかたはくわがたとおなじ

8月 カブトムシ
Aug. Japanese rhinoceros beetle

● おりがみ 3まい　●むずかしさ 🍡🍡

● からだ

かみのひりつ

からだ 1まい　あし1 1まい　あし2 1まい

1

さんかくに
おりすじを
つける

2

フチを
おりすじに
あわせておる

3

4

カドと
カドを
あわせておる

5

フチとフチを
あわせておる

6

カドを
ひろげる

7

カドを
むすぶせんでおる

8

フチをおりすじに
あわせておる

222

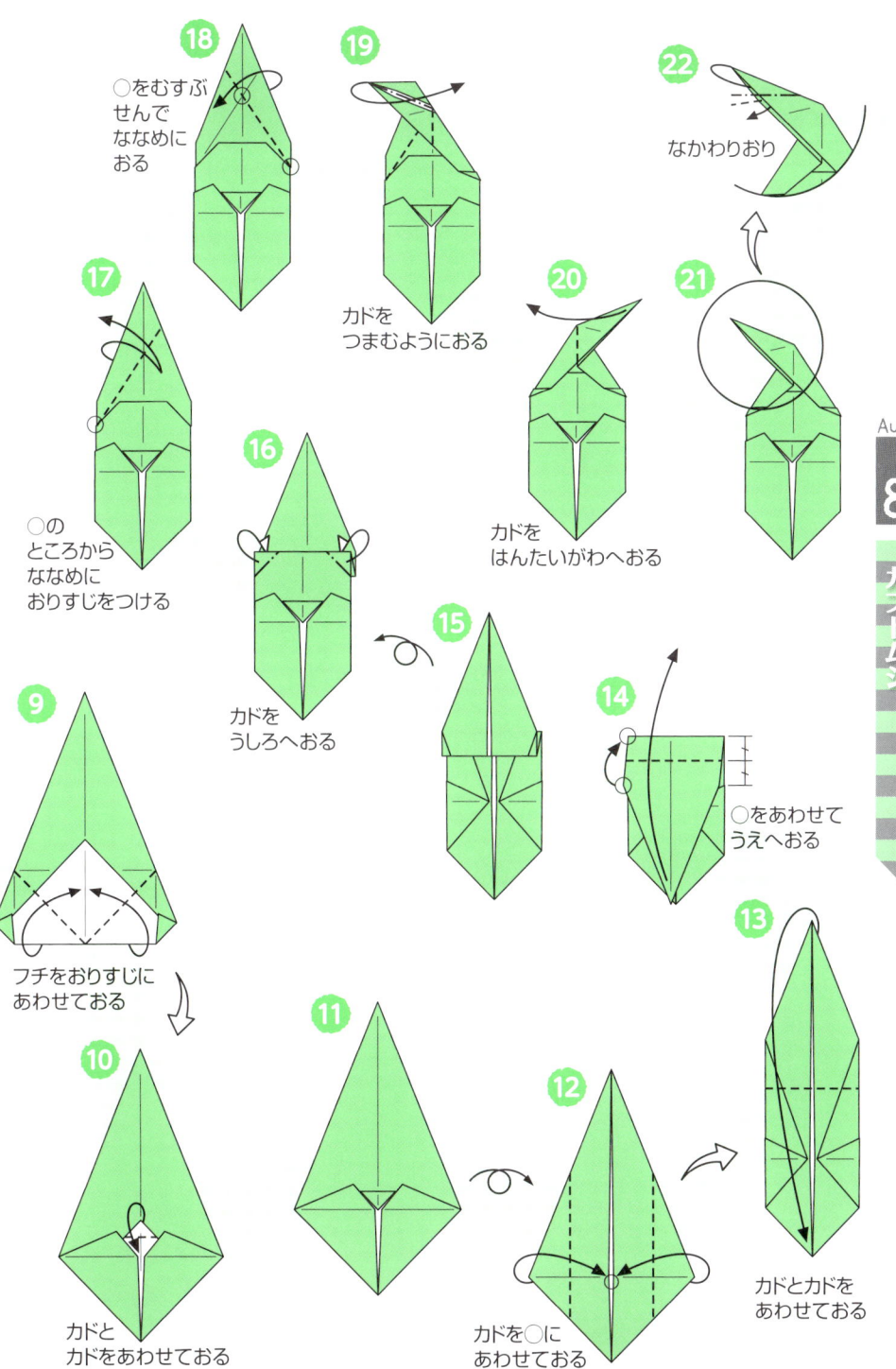

18 ○をむすぶせんでななめにおる

19

22 なかわりおり

17 ○のところからななめにおりすじをつける

20 カドをはんたいがわへおる

21

16 カドをうしろへおる

15

14 ○をあわせてうえへおる

カブトムシ

9 フチをおりすじにあわせておる

13 カドとカドをあわせておる

10 カドとカドをあわせておる

11

12 カドを○にあわせておる

19 カドをつまむようにおる

223

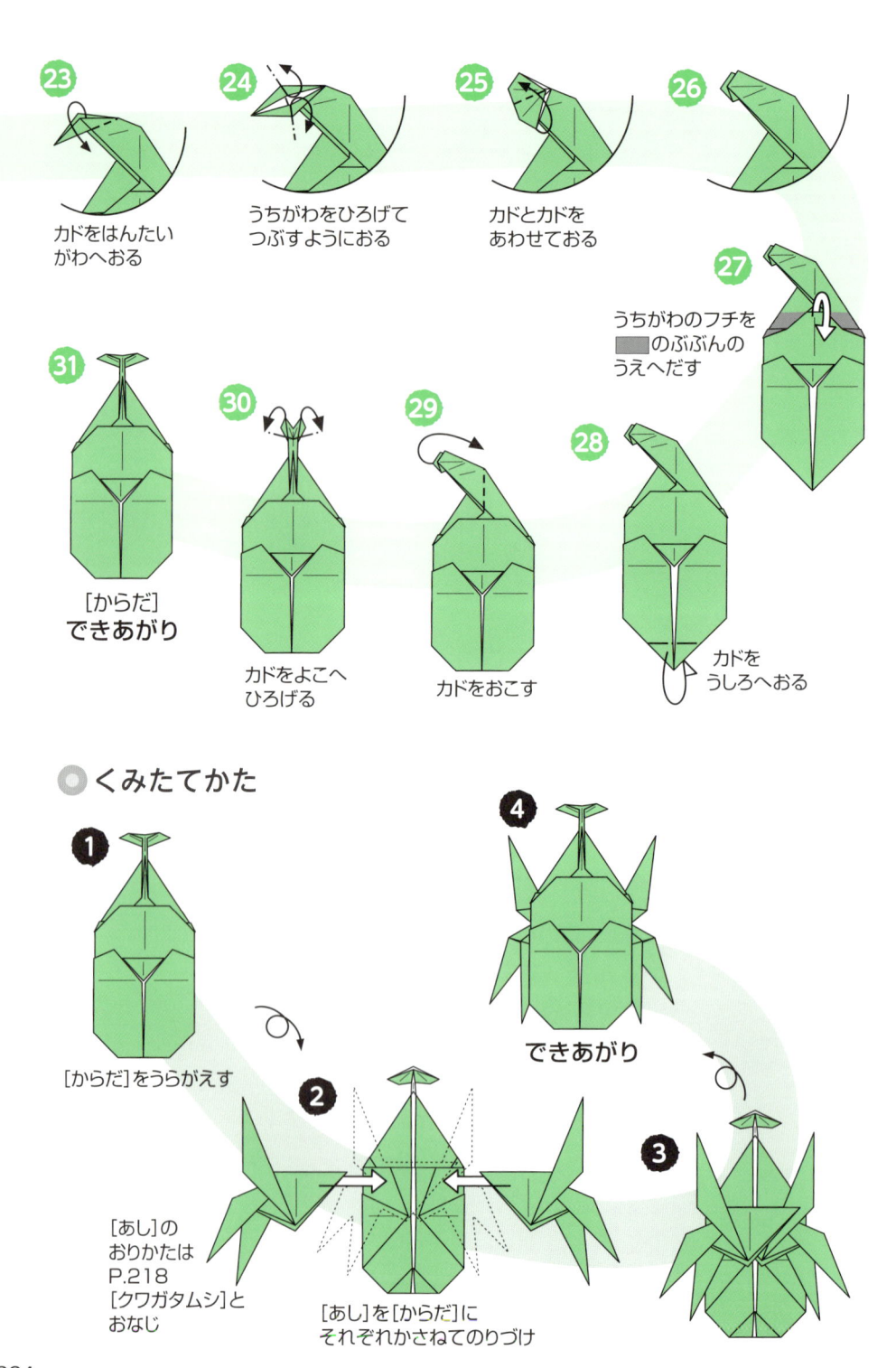

㉓ カドをはんたい
がわへおる

㉔ うちがわをひろげて
つぶすようにおる

㉕ カドとカドを
あわせておる

㉖

㉗ うちがわのフチを
■のぶぶんの
うえへだす

㉛ [からだ]
できあがり

㉚ カドをよこへ
ひろげる

㉙ カドをおこす

㉘ カドを
うしろへおる

◉ くみたてかた

❶ [からだ]をうらがえす

❷ [あし]の
おりかたは
P.218
[クワガタムシ]と
おなじ

[あし]を[からだ]に
それぞれかさねてのりづけ

❸

❹ できあがり

224

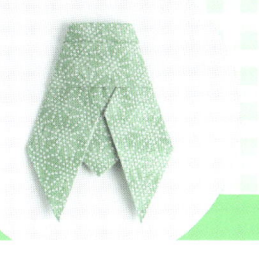

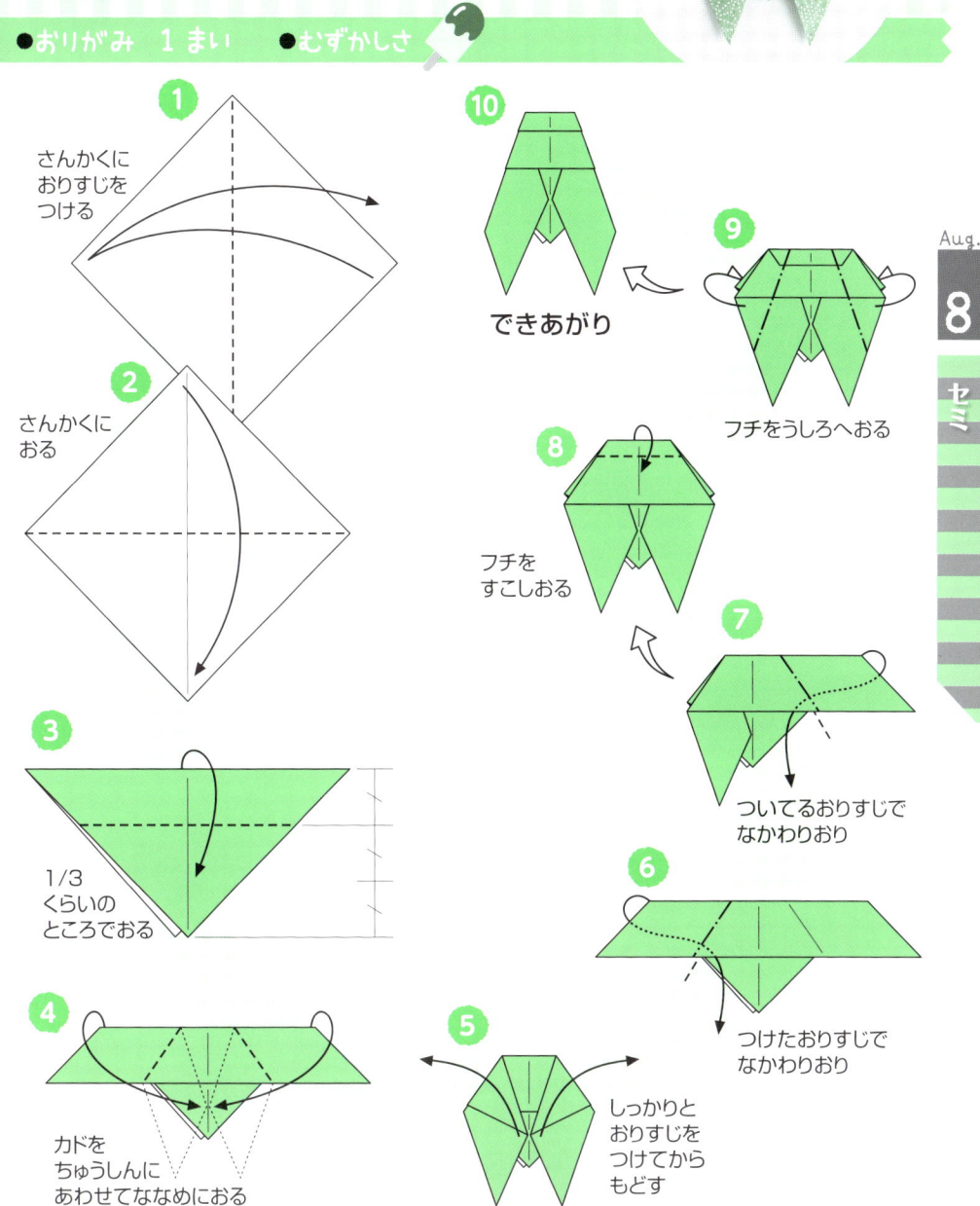

● しゃしんはP.201　**8ばんはあつくなるのでしっかりおろう**

8月 Aug.

セミ
Cicada

● おりがみ　1まい　● むずかしさ

1 さんかくにおりすじをつける

2 さんかくにおる

3 1/3くらいのところでおる

4 カドをちゅうしんにあわせてななめにおる

5 しっかりとおりすじをつけてからもどす

6 つけたおりすじでなかわりおり

7 ついてるおりすじでなかわりおり

8 フチをすこしおる

9 フチをうしろへおる

10 できあがり

225

●しゃしんはP.201　**きれいなもようのかみでおってみよう**

8月 Aug. チョウ
Butterfly

● おりがみ 1まい　● むずかしさ 🍦🍦

1 はんぶんにおりすじをつける

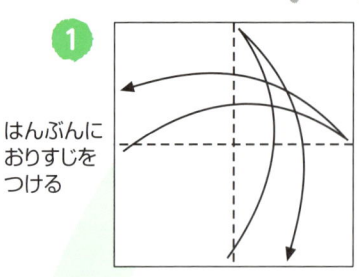

2 フチをおりすじにあわせておりすじをつける

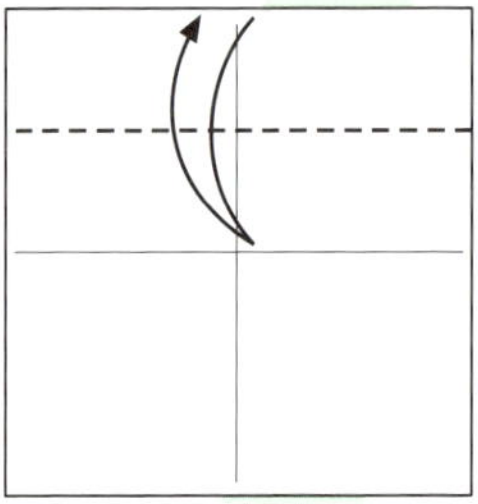

3 フチをつけたおりすじにあわせておる

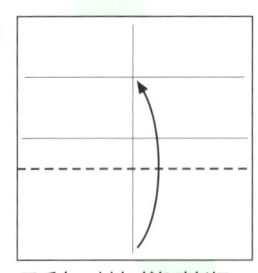

4 はんぶんにおる

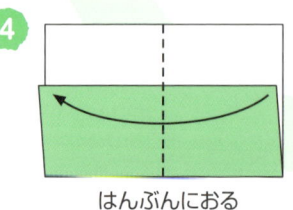

5 うちがわをひろげてつぶすようにおる

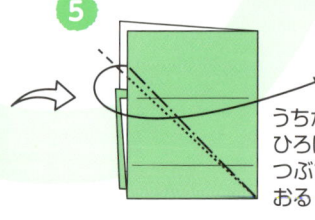

6 フチをはんたいがわへおる

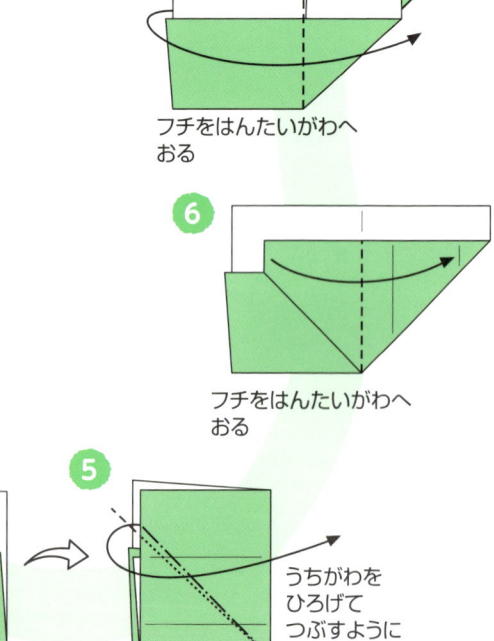

7 フチをはんたいがわへおる

8 うちがわをひろげてつぶすようにおる

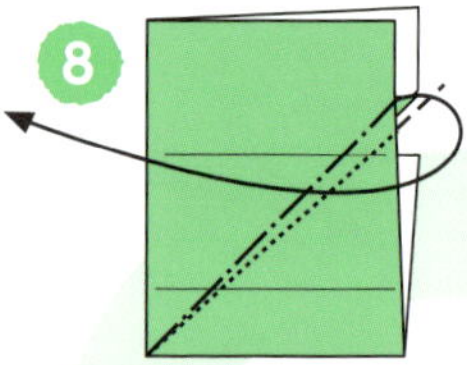

10
カドとカドをあわせておる

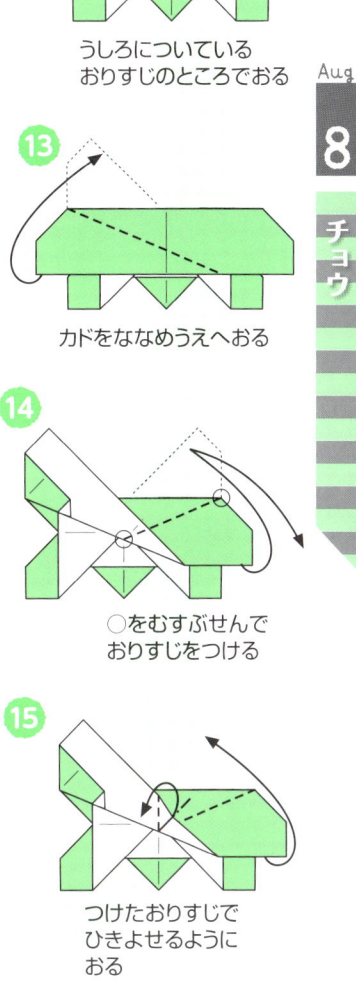

11
うちがわをひろげてつぶすようにおる

12
うしろについているおりすじのところでおる

9
フチをはんたいがわへおる

20
できあがり

13
カドをななめうえへおる

14
○をむすぶせんでおりすじをつける

19
うえの1まいをはんたいがわへひろげる

18
フチのところでうしろへはんぶんにおる

17
うえの1まいをはんたいがわへおる

16
はんぶんにおる

15
つけたおりすじでひきよせるようにおる

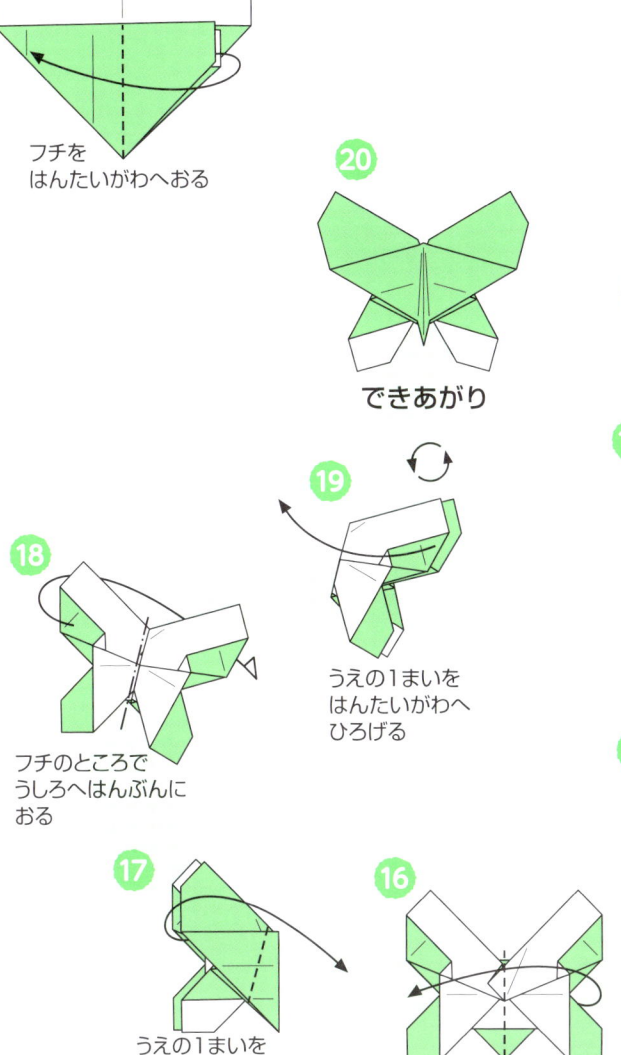

Aug.

8

チョウ

● しゃしんはP.204　おおきなあしでピョンピョンはねる

8月 Aug. バッタ
Grasshopper

● おりがみ 1まい　　● むずかしさ

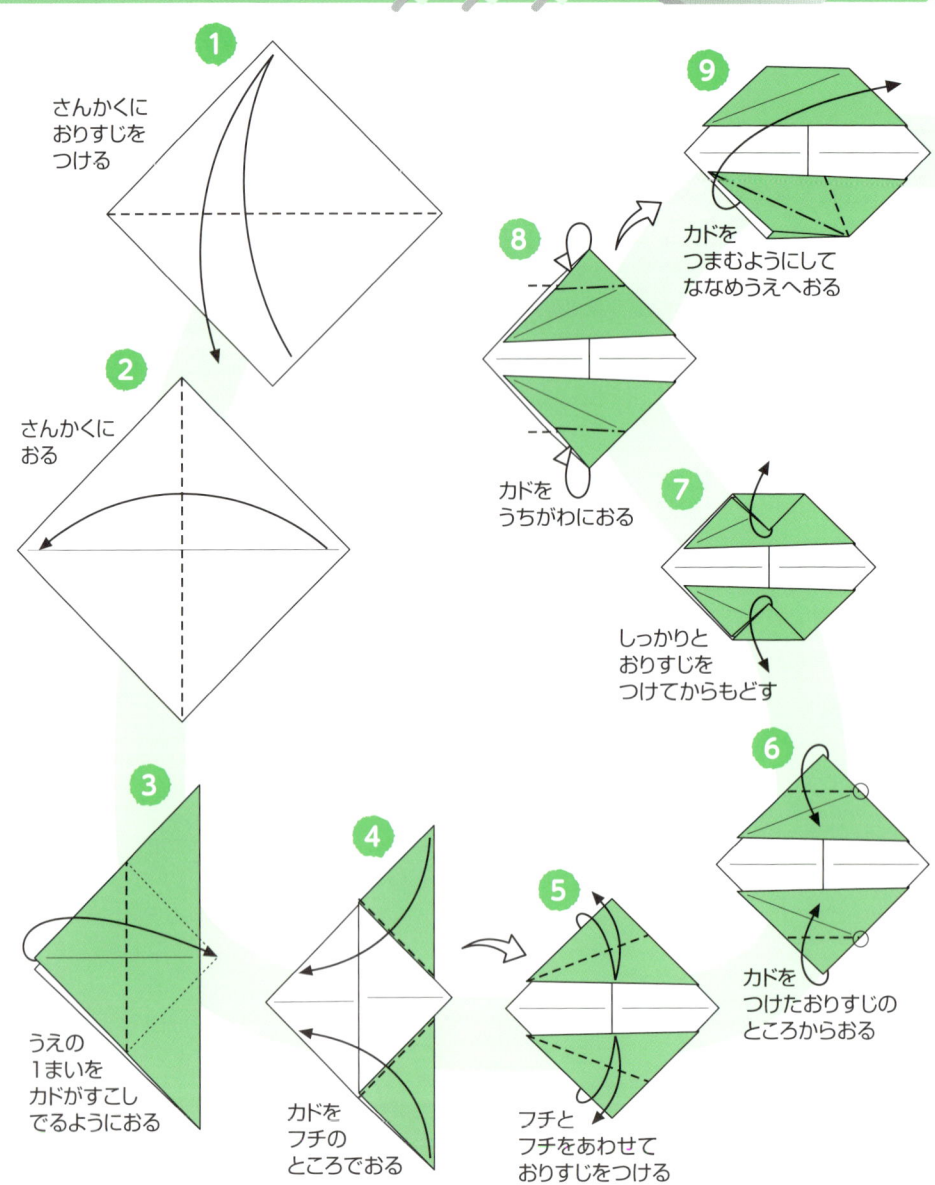

1 さんかくにおりすじをつける

2 さんかくにおる

3 うえの1まいをカドがすこしでるようにおる

4 カドをフチのところでおる

5 フチとフチをあわせておりすじをつける

6 カドをつけたおりすじのところからおる

7 しっかりとおりすじをつけてからもどす

8 カドをうちがわにおる

9 カドをつまむようにしてななめうえへおる

228

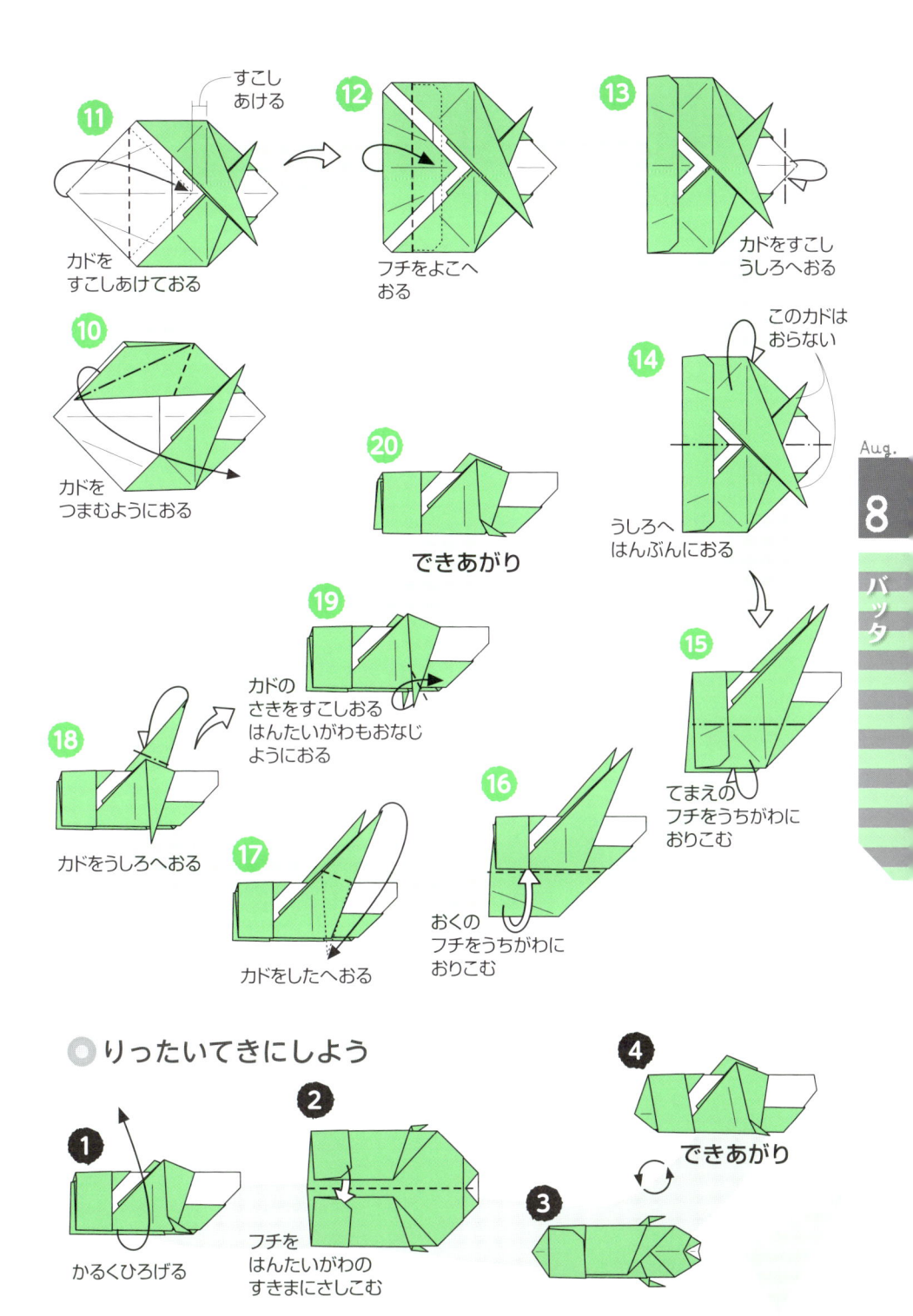

11
すこしあける
カドを
すこしあけておる

12
フチをよこへ
おる

13
カドをすこし
うしろへおる

10
カドを
つまむようにおる

14
このカドは
おらない
うしろへ
はんぶんにおる

20
できあがり

15
てまえの
フチをうちがわに
おりこむ

19
カドの
さきをすこしおる
はんたいがわもおなじ
ようにおる

18
カドをうしろへおる

17
カドをしたへおる

16
おくの
フチをうちがわに
おりこむ

Aug.
8
バッタ

◉りったいてきにしよう

❶
かるくひろげる

❷
フチを
はんたいがわの
すきまにさしこむ

❸

❹
できあがり

229

● しゃしんはP.204　**ちゅうしんがやぶれやすいのできをつけて**

8月 Aug. すいじょう バイク Water scooter

● おりがみ 1まい　● むずかしさ

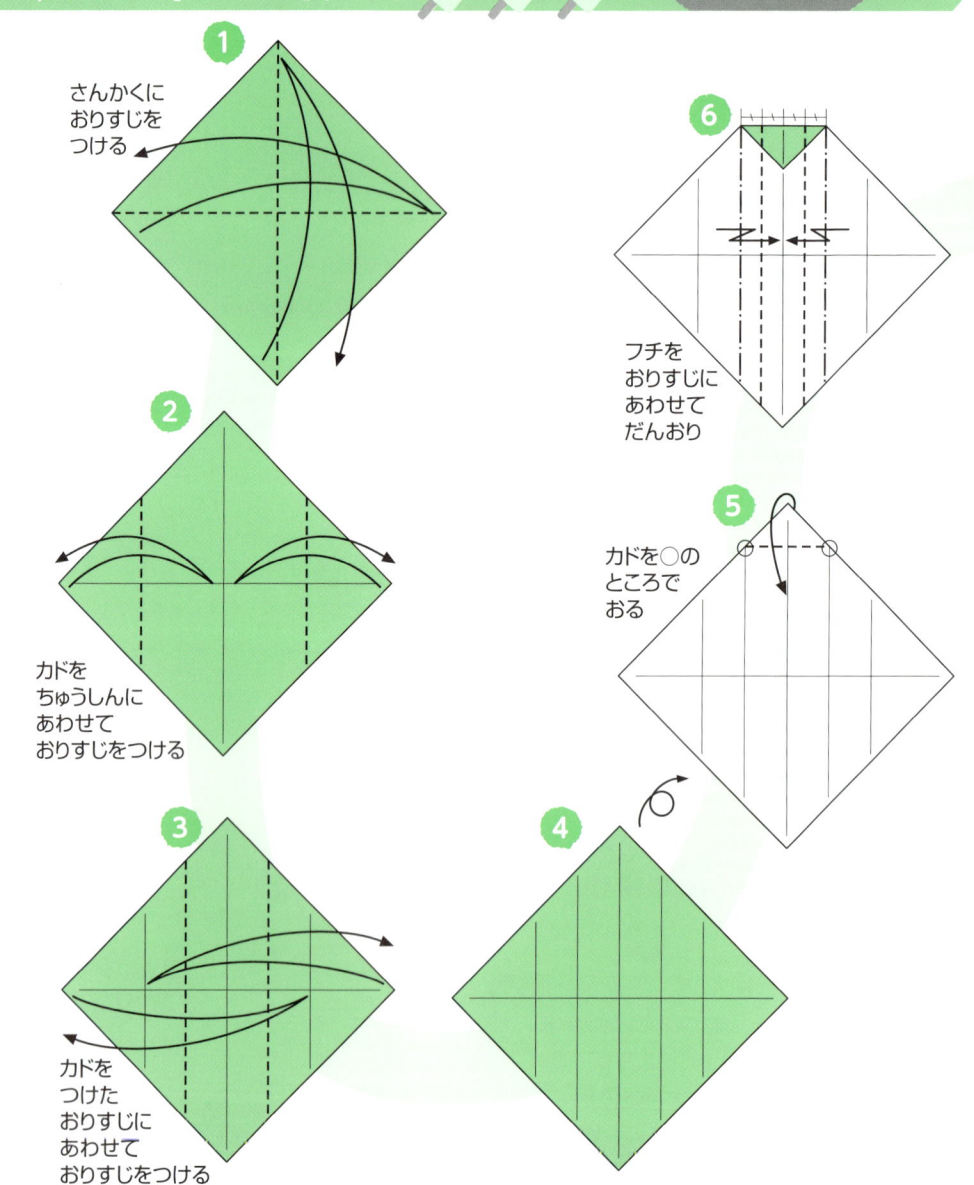

1 さんかくに おりすじを つける

2 カドを ちゅうしんに あわせて おりすじをつける

3 カドを つけた おりすじに あわせて おりすじをつける

4

5 カドを○の ところで おる

6 フチを おりすじに あわせて だんおり

230

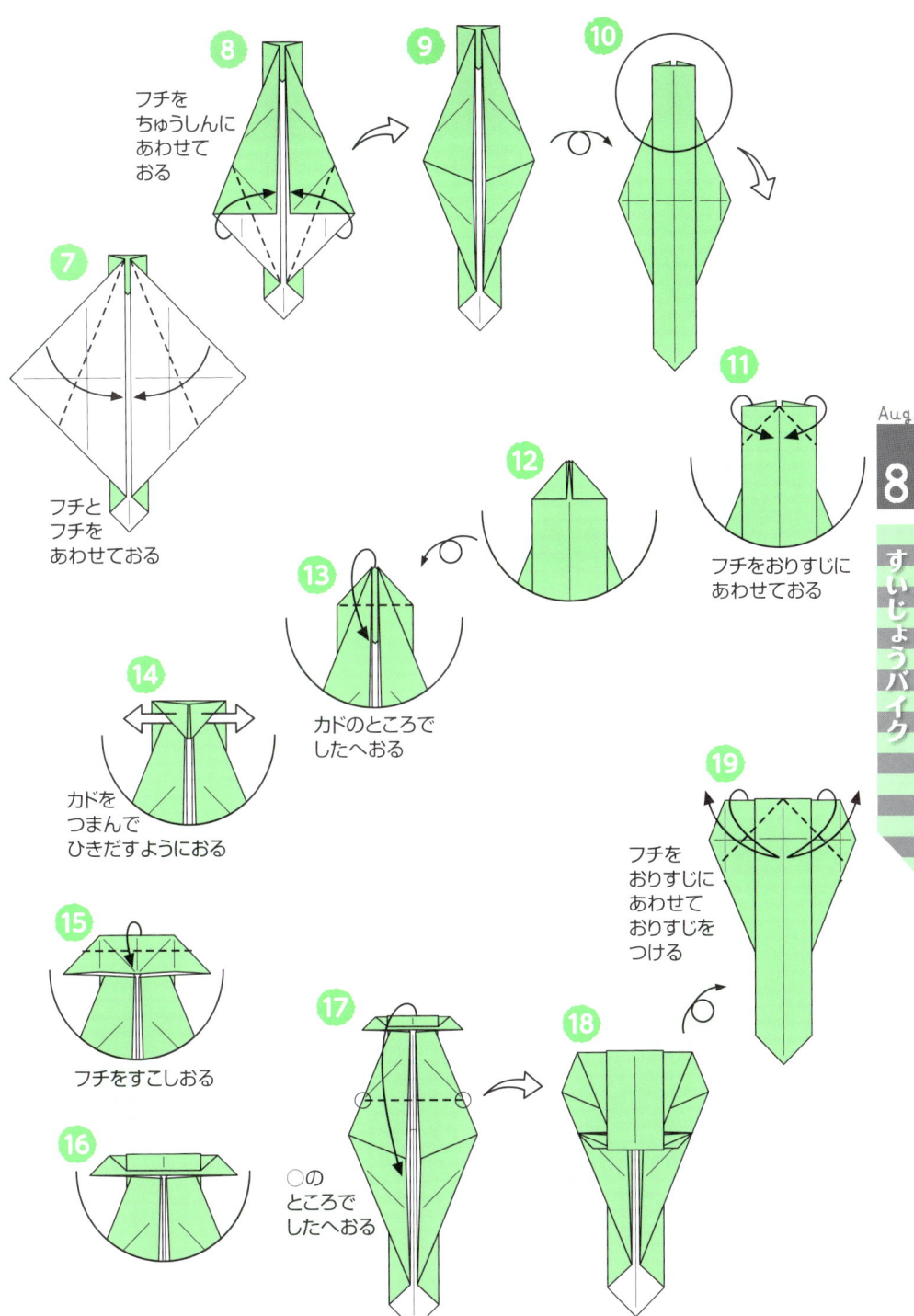

8 フチをちゅうしんにあわせておる

7 フチとフチをあわせておる

11 フチをおりすじにあわせておる

13 カドのところでしたへおる

14 カドをつまんでひきだすようにおる

15 フチをすこしおる

17 ○のところでしたへおる

19 フチをおりすじにあわせておりすじをつける

Aug. 8 すいじょうバイク

231

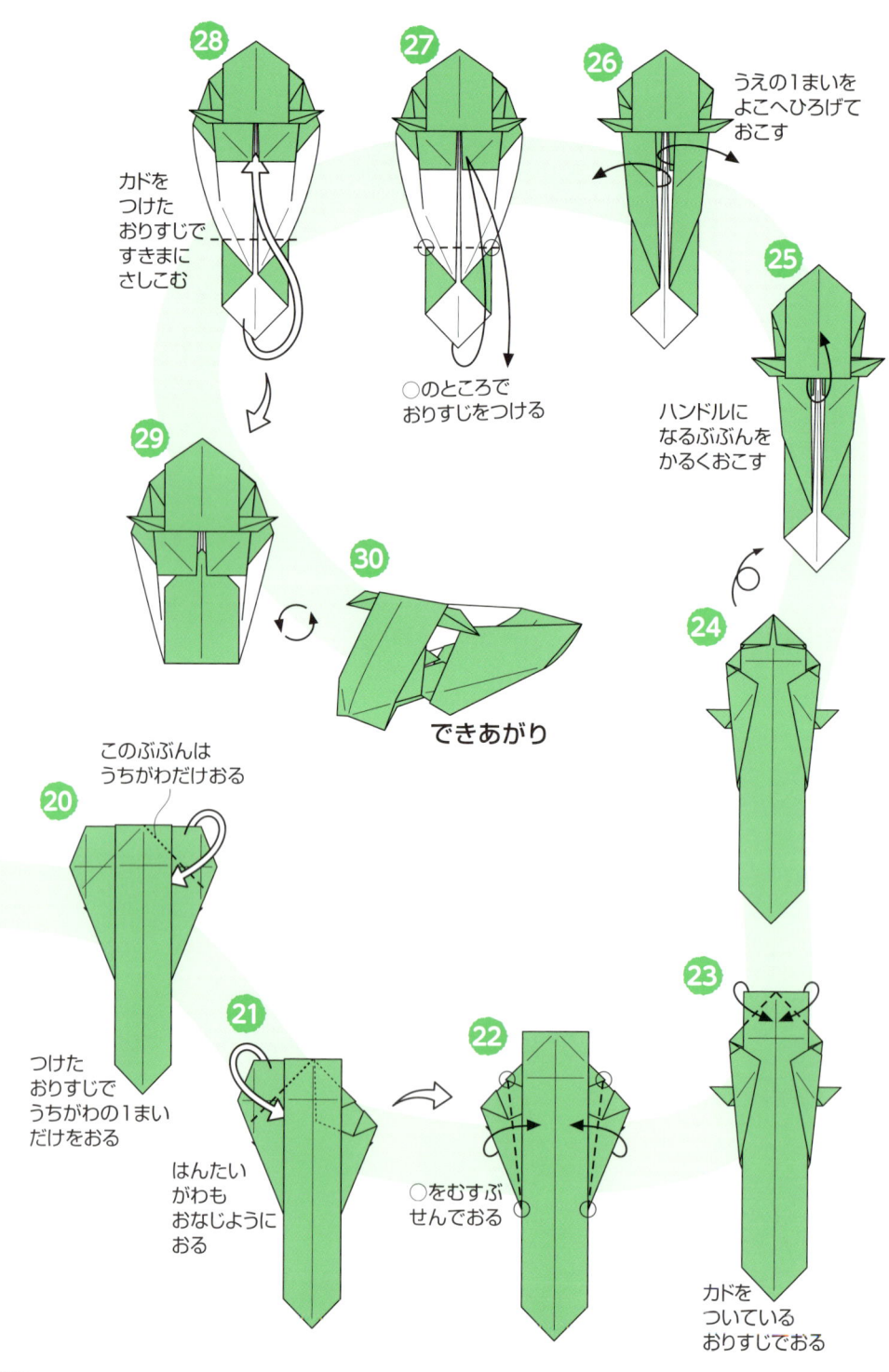

㉘ カドをつけたおりすじですきまにさしこむ

㉗ ○のところでおりすじをつける

㉖ うえの1まいをよこへひろげておこす

㉕ ハンドルになるぶぶんをかるくおこす

㉔

㉙

㉚ できあがり

⑳ このぶぶんはうちがわだけおる
つけたおりすじでうちがわの1まいだけをおる

㉑ はんたいがわもおなじようにおる

㉒ ○をむすぶせんでおる

㉓ カドをついているおりすじでおる

232

●しゃしんはP.205　**しんの11ばんはせんをよくみておろう**

8月 Aug. ひまわり
Sunflowerr

● おりがみ　12まい　●むずかしさ

● はなびら

1 さんかくに おりすじを つける

2 さんかくに おる

かみのひりつは P.234をみてね

3 カドをおりすじにあわせて しるしをつける

4 カドをつけたしるしにあわせて おりすじをつける

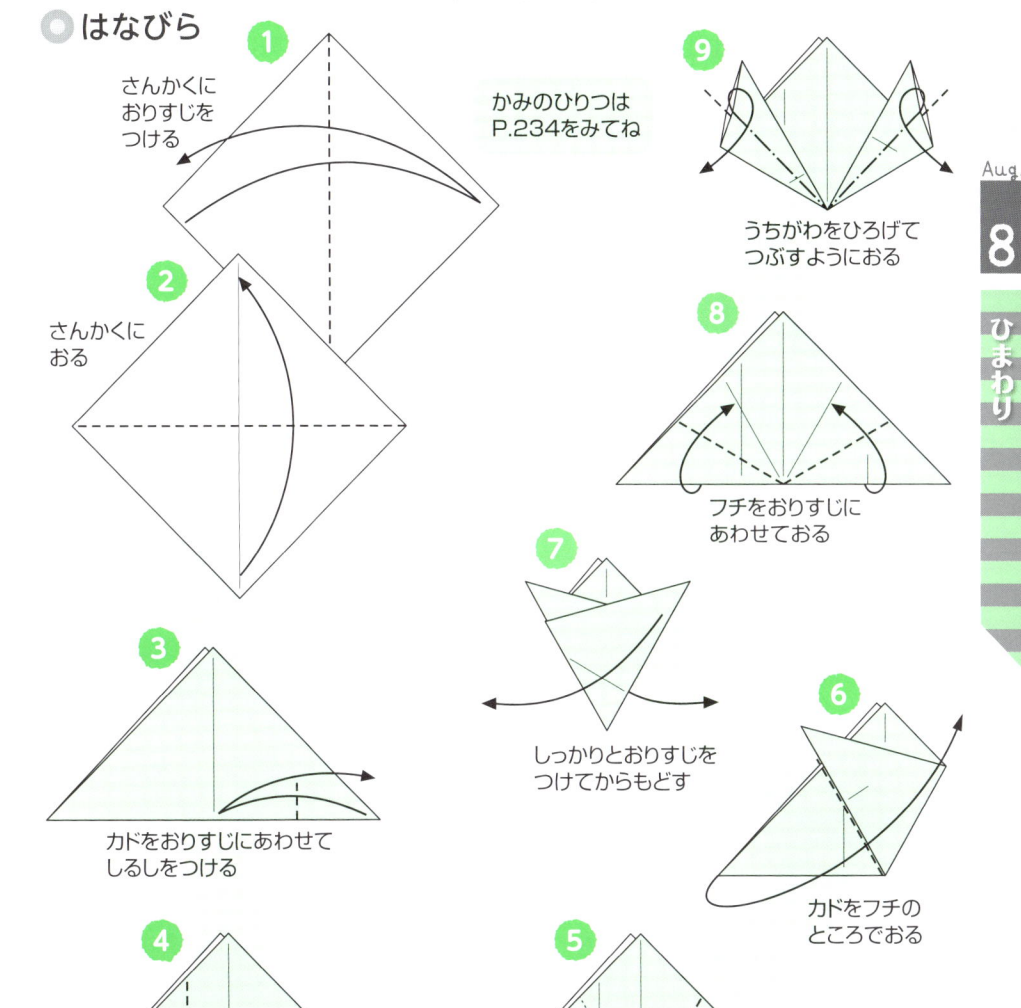

5 ●をきてんにして○と○を あわせておる

6 カドをフチの ところでおる

7 しっかりとおりすじを つけてからもどす

8 フチをおりすじに あわせておる

9 うちがわをひろげて つぶすようにおる

Aug. 8 ひまわり

⑪ カドを うしろへおる

⑫ のこりも おなじようにおる

⑬ [はなびら] できあがり　おなじものを 8つつくる

⑩ ついているおりすじを つかってだんおり

かみのひりつ

くき 1まい

しん 1まい

はなびら・8まい はっぱ・2まい

● しん

① さんかくに おる

② はんぶんに おる

③ うちがわを ひろげて つぶすように おる

④

⑤ カドを はんたいがわへおる

⑥ うちがわを ひろげて つぶすように おる

⑦ カドと カドをあわせて おりすじをつける

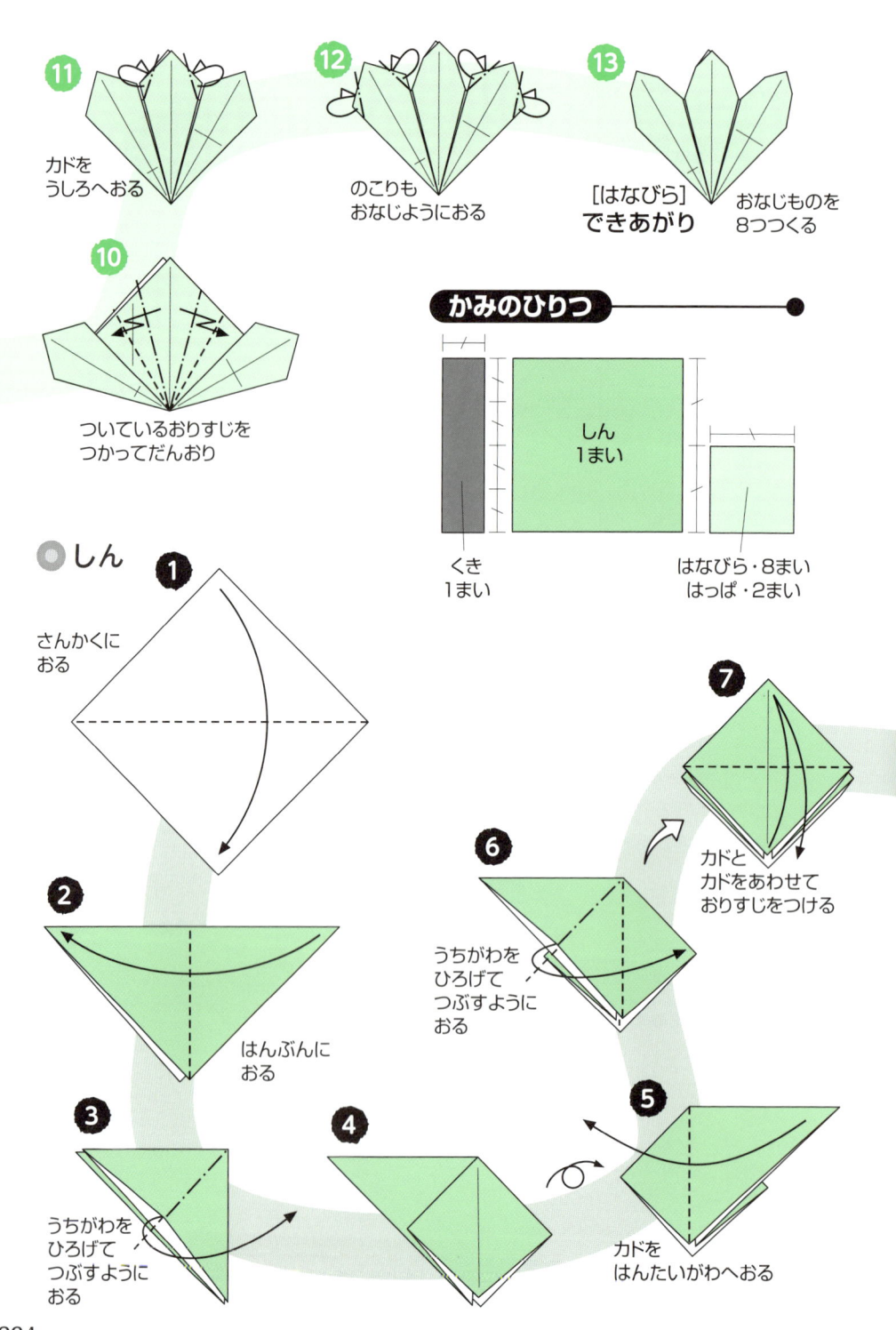

234

17
カドを
ついている
おりすじで
うえへおる

18
カドをフチに
あわせておる

20
つけた
おりすじで
カドを
うちがわに
おる

19
フチの
ところで
おりすじをつける

16

15
てまえの
1まいだけ
もどして
おきあがって
きたぶぶんを
つぶしてたいらにする

14
ついている
おりすじでおる

13
とちゅうのず2
ちゅうしんを
しずめたら
ついている
おりすじの
とおりに
おりたたむ

8
カドを
ちゅうしんにあわせて
おりすじをつける

9
ついている
おりすじでカドを
うちがわにおる

10
はんたいがわも
❼〜❾とおなじ
ようにおる

11
■のぶぶんを
しずめるようにおる

12
とちゅうのず1
かるくひろげて
■のぶぶんを
しずめながら
おりたたむ

Aug. 8 ひまわり

㉑ カドを うえへおる

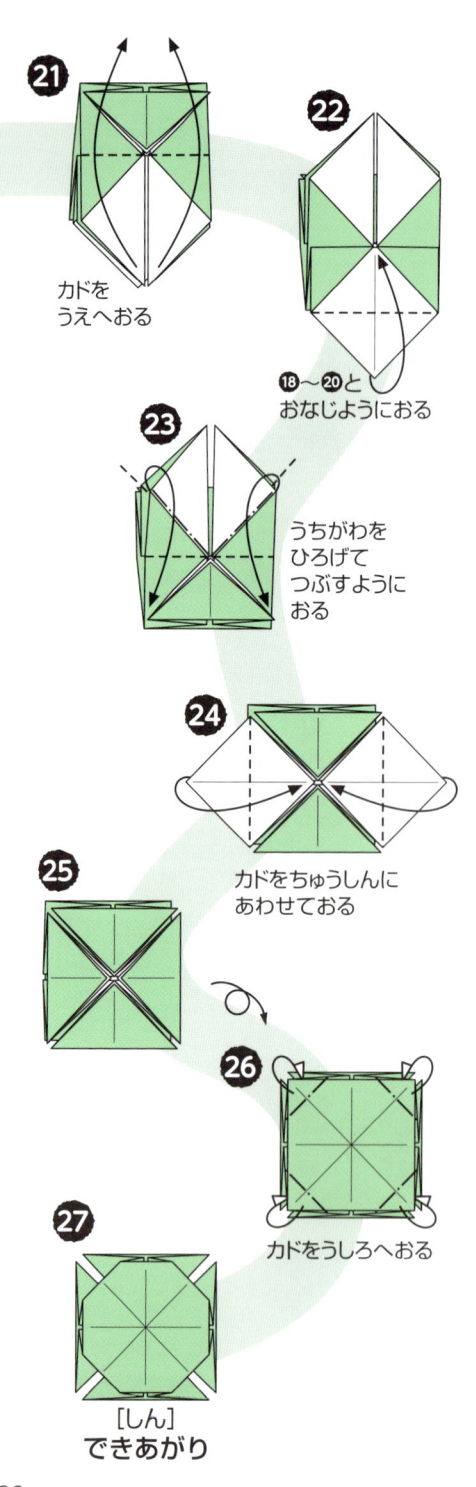

㉒ ⑱～⑳と おなじようにおる

㉓ うちがわを ひろげて つぶすように おる

㉔ カドをちゅうしんに あわせておる

㉕

㉖ カドをうしろへおる

㉗ [しん] できあがり

◉ くみたてかた・はな

① [はなびら]を うしろがわの すきまに さしこんで のりづけ

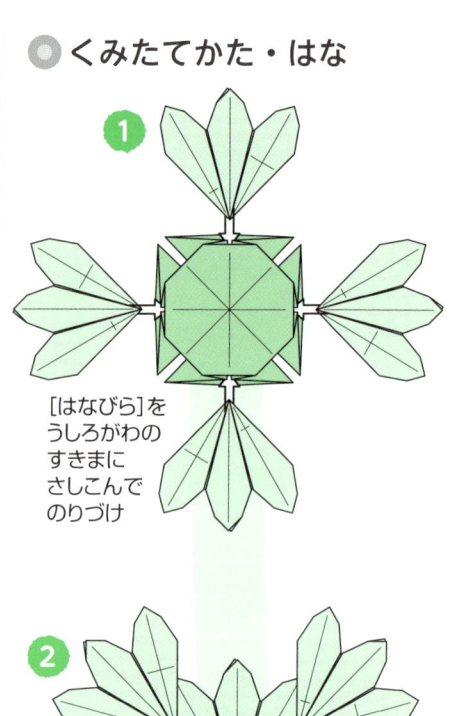

② [はなびら]を てまえがわのすきまに さしこんでのりづけ

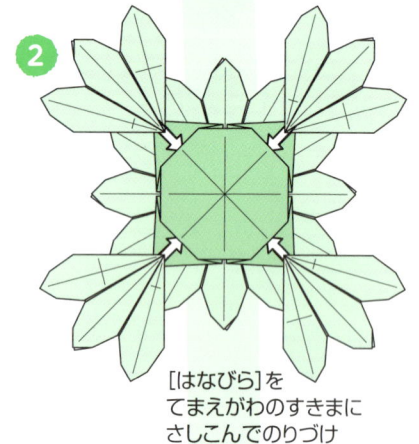

③ [はな] できあがり

くき

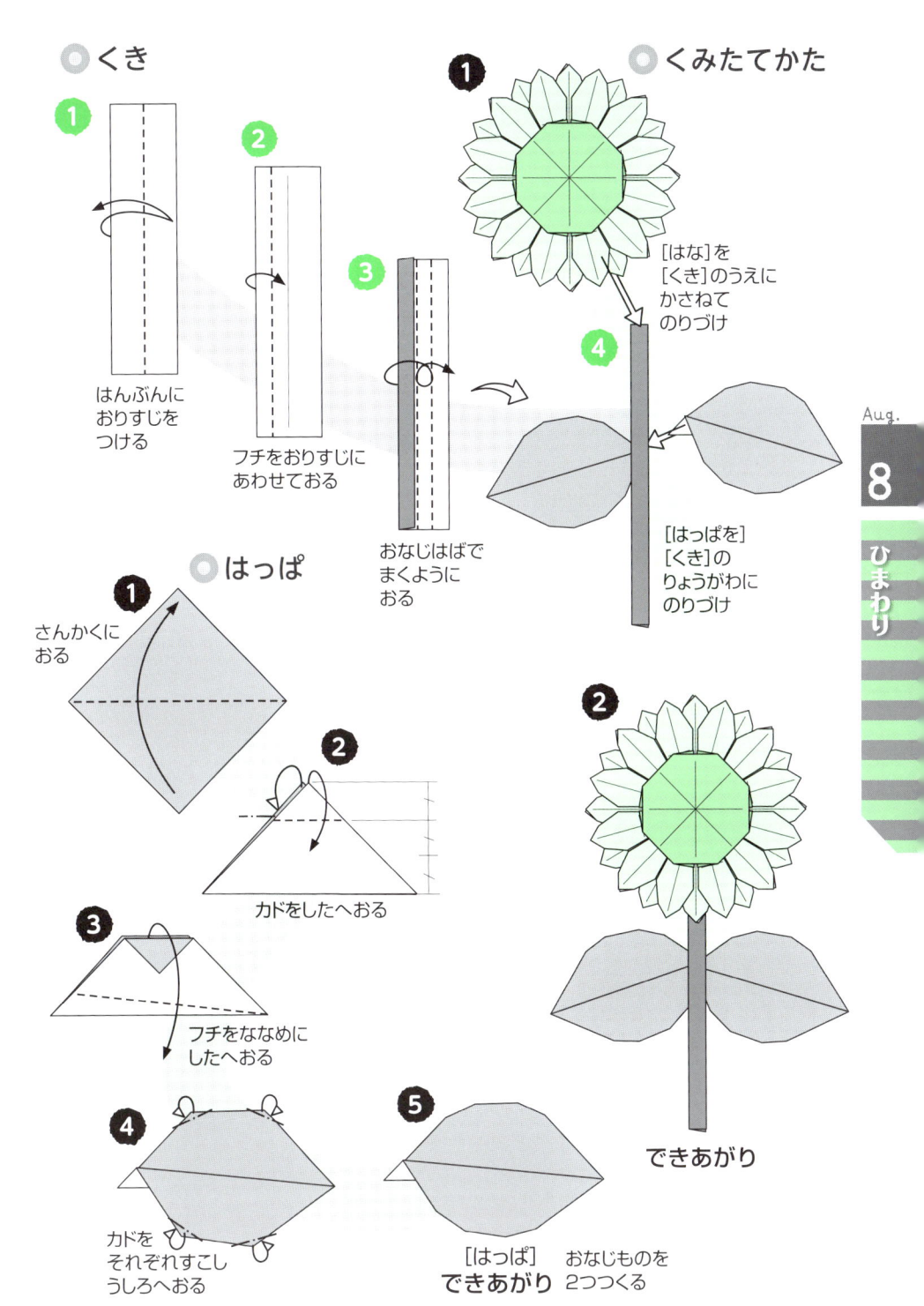

1. はんぶんにおりすじをつける
2. フチをおりすじにあわせておる
3. おなじはばでまくようにおる

はっぱ

1. さんかくにおる
2. カドをしたへおる
3. フチをななめにしたへおる
4. カドをそれぞれすこしうしろへおる
5. [はっぱ] できあがり

おなじものを2つつくる

くみたてかた

1. [はな]を[くき]のうえにかさねてのりづけ
2. [はっぱを][くき]のりょうがわにのりづけ

できあがり

Aug. 8 ひまわり

● しゃしんはP.205　**よるのあいだだけさくきれいなはなだよ**

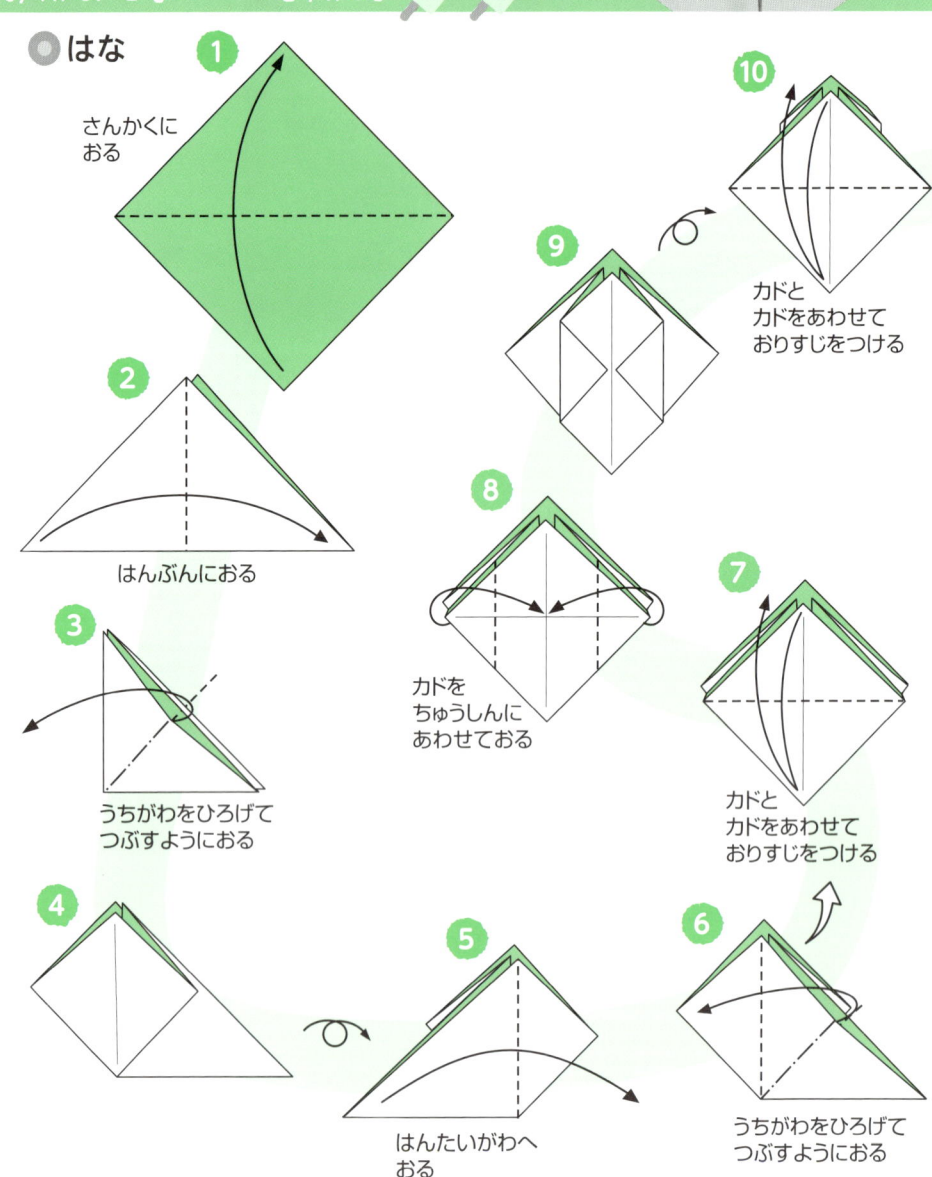

8月 Aug. つきみそう
Evening primrose
伝承作品（でんしょうさくひん）

● おりがみ 1まい　● むずかしさ

◯ はな

1. さんかくにおる

2. はんぶんにおる

3. うちがわをひろげてつぶすようにおる

4.

5. はんたいがわへおる

6. うちがわをひろげてつぶすようにおる

7. カドとカドをあわせておりすじをつける

8. カドをちゅうしんにあわせておる

9.

10. カドとカドをあわせておりすじをつける

238

⑪ カドをちゅうしんにあわせておる

⑫ はんぶんにおる

⑬ ちゅうしんからひろげてつぶすようにおる

⑭ カドをおこしてりったいにする

ワイヤーのつけかた

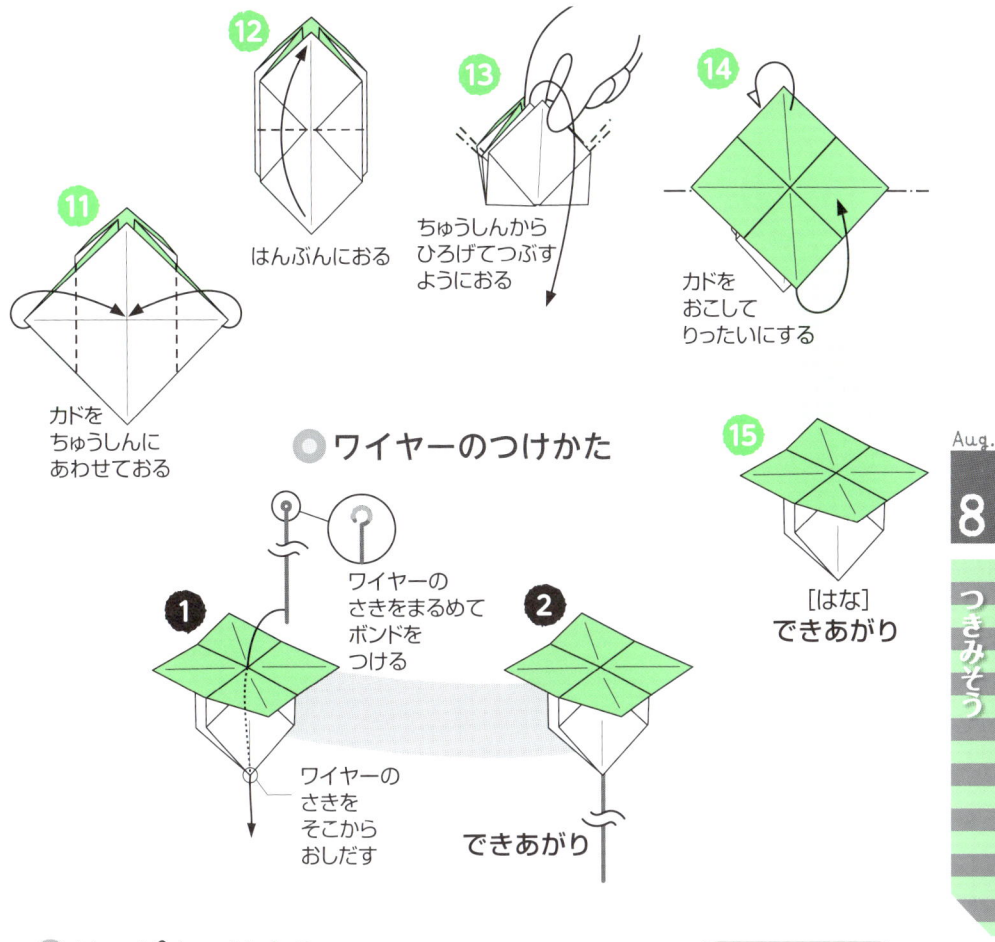

❶ ワイヤーのさきをまるめてボンドをつける / ワイヤーのさきをそこからおしだす

❷ できあがり

⑮ [はな] できあがり

Aug.
8
つきみそう

はっぱをつけよう

❶ P.286 [キンモクセイ]の[はっぱ]の❻までとおなじものをつくる

❷

❸ ボンド / [はっぱ]のすきまにワイヤーをさしこんでのりづけ

できあがり

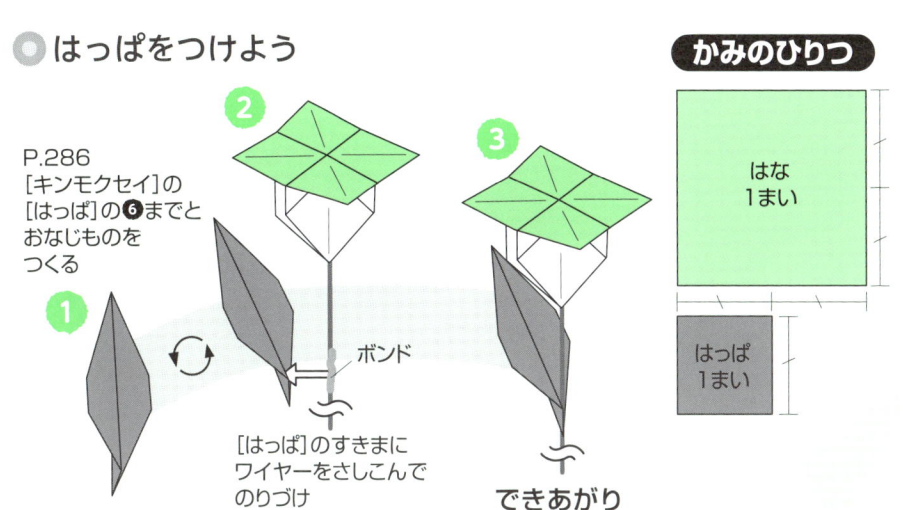

かみのひりつ

はな 1まい

はっぱ 1まい

●世界に広がるおりがみATC

アーティスト・トレーディングカード（ATC）を知っていますか？
1996年、スイスのあるアーティストが1200枚以上のカードを制作・展示し、交換を呼びかけたのがはじまりです。ATCのルールはたった1つで、2.5×3.5インチ（約64×89mm）というその大きさだけ。この自由なアートはまたたく間に世界中に広がり、今ではさまざまなジャンルのアーティストが思い思いのATCを交換して楽しんでいます。

「おりがみATC」とは、おりがみを使ったATCのこと。アメリカ最大のおりがみ団体、OrigamiUSAが開いた、2006年のおりがみコンベンションで、最初の交換会が行われました。おりがみはうす（主宰：山口 真）でも2ヶ月に1度、おりがみATCの交換会を行っています。

カード制作：松浦英子
使用作品：[ワンピース] [リボン] 山口 真

カード制作：ジーン・バーデン＝ジレット
使用作品：[ボート] 伝承作品

カード制作：松浦英子
使用作品：[ハンバーガー] [ポテト] 山口 真

カード制作：川上雅美
使用作品：[連獅子] 山口 真

カード制作：川崎亜子
使用作品：[紅葉] 山口 真

●こんなおりがみATCも

おりがみ作品がポップアップ式で出てくるカード。シールやテープでにぎやかにデコレーション。自由な発想が、ATC作りを楽しくします。

カード制作：高智千鶴子
使用作品：[おばけ] [かぼちゃ] [魔女の帽子] 山口 真

色とりどりの花を

ユニットを組み合わせてゴージャスに！

9月 Sep.

ダリア　P.262
だい：7.5×7.5cm　6まい
しょう：5×5cm　6まい

プチトマト P.245
10×10cm

レタス P.248
10×10cm

たまごやき P.249
7.5×7.5cm

たわらおにぎり P.252
15×15cm

たこさんウィンナー P.254
7.5×7.5cm

えびフライ P.256
10×10cm

242

味覚の秋

秋はおいしいものがいっぱい！

サンマ　P.258　15×15cm

きれいなお月さま

中秋の名月をながめてみては

244　　さんぼう　P.260　15×15cm
　　　　だんご　P.310（ふうせん）　5×5cm
　　　　うさぎ　P.116　だい：20×20cm、しょう：15×15cm

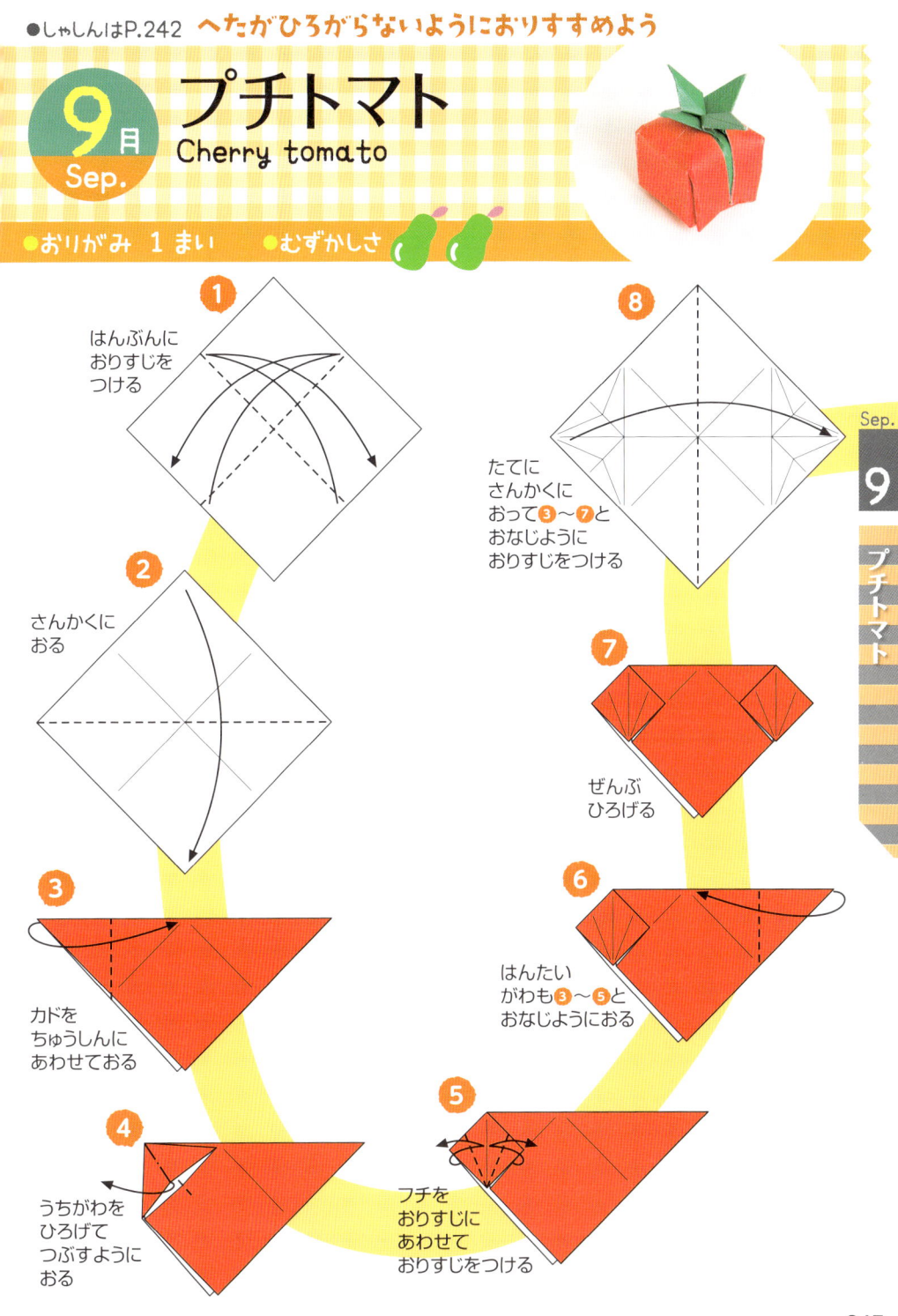

●しゃしんはP.242　へたがひろがらないようにおりすすめよう

9月 Sep. プチトマト
Cherry tomato

●おりがみ 1まい　●むずかしさ

1 はんぶんにおりすじをつける

2 さんかくにおる

3 カドをちゅうしんにあわせておる

4 うちがわをひろげてつぶすようにおる

5 フチをおりすじにあわせておりすじをつける

6 はんたいがわも❸〜❺とおなじようにおる

7 ぜんぶひろげる

8 たてにさんかくにおって❸〜❼とおなじようにおりすじをつける

245

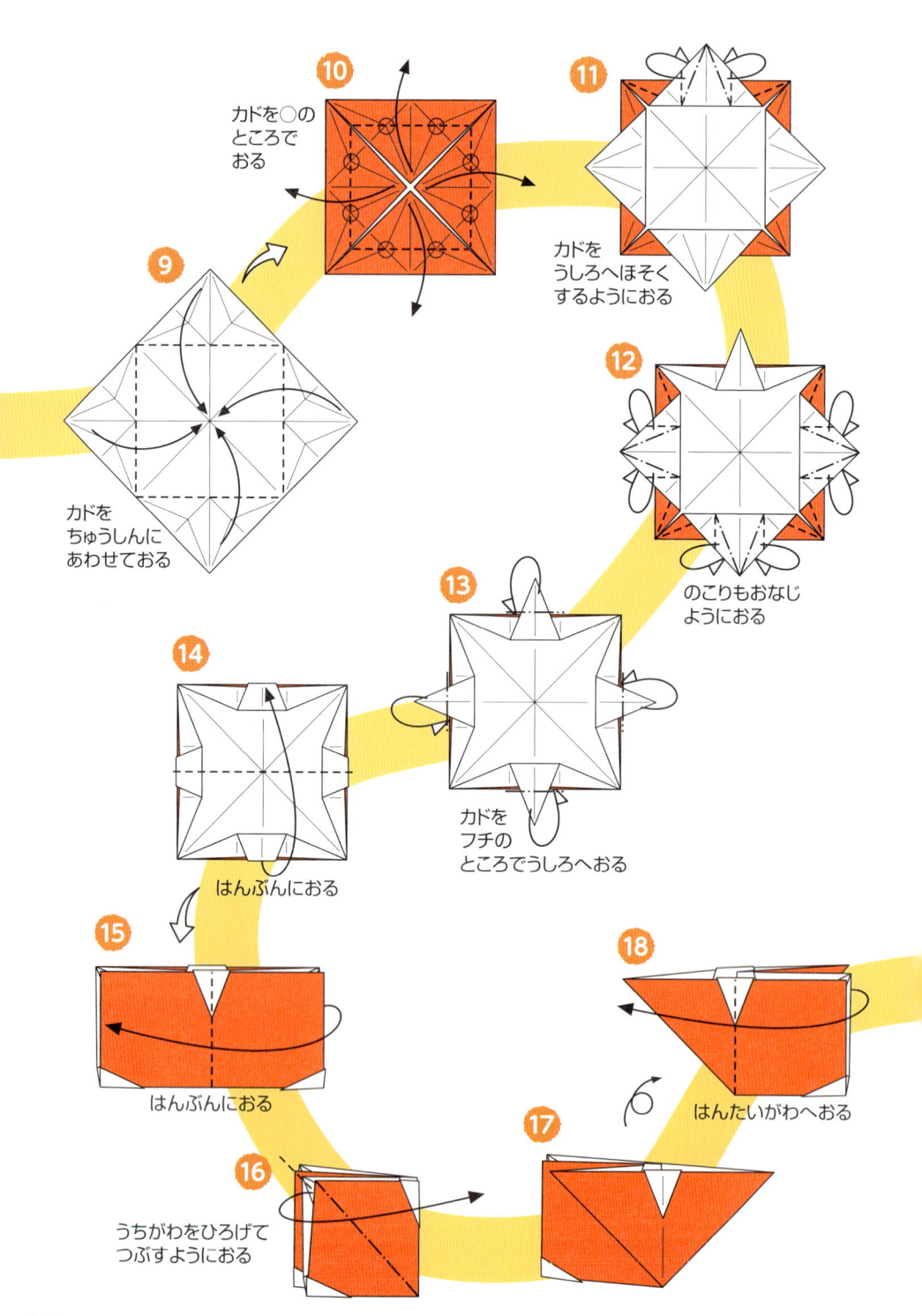

⑩ カドを○のところでおる

⑪ カドをうしろへほそくするようにおる

⑨ カドをちゅうしんにあわせておる

⑫ のこりもおなじようにおる

⑬ カドをフチのところでうしろへおる

⑭ はんぶんにおる

⑮ はんぶんにおる

⑯ うちがわをひろげてつぶすようにおる

⑰

⑱ はんたいがわへおる

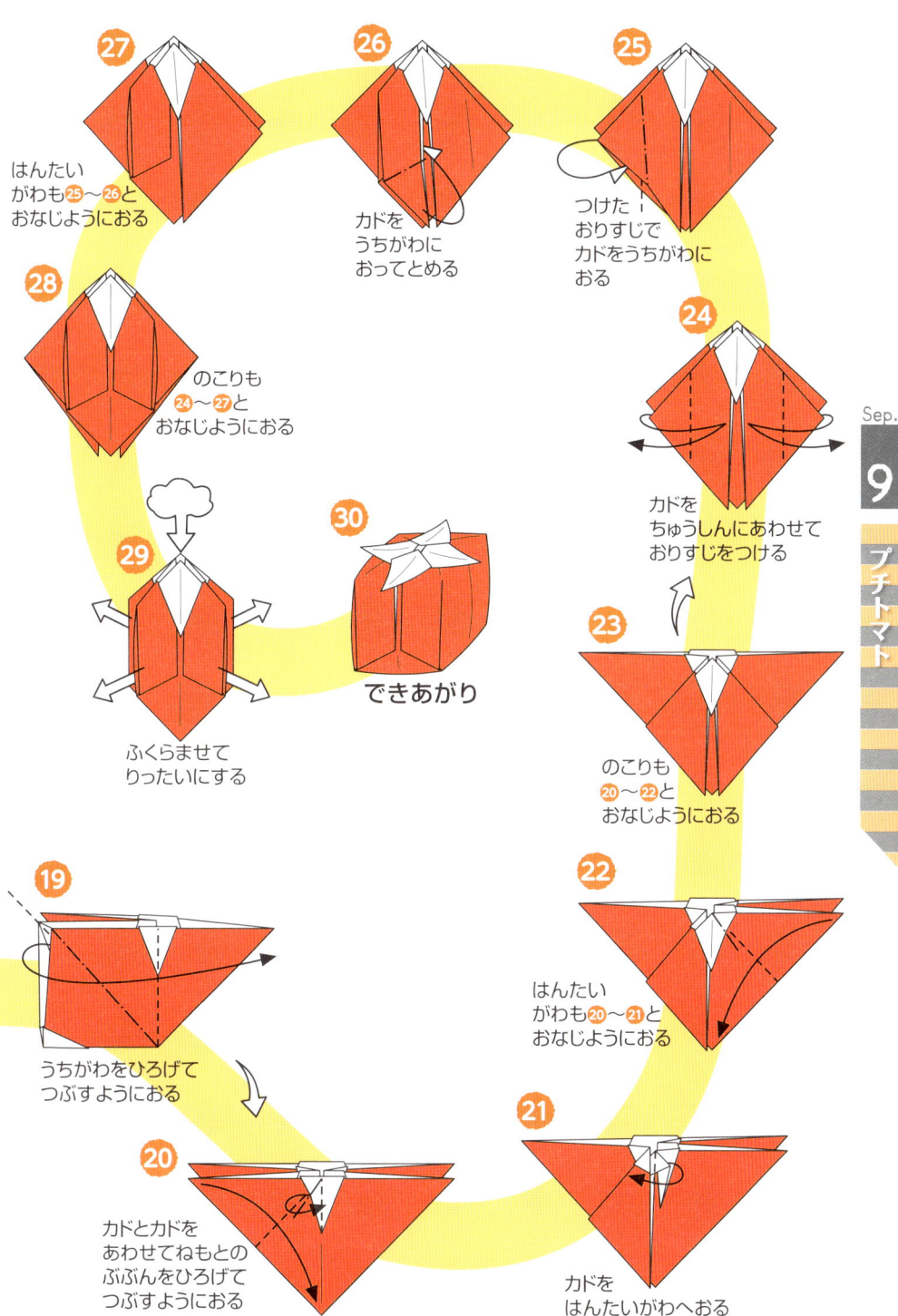

㉗ はんたいがわも㉕〜㉖とおなじようにおる

㉖ カドをうちがわにおってとめる

㉕ つけたおりすじでカドをうちがわにおる

㉘ のこりも㉔〜㉗とおなじようにおる

㉔ カドをちゅうしんにあわせておりすじをつける

㉙ ふくらませてりったいにする

㉚ できあがり

㉓ のこりも⑳〜㉒とおなじようにおる

Sep.

9

プチトマト

㉒ はんたいがわも⑳〜㉑とおなじようにおる

⑲ うちがわをひろげてつぶすようにおる

⑳ カドとカドをあわせてねもとのぶぶんをひろげてつぶすようにおる

㉑ カドをはんたいがわへおる

247

● しゃしんはP.242　**おべんとうのいろどりにくわえてみよう**

9月 Sep. レタス Lettuce

● おりがみ 1まい　● むずかしさ

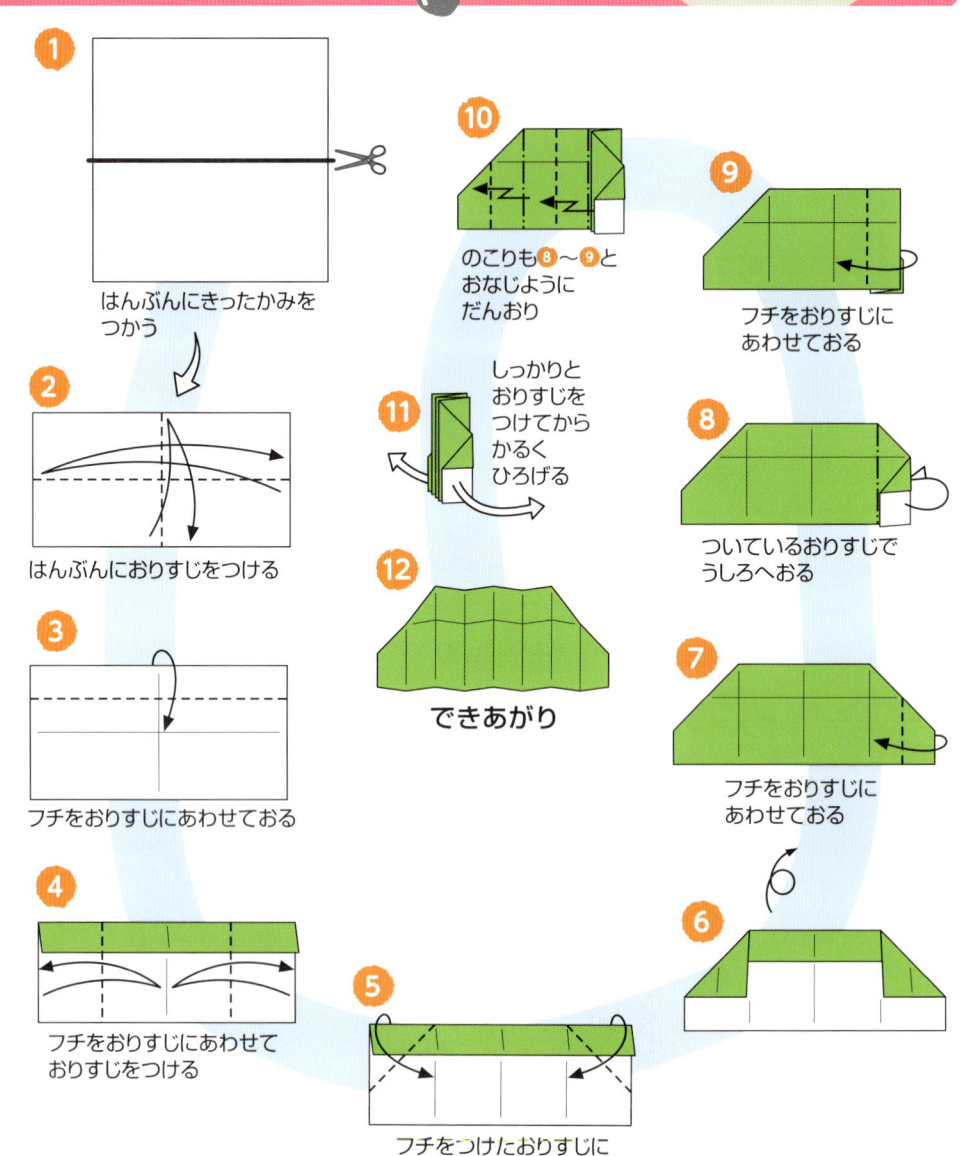

1. はんぶんにきったかみをつかう
2. はんぶんにおりすじをつける
3. フチをおりすじにあわせておる
4. フチをおりすじにあわせておりすじをつける
5. フチをつけたおりすじにあわせておる
6.
7. フチをおりすじにあわせておる
8. ついているおりすじでうしろへおる
9. フチをおりすじにあわせておる
10. のこりも 8〜9 とおなじようにだんおり
11. しっかりとおりすじをつけてからかるくひろげる
12. できあがり

248

● しゃしんはP.242　**ずをよくみてかたちをととのえよう**

9月 Sep.　たまごやき
Omelet

● おりがみ　かく１まい　● むずかしさ

1 はんぶんにおりすじをつける

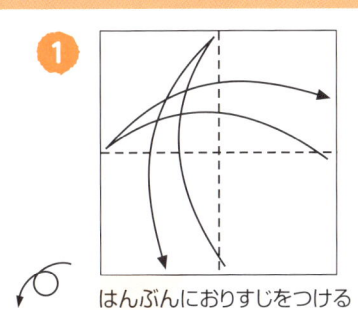

2 フチを1/3のはばでおる

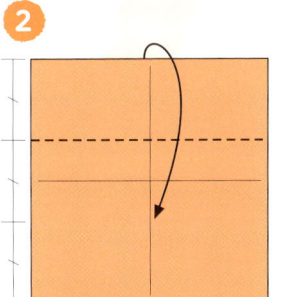

3 フチをおりすじにあわせておる

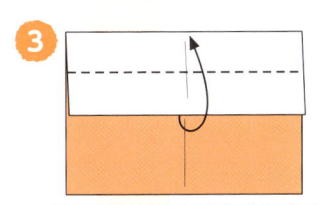

4

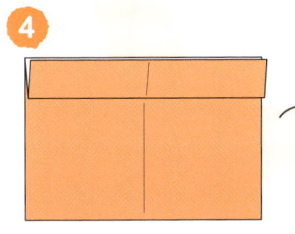

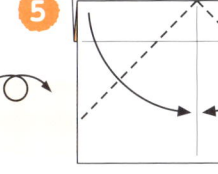

5 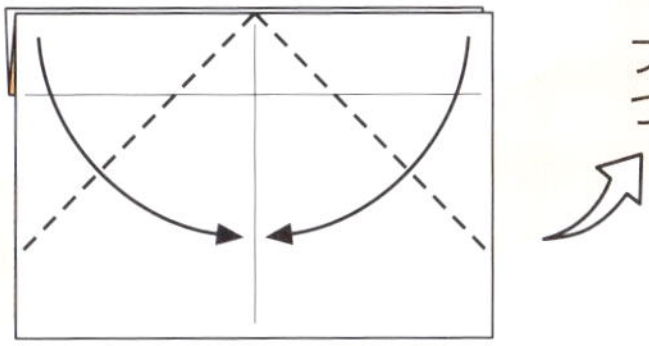 フチをおりすじにあわせておる

6 フチのところでおりすじをつける

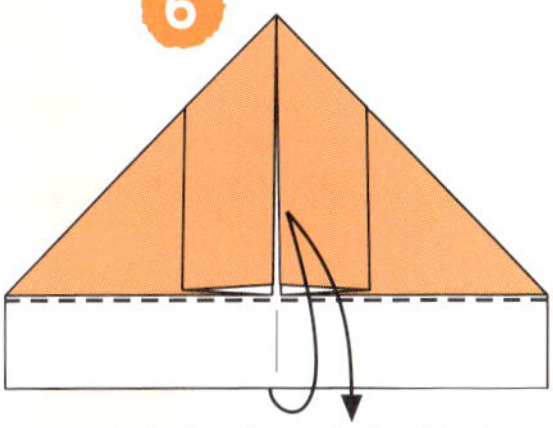

7 フチをちゅうしんにあわせておりすじをつける

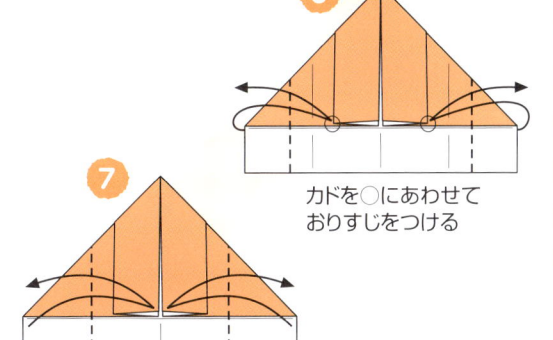

8 カドを○にあわせておりすじをつける

9 フチをつけたおりすじにあわせておる

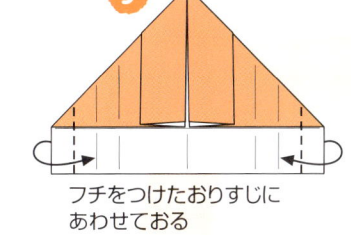

レタス／たまごやき

249

⑪ つけたおりすじで すきまにおりこむ

⑫ うちがわをひろげて りったいにする

⑬ フチを ついているおりすじで うちがわにおる

⑩ フチをちゅうしんにあわせて おりすじをつける

⑭

⑮ ついているおりすじで フチのところを つまむようにして おりすじをつけなおす

⑯ カドを つまむようにおる

⑳ フチを つまんで かたちをととのえる

㉑ できあがり

⑲ はんたいがわも ⑯〜⑱とおなじ ようにおる

⑱ つまんだカドを すきまにおりこむ

⑰ つまんでいる ところ

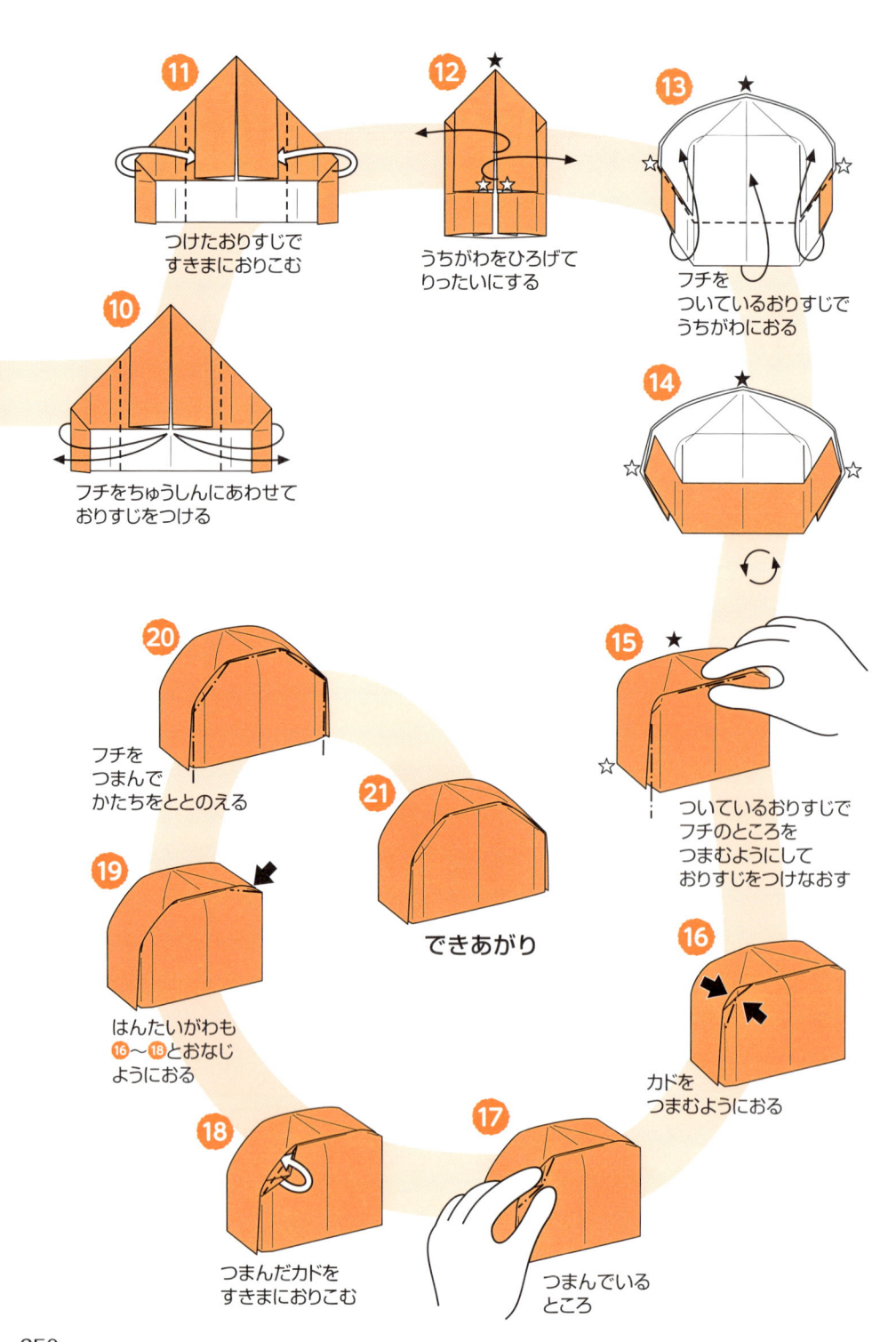

250

そこをつくるばあい

[たまごやき]の
できあがりからはじめる

① つぎのずはすこししたからみる

② うちがわのフチをもどす

③ カドをつまむようにおる

④ カドをすきまのおくまでさしこんでとめる

⑤ はんたいがわもおなじようにさしこむ

⑥

⑦ できあがり

かまぼこ

① はんぶんにおりすじをつける

② フチを1/3のはばでおる

③ フチをおりすじにあわせておる

④

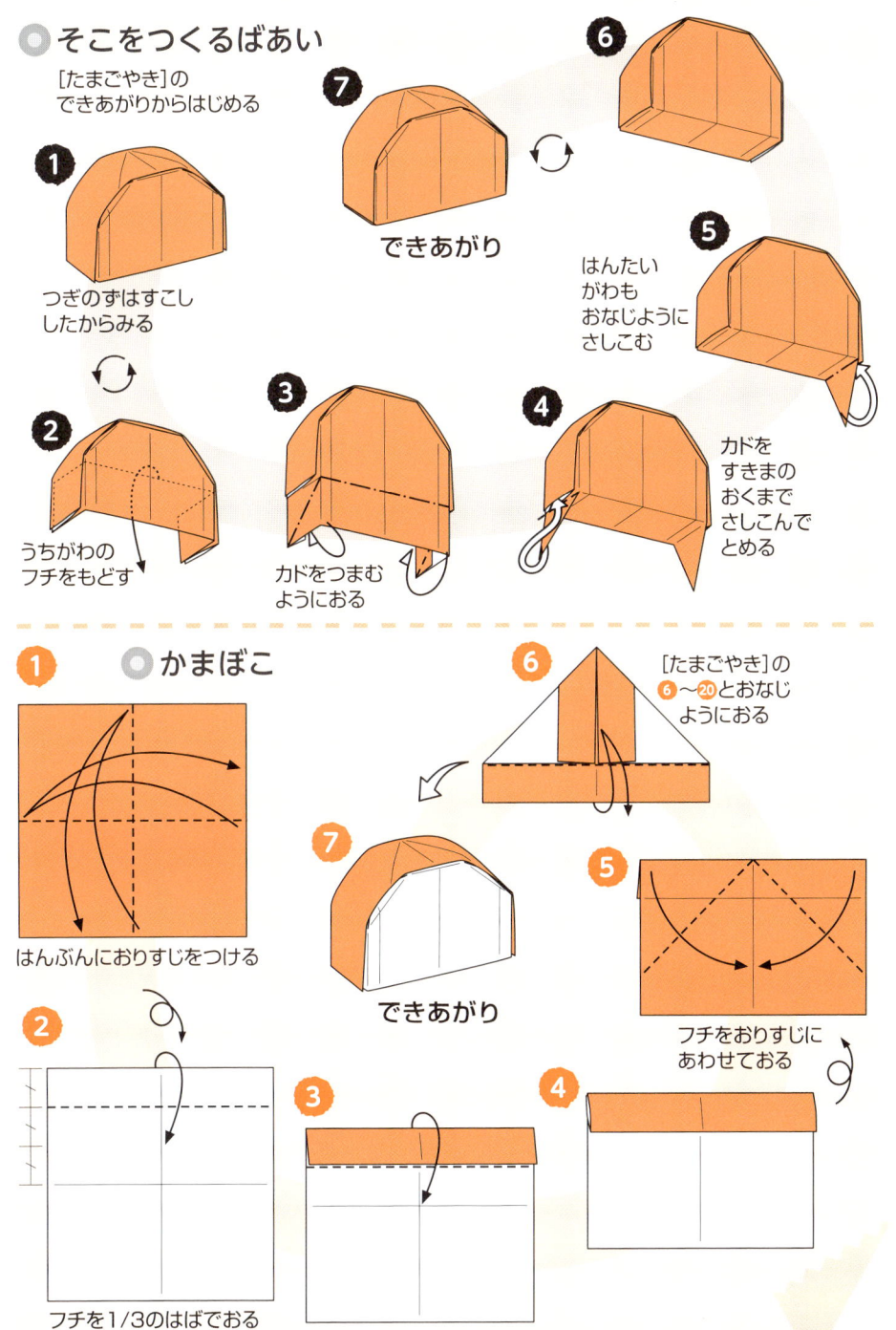

⑤ フチをおりすじにあわせておる

⑥ [たまごやき]の⑥〜⑳とおなじようにおる

⑦ できあがり

Sep. 9 たまごやき

251

● しゃしんはP.242　ごはんにのりをまいてつくれるよ

9月 Sep. たわらおにぎり
Rice ball

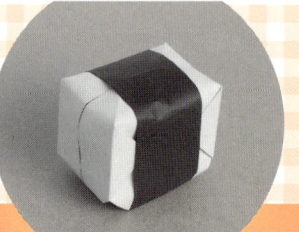

● おりがみ 1まい　● むずかしさ

1 カドとカドをあわせてしるしをつける

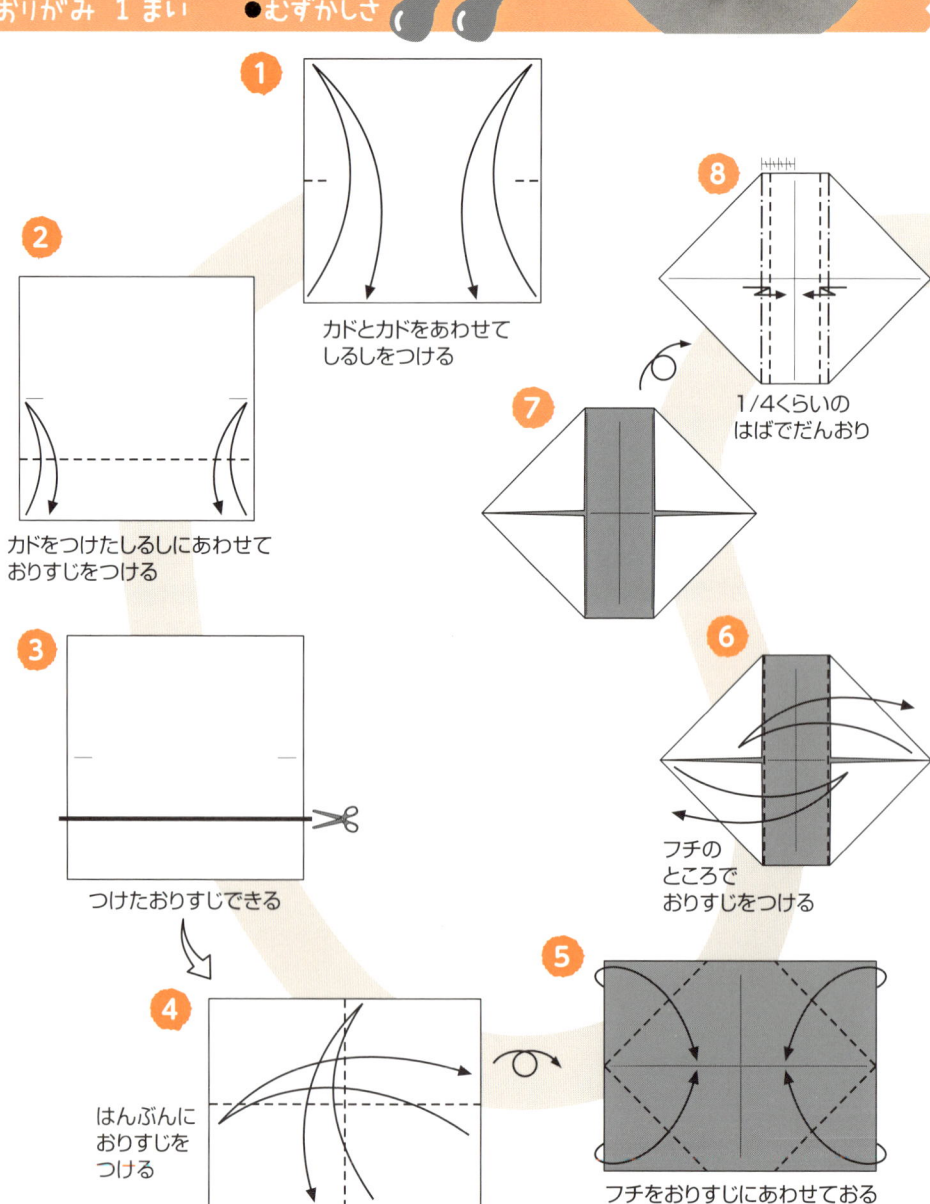

2 カドをつけたしるしにあわせておりすじをつける

3 つけたおりすじできる

4 はんぶんにおりすじをつける

5 フチをおりすじにあわせておる

6 フチのところでおりすじをつける

7

8 1/4くらいのはばでだんおり

252

⑩ カドを
うちがわにおる

⑨ はんぶんにおる

⑪ カドをうちがわの
フチにあわせて
おりすじをつける

⑫ つけたおりすじで
カドをすきまにおりこむ

⑬ はんたいがわも⑪〜⑫と
おなじようにおる

⑭ カドをうちがわにおる

⑮ カドをうちがわの
フチにあわせて
おりすじをつける

⑯ つけたおりすじで
カドをすきまに
おりこむ

⑰ はんたいがわも
⑮〜⑯とおなじ
ようにおる

⑱ フチをうちがわに
おりこむ

⑲ うちがわをひろげて
りったいにする

⑳ したのカドとフチを
うちがわへかるくおって
まるみをつける

㉑ できあがり

Sep.
9
たわらおにぎり

253

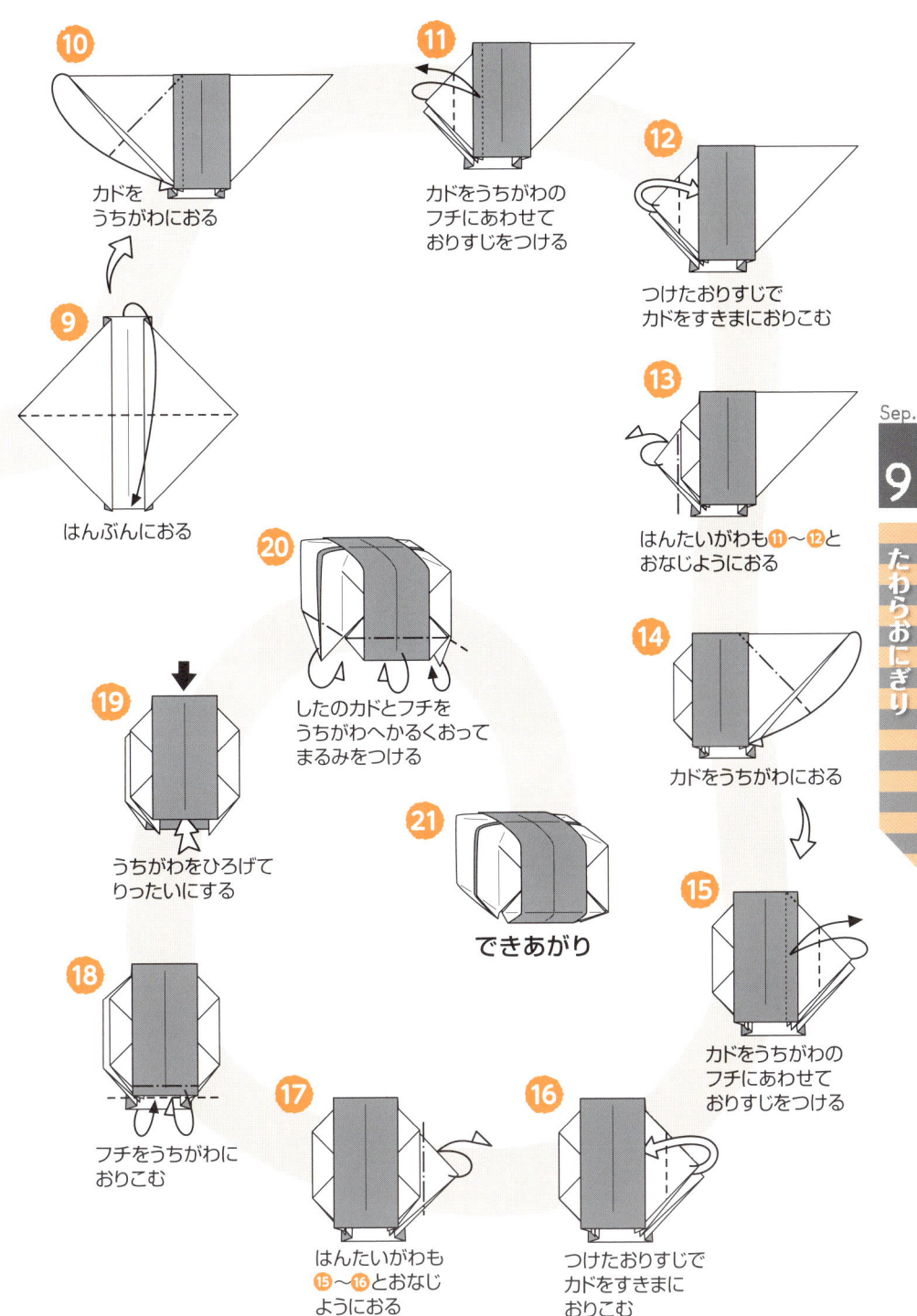

● しゃしんはP.242　**あしはしっかりカールさせよう**

9月 Sep.
たこさんウィンナー
Wiener sausage

● おりがみ 1まい　● むずかしさ 🌶🌶🌶

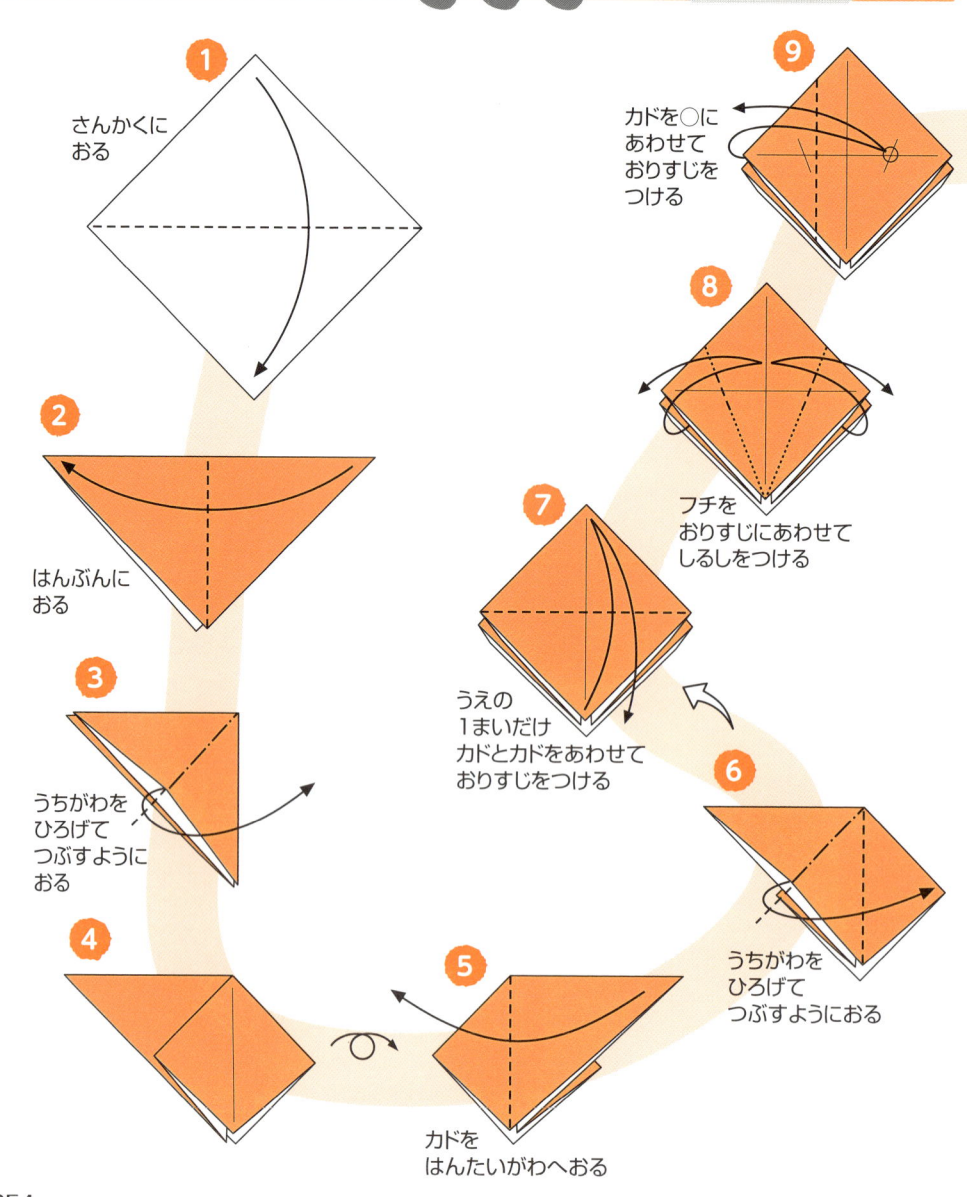

1 さんかくにおる

2 はんぶんにおる

3 うちがわをひろげてつぶすようにおる

4

5 カドをはんたいがわへおる

6 うちがわをひろげてつぶすようにおる

7 うえの1まいだけカドとカドをあわせておりすじをつける

8 フチをおりすじにあわせてしるしをつける

9 カドを○にあわせておりすじをつける

254

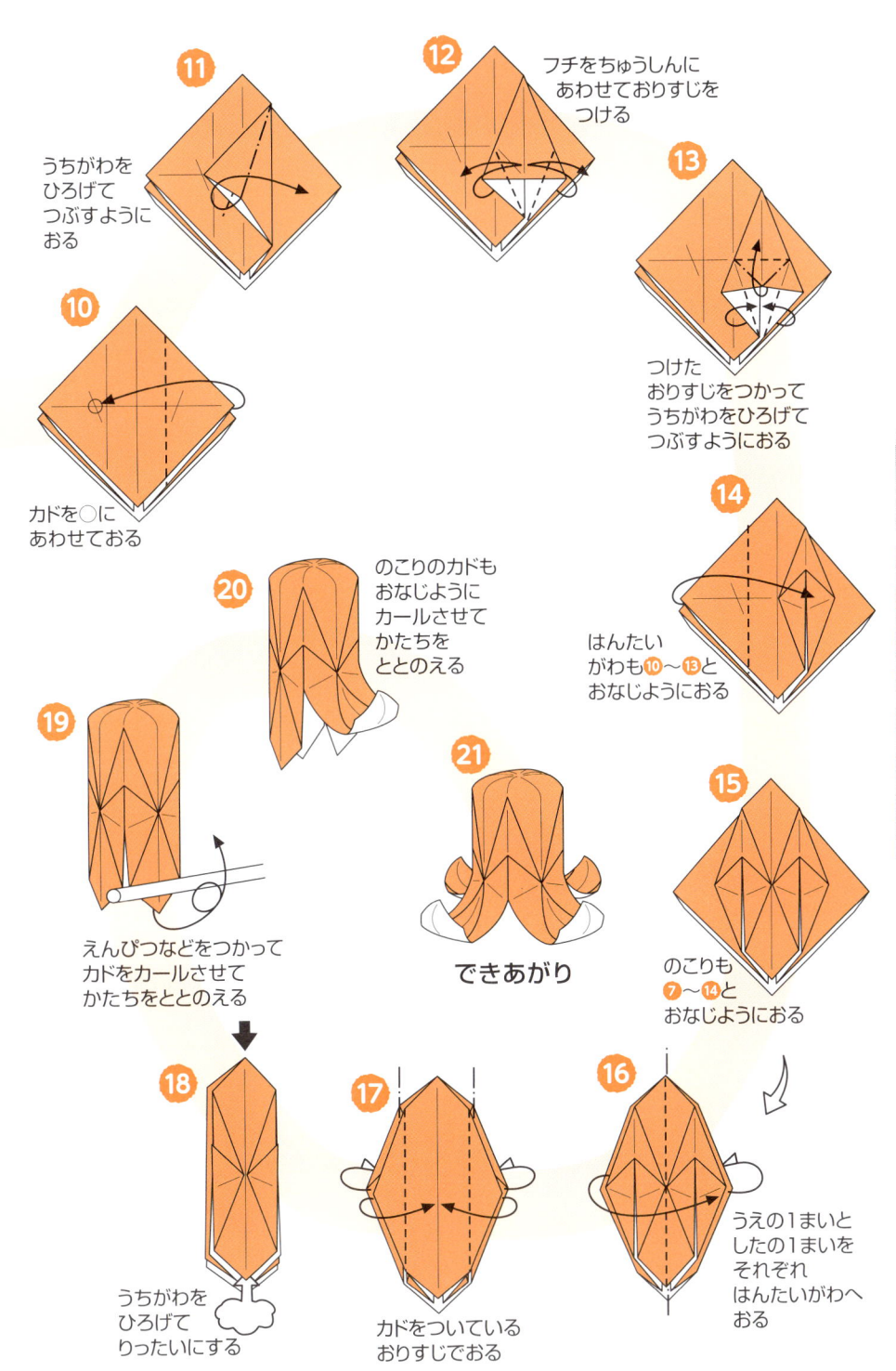

11
うちがわを
ひろげて
つぶすように
おる

12
フチをちゅうしんに
あわせておりすじを
つける

13
つけた
おりすじをつかって
うちがわをひろげて
つぶすようにおる

10
カドを○に
あわせておる

14
はんたい
がわも ⑩〜⑬と
おなじようにおる

20
のこりのカドも
おなじように
カールさせて
かたちを
ととのえる

19
えんぴつなどをつかって
カドをカールさせて
かたちをととのえる

21
できあがり

15
のこりも
⑦〜⑭と
おなじようにおる

18
うちがわを
ひろげて
りったいにする

17
カドをついている
おりすじでおる

16
うえの1まいと
したの1まいを
それぞれ
はんたいがわへ
おる

Sep.
9
たこさんウィンナー

●しゃしんはP.242 **おべんとうのメインディッシュに**

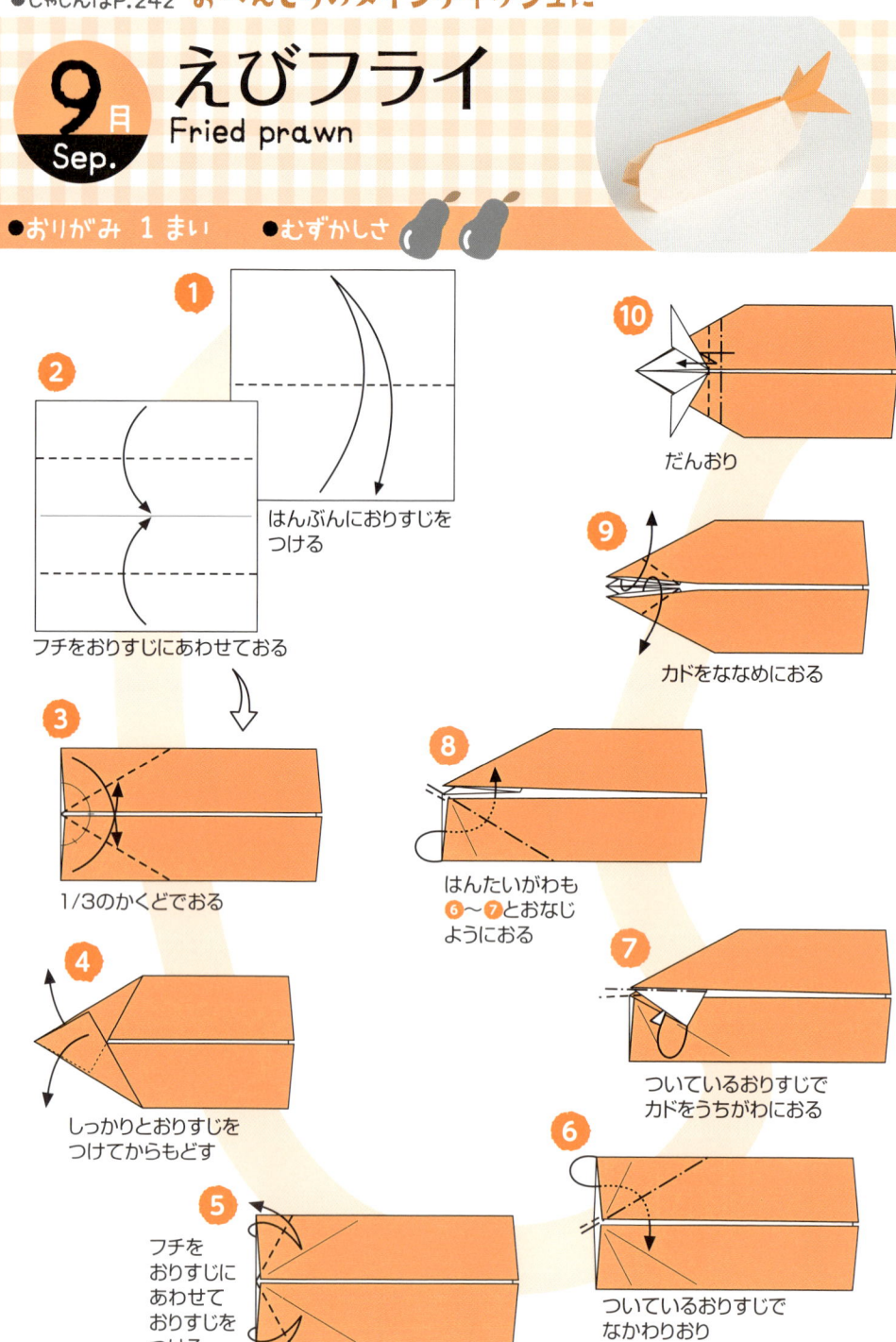

9月 Sep.

えびフライ
Fried prawn

●おりがみ 1まい　●むずかしさ

1. はんぶんにおりすじをつける
2. フチをおりすじにあわせておる
3. 1/3のかくどでおる
4. しっかりとおりすじをつけてからもどす
5. フチをおりすじにあわせておりすじをつける
6. ついているおりすじでなかわりおり
7. ついているおりすじでカドをうちがわにおる
8. はんたいがわも 6〜7 とおなじようにおる
9. カドをななめにおる
10. だんおり

256

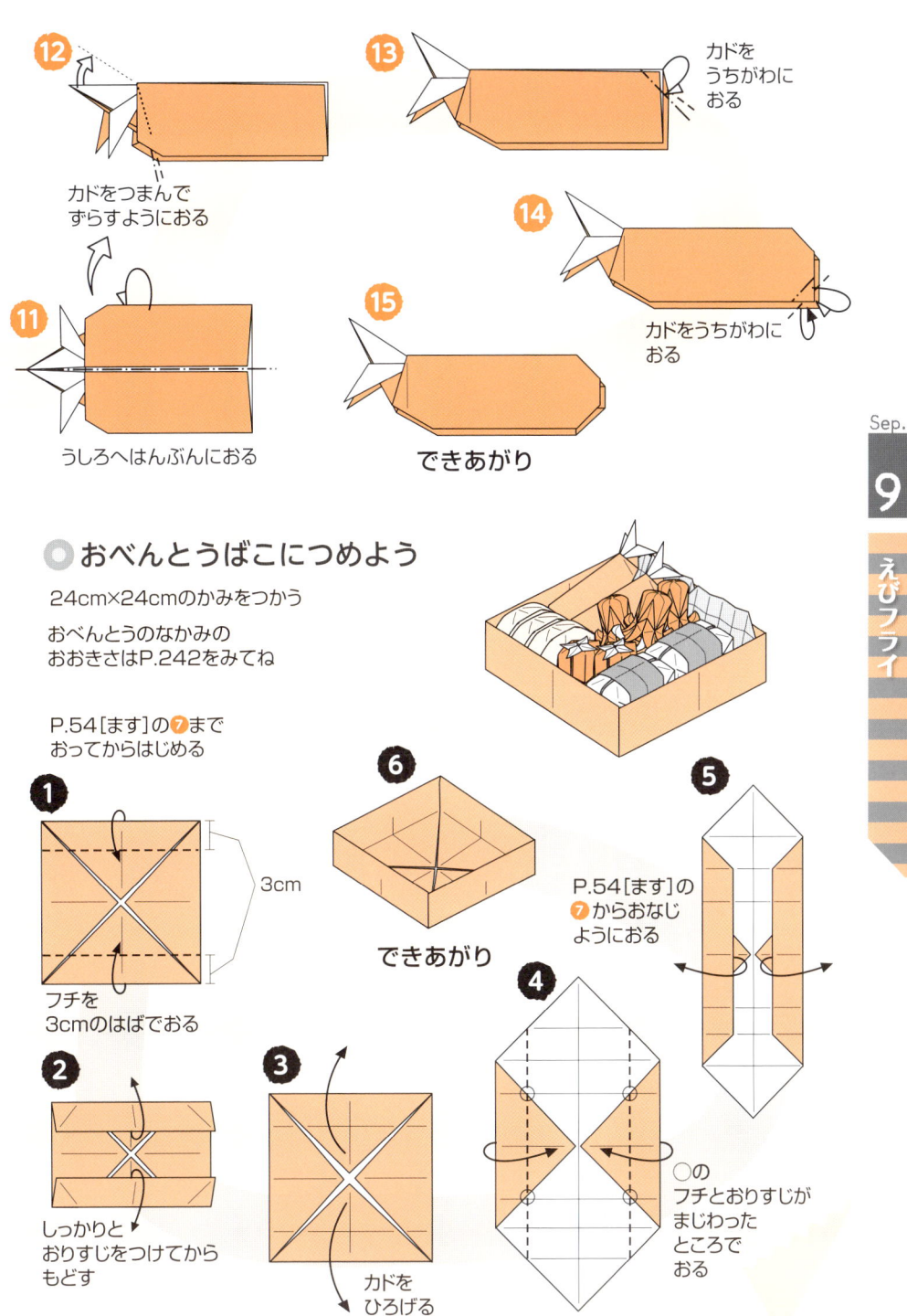

12 カドをつまんでずらすようにおる

13 カドをうちがわにおる

14 カドをうちがわにおる

11 うしろへはんぶんにおる

15 できあがり

Sep.
9
えびフライ

◯ おべんとうばこにつめよう

24cm×24cmのかみをつかう

おべんとうのなかみの
おおきさはP.242をみてね

P.54[ます]の❼まで
おってからはじめる

1 フチを3cmのはばでおる

2 しっかりとおりすじをつけてからもどす

3 カドをひろげる

4 ◯のフチとおりすじがまじわったところでおる

5 P.54[ます]の❼からおなじようにおる

6 できあがり

● しゃしんはP.243　あきのさかなといえばこのさかな

9月 Sep.
さんま
Pacific saury

●おりがみ 1まい　●むずかしさ

1 はんぶんにおる

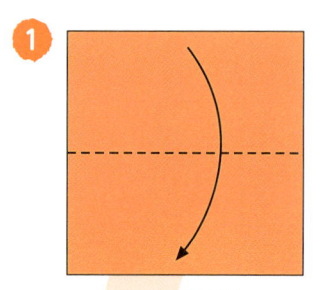

2 うえの1まいだけフチとフチをあわせておる

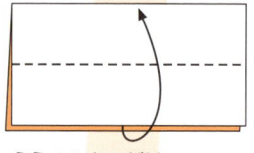

3 フチとフチをあわせておりすじをつける

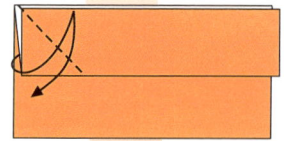

4 つけたおりすじでカドをうちがわにおる

5 カドをしたへおる

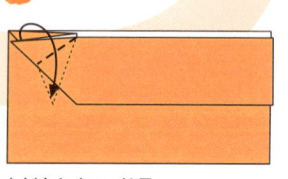

6 ○のところでカドをうえへおる

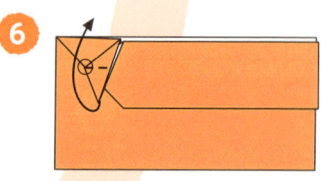

7 フチとフチをあわせておる

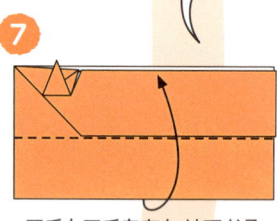

8 カドをななめにおる

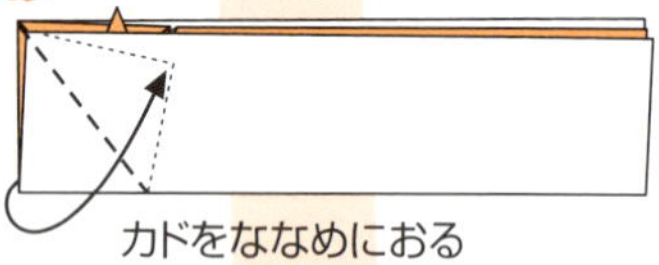

9 うちがわのカドをだすようになかわりおり

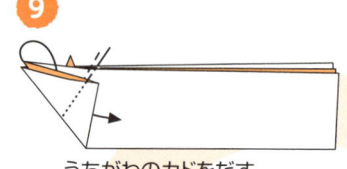

258

12
フチをうしろへおる

11
つけたおりすじで
カドをうちがわに
おる

10
フチとフチをあわせて
おりすじをつける

13
うしろのカドだけ
したへおる

14
カドをうしろへおる

15
フチを
うしろへおる

16
てまえの1まいだけ
フチをすこしおる

17

18
カドをフチの
ところでおる

19
うちがわをひろげて
つぶすようにおる

20
カドをはんたい
がわへおる

21

22
できあがり

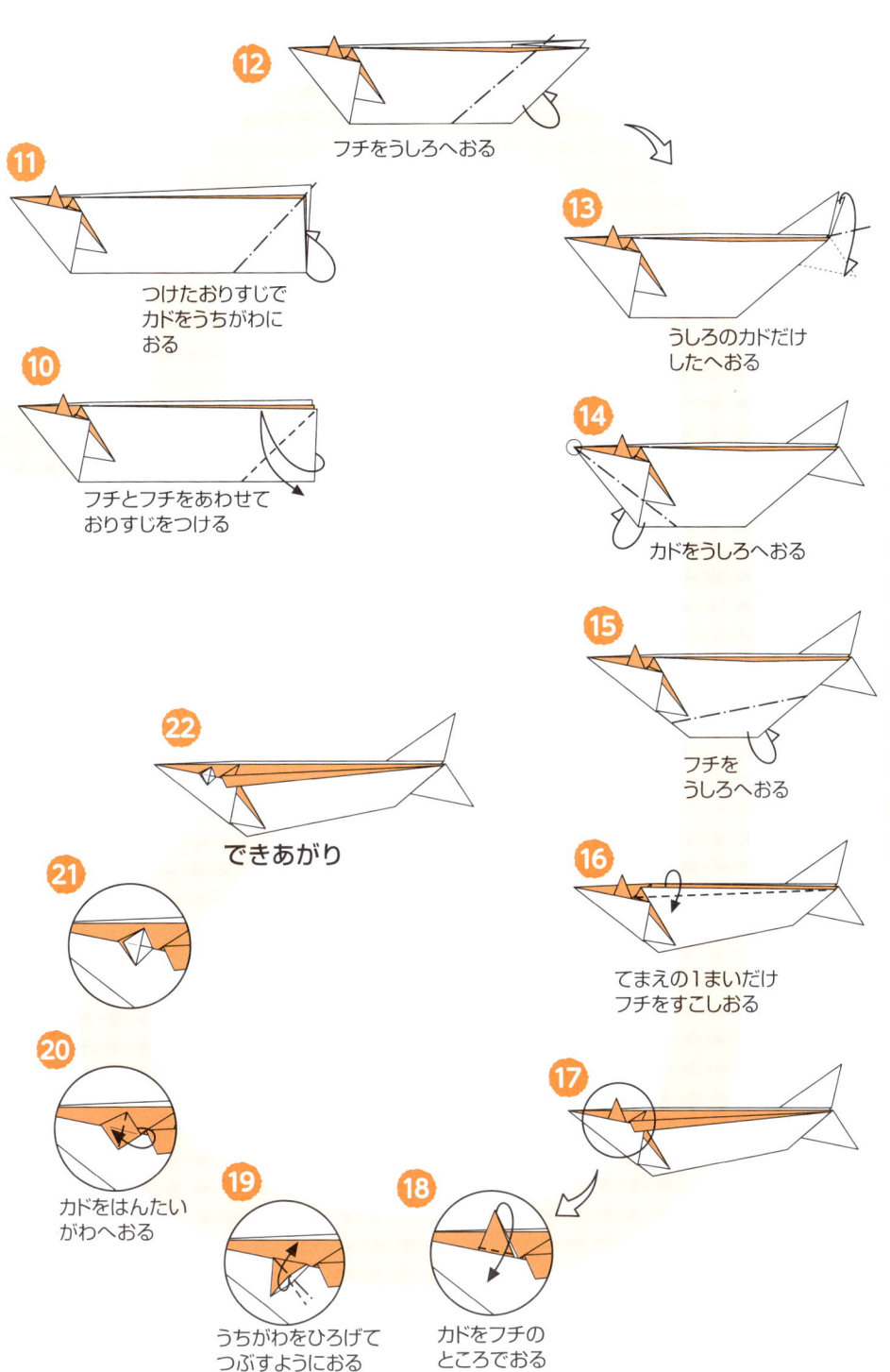

Sep.
9
さんま

● しゃしんはP.244　かみをまるめておつきみだんごをいれよう

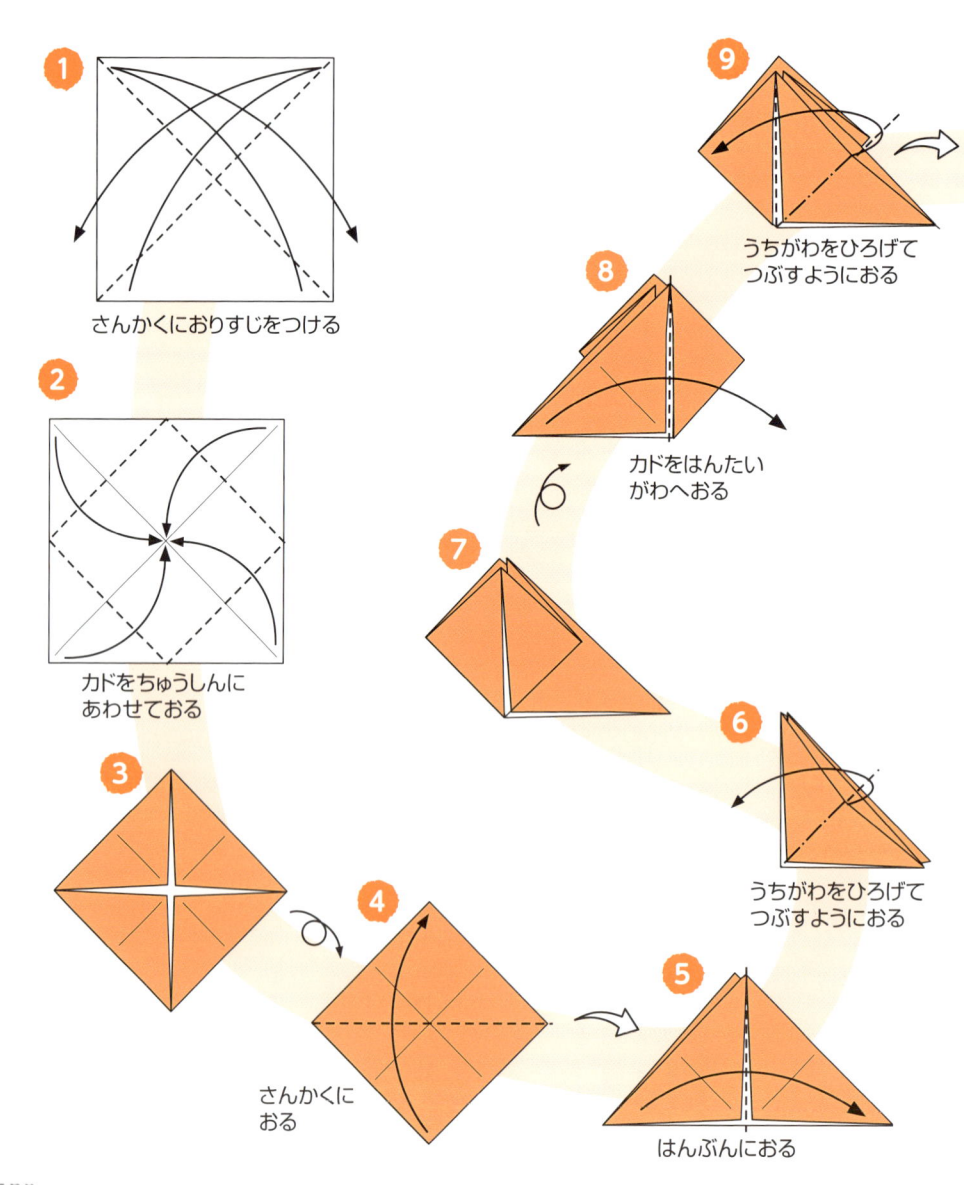

9月 Sep. さんぼう
Sanbou

伝承作品

● おりがみ 1まい　● むずかしさ

1. さんかくにおりすじをつける
2. カドをちゅうしんにあわせておる
3.
4. さんかくにおる
5. はんぶんにおる
6. うちがわをひろげてつぶすようにおる
7.
8. カドをはんたいがわへおる
9. うちがわをひろげてつぶすようにおる

260

⑪ とちゅうのず

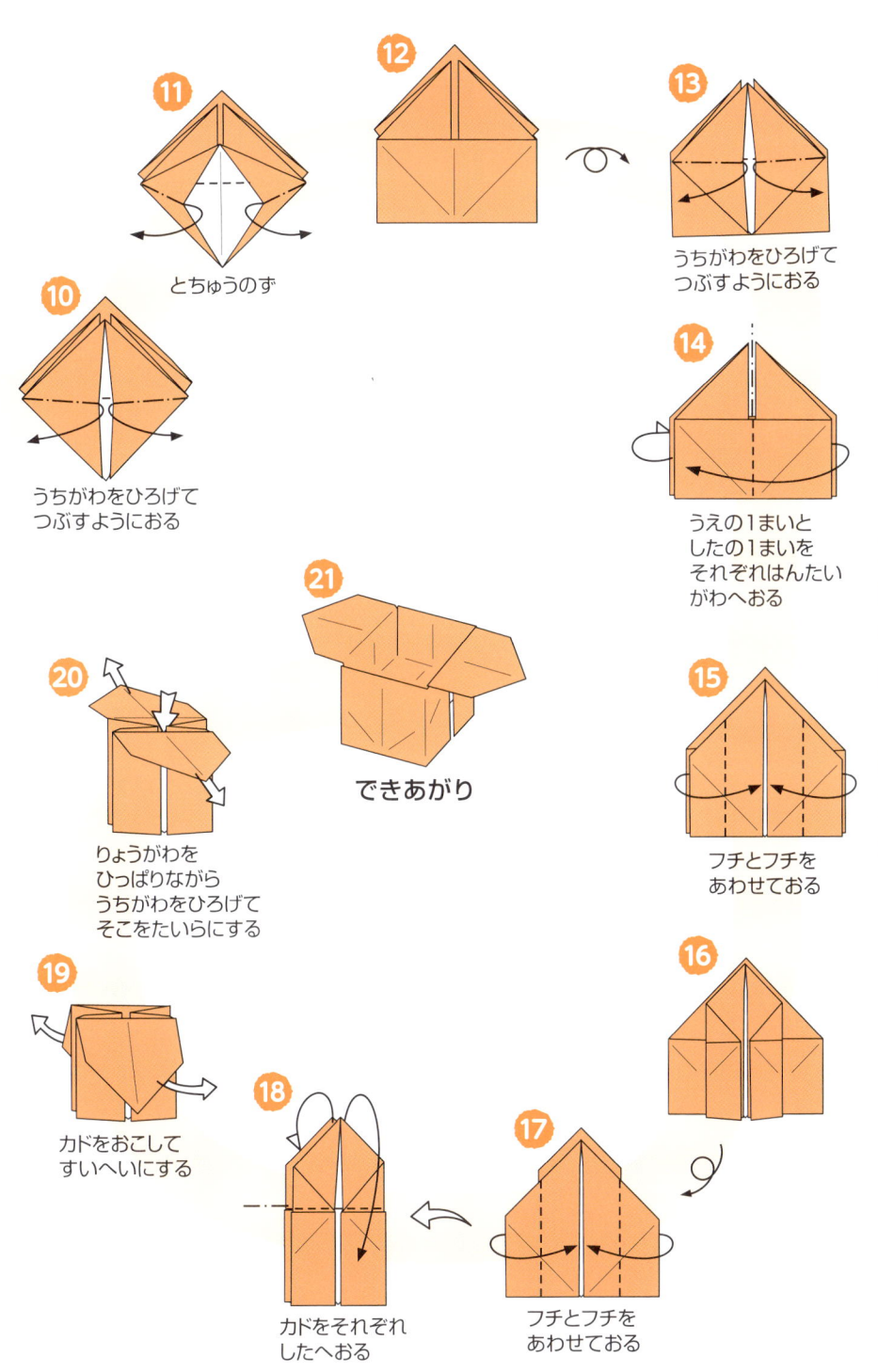

⑫

⑬ うちがわをひろげて つぶすようにおる

⑩ うちがわをひろげて つぶすようにおる

⑭ うえの1まいと したの1まいを それぞれはんたい がわへおる

⑳ りょうがわを ひっぱりながら うちがわをひろげて そこをたいらにする

㉑ できあがり

⑮ フチとフチを あわせておる

⑲ カドをおこして すいへいにする

⑯

⑱ カドをそれぞれ したへおる

⑰ フチとフチを あわせておる

Sep.
9
さんぼう

261

● しゃしんはP.241　**1/3のかくどはなるべくきれいにおろう**

9月 Sep. ダリア
Dahlia

● おりがみ 6まい　● むずかしさ

1. はんぶんにおる
2. はんぶんにおる
3. うちがわをひろげて つぶすようにおる
4.
5. はんたいがわへおる
6. うちがわをひろげて つぶすようにおる
7. 1/3のかくどでおる
8. しっかりとおりすじをつけてからもどす
9. つけたおりすじでうちがわをひろげてつぶすようにおる
10. フチをおりすじにあわせておる

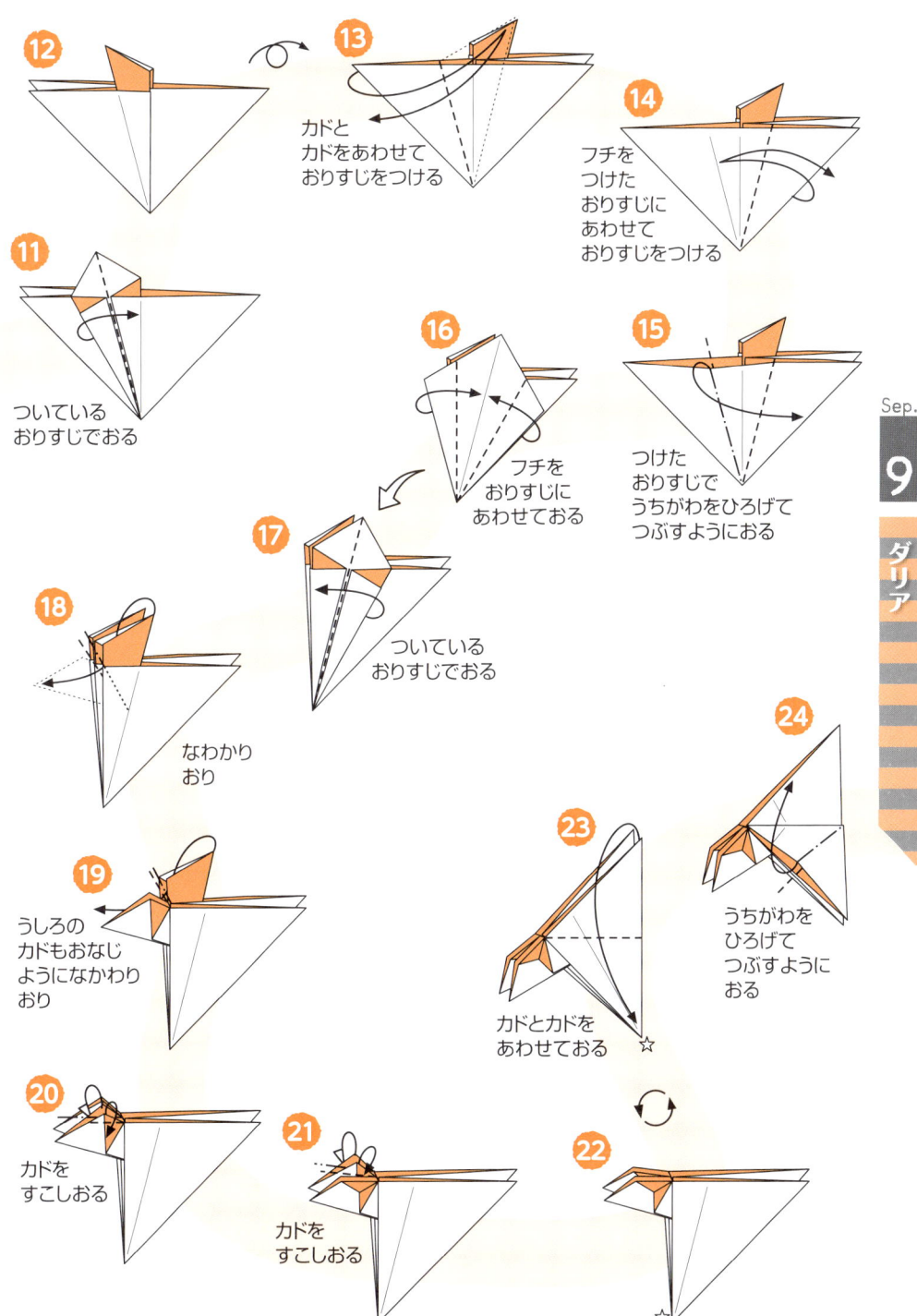

- ⑪ ついている おりすじでおる
- ⑫
- ⑬ カドとカドをあわせておりすじをつける
- ⑭ フチをつけたおりすじにあわせておりすじをつける
- ⑮ つけたおりすじでうちがわをひろげてつぶすようにおる
- ⑯ フチをおりすじにあわせておる
- ⑰ ついているおりすじでおる
- ⑱ なわかりおり
- ⑲ うしろのカドもおなじようになかわりおり
- ⑳ カドをすこしおる
- ㉑ カドをすこしおる
- ㉒
- ㉓ カドとカドをあわせておる ☆
- ㉔ うちがわをひろげてつぶすようにおる

Sep. 9 ダリア

● ワイヤーのつけかた

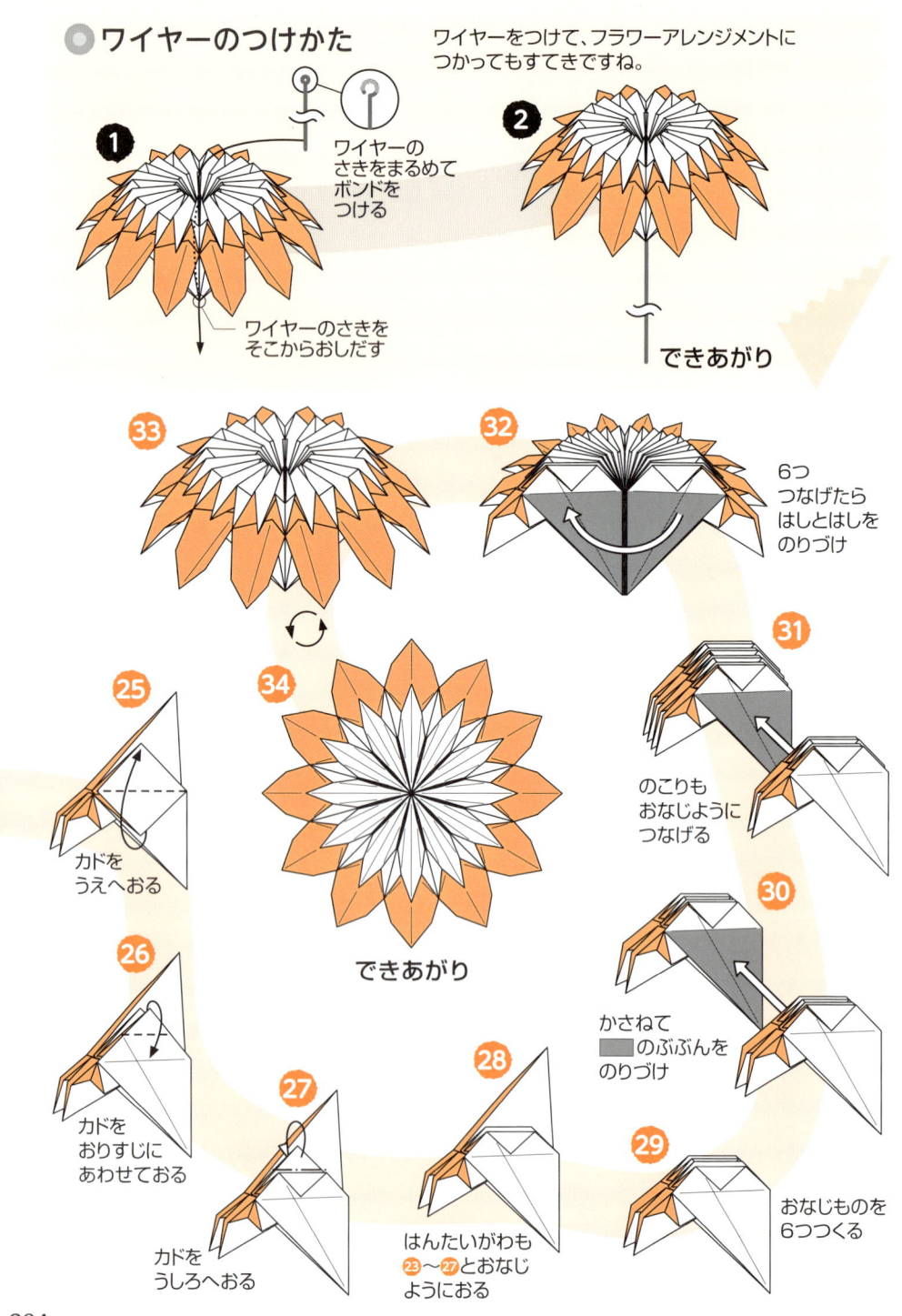

ワイヤーをつけて、フラワーアレンジメントにつかってもすてきですね。

1
ワイヤーのさきをまるめてボンドをつける
ワイヤーのさきをそこからおしだす

2
できあがり

33

32
6つつなげたらはしとはしをのりづけ

31
のこりもおなじようにつなげる

34
できあがり

25
カドをうえへおる

26
カドをおりすじにあわせておる

30
かさねて ■ のぶぶんをのりづけ

27
カドをうしろへおる

28
はんたいがわも㉓〜㉗とおなじようにおる

29
おなじものを6つつくる

264

10月 Oct. 動物園へ行こう

ぞう、キリン、ライオン…どの動物が好き？

ぞう　P.273　だい：15×15cm　2まい、しょう：10×10cm　2まい
キリン　P.269　だい：15×15cm　2まい、しょう：10×10cm　2まい
ライオン　P.276　15×15cm　2まい

Happy Halloween！

おどけた表情のかぼちゃとおばけでお部屋をたのしく飾って

ジャック・オ・ランタン　P.284　15×15cm
おばけ　P.281　15×15cm

ピンチでつるしてガーランドに

267

すてきなアクセサリー
花と葉をまとめ、ブローチに仕立てます

キンモクセイ、ギンモクセイ　P.286　はな：5×5cm　9まい
はっぱ：5×5cm　2まい

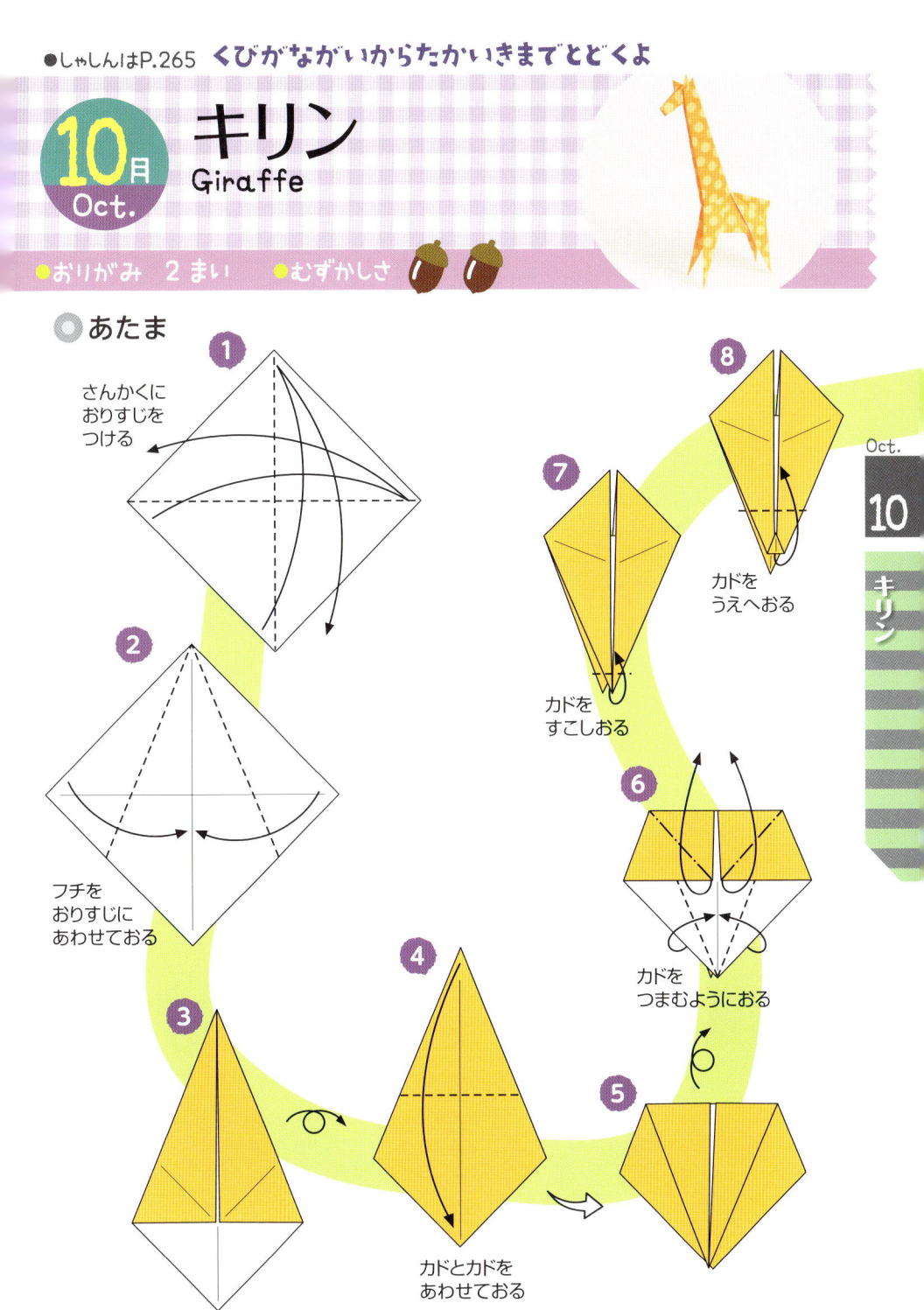

●しゃしんはP.265 **くびがながいからたかいきまでとどくよ**

10月 Oct. キリン
Giraffe

●おりがみ 2まい　●むずかしさ 🌰🌰

◯ あたま

1 さんかくにおりすじをつける

2 フチをおりすじにあわせておる

3

4 カドとカドをあわせておる

5

6 カドをつまむようにおる

7 カドをすこしおる

8 カドをうえへおる

キリン

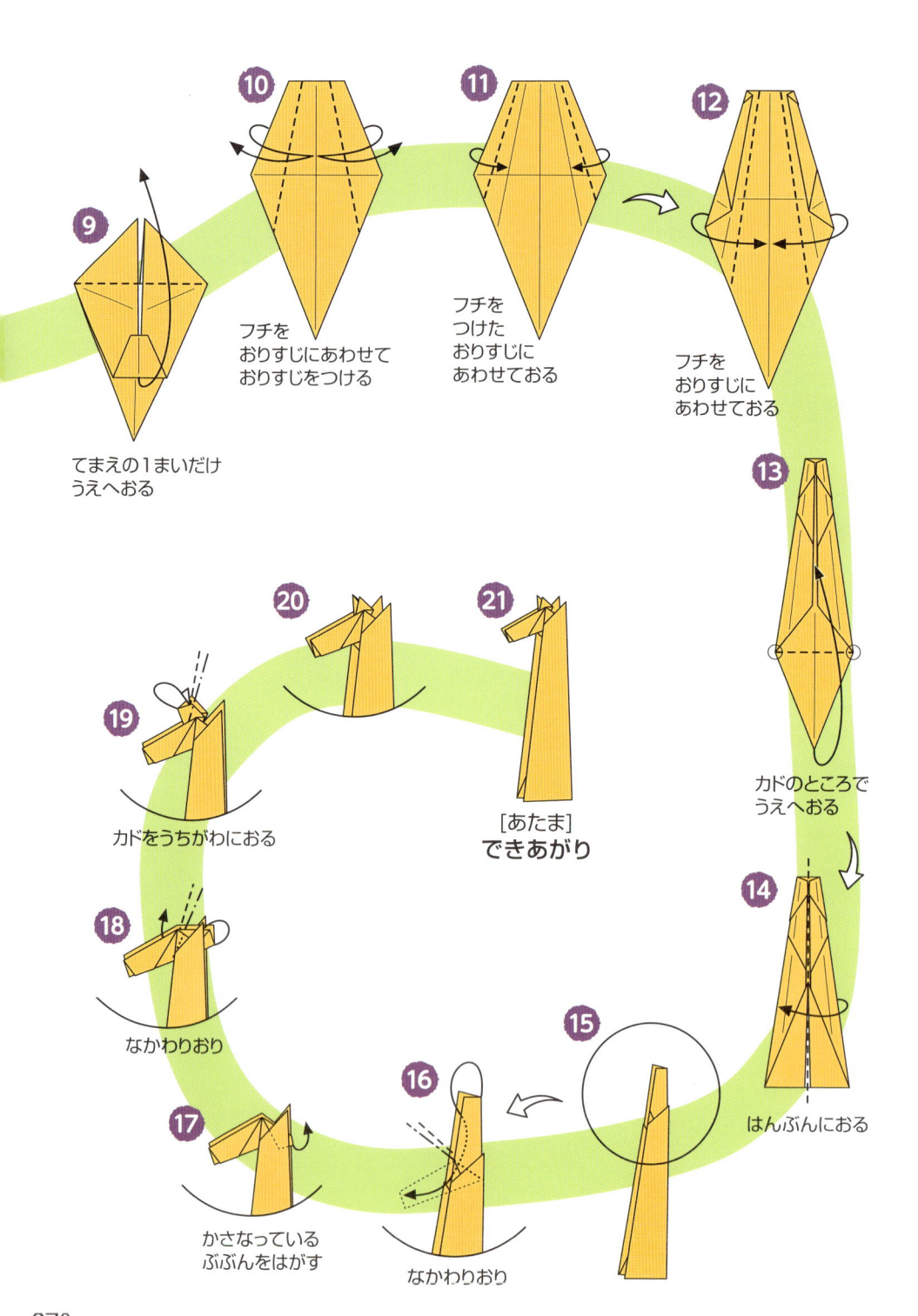

10
フチを
おりすじにあわせて
おりすじをつける

11
フチを
つけた
おりすじに
あわせておる

12
フチを
おりすじに
あわせておる

9
てまえの1まいだけ
うえへおる

13
カドのところで
うえへおる

14
はんぶんにおる

15

16
なかわりおり

17
かさなっている
ぶぶんをはがす

18
なかわりおり

19
カドをうちがわにおる

20

21
[あたま]
できあがり

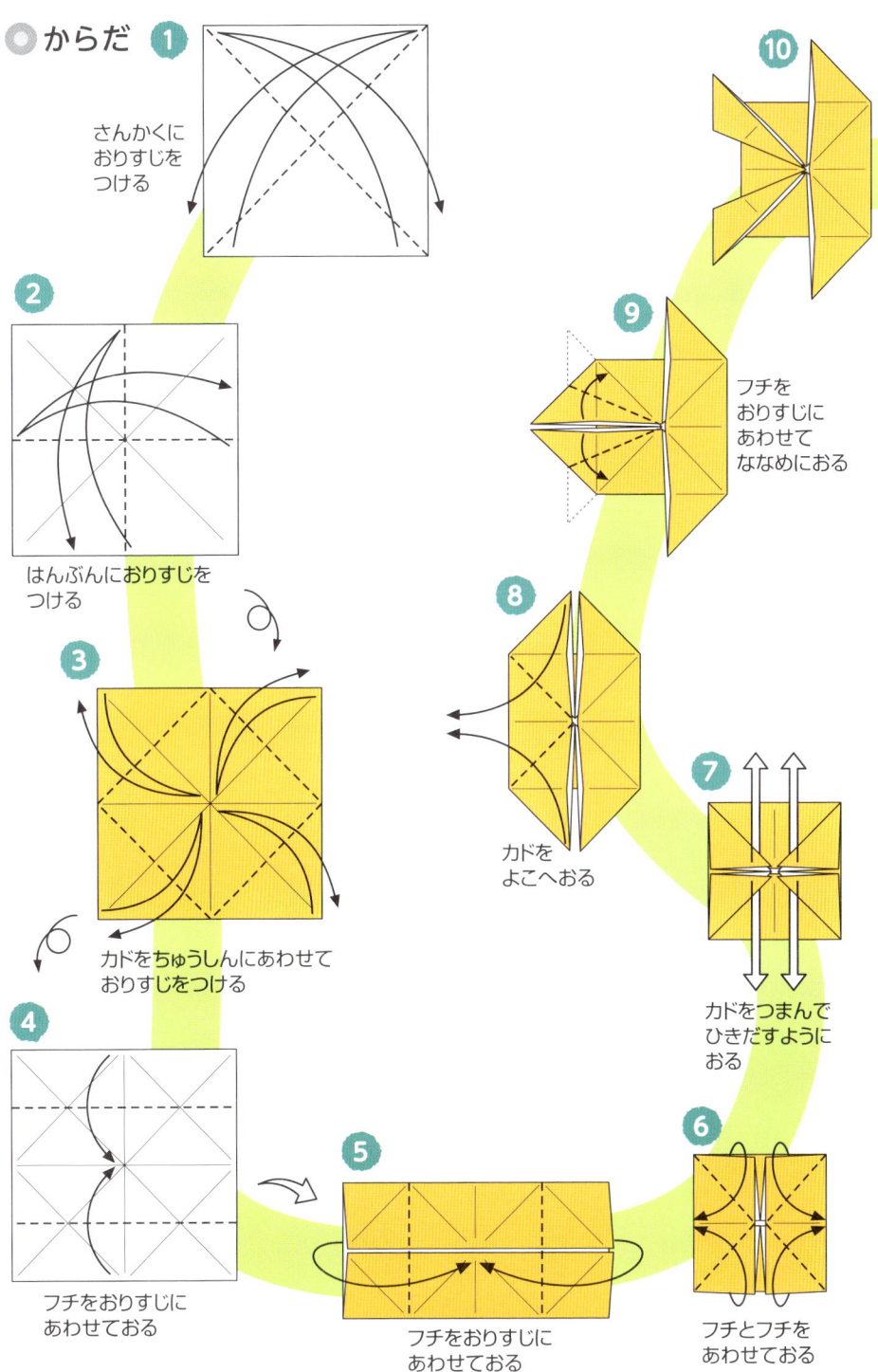

◉ からだ

1 さんかくにおりすじをつける

2 はんぶんにおりすじをつける

3 カドをちゅうしんにあわせておりすじをつける

4 フチをおりすじにあわせておる

5 フチをおりすじにあわせておる

6 フチとフチをあわせておる

7 カドをつまんでひきだすようにおる

8 カドをよこへおる

9 フチをおりすじにあわせてななめにおる

10

Oct. 10 キリン

⑪ ○をむすぶ せんでおる

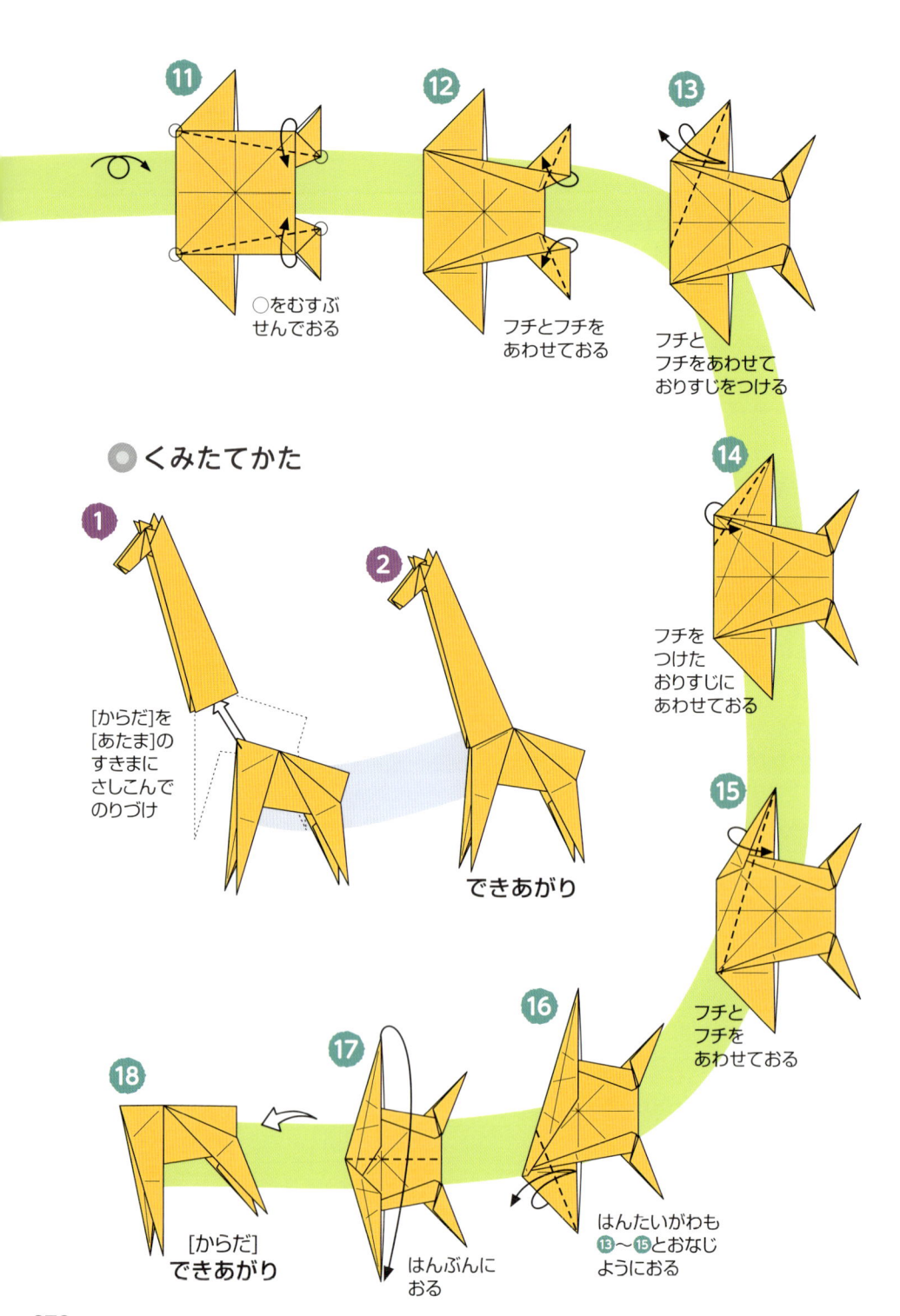

⑫ フチとフチを あわせておる

⑬ フチと フチをあわせて おりすじをつける

⑭ フチを つけた おりすじに あわせておる

⑮ フチと フチを あわせておる

⑯ はんたいがわも ⑬〜⑮とおなじ ようにおる

⑰ はんぶんに おる

⑱ [からだ] できあがり

● くみたてかた

① [からだ]を [あたま]の すきまに さしこんで のりづけ

② できあがり

●しゃしんはP.265 **ながいはなをてのようにきようにつかうよ**

10月 Oct. ぞう
Elephant

●おりがみ 2まい　●むずかしさ 🌰🌰

◯ **あたま**

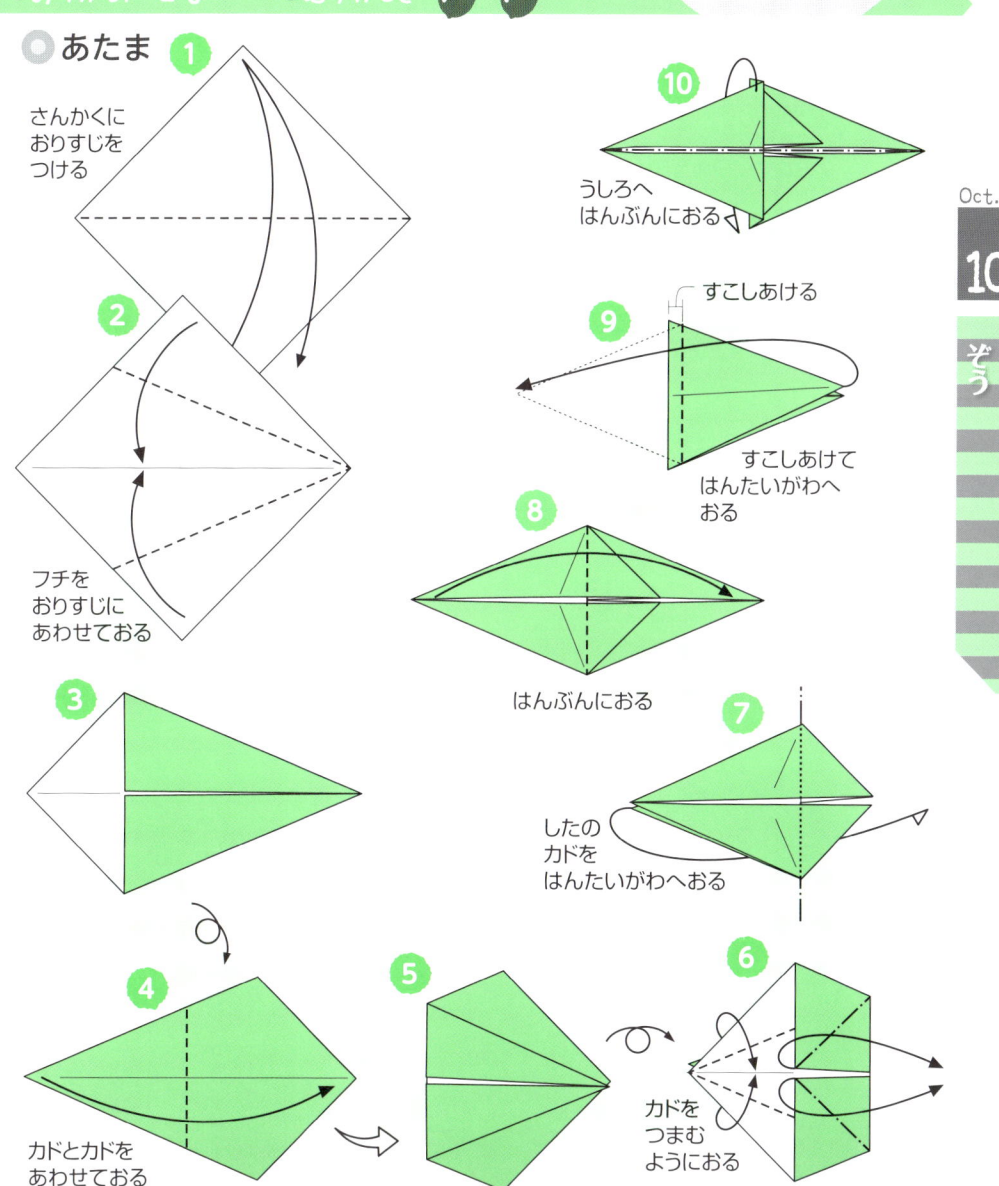

1 さんかくにおりすじをつける

2 フチをおりすじにあわせておる

3

4 カドとカドをあわせておる

5

6 カドをつまむようにおる

7 したのカドをはんたいがわへおる

8 はんぶんにおる

9 すこしあける / すこしあけてはんたいがわへおる

10 うしろへはんぶんにおる

273

⑫ なかわり おり

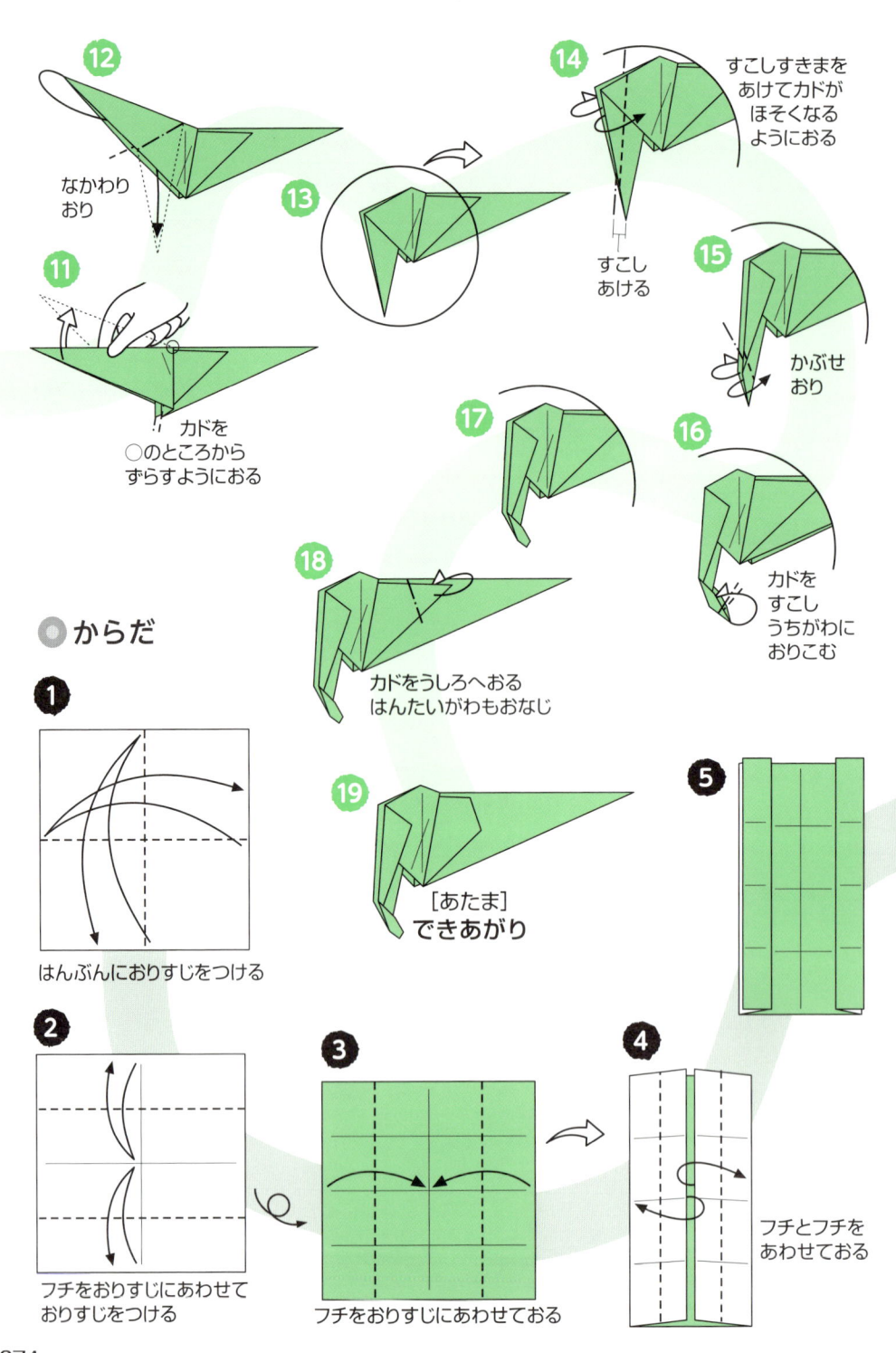

⑪ カドを○のところからずらすようにおる

⑬

⑭ すこしすきまをあけてカドがほそくなるようにおる
すこしあける

⑮ かぶせおり

⑰

⑯ カドをすこしうちがわにおりこむ

⑱ カドをうしろへおる はんたいがわもおなじ

⑲ [あたま] できあがり

● からだ

❶ はんぶんにおりすじをつける

❷ フチをおりすじにあわせておりすじをつける

❸ フチをおりすじにあわせておる

❹ フチとフチをあわせておる

❺

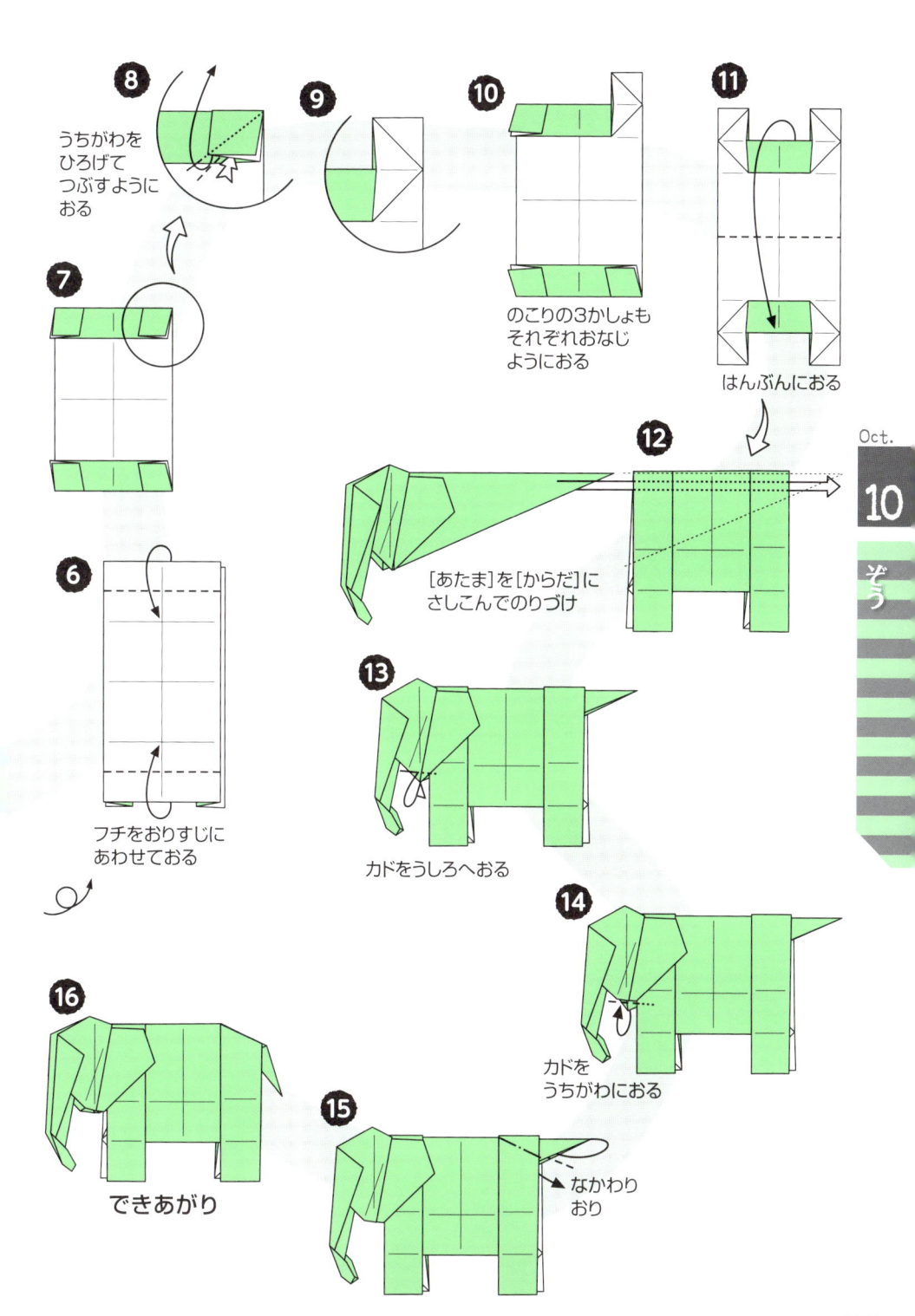

8
うちがわを
ひろげて
つぶすように
おる

9

10
のこりの3かしょも
それぞれおなじ
ようにおる

11
はんぶんにおる

7

12
[あたま]を[からだ]に
さしこんでのりづけ

6
フチをおりすじに
あわせておる

13
カドをうしろへおる

14
カドを
うちがわにおる

15
なかわり
おり

16
できあがり

Oct.
10
ぞう

●しゃしんはP.265　**みみやあしのさきまでしっかりつくろう**

10月 Oct. ライオン
Lion

● おりがみ 2まい　● むずかしさ 🌰🌰🌰

● あたま

1 さんかくにおりすじをつける

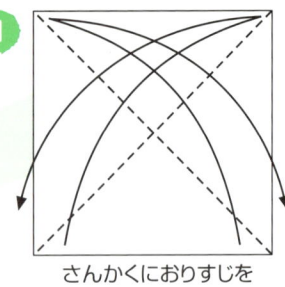

2 はんぶんにおりすじをつける

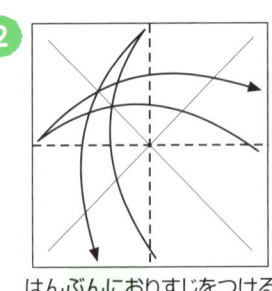

3 フチをおりすじにあわせておる

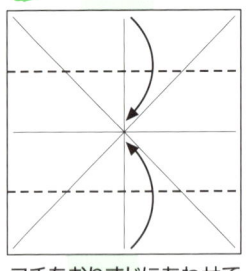

4 フチをおりすじにあわせておりすじをつける

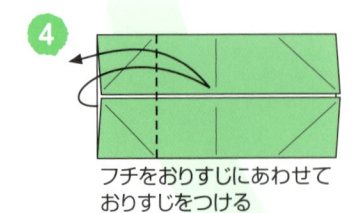

5 カドをつまむようにおる

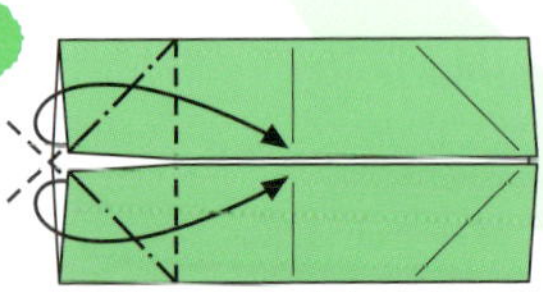

6 カドをはんたいがわへおる

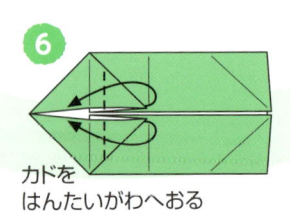

7 フチをおりすじにあわせておる

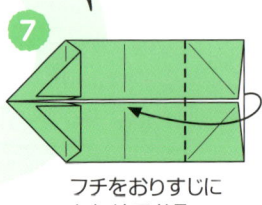

8 フチとフチをあわせておる

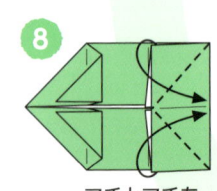

9 カドをつまんでひきだすようにおる

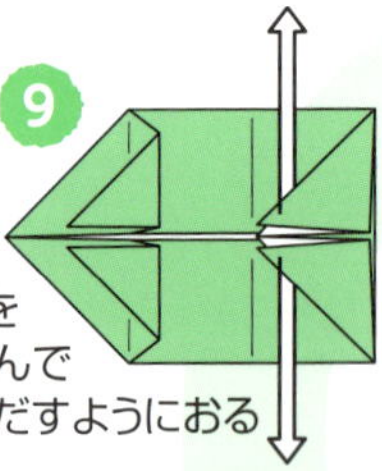

10 フチとフチをあわせておる

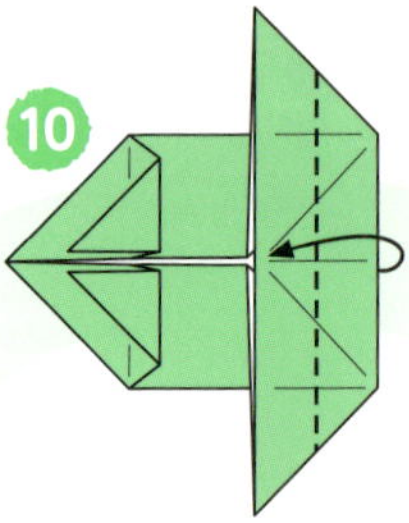

276

20 カドをフチのところでおる

21 はんたいがわも⑲〜⑳とおなじようにおる

22 カドをうちがわにおる

23 かぶせるようにだんおり

19 カドをすこしおる

18

11 フチとフチをあわせておりすじをつける

17 カドをうちがわにおる

16 カドをうちがわにおる

12 カドをつけたおりすじでおる

ここはうちがわだけおる

13 ⑥でおったカドがすこしでるようにフチをおる

14 フチのところでおりすじをつける

15 うしろへはんぶんにおる

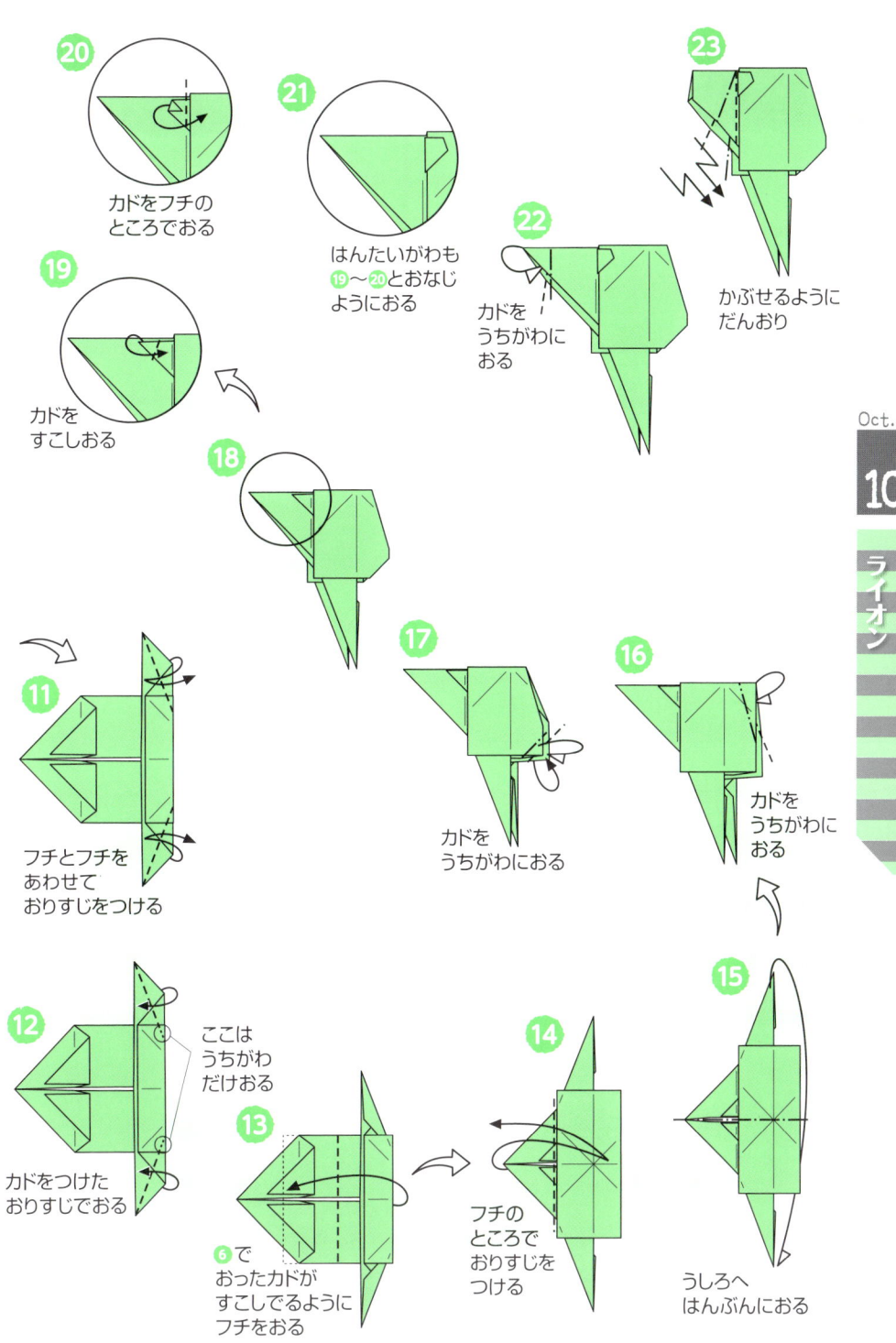

Oct. 10 ライオン

24

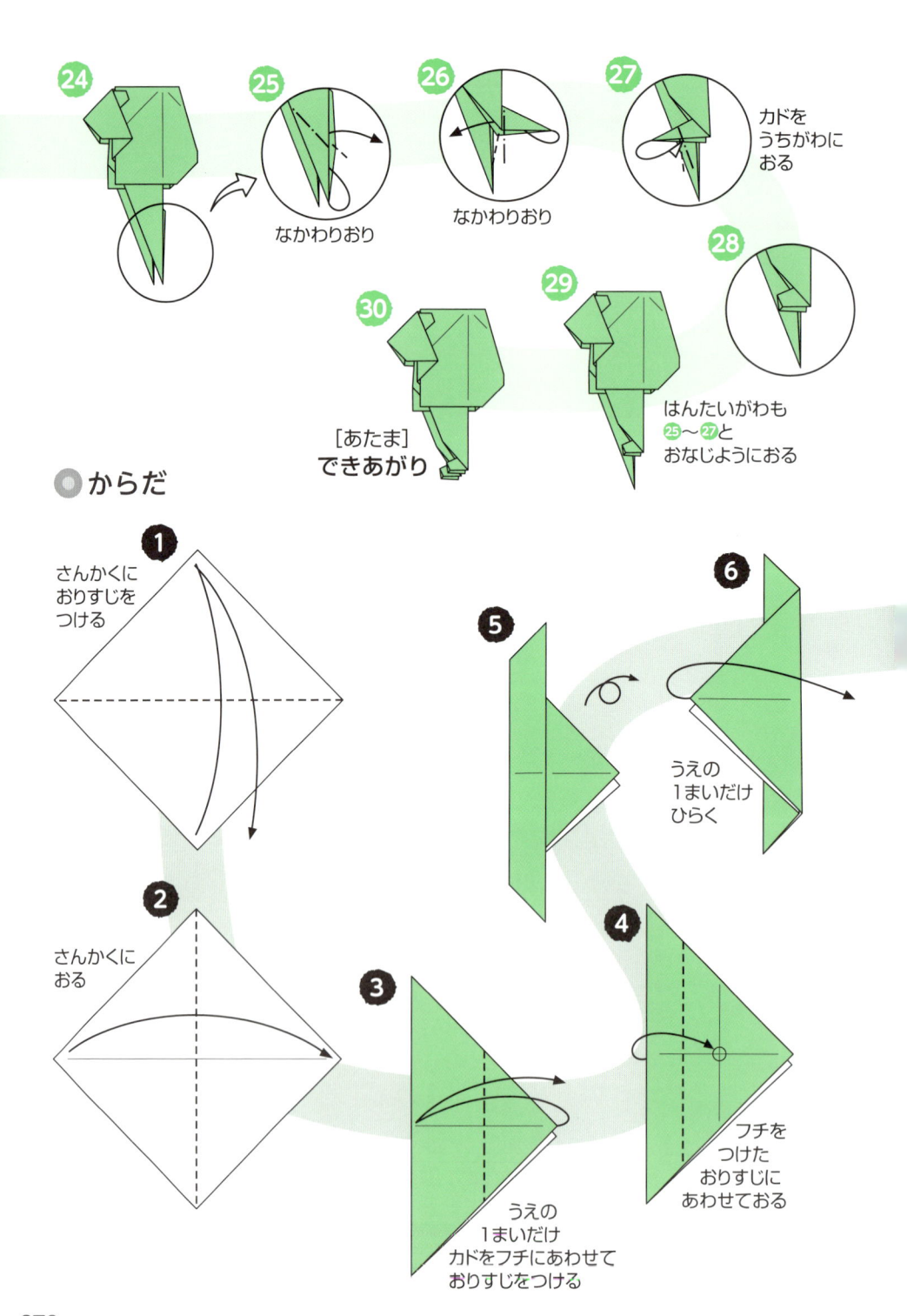

25 なかわりおり

26 なかわりおり

27 カドを
うちがわに
おる

28

29 はんたいがわも
㉕〜㉗と
おなじようにおる

30 [あたま]
できあがり

● からだ

1 さんかくに
おりすじを
つける

2 さんかくに
おる

3 うえの
1まいだけ
カドをフチにあわせて
おりすじをつける

4 フチを
つけた
おりすじに
あわせておる

5

6 うえの
1まいだけ
ひらく

8
フチを
おりすじに
あわせておる

9
カドを
つまんで
ずらすようにおる

10
フチを
ちゅうしんに
あわせておる

7
フチを
おりすじに
あわせておる

11
フチを
ちゅうしんに
あわせておる

12
カドを
つまんでずらすようにおる

13

14
カドをフチに
あわせておる

15
カドを
1/3くらいの
はばでおる

16
はんぶんにおる

17
カドを
したへおる

Oct.
10
ライオン

279

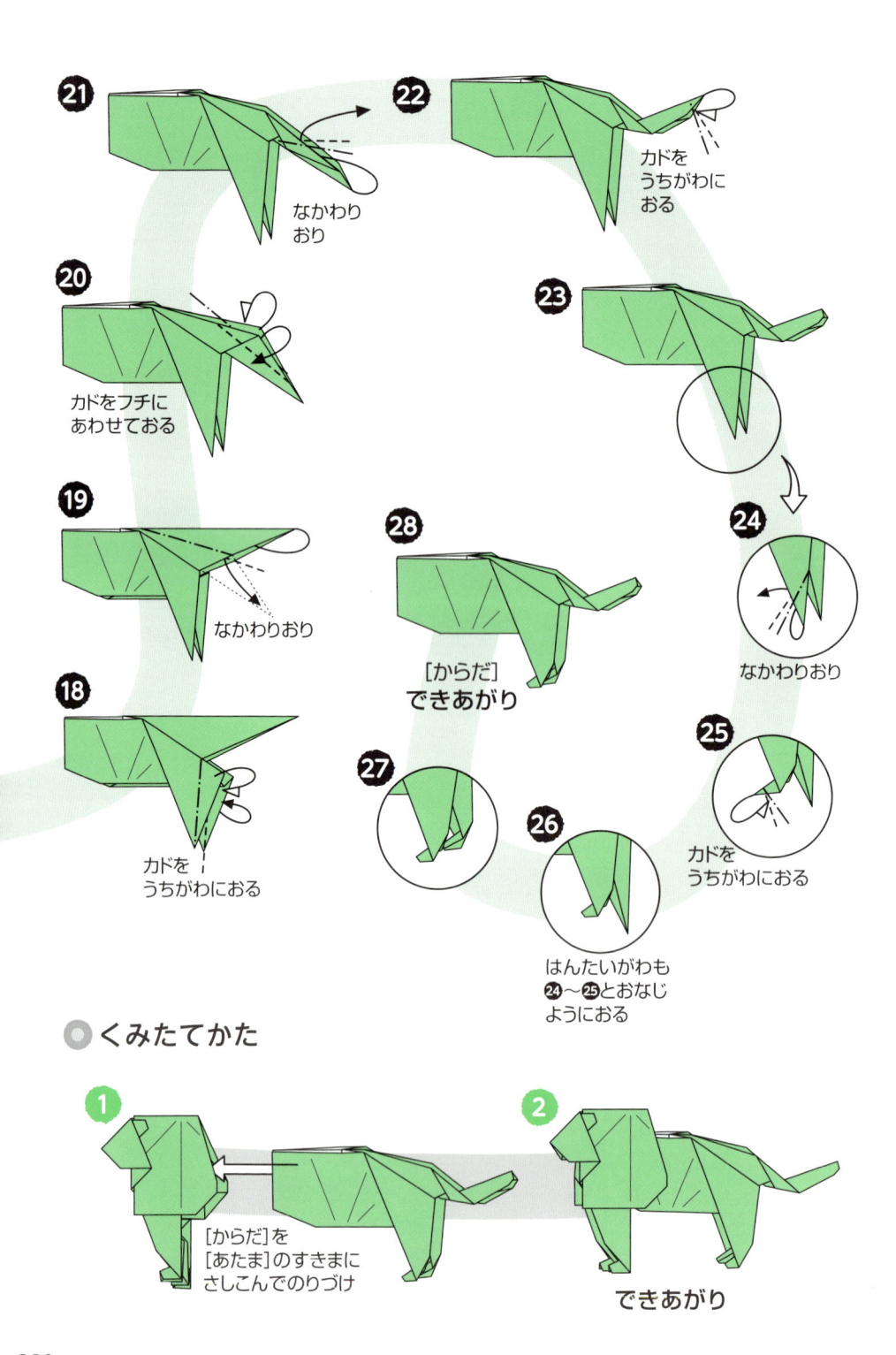

㉑ ㉒ カドを
なかわりおり うちがわにおる

⑳ ㉓
カドをフチに
あわせておる

⑲ ㉘ ㉔
なかわりおり [からだ] なかわりおり
できあがり

⑱ ㉗ ㉖ ㉕
カドを はんたいがわも カドを
うちがわにおる ㉔〜㉕とおなじ うちがわにおる
ようにおる

● くみたてかた

① ②
[からだ]を
[あたま]のすきまに できあがり
さしこんでのりづけ

280

●しゃしんはP.266　がいこくのアニメにでてきそうなおばけ

おばけ
Ghost

10月 Oct.

●おりがみ　1まい　　●むずかしさ

1. さんかくにおりすじをつける

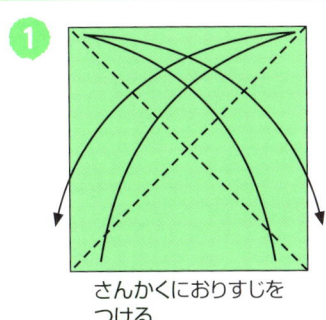

2. はんぶんにおりすじをつける

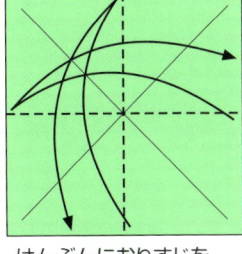

3. カドをちゅうしんにあわせておりすじをつける

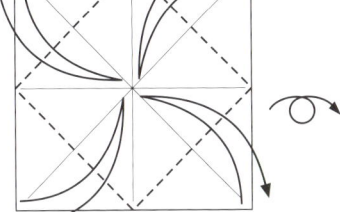

4. フチをおりすじにあわせておる

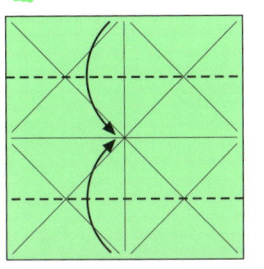

5. フチをおりすじにあわせておる

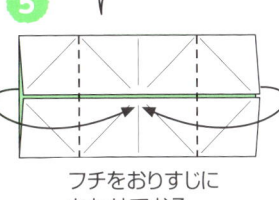

6. フチとフチをあわせておる

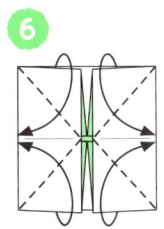

7. カドをつまんでひきだすようにおる

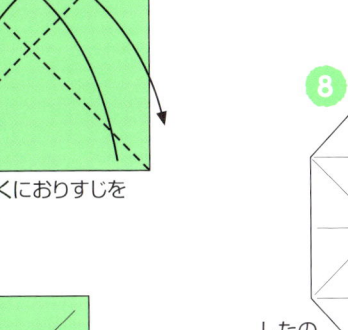

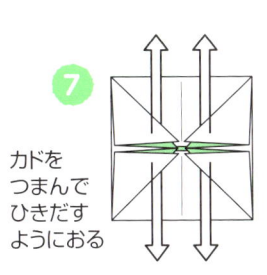

8. したのカドを1つだけよこへおる

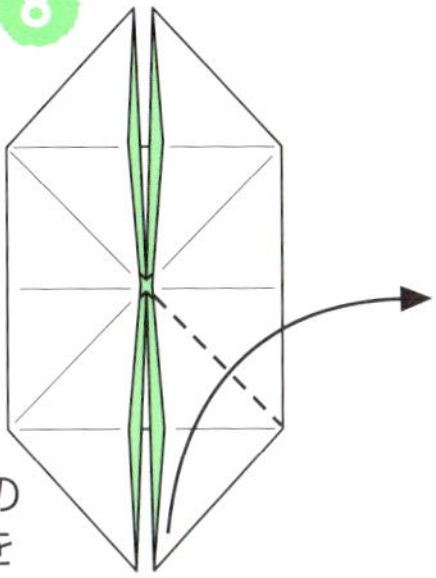

9.

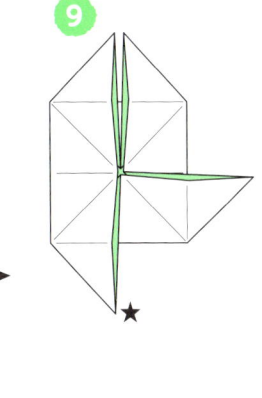

281

⑪

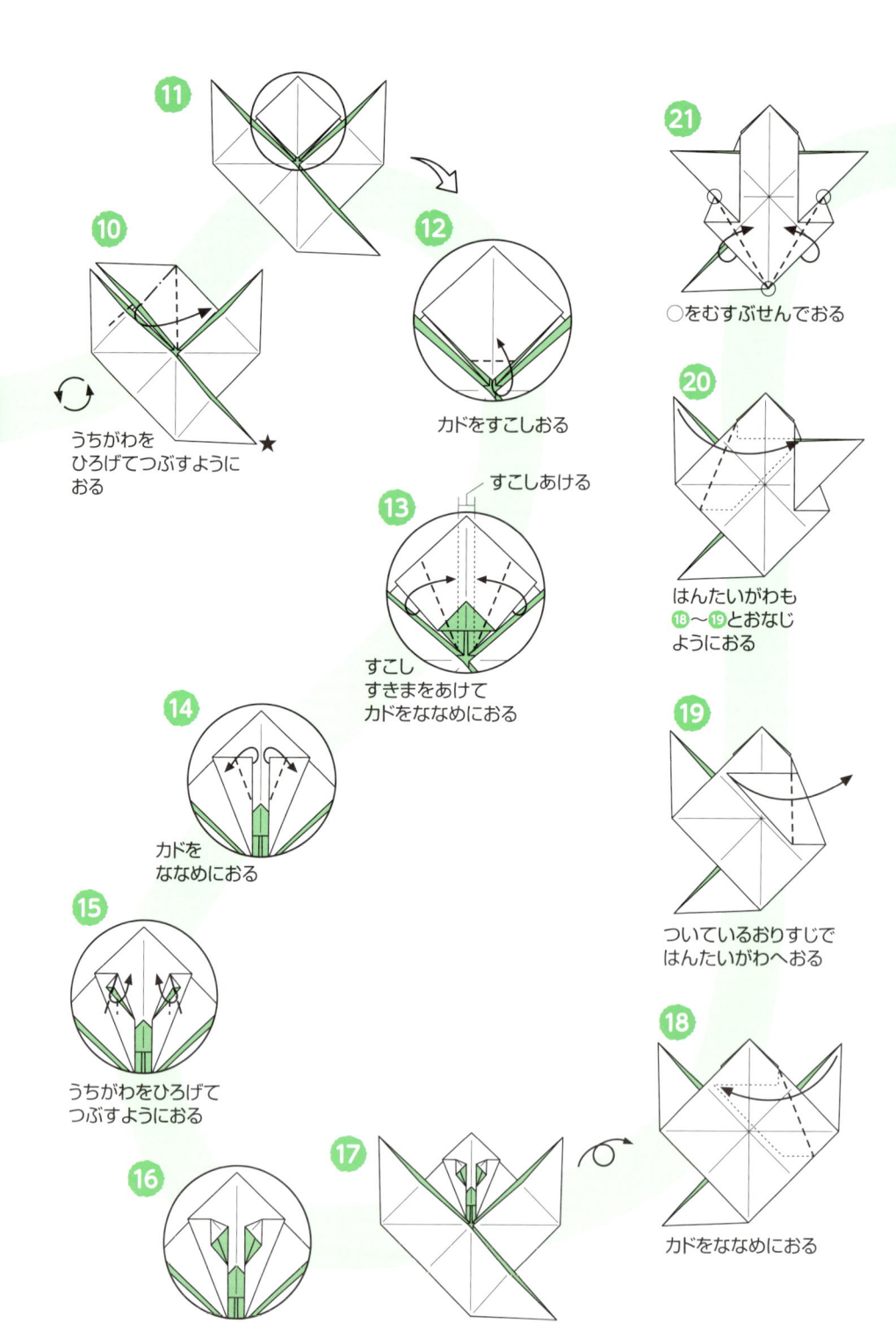

⑩
うちがわを
ひろげてつぶすように
おる

⑫
カドをすこしおる

すこしあける
⑬
すこし
すきまをあけて
カドをななめにおる

⑭
カドを
ななめにおる

⑮
うちがわをひろげて
つぶすようにおる

⑯

⑰

⑱
カドをななめにおる

⑲
ついているおりすじで
はんたいがわへおる

⑳
はんたいがわも
⑱〜⑲とおなじ
ようにおる

㉑
○をむすぶせんでおる

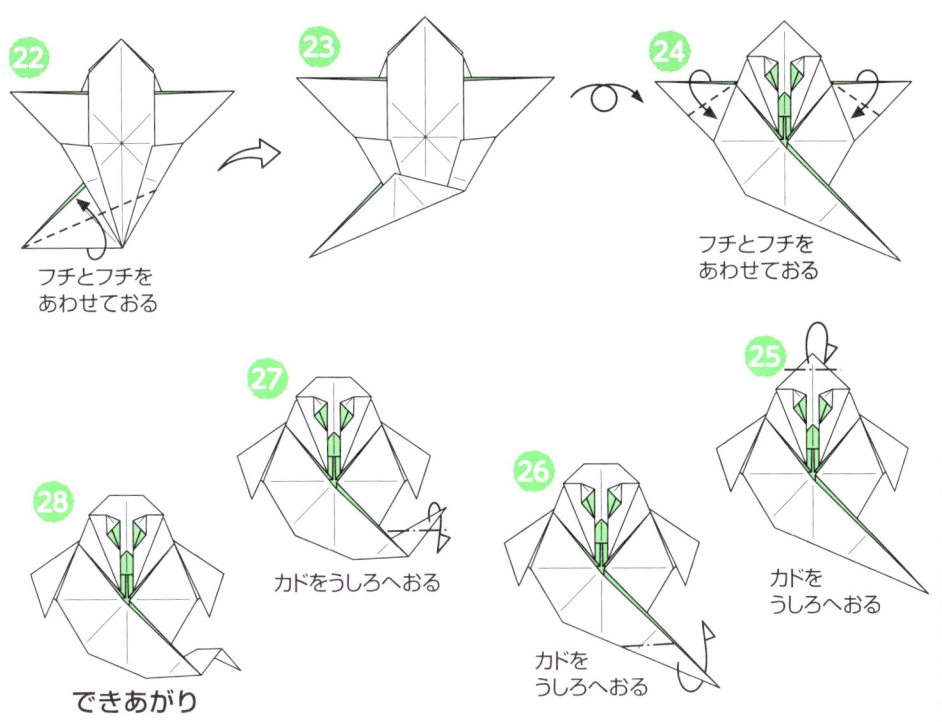

㉒ フチとフチをあわせておる

㉓

㉔ フチとフチをあわせておる

㉕ カドをうしろへおる

㉖ カドをうしろへおる

㉗ カドをうしろへおる

㉘ できあがり

Oct.
10
おばけ

かおをかえよう

⓬のかたちからはじめる

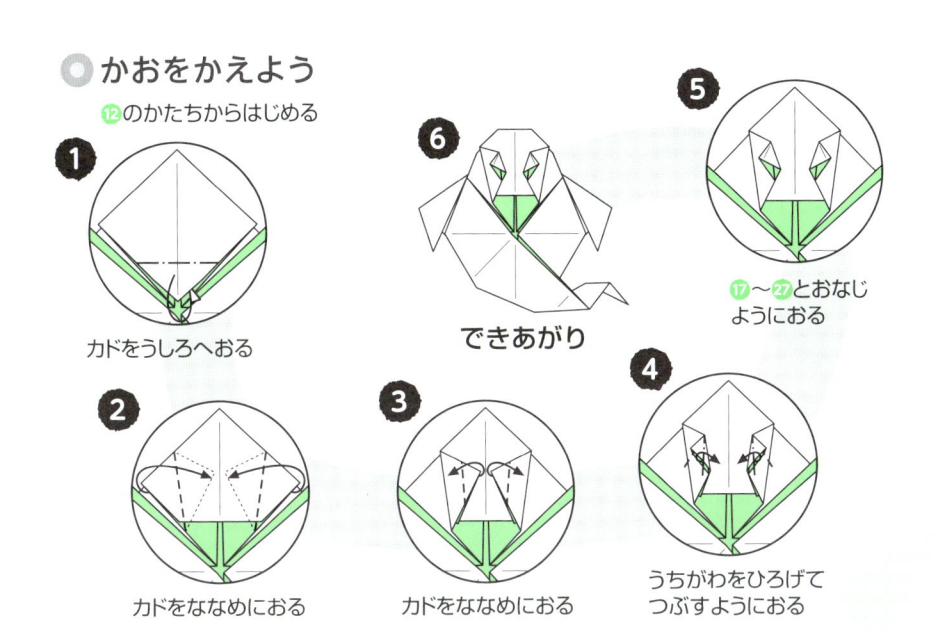

❶ カドをうしろへおる

❷ カドをななめにおる

❸ カドをななめにおる

❹ うちがわをひろげてつぶすようにおる

❺ ⓱〜㉗とおなじようにおる

❻ できあがり

● しゃしんはP.266　**かぼちゃでつくるハロウィンのおばけ**

10月 Oct. ジャック・オ・ランタン Jack-o'-Lantern

● おりがみ 1まい　● むずかしさ 🌰🌰

1. さんかくにおりすじをつける

2. はんぶんにおりすじをつける

3. カドをちゅうしんにあわせておる

4. うえの2つのカドをもどす

5. カドを○にあわせておりすじをつける

6. カドを○にあわせておる

7. フチとフチをあわせておる

8. フチをおりすじにあわせておりすじをつける

9. ○のところからななめにおる

10. ついているおりすじではんたいがわへおる

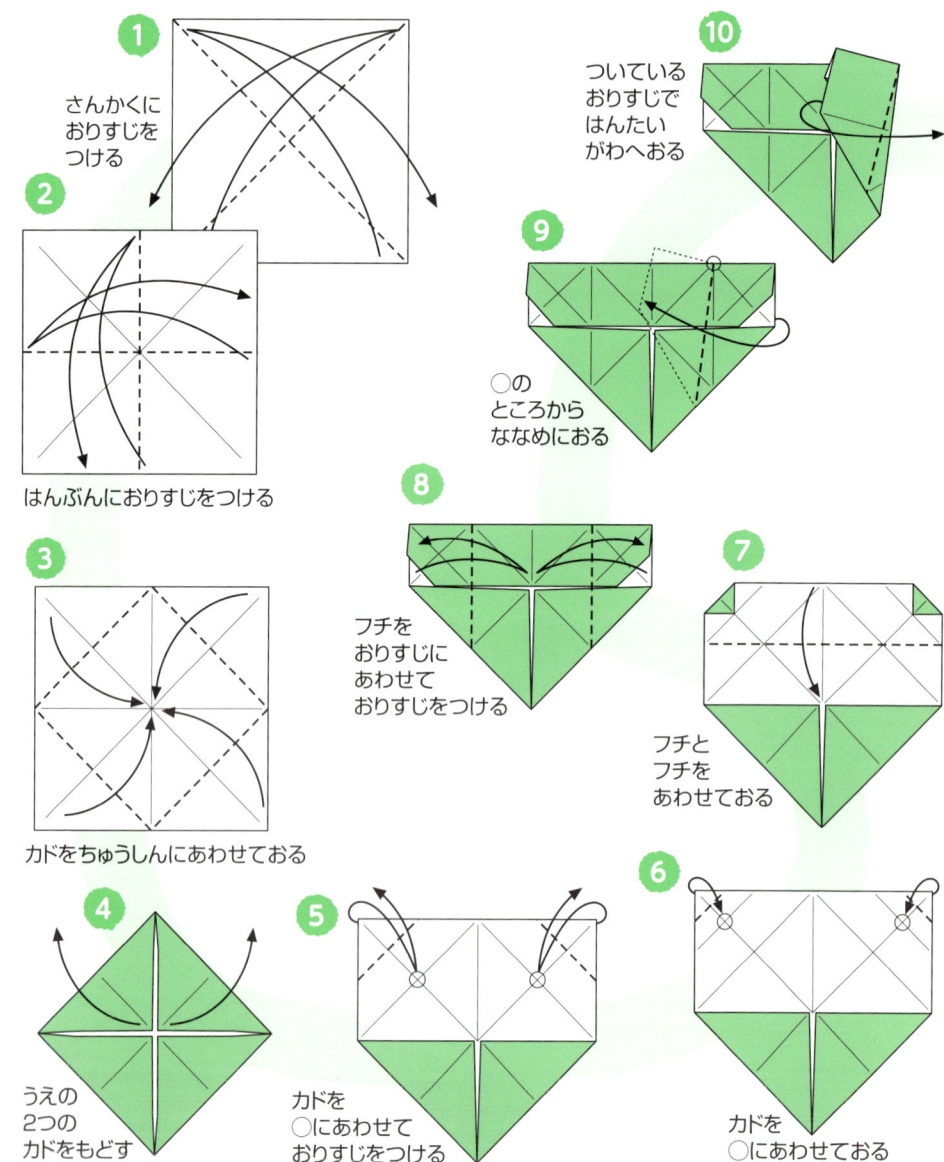

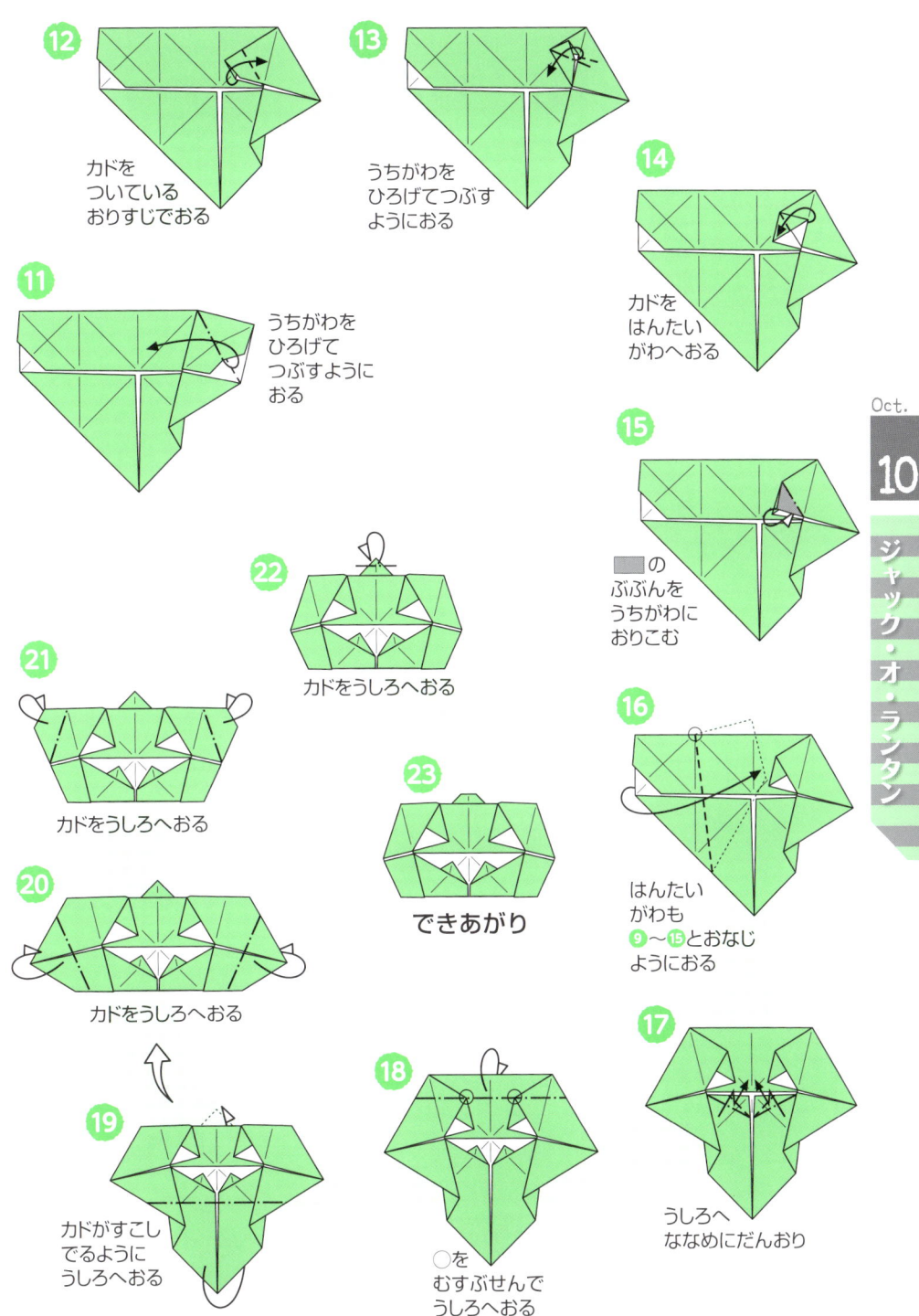

⑫
カドを
ついている
おりすじでおる

⑬
うちがわを
ひろげてつぶす
ようにおる

⑭
カドを
はんたい
がわへおる

⑪
うちがわを
ひろげて
つぶすように
おる

⑮
■の
ぶぶんを
うちがわに
おりこむ

㉒
カドをうしろへおる

㉑
カドをうしろへおる

㉓
できあがり

⑯
はんたい
がわも
❾〜⓯とおなじ
ようにおる

⑳
カドをうしろへおる

⑲
カドがすこし
でるように
うしろへおる

⑱
○を
むすばせんで
うしろへおる

⑰
うしろへ
ななめにだんおり

Oct.
10
ジャック・オ・ランタン

285

●しゃしんはP.268　**あきになるといいにおいがするね**

10月 Oct. キンモクセイ
Fragrant oliven

●おりがみ 2まい　●むずかしさ 🌰🌰

◯ **はな**

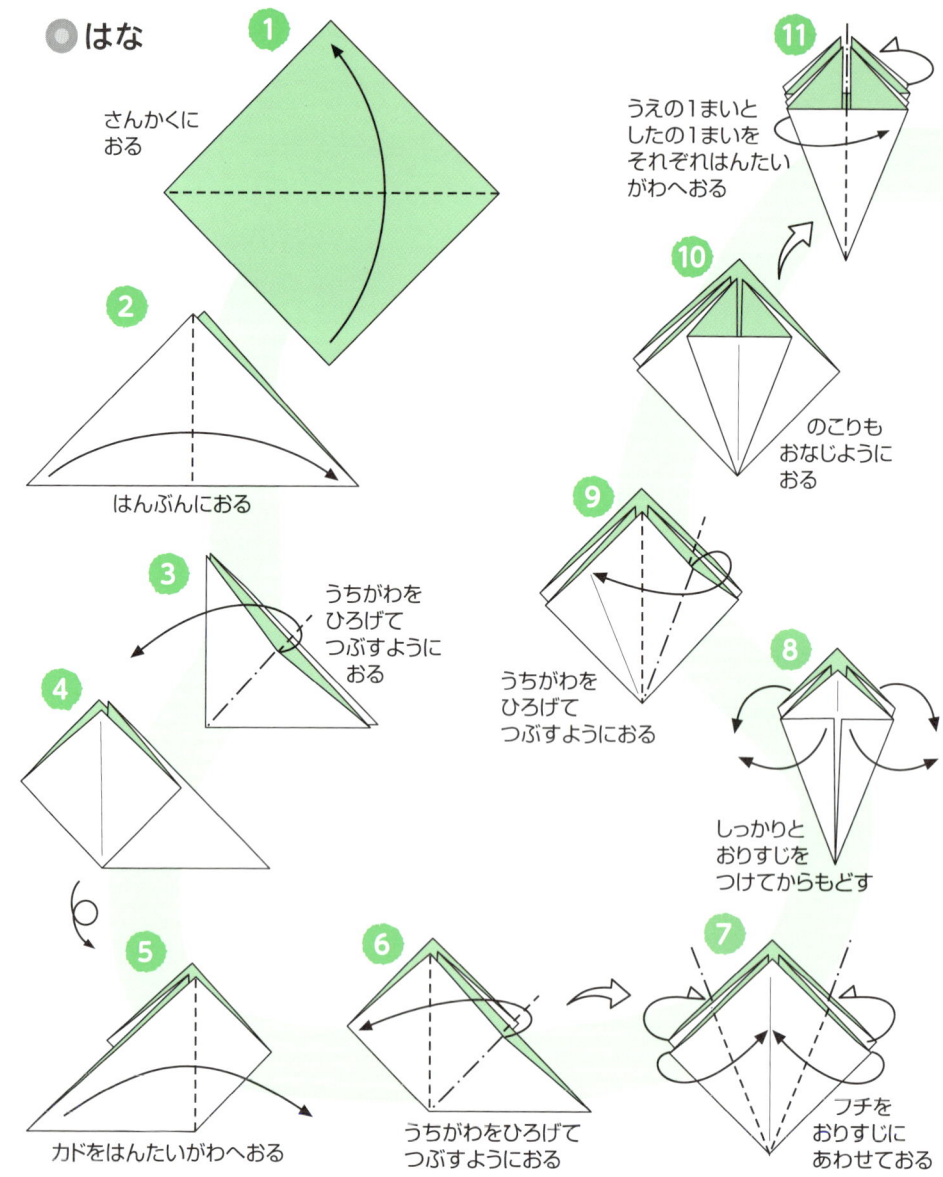

1 さんかくにおる

2 はんぶんにおる

3 うちがわをひろげてつぶすようにおる

4

5 カドをはんたいがわへおる

6 うちがわをひろげてつぶすようにおる

7 フチをおりすじにあわせておる

8 しっかりとおりすじをつけてからもどす

9 うちがわをひろげてつぶすようにおる

10 のこりもおなじようにおる

11 うえの1まいとしたの1まいをそれぞれはんたいがわへおる

286

13 のこりも おなじように おる

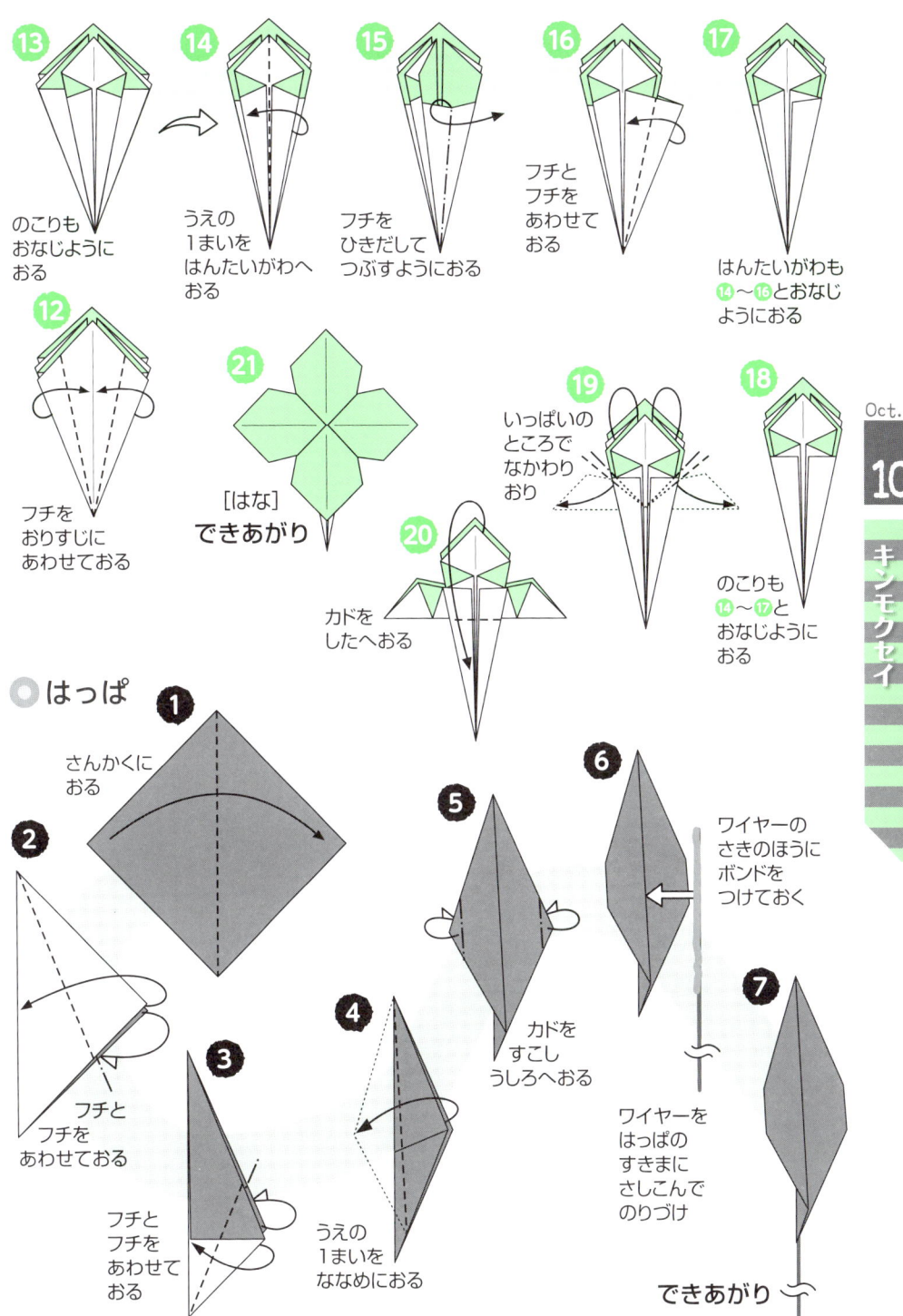

14 うえの 1まいを はんたいがわへ おる

15 フチを ひきだして つぶすようにおる

16 フチと フチを あわせて おる

17 はんたいがわも ⓮〜⓰とおなじ ようにおる

12 フチを おりすじに あわせておる

21 [はな] できあがり

19 いっぱいの ところで なかわり おり

20 カドを したへおる

18 のこりも ⓮〜⓱と おなじように おる

Oct.
10
キンモクセイ

○ はっぱ

1 さんかくに おる

2 フチと フチを あわせておる

3 フチと フチを あわせて おる

4 うえの 1まいを ななめにおる

5 カドを すこし うしろへおる

6 ワイヤーの さきのほうに ボンドを つけておく

7 ワイヤーを はっぱの すきまに さしこんで のりづけ

できあがり

287

●コサージュをつくろう

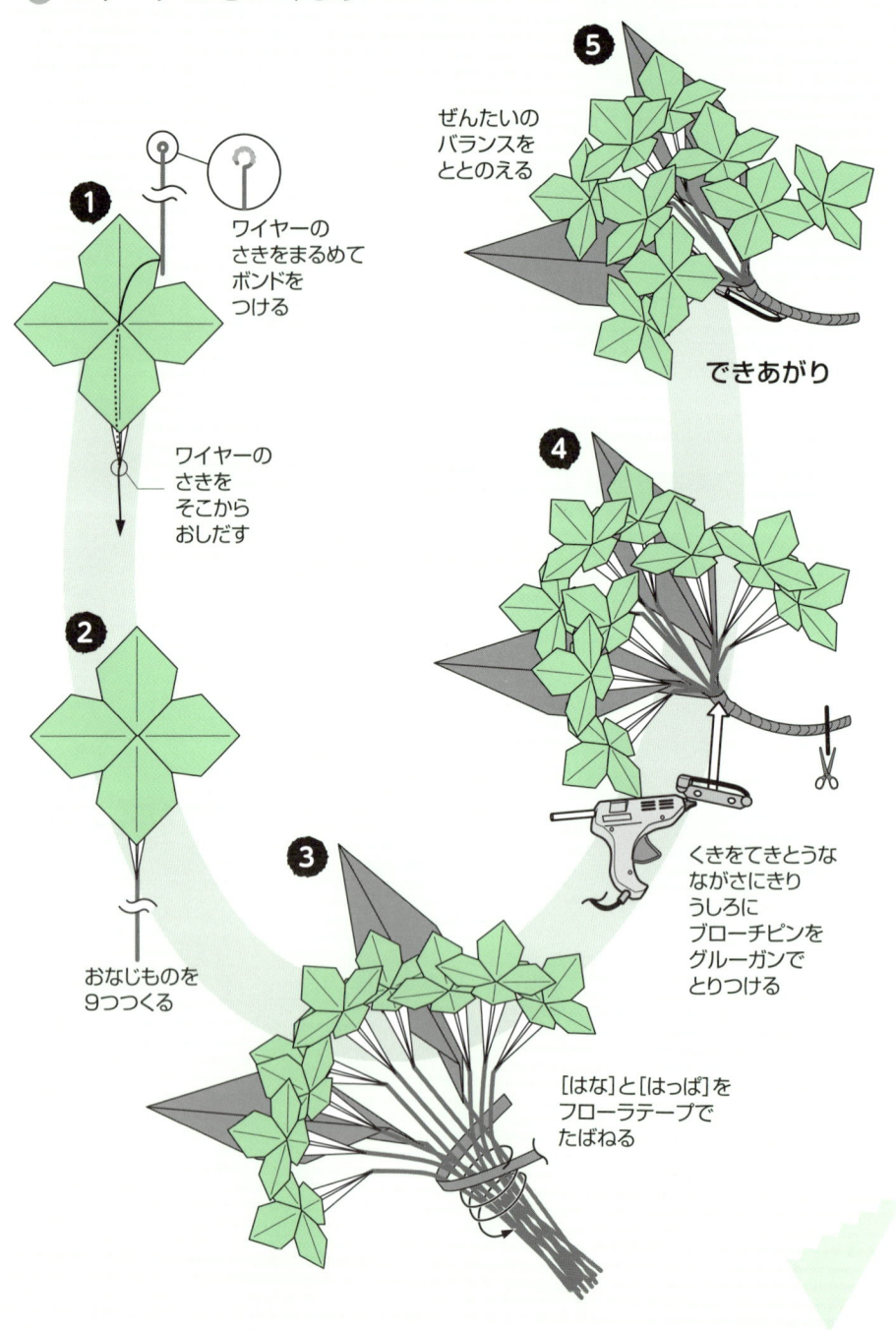

1 ワイヤーのさきをまるめてボンドをつける

ワイヤーのさきをそこからおしだす

2 おなじものを9つつくる

3 [はな]と[はっぱ]をフローラテープでたばねる

4 くきをてきとうなながさにきりうしろにブローチピンをグルーガンでとりつける

5 ぜんたいのバランスをととのえる

できあがり

デスク周りも楽しく

かわいいモチーフに仕事の疲れも癒やされます

11月 Nov.

きのこ　P.296 ページ　6×6cm
き　P.297 ページ
　はっぱ：8×8cm、みき：4×4cm
リス　P.293 ページ　15×15cm
はっぱ　P.239 ページ　4×4cm

289

酉の市

くまでは「福をかきこむ」と
いわれています

くまで　P.299、305
は：30×15cm、え：15×15cm

こばん　P.301
9×4.5cm

おかめ　P.300
9×9cm

たわら　P.299
9×9cm

ささのは　P.304
9×9cm

たい　P.302
12×12cm

菊のアレンジメント

おりがみでつくれば長く楽しめますね

きく　P.309　7.5×7.5cm　6まい

ケーキ大好き！
色と飾りの組み合わせて、どんなケーキができるかな？

ケーキ（いちご、ピスタチオ、チョコレート）
P.82、87
うえ、よこ1：7.5×7.5cm
よこ2：15×7.5cm
いちご：5×5cm、ミント：4×2cm
ピスタチオ：4×4cm
チョコレート：4×4cm

タルト（レアチーズ、フランボワーズ、オレンジ）
P.310
うえ、よこ1：7.5×7.5cm
よこ2：15×7.5cm
ミント：4×2cm
ベリー：4×4cm
オレンジ：4×4cm

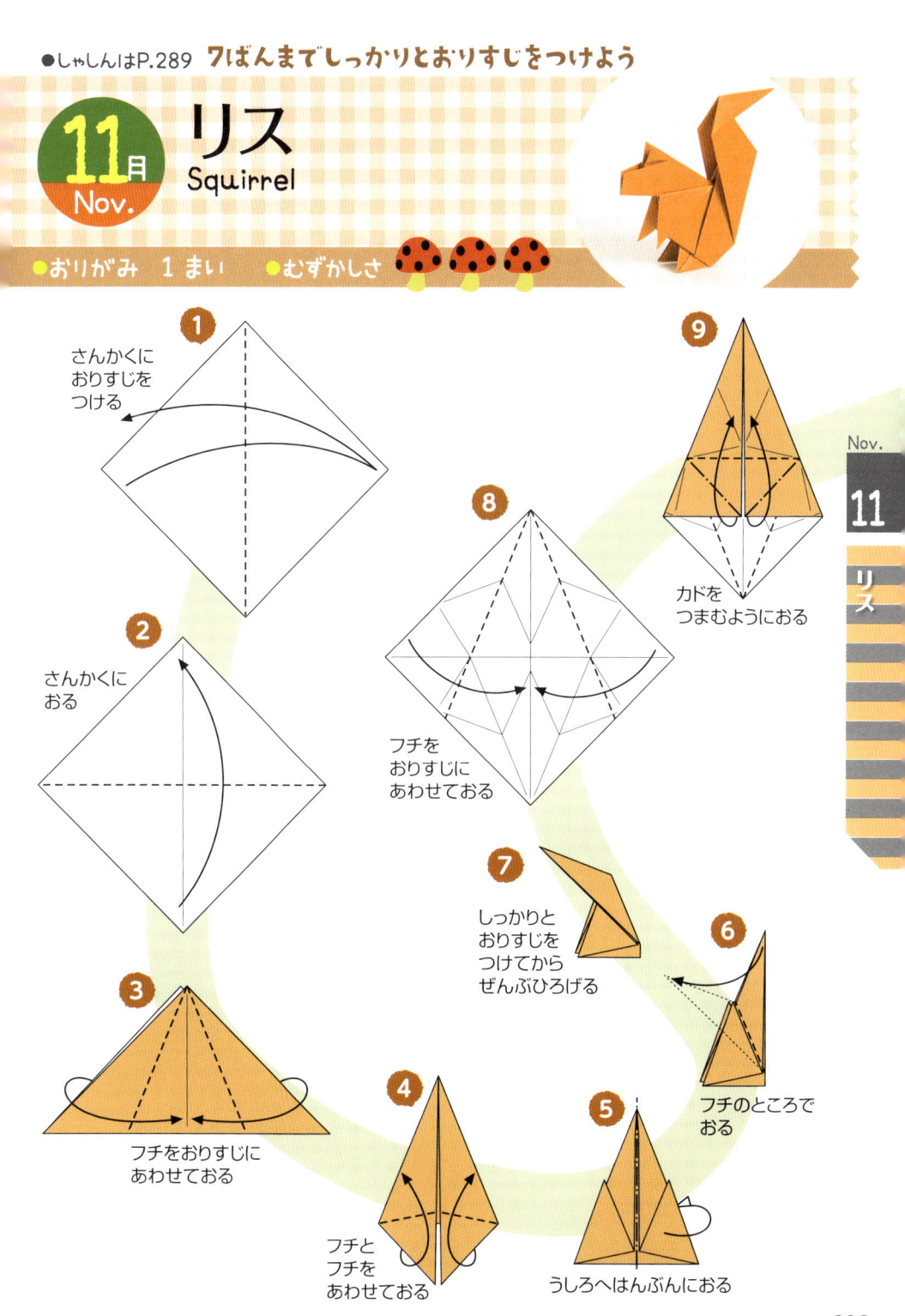

●しゃしんはP.289　**7ばんまでしっかりとおりすじをつけよう**

11月 Nov. リス Squirrel

●おりがみ　1まい　●むずかしさ

1 さんかくにおりすじをつける

2 さんかくにおる

3 フチをおりすじにあわせておる

4 フチとフチをあわせておる

5 うしろへはんぶんにおる

6 フチのところでおる

7 しっかりとおりすじをつけてからぜんぶひろげる

8 フチをおりすじにあわせておる

9 カドをつまむようにおる

293

10 はんぶんにおる

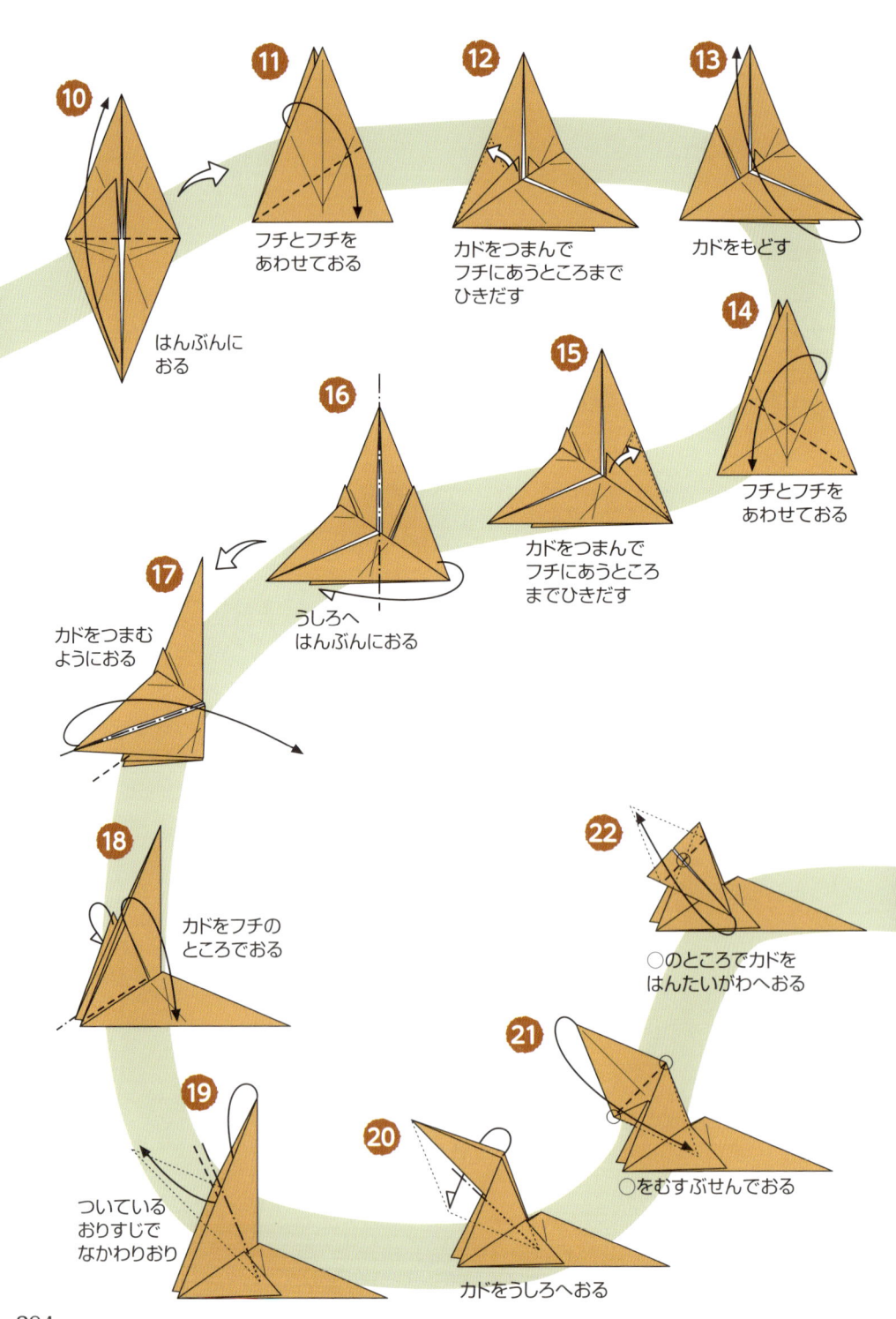

11 フチとフチをあわせておる

12 カドをつまんでフチにあうところまでひきだす

13 カドをもどす

14 フチとフチをあわせておる

15 カドをつまんでフチにあうところまでひきだす

16 うしろへはんぶんにおる

17 カドをつまむようにおる

18 カドをフチのところでおる

19 ついているおりすじでなかわりおり

20 カドをうしろへおる

21 ○をむすぶせんでおる

22 ○のところでカドをはんたいがわへおる

294

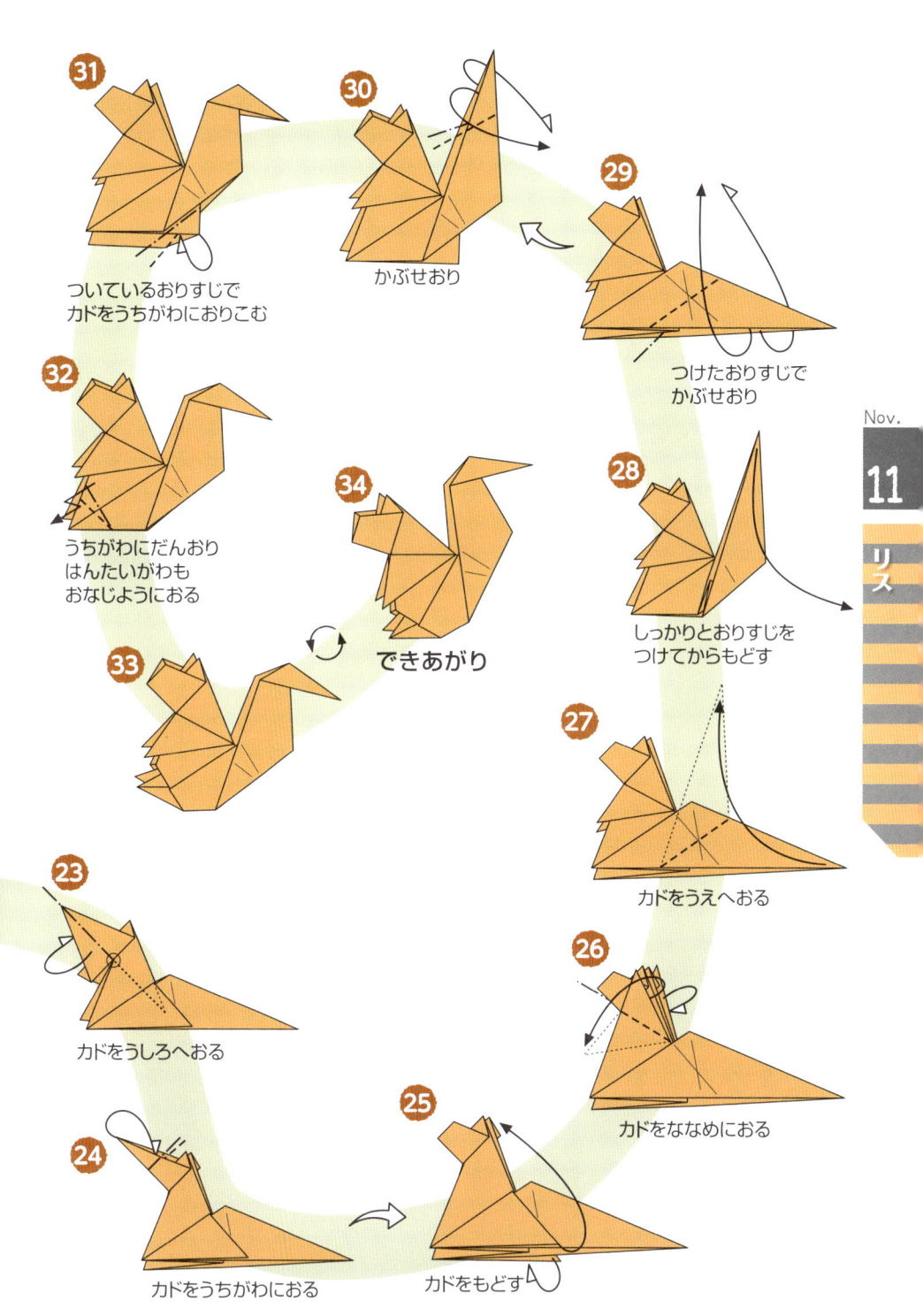

㉛ ついているおりすじで
カドをうちがわにおりこむ

㉚ かぶせおり

㉙ つけたおりすじで
かぶせおり

㉜ うちがわにだんおり
はんたいがわも
おなじようにおる

㉞ できあがり

㉘ しっかりとおりすじを
つけてからもどす

㉝

㉗ カドをうえへおる

Nov.
11
リ
ス

㉓ カドをうしろへおる

㉖ カドをななめにおる

㉔ カドをうちがわにおる

㉕ カドをもどす

295

●しゃしんはP.289　**6ばんのかくどでかたちがかわるよ**

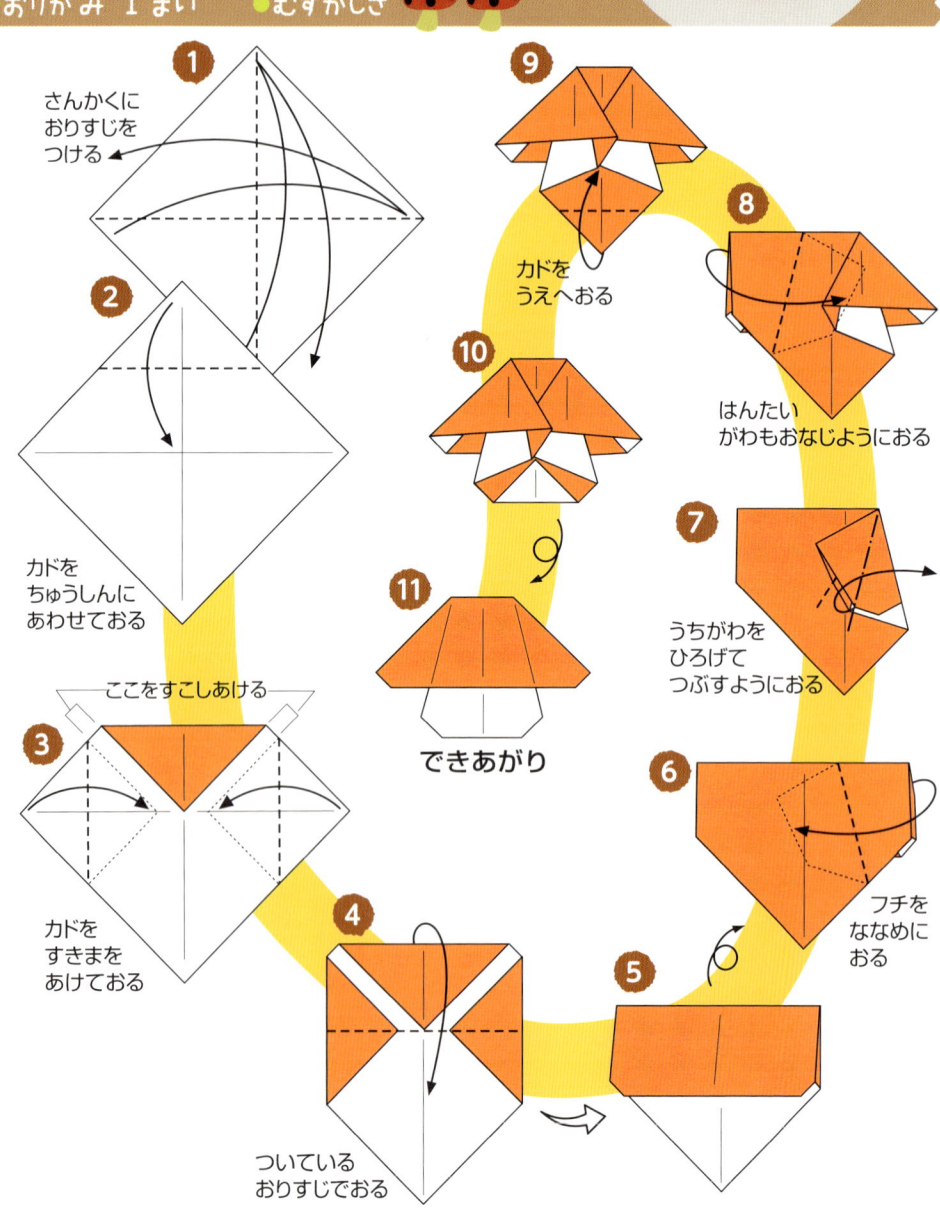

11月 Nov. きのこ
Mushroom

●おりがみ 1まい　●むずかしさ

1. さんかくにおりすじをつける
2. カドをちゅうしんにあわせておる
3. ここをすこしあける／カドをすきまをあけておる
4. ついているおりすじでおる
5.
6. フチをななめにおる
7. うちがわをひろげてつぶすようにおる
8. はんたいがわもおなじようにおる
9. カドをうえへおる
10.
11. できあがり

●しゃしんはP.289 **どうぶつのうしろにかざってみてもいいね**

11月 Nov.

き
Tree

● おりがみ 2まい　● むずかしさ

○ はっぱ

① はんぶんにおりすじをつける

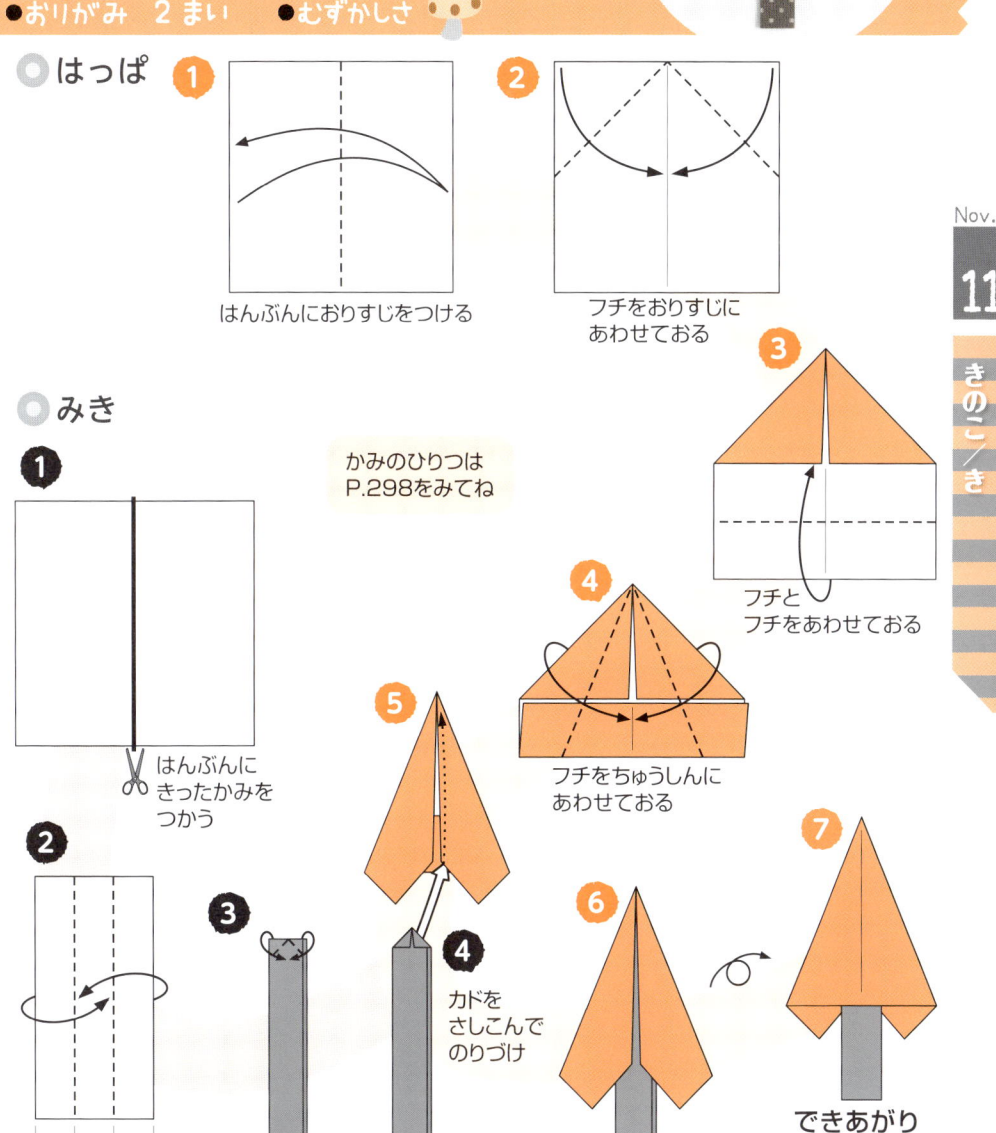

② フチをおりすじにあわせておる

③ フチとフチをあわせておる

④ フチをちゅうしんにあわせておる

○ みき

① はんぶんにきったかみをつかう

かみのひりつは P.298をみてね

② 1/3のはばでおる

③ カドをさんかくにおる

④ カドをさしこんでのりづけ

⑤

⑥

⑦ できあがり

かざってみよう

ゼムクリップをつかった、たたせかた
クリップはおおきめのほうがよい

かみのひりつ

| みき 1まい | はっぱ 1まい |

1
クリップの
うちがわを
ひきだして
Lのかたちに
する

2

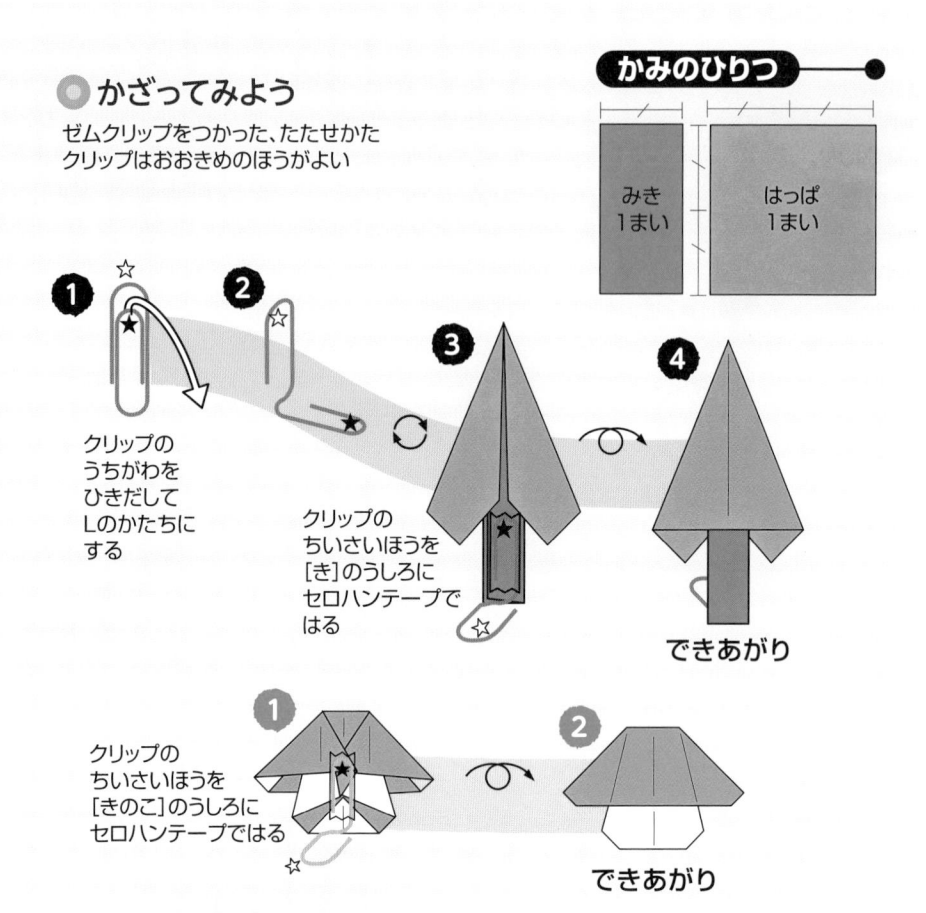

3
クリップの
ちいさいほうを
[き]のうしろに
セロハンテープで
はる

4
できあがり

1
クリップの
ちいさいほうを
[きのこ]のうしろに
セロハンテープではる

2
できあがり

おおきな[き]をつくろう

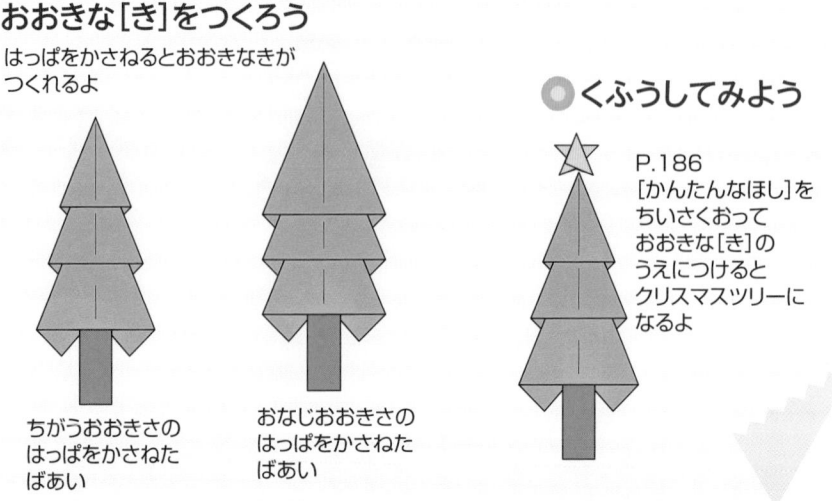

はっぱをかさねるとおおきなきが
つくれるよ

ちがうおおきさの
はっぱをかさねた
ばあい

おなじおおきさの
はっぱをかさねた
ばあい

くふうしてみよう

P.186
[かんたんなほし]を
ちいさくおって
おおきな[き]の
うえにつけると
クリスマスツリーに
なるよ

●しゃしんはP.290　**しょうばいはんじょうのえんぎもの**

11月 Nov. くまで
Kumade (Decorated bamboo rake)

●おりがみ　13まい　●むずかしさ

◉ たわら

1 さんかくにおりすじをつける

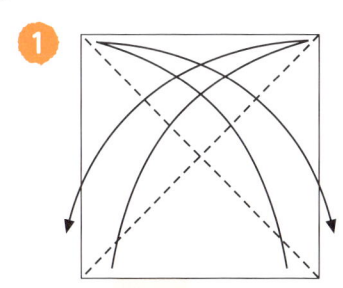

2 カドをちゅうしんにあわせておる

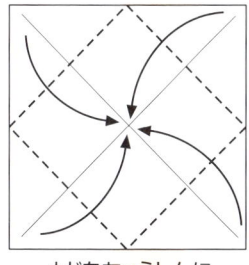

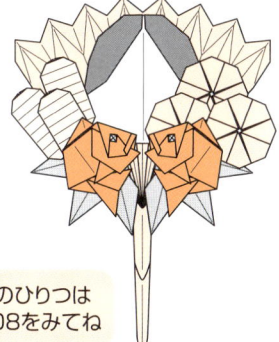

かみのひりつは P.308をみてね

3 カドをちゅうしんにあわせておりすじをつける

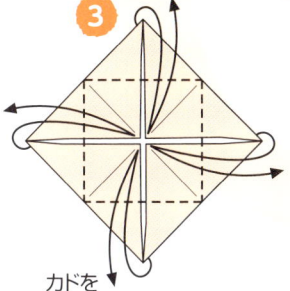

4 つけたおりすじでうちがわをひろげてつぶすようにおる

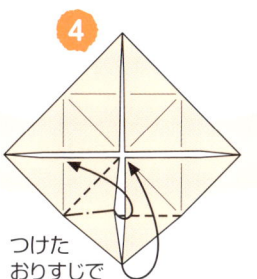

5 カドをはんたいがわへおる

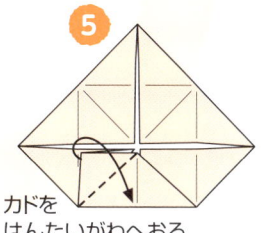

6 のこりも ❹〜❺ とおなじようにおる

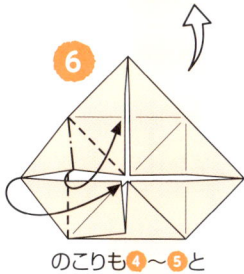

7 カドをうしろへおる

8 [たわら] できあがり

おかめ

1. さんかくにおりすじをつける
2. フチをおりすじにあわせておりすじをつける
3. フチをおりすじにあわせておる
4. フチをついているおりすじでおる
5.
6. カドをうえへおる
7. カドとカドをあわせておる
8.
9. カドをうしろへおる
10. カドをうしろへおる
11. カドをうしろへおる
12. [おかめ] できあがり

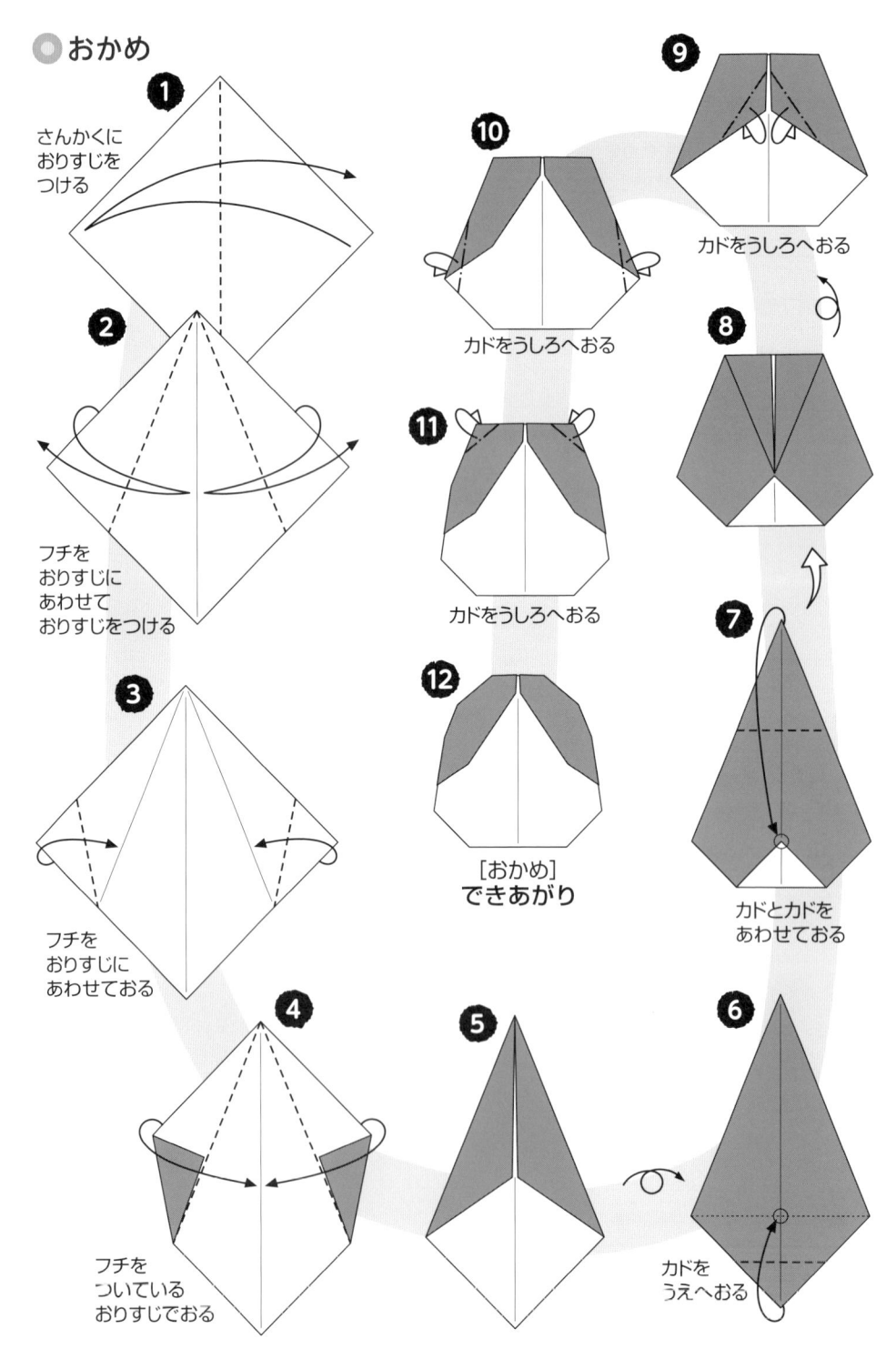

こばん

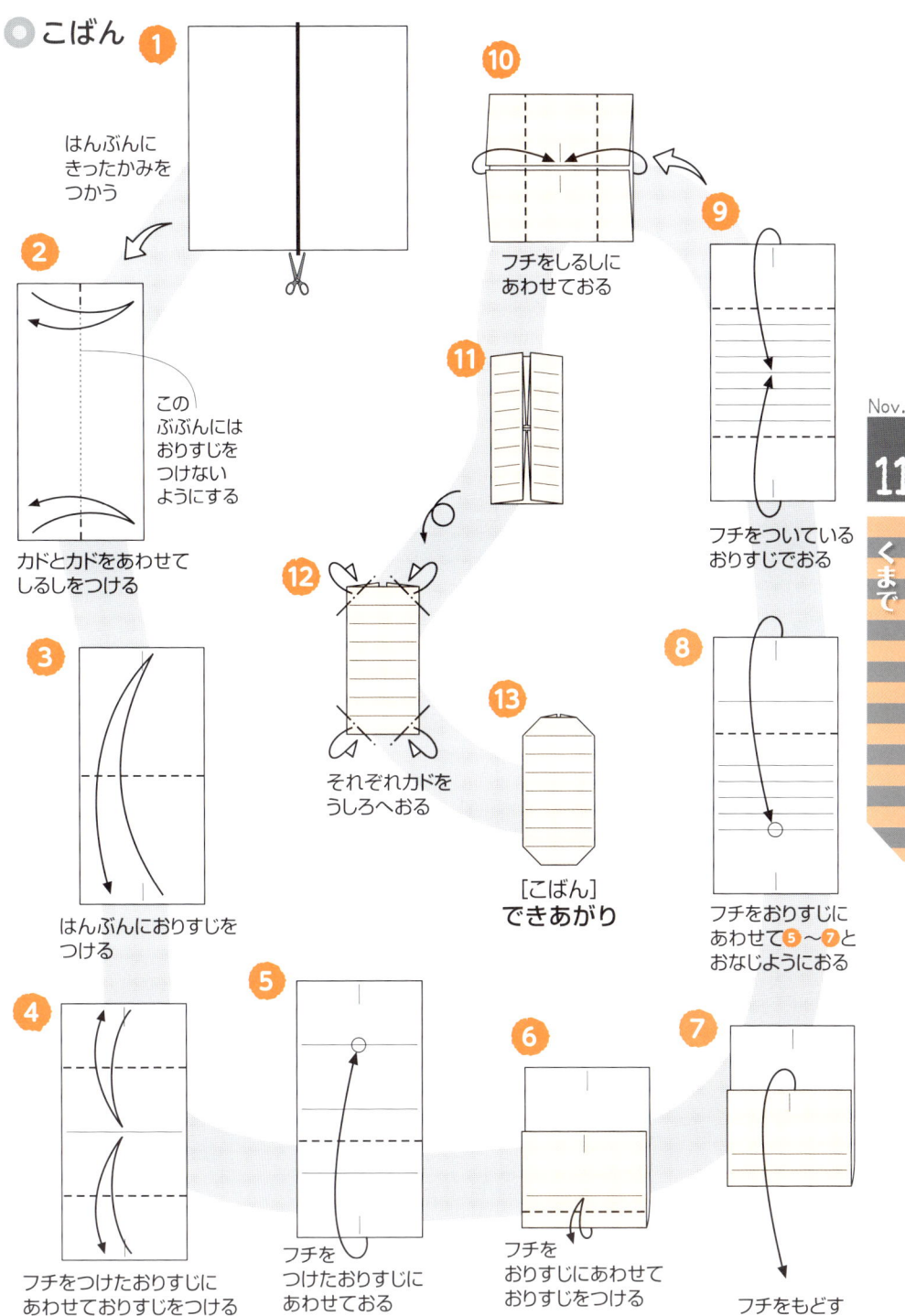

1 はんぶんにきったかみをつかう

2 カドとカドをあわせてしるしをつける
このぶぶんにはおりすじをつけないようにする

3 はんぶんにおりすじをつける

4 フチをつけたおりすじにあわせておりすじをつける

5 フチをつけたおりすじにあわせておる

6 フチをおりすじにあわせておりすじをつける

7 フチをもどす

8 フチをおりすじにあわせて5〜7とおなじようにおる

9 フチをついているおりすじでおる

10 フチをしるしにあわせておる

11

12 それぞれカドをうしろへおる

13 [こばん] できあがり

Nov. 11 くまで

たい

1. はんぶんにおる
2. はんぶんにおる
3. うちがわをひろげて つぶすようにおる
4.
5. はんたいがわへおる
6. うちがわをひろげて つぶすようにおる
7. ○を むすぶせんで ななめにおる
8. カドを ななめにおる
9. カドを フチにあわせておる
10.
11. カドをしたへおる

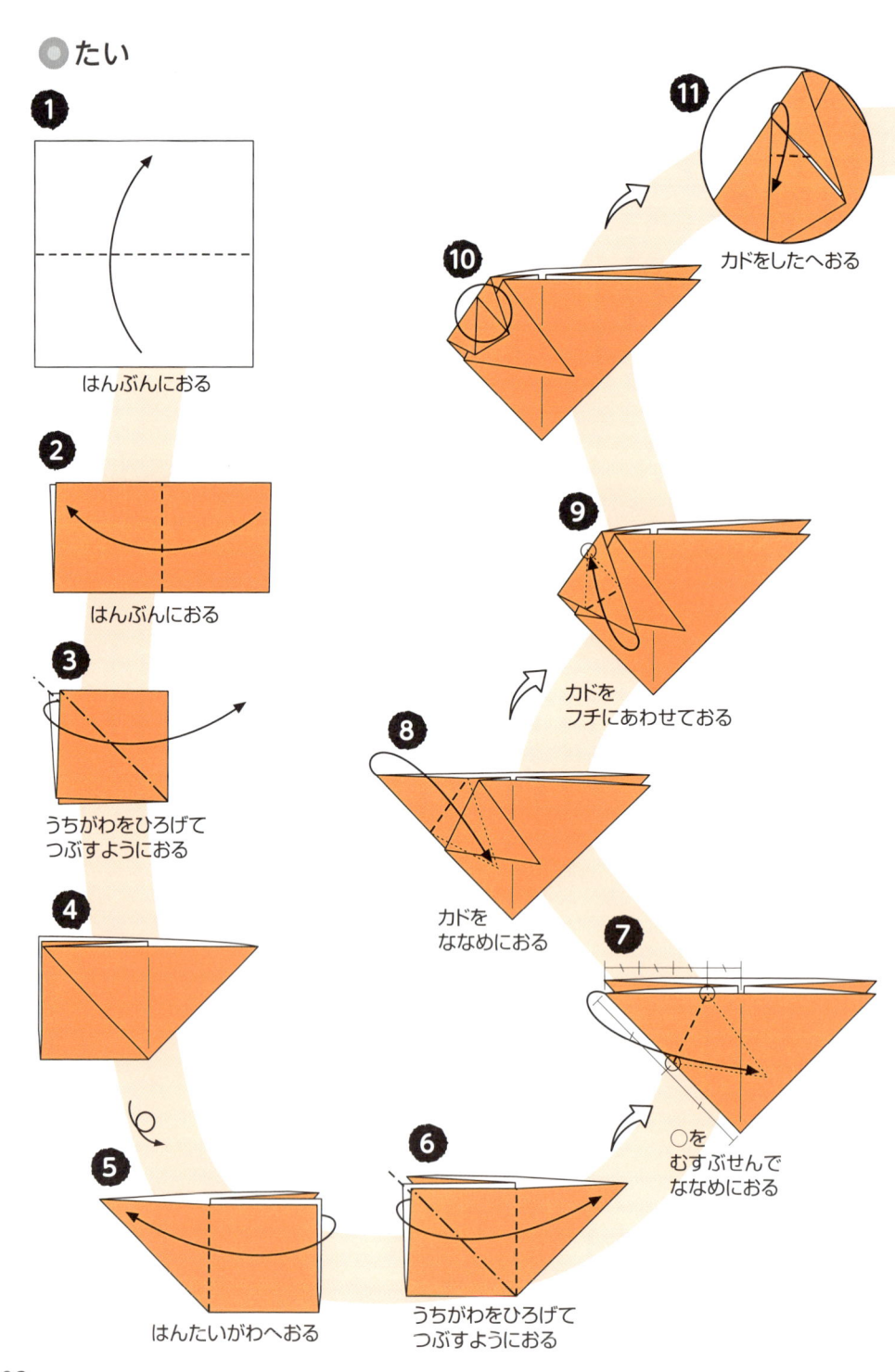

302

12
うちがわをひろげて
つぶすようにおる

13
カドを
はんたいがわへおる

14

15
○を
むすぶせんで
カドをうしろへおる

16
フチをはんたいがわへおる

17
このぶぶんは
うちがわで
おる

フチをすこし
うしろへおる

18
フチをついている
おりすじでおる

19
うしろにだんおり

20
○の
ところからカドを
うしろへおる

21
○のところから
カドを2まいかさねて
おる

22
○のところから
うえの1まいの
カドをおる

23
［たい］
できあがり

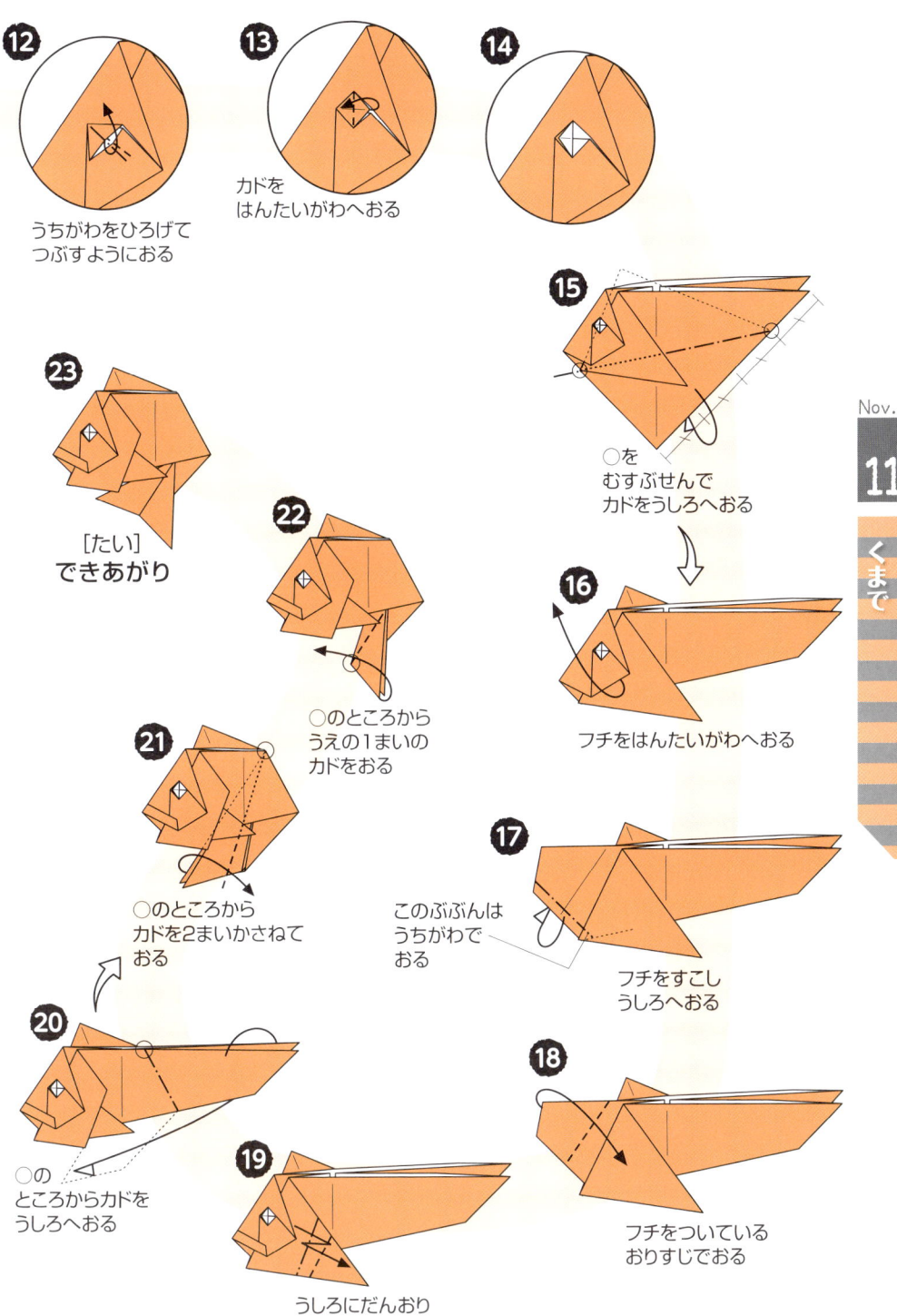

Nov.
11
くまで

ささのは

1. さんかくにおりすじをつける
2. さんかくにおる
3. カドとカドをあわせておる
4.
5. フチをおりすじにあわせておる
6. カドをななめにおる
7. しっかりとおりすじをつけてからもどす
8. つけたおりすじをつかってうちがわをひろげてつぶすようにおる
9.
10. ○のところからカドをよこへおる
11. フチとフチをあわせておりすじをつける
12. つけたおりすじでひろげてつぶすようにおる
13. ついているおりすじでカドをうしろへおる

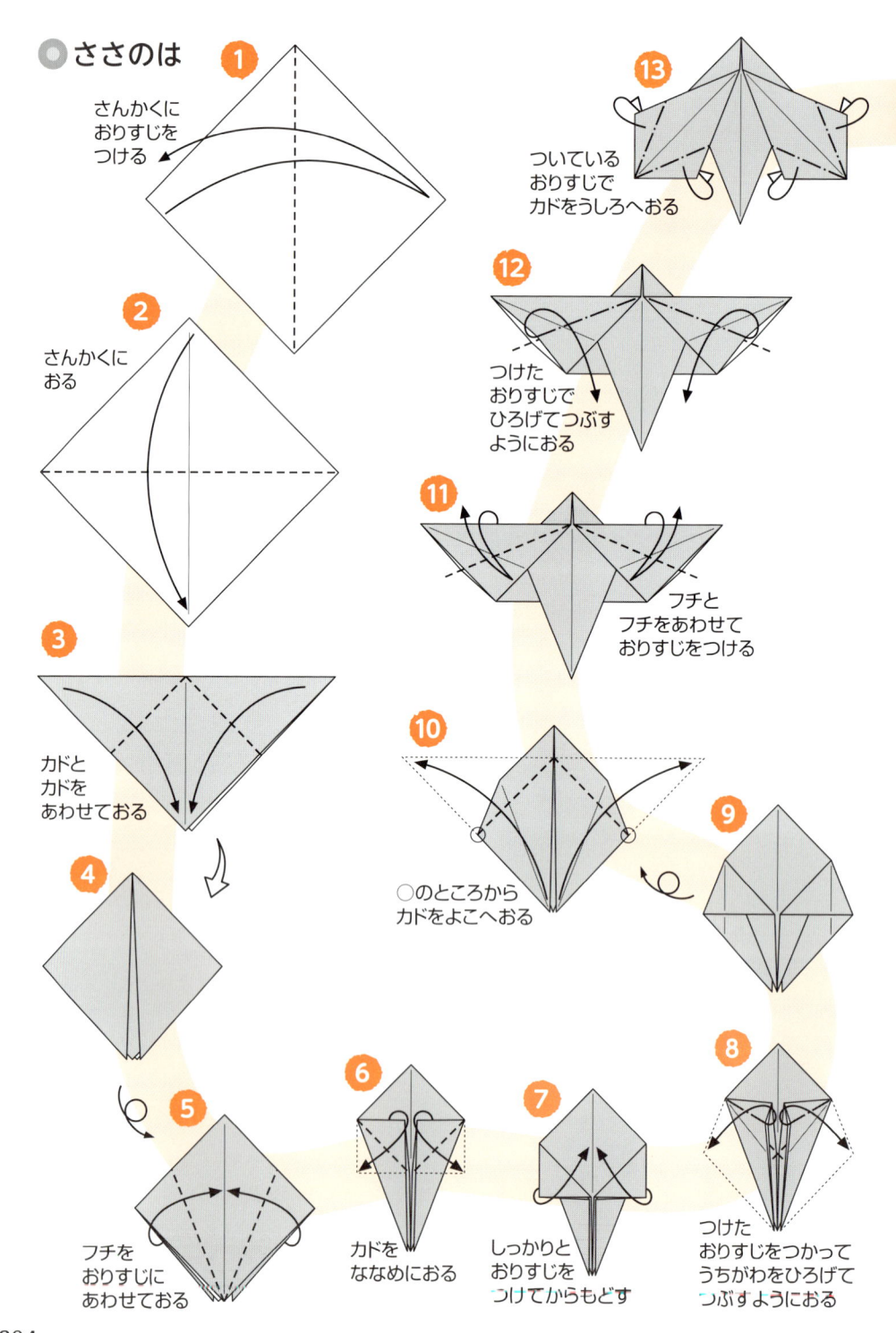

⑭ [ささのは] できあがり

◉ カドをつまむばあい

❶ カドをつまむようにやまおりのおりすじをつける

❷ できあがり

◉ くまで・え

かみのひりつは P.308をみてね

❶ はんぶんにおりすじをつける

❷ フチをおりすじにあわせておる

❸

❹ はんぶんにおる

❺ フチとフチをあわせておる

❻

❼ フチをすこしすきまをあけておる

❽ フチとフチをあわせておる

❾ フチをはんたいがわへひろげる

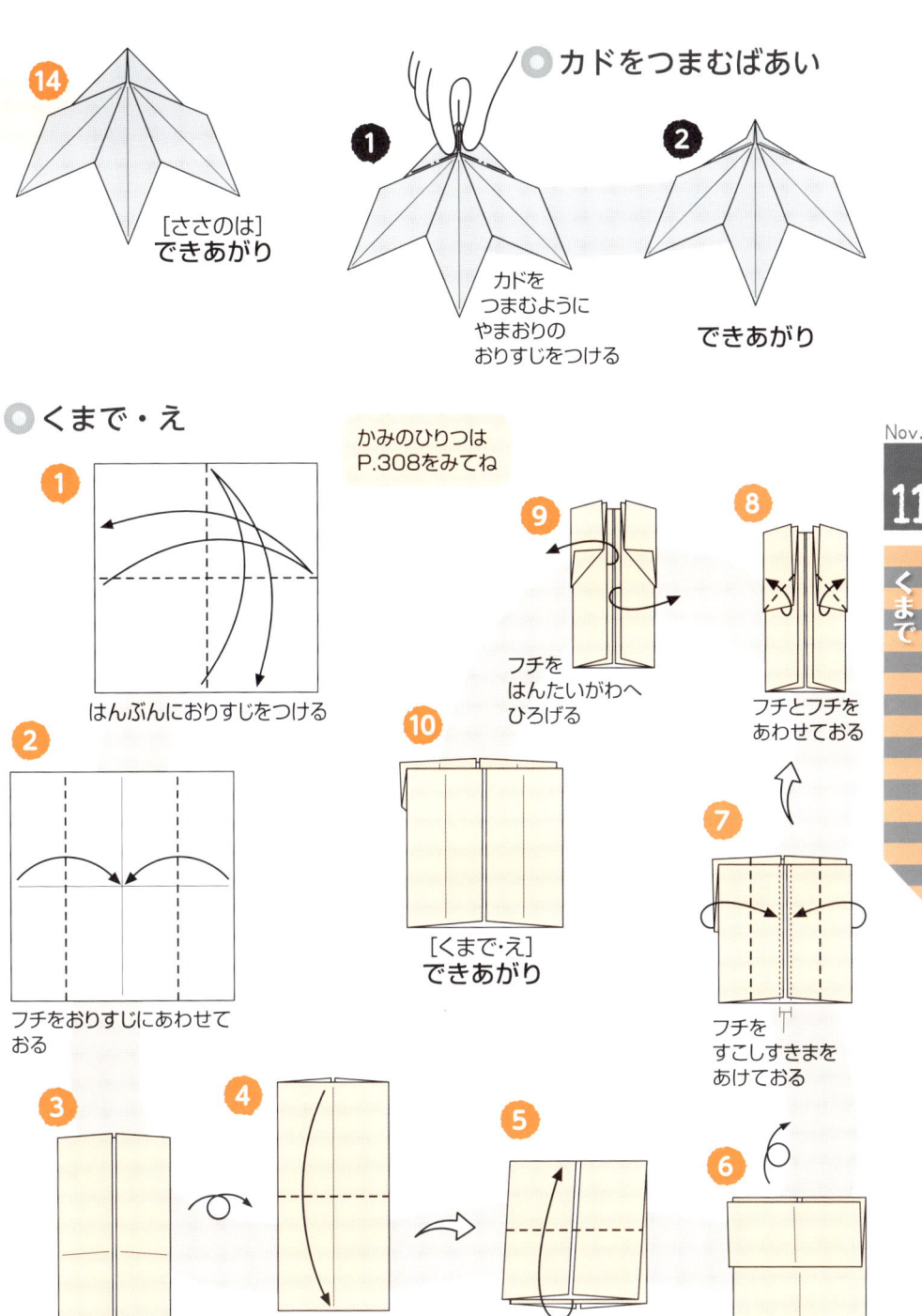

❿ [くまで・え] できあがり

Nov. 11 くまで

305

●くまで・は

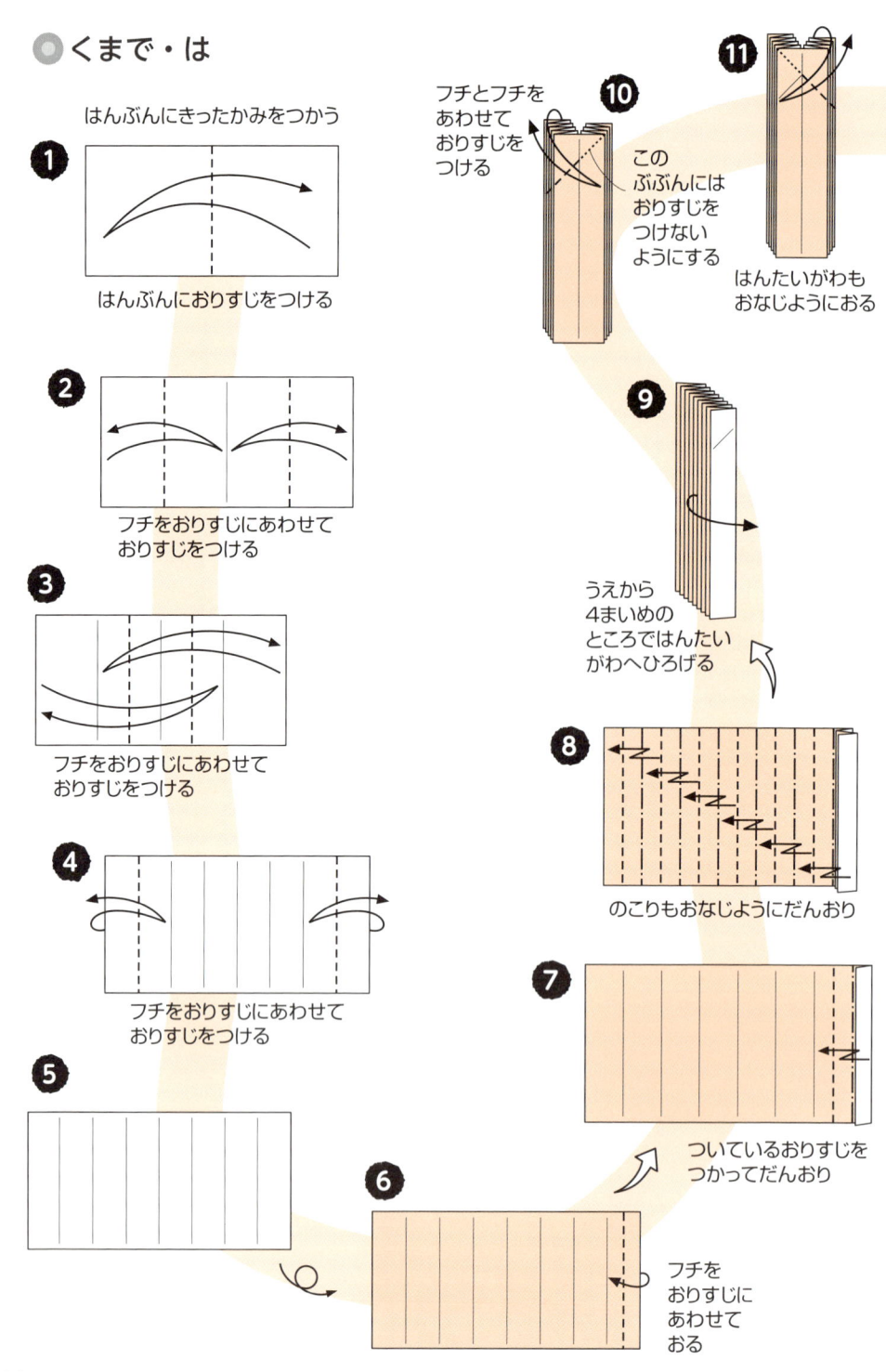

1 はんぶんにきったかみをつかう
はんぶんにおりすじをつける

2 フチをおりすじにあわせて
おりすじをつける

3 フチをおりすじにあわせて
おりすじをつける

4 フチをおりすじにあわせて
おりすじをつける

5

6 フチをおりすじにあわせておる

7 ついているおりすじをつかってだんおり

8 のこりもおなじようにだんおり

9 うえから4まいめのところではんたいがわへひろげる

10 フチとフチをあわせておりすじをつける
このぶぶんにはおりすじをつけないようにする

11 はんたいがわもおなじようにおる

⑫ はんぶんにおる

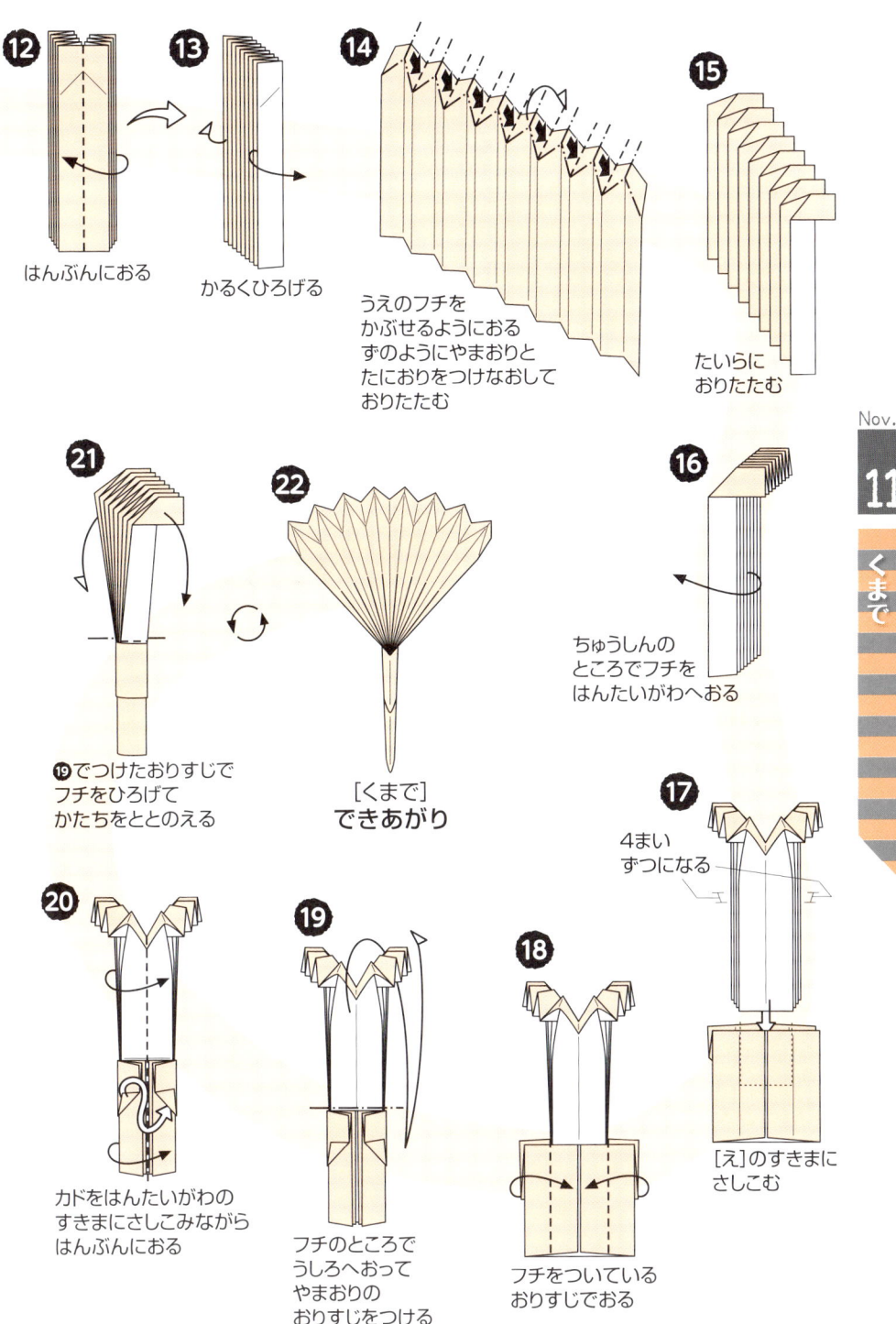

⑬ かるくひろげる

⑭ うえのフチを
かぶせるようにおる
ずのようにやまおりと
たにおりをつけなおして
おりたたむ

⑮ たいらに
おりたたむ

⑯ ちゅうしんの
ところでフチを
はんたいがわへおる

⑰ [え]のすきまに
さしこむ

4まい
ずつになる

⑱ フチをついている
おりすじでおる

⑲ フチのところで
うしろへおって
やまおりの
おりすじをつける

⑳ カドをはんたいがわの
すきまにさしこみながら
はんぶんにおる

㉑ ⑲でつけたおりすじで
フチをひろげて
かたちをととのえる

㉒ [くまで]
できあがり

Nov.
11
くまで

● くみたてかた

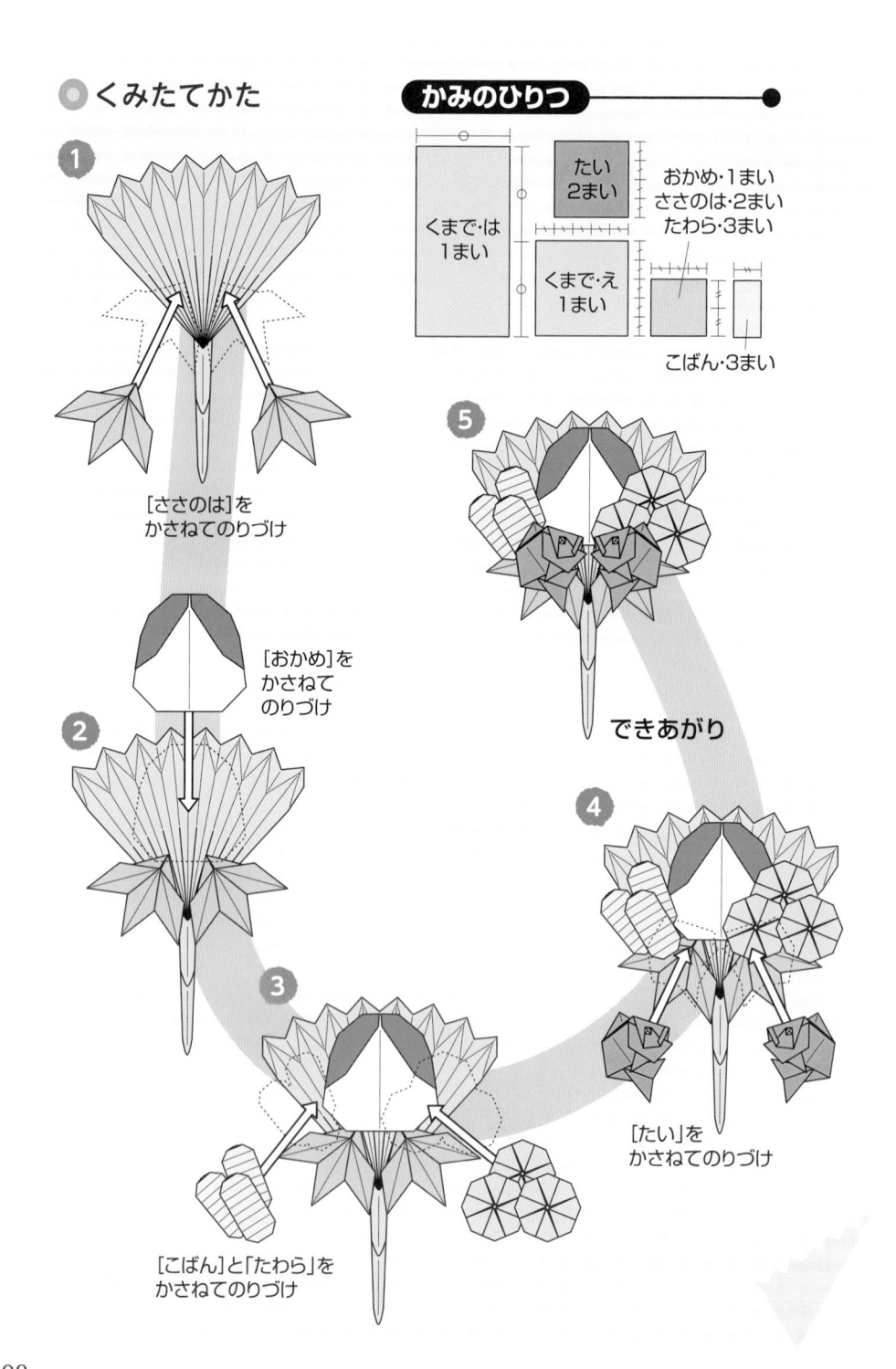

かみのひりつ

くまで・は 1まい	たい 2まい	おかめ・1まい ささのは・2まい たわら・3まい
	くまで・え 1まい	こばん・3まい

1 [ささのは]を かさねてのりづけ

[おかめ]を かさねてのりづけ

2

3 [こばん]と[たわら]を かさねてのりづけ

4 [たい]を かさねてのりづけ

5 できあがり

308

●しゃしんはP.291　ダリアのはなが、びっくりへんしん

11月 Nov.
きく
Chrysanthemum

●おりがみ　6まい　●むずかしさ

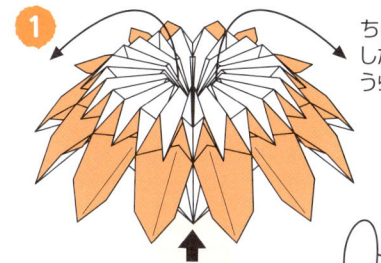

P.262[ダリア]のできあがりからはじめる

① ちゅうしんを したからおしこんで うらがえすようにする

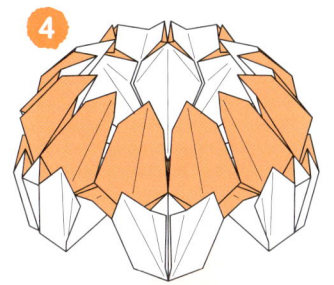

② とちゅうのず

③

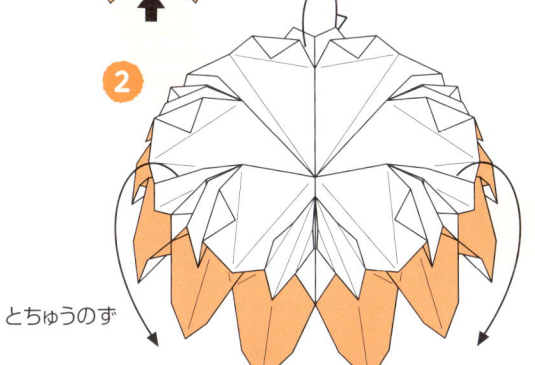

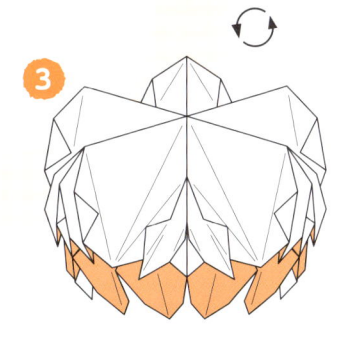

④ できあがり

○ ワイヤーのつけかた

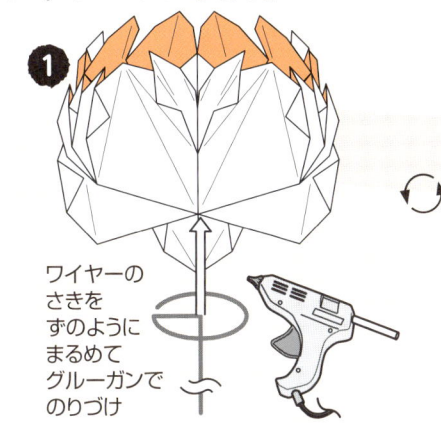

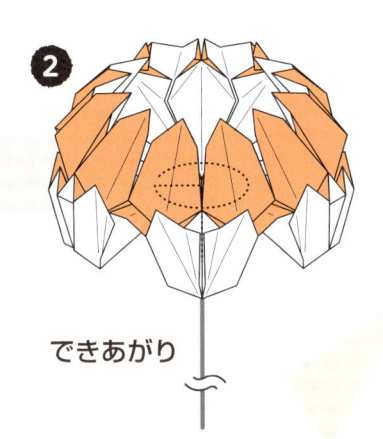

① ワイヤーの さきを ずのように まるめて グルーガンで のりづけ

② できあがり

●しゃしんはP.292 **いろんなタルトをつくってみよう**

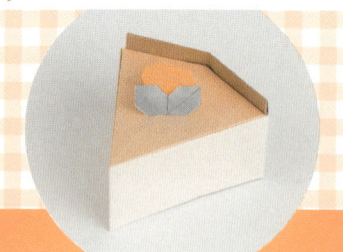

11月 タルト
Nov. Tart

●おりがみ 4〜5まい ●むずかしさ

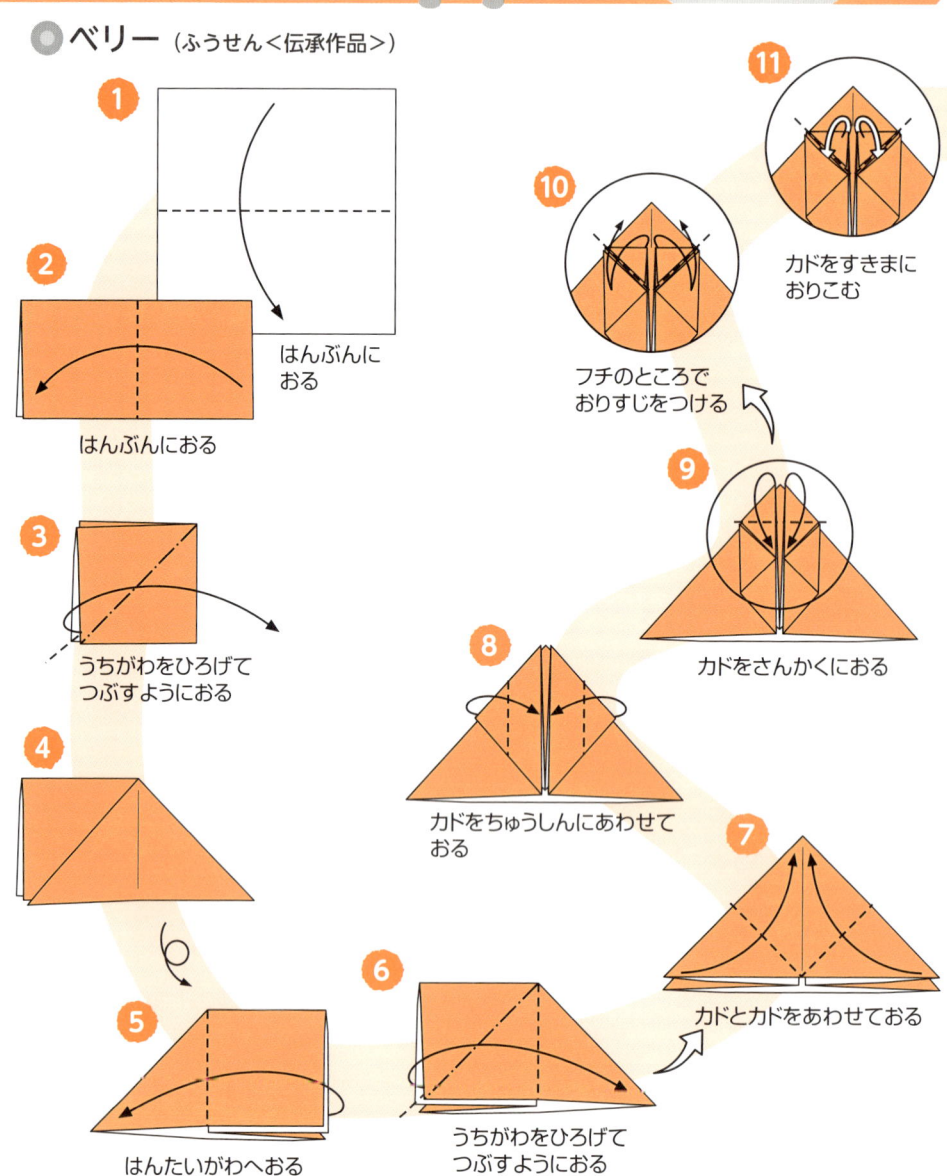

●ベリー（ふうせん＜伝承作品＞）

1. はんぶんにおる
2. はんぶんにおる
3. うちがわをひろげてつぶすようにおる
4.
5. はんたいがわへおる
6. うちがわをひろげてつぶすようにおる
7. カドとカドをあわせておる
8. カドをちゅうしんにあわせておる
9. カドをさんかくにおる
10. フチのところでおりすじをつける
11. カドをすきまにおりこむ

13

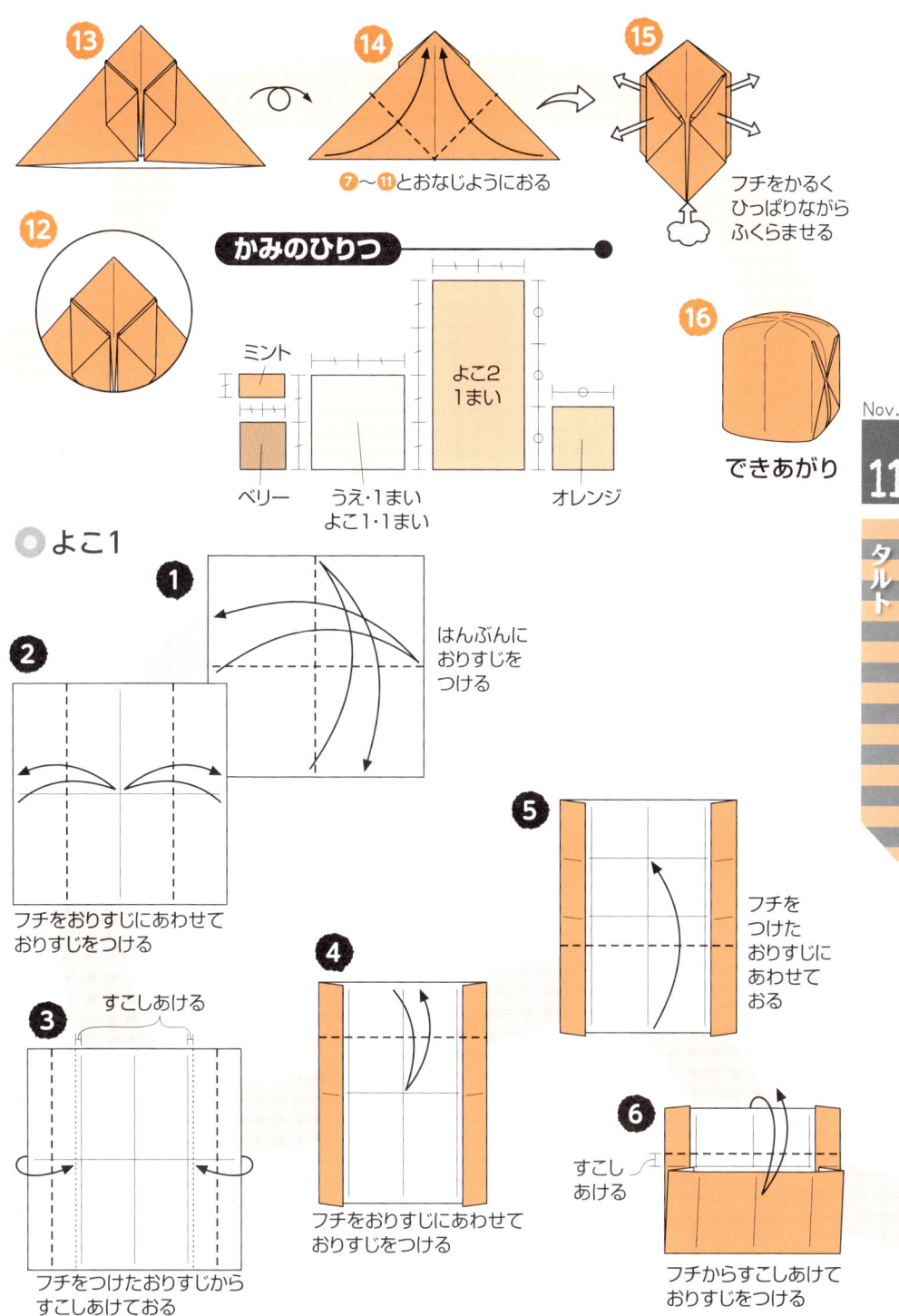

14
7〜11とおなじようにおる

15
フチをかるく
ひっぱりながら
ふくらませる

12

かみのひりつ

ミント

ベリー

うえ・1まい
よこ1・1まい

よこ2
1まい

オレンジ

16
できあがり

Nov.
11
タルト

○ よこ1

1
はんぶんに
おりすじを
つける

2
フチをおりすじにあわせて
おりすじをつける

3
すこしあける
フチをつけたおりすじから
すこしあけておる

4
フチをおりすじにあわせて
おりすじをつける

5
フチを
つけた
おりすじに
あわせて
おる

6
すこし
あける
フチからすこしあけて
おりすじをつける

311

●くみたてかた

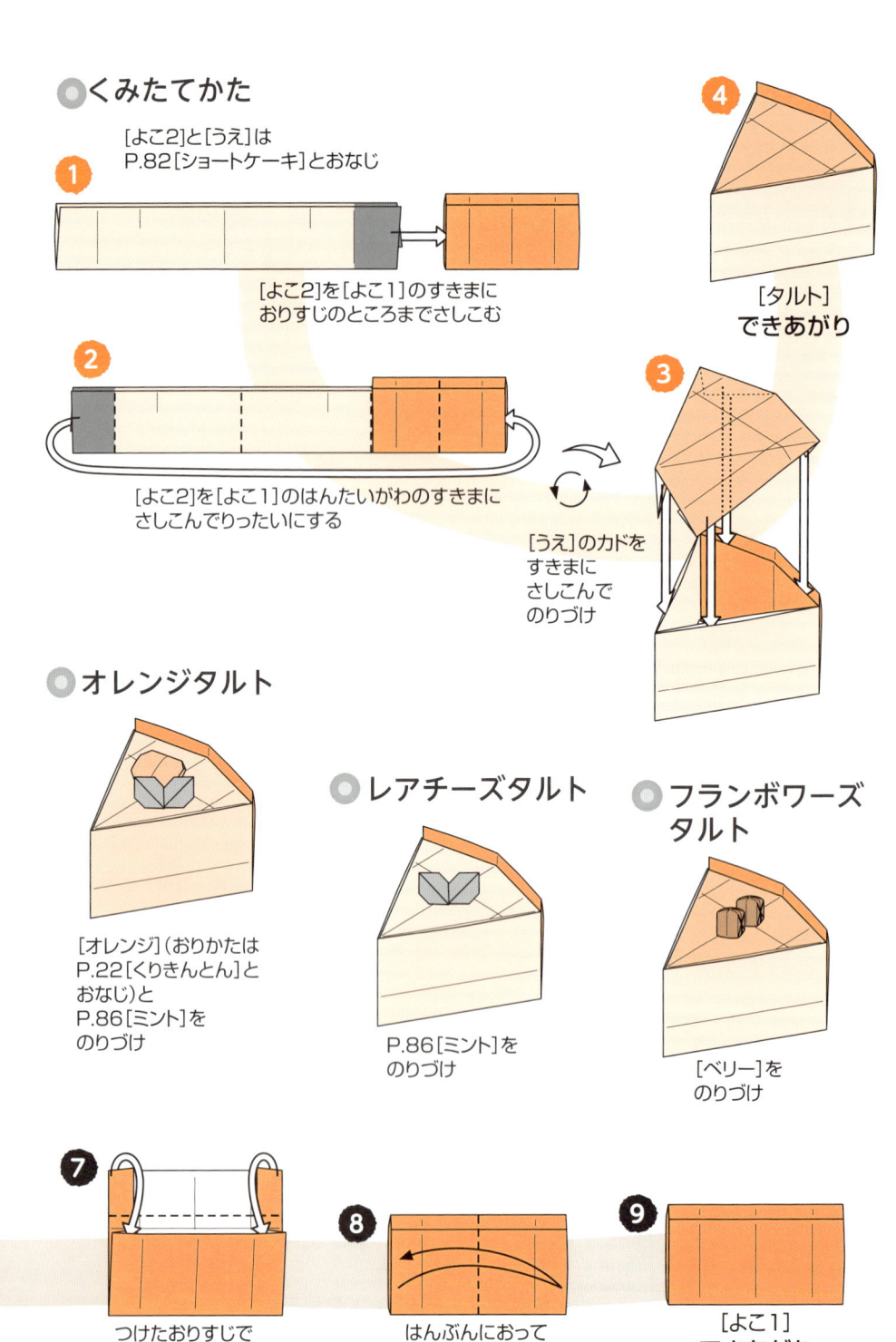

1 [よこ2]と[うえ]は P.82[ショートケーキ]とおなじ

[よこ2]を[よこ1]のすきまにおりすじのところまでさしこむ

2 [よこ2]を[よこ1]のはんたいがわのすきまにさしこんでりったいにする

3 [うえ]のカドをすきまにさしこんでのりづけ

4 [タルト] できあがり

●オレンジタルト

[オレンジ]（おりかたはP.22[くりきんとん]とおなじ）とP.86[ミント]をのりづけ

●レアチーズタルト

P.86[ミント]をのりづけ

●フランボワーズタルト

[ベリー]をのりづけ

7 つけたおりすじでフチをすきまにおりこむ

8 はんぶんにおっておりすじをつけなおす

9 [よこ1] できあがり

312

Let's party !

サンタのぼうしはこどもにピッタリのサイズ

12月 Dec.

サンタのぼうし　P.331　35×35cm
キャンディートレイ　P.324　30×30cm
しかくトレイ　P.328　15×15cm　4まい
ナプキンリング　P.326　15×7.5cm

313

Silent Night,Holy Night
シックな色づかいで、大人なクリスマスに

クリスマスツリー　P.317　はっぱ：15×15cm、12.5×12.5cm
　　　　　　　　　10×10cm、7.5×7.5cm、5×5cm、みき：15×15cm
りったいのほし　P.334　3×3cm　5まい
ギフトボックス　P.321　25×18cm　8まい

10 まいぐみのほし　P.336　5×5cm　10 まい
ろうそく　P.352　9×9cm
ベル　P.351　4×4cm
サンタクロース　P.342　からだ：5×5cm、かお：2.5×2.5cm
えんとつのいえ　P.349　7.5×7.5cm
き　P.297　はっぱ：8×8cm、みき：8×4cm
くつした　P.348　6×6cm
ゆきだるま　P.344　かおとからだ：8×8cm、バケツ：4×4cm

てぶくろ　P.346

315

Merry Christmas !
リボンを組み合わせてゴージャスなカードに

ポインセチア　P.340
　　カード：10×15cm、そとがわ：4.5×4.5cm　8まい、
　　うちがわ：3×3cm　8まい

● しゃしんはP.314　**すこしずつおおきさのちがうかみでつくるよ**

12月 Dec. クリスマスツリー Christmas tree

● おりがみ　6まい　　● むずかしさ

◎ はっぱ

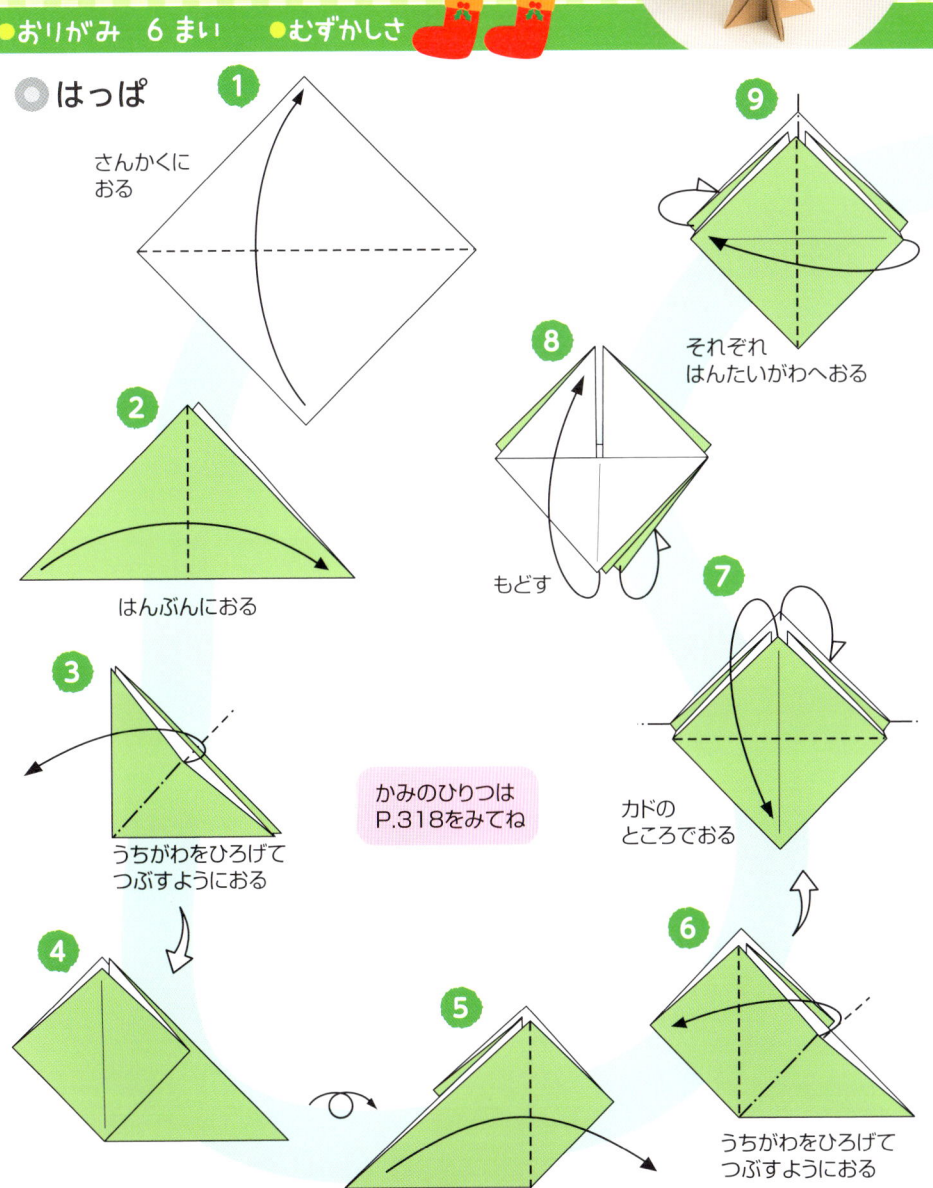

1 さんかくにおる

2 はんぶんにおる

3 うちがわをひろげてつぶすようにおる

4

5 はんたいがわへおる

6 うちがわをひろげてつぶすようにおる

7 カドのところでおる

8 もどす

9 それぞれはんたいがわへおる

かみのひりつは P.318をみてね

Dec. 12 クリスマスツリー

317

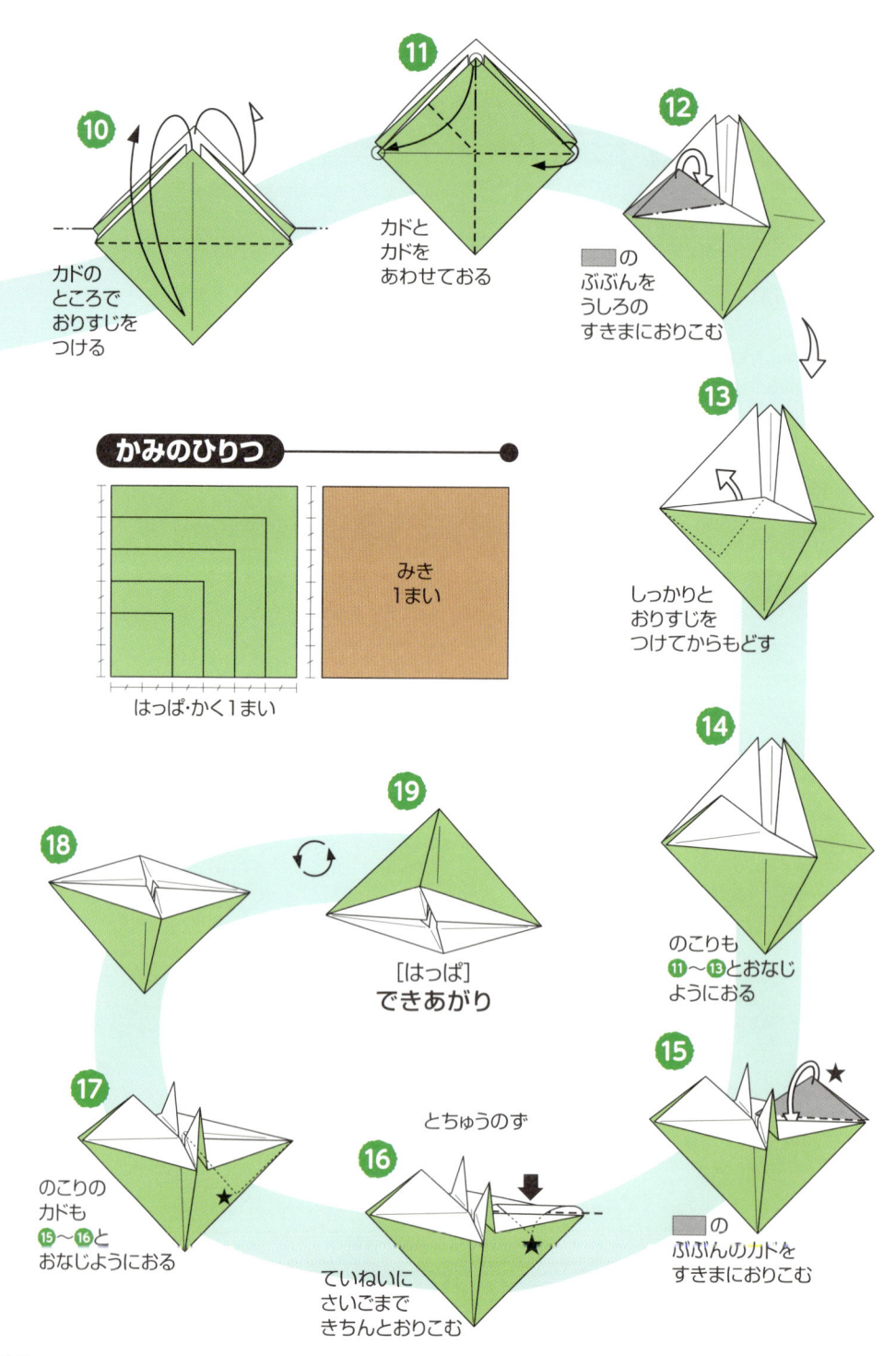

10
カドの
ところで
おりすじを
つける

11
カドと
カドを
あわせておる

12
■の
ぶぶんを
うしろの
すきまにおりこむ

13
しっかりと
おりすじを
つけてからもどす

14
のこりも
⑪〜⑬とおなじ
ようにおる

15
■の
ぶぶんのカドを
すきまにおりこむ

16
とちゅうのず

ていねいに
さいごまで
きちんとおりこむ

17
のこりの
カドも
⑮〜⑯と
おなじようにおる

18

19
［はっぱ］
できあがり

かみのひりつ

はっぱ・かく1まい

みき
1まい

○ みき

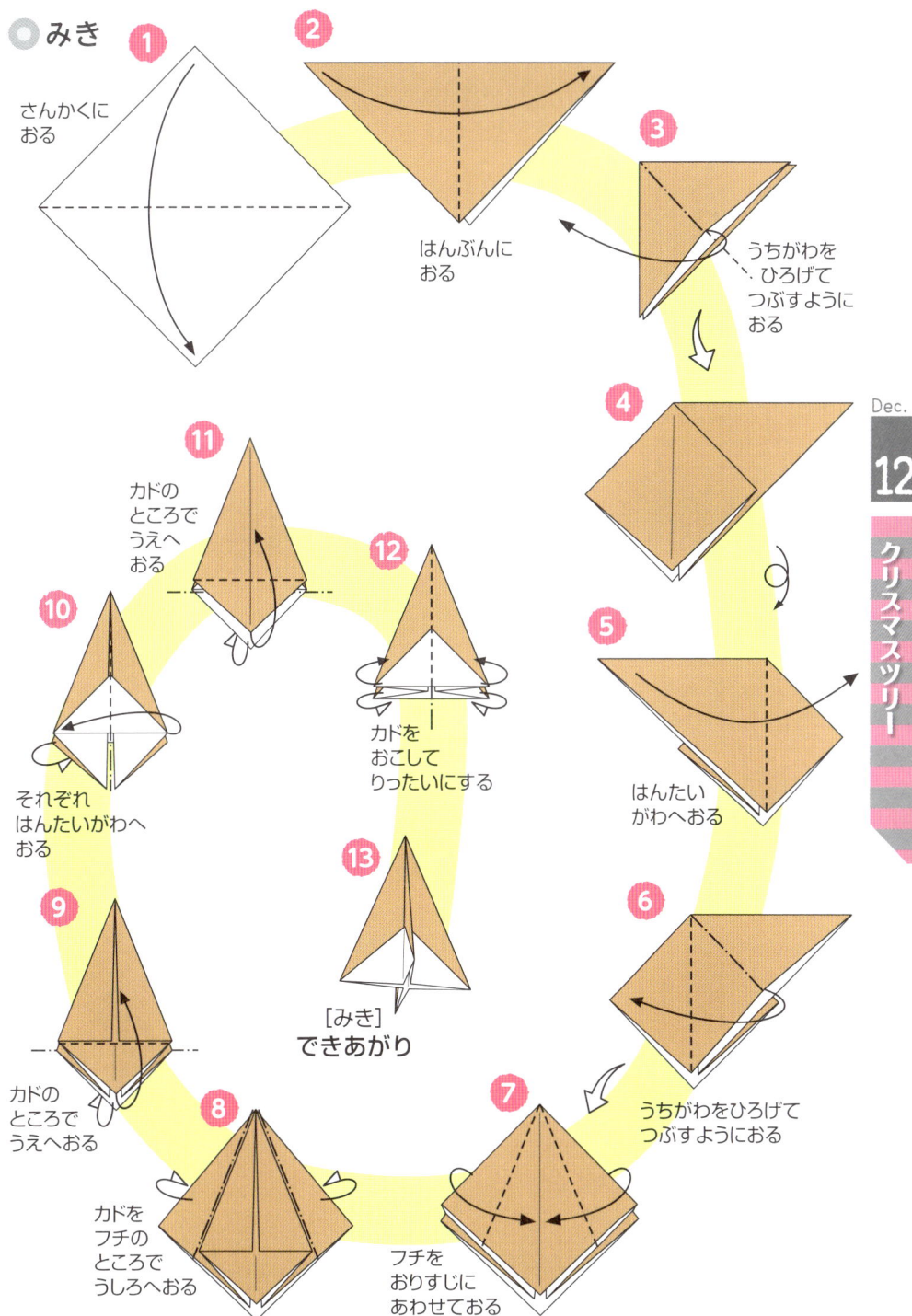

1. さんかくにおる
2. はんぶんにおる
3. うちがわをひろげてつぶすようにおる
5. はんたいがわへおる
7. フチをおりすじにあわせておる
8. カドをフチのところでうしろへおる
9. カドのところでうえへおる
10. それぞれはんたいがわへおる
11. カドのところでうえへおる
12. カドをおこしてりったいにする

[みき] できあがり

Dec. 12 クリスマスツリー

◉くみたてかた

① のり
のり
ところどころに
すこしずつ
のりをつけて
とめる
のり
のり

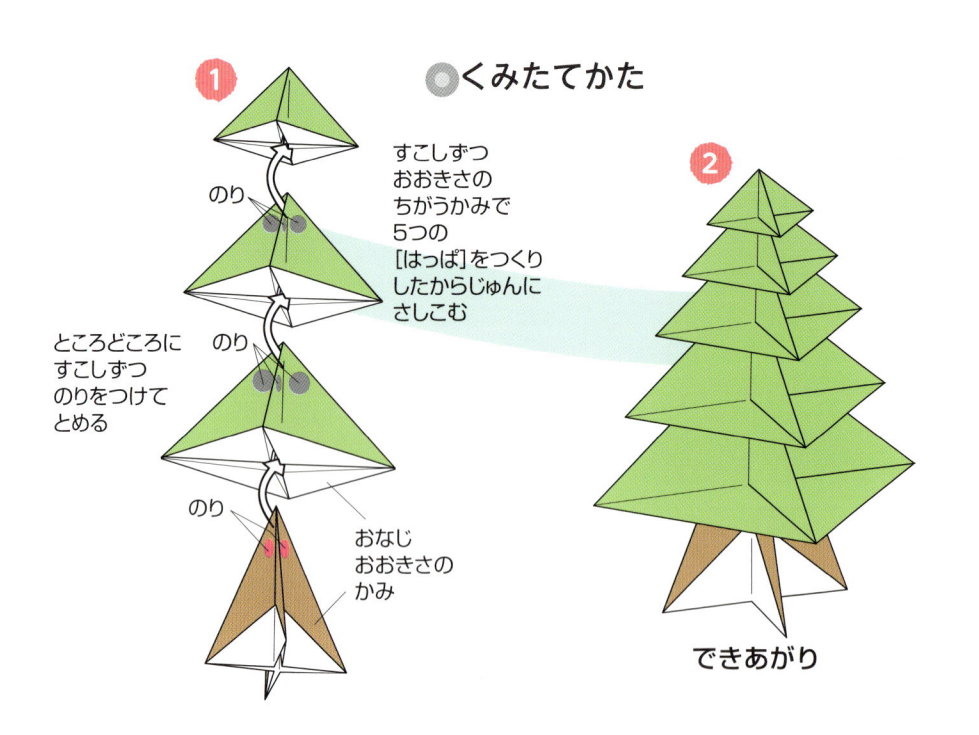

すこしずつ
おおきさの
ちがうかみで
5つの
[はっぱ]をつくり
したからじゅんに
さしこむ

おなじ
おおきさの
かみ

②

できあがり

◉ほしのつけかた

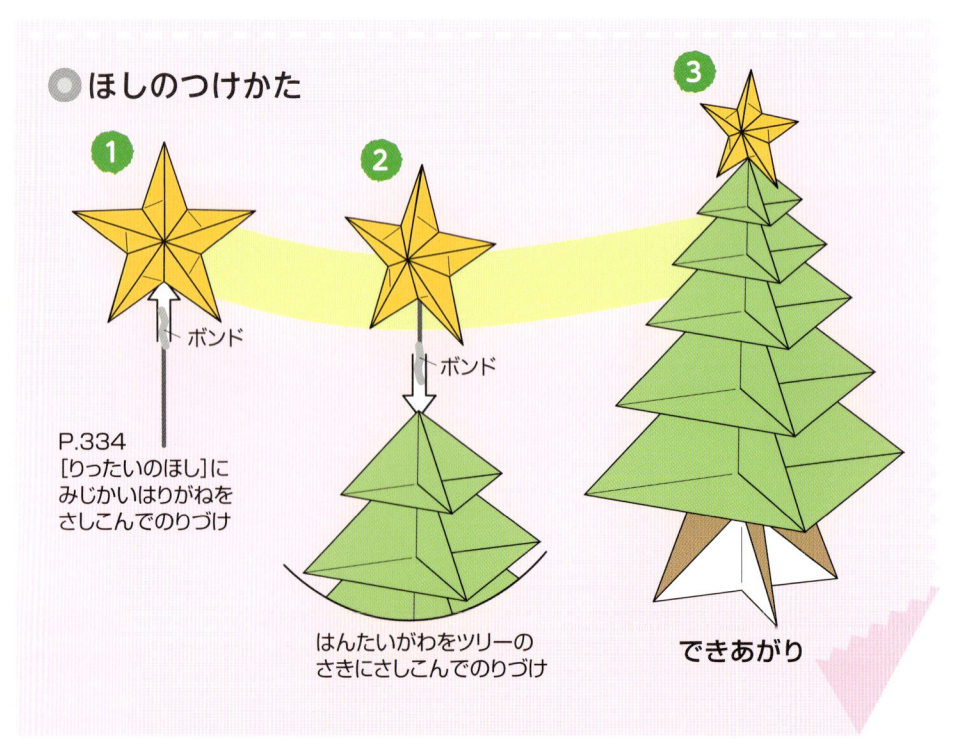

①
ボンド
P.334
[りったいのほし]に
みじかいはりがねを
さしこんでのりづけ

②
ボンド
はんたいがわをツリーの
さきにさしこんでのりづけ

③
できあがり

320

● しゃしんはP.314　**ちょうほうけいのかみをつかうよ**

12月 Dec. ギフトボックス
Gift box

● おりがみ　8まい　　● むずかしさ

● ほんたい
コピーようしなどの
ちょうほうけいのかみでおる

1 はんぶんにおる

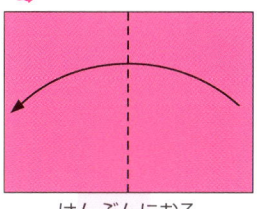

2 フチとフチを
あわせておる

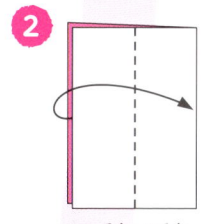

3 フチとフチを
あわせて
おりすじをつける

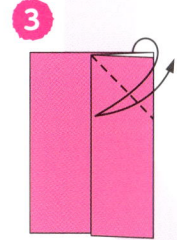

4 つけたおりすじの
ところでうしろへ
おる

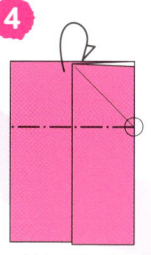

5

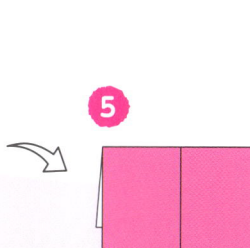

6 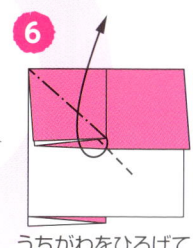 うちがわをひろげて
つぶすようにおる

7 フチをひらく
ところで
うえへおる

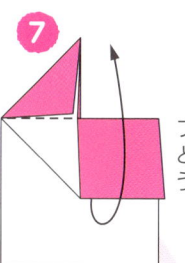

8 フチをおりすじに
あわせておる

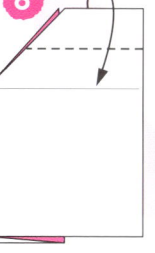

9 フチをおりすじに
あわせておる

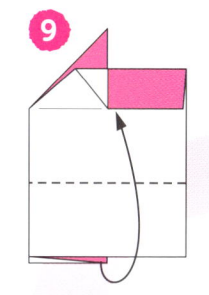

10 フチをすきまに
さしこむ

Dec. 12 ギフトボックス

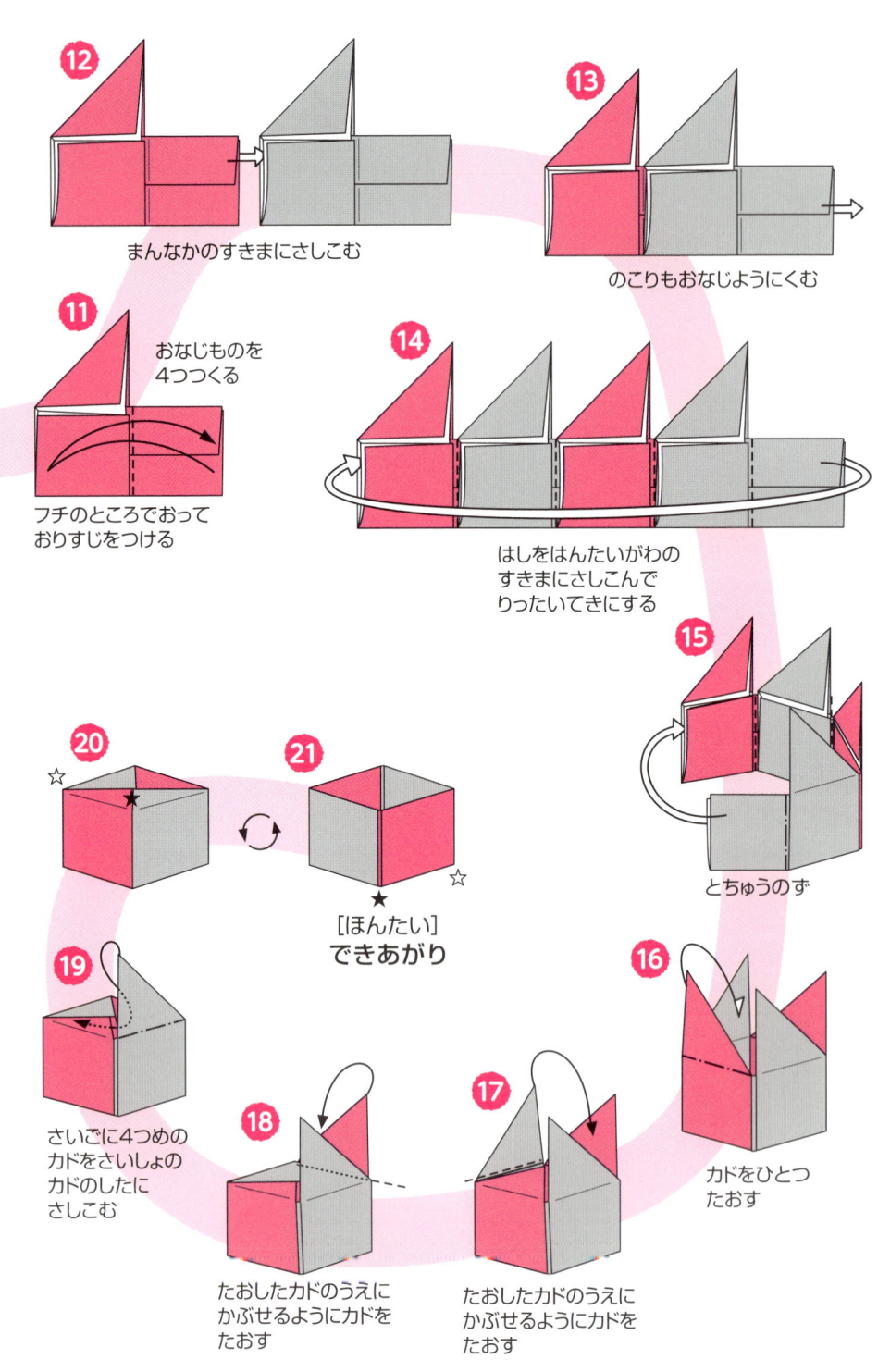

12 まんなかのすきまにさしこむ

13 のこりもおなじようにくむ

11 おなじものを4つつくる
フチのところでおっておりすじをつける

14 はしをはんたいがわのすきまにさしこんでりったいてきにする

15 とちゅうのず

16 カドをひとつたおす

17 たおしたカドのうえにかぶせるようにカドをたおす

18 たおしたカドのうえにかぶせるようにカドをたおす

19 さいごに4つめのカドをさいしょのカドのしたにさしこむ

20

21 [ほんたい] できあがり

322

○ふた

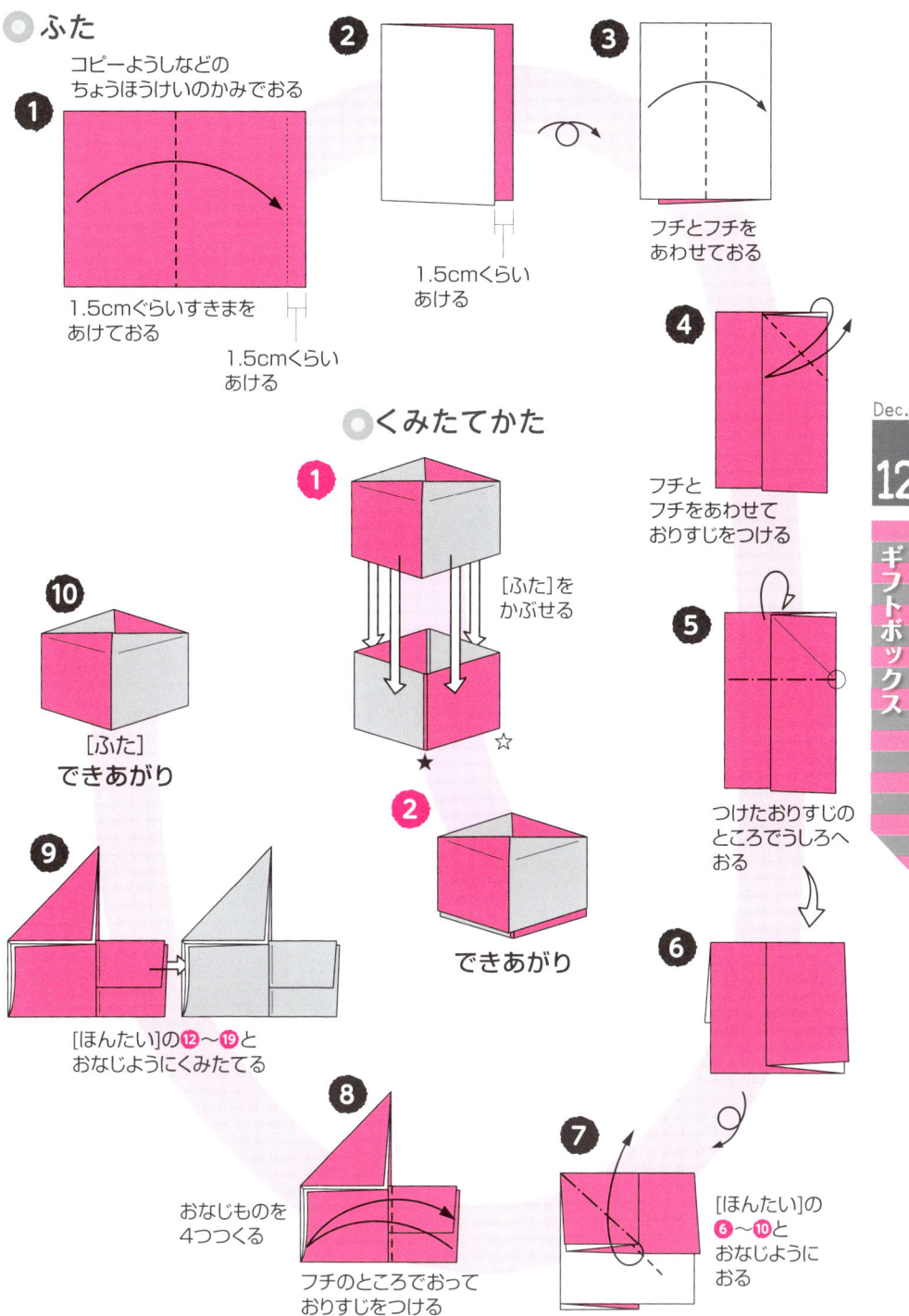

1 コピーようしなどの
ちょうほうけいのかみでおる

1.5cmぐらいすきまを
あけておる
1.5cmくらい
あける

2 1.5cmくらい
あける

3 フチとフチを
あわせておる

4 フチと
フチをあわせて
おりすじをつける

5 つけたおりすじの
ところでうしろへ
おる

6

7 [ほんたい]の
⑥〜⑩と
おなじように
おる

8 おなじものを
4つつくる
フチのところでおって
おりすじをつける

9 [ほんたい]の⑫〜⑲と
おなじようにくみたてる

10 [ふた]
できあがり

○くみたてかた

1 [ふた]を
かぶせる

★ ☆

2 できあがり

Dec.
12
ギフトボックス

●しゃしんはP.313　**8ばんであわせるおりすじにきをつけよう**

12月 Dec. キャンディー トレイ Candy tray

●おりがみ 1まい　●むずかしさ

1 はんぶんにおりすじをつける

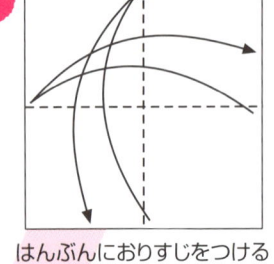

2 フチをおりすじにあわせて おりすじをつける

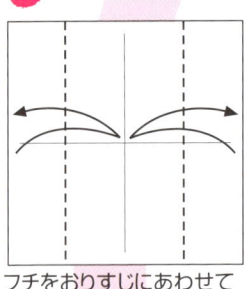

3 フチをおりすじに あわせておる

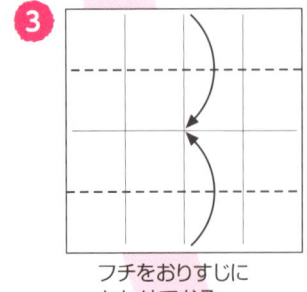

4

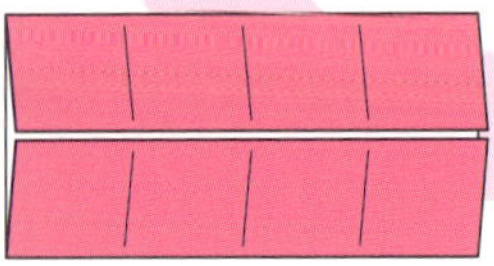

5 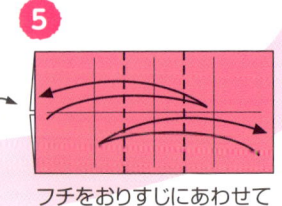 フチをおりすじにあわせて おりすじをつける

6 フチをおりすじに あわせておる

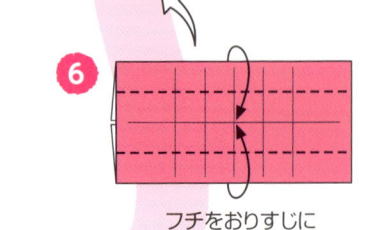

7

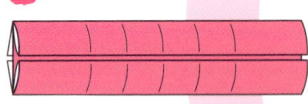

8 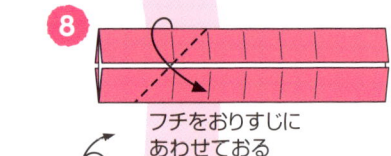 フチをおりすじに あわせておる

9 しっかりとおりすじを つけてからもどす

10 フチをおりすじにあわせておる

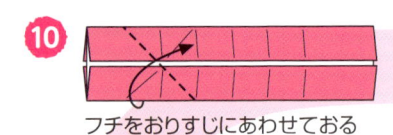

324

12 フチをおりすじにあわせておる

13 しっかりとおりすじをつけてからもどす

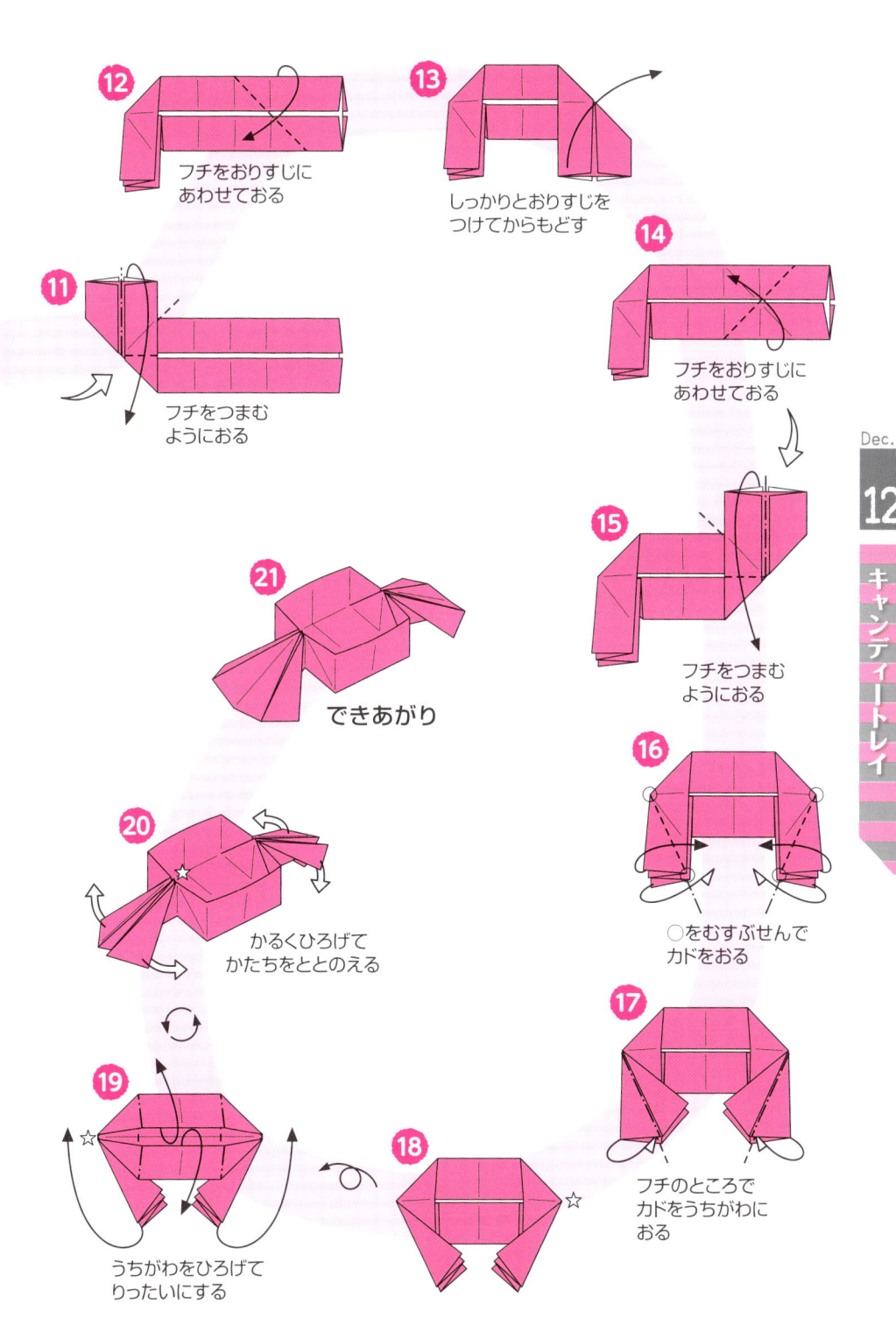

11 フチをつまむようにおる

14 フチをおりすじにあわせておる

15 フチをつまむようにおる

16 ○をむすぶせんでカドをおる

17 フチのところでカドをうちがわにおる

18

19 うちがわをひろげてりったいにする

20 かるくひろげてかたちをととのえる

21 できあがり

Dec. 12 キャンディートレイ

325

●しゃしんはP.313　**ハートのついたかわいいナプキンリングだよ**

ナプキンリング
Napkin ring
12月 Dec.

●おりがみ 1まい　●むずかしさ

1 はんぶんにきったかみをつかう

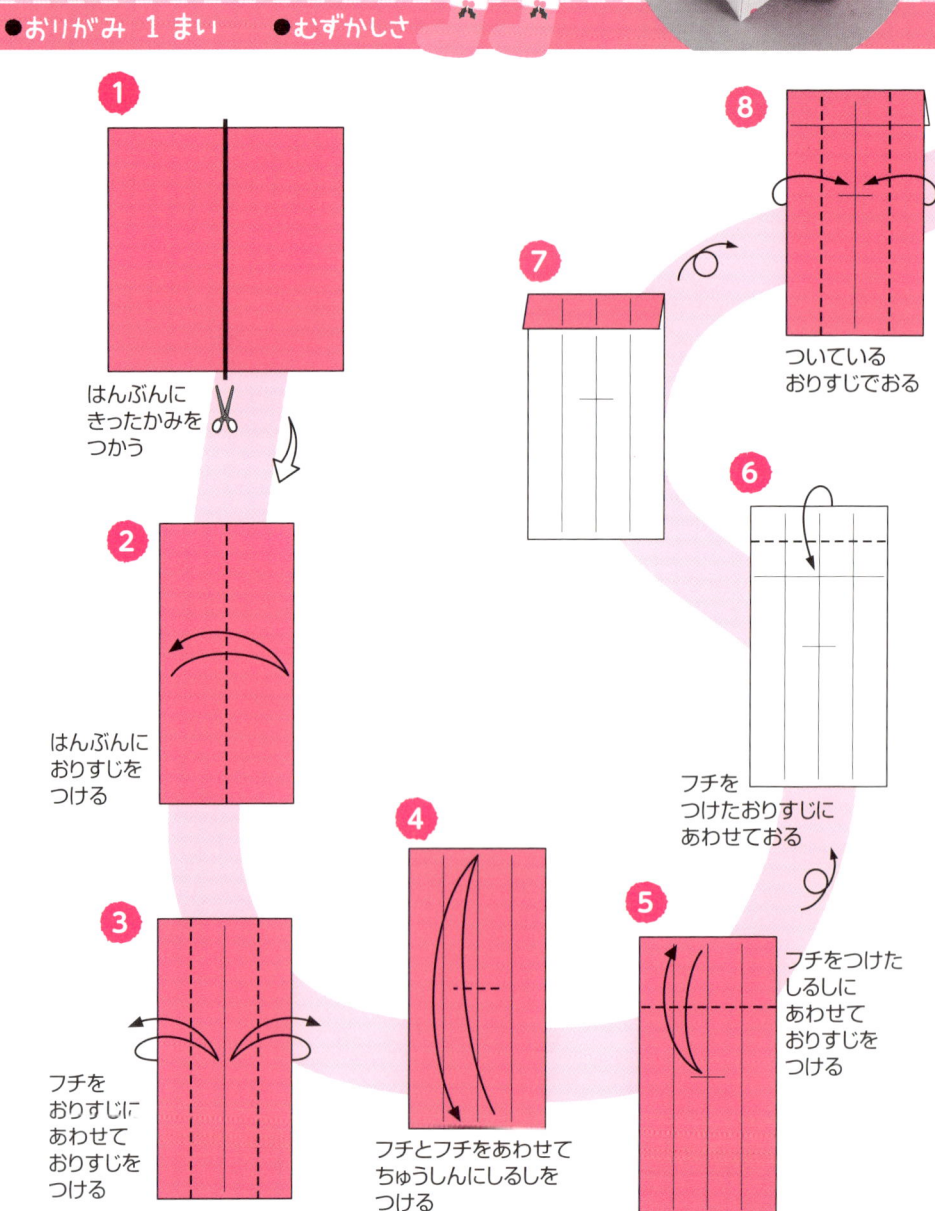

2 はんぶんにおりすじをつける

3 フチをおりすじにあわせておりすじをつける

4 フチとフチをあわせてちゅうしんにしるしをつける

5 フチをつけたしるしにあわせておりすじをつける

6 フチをつけたおりすじにあわせておる

7

8 ついているおりすじでおる

326

⑨
⑩ したのフチを
うえのすきまの
おくまで
さしこむ

⑪ フチのところで
したへおる

⑫ カドとカドをあわせて
おりすじをつける

⑬ カドをつまんで
ずらすようにおる

⑭ はんたいがわも
おなじようにおる

⑮ フチを1/4
くらいのはばで
うしろへおる

⑯ カドをすこし
うしろへおる

⑰

⑱ うちがわをひろげて
かたちをととのえる

⑲ できあがり

Dec.
12
ナプキンリング

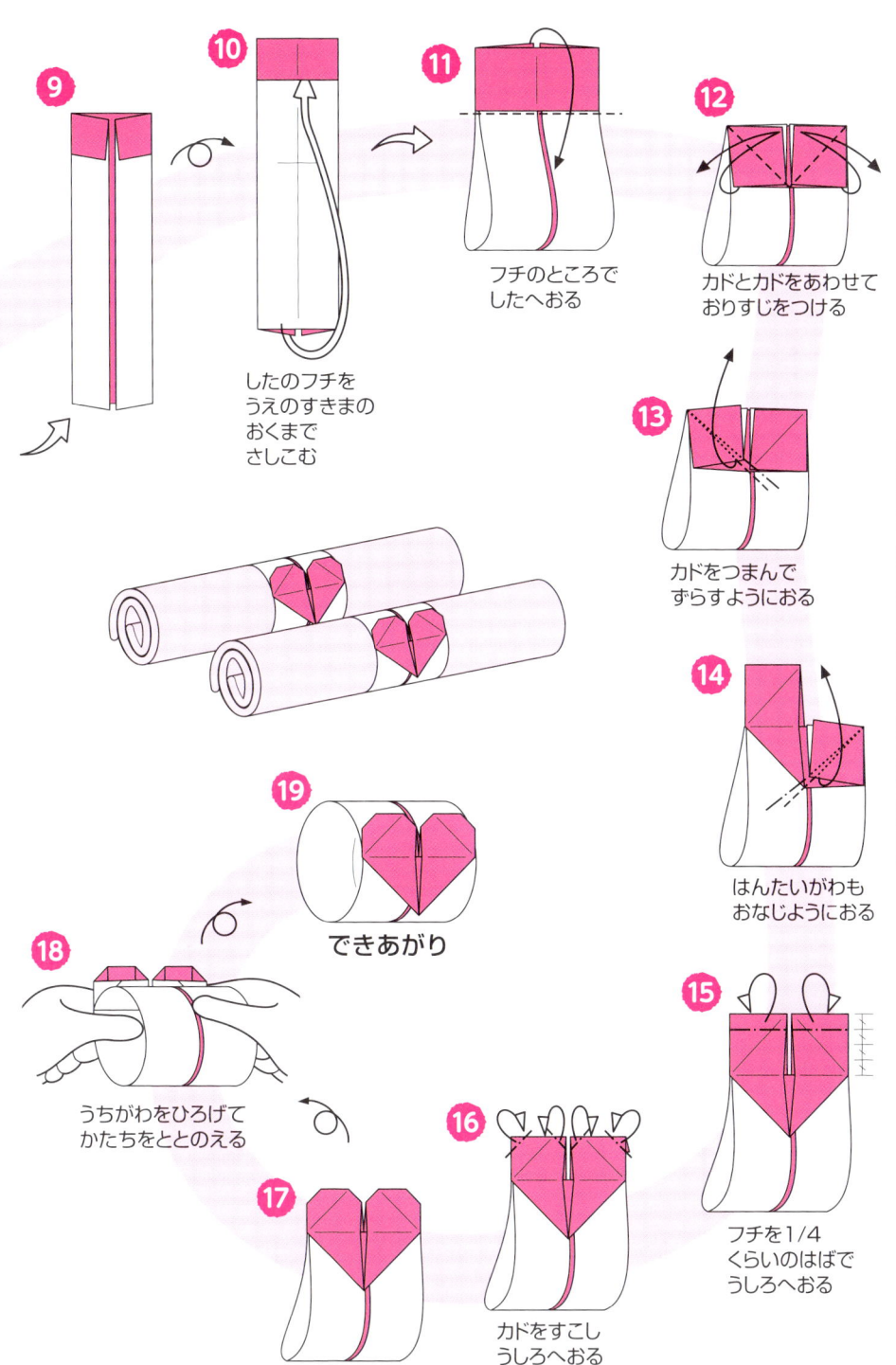

● しゃしんはP.313　**くみあわせかたはずをよくみよう**

12月 Dec. しかくトレイ
Square tray

● おりがみ 4まい　● むずかしさ

1 はんぶんにおる

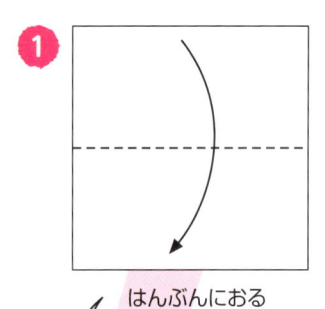

2 2まいかさねて フチとフチをあわせて おりすじをつける

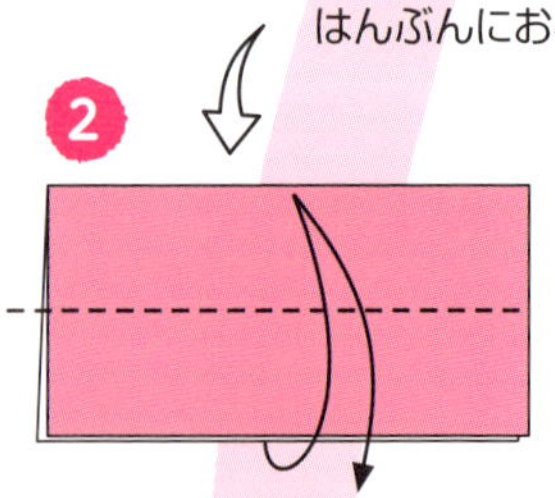

3 うえの1まいだけ カドをおりすじに あわせておる

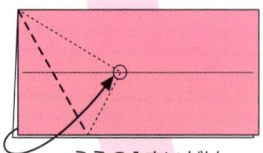

4 はんたいがわも おなじようにおる

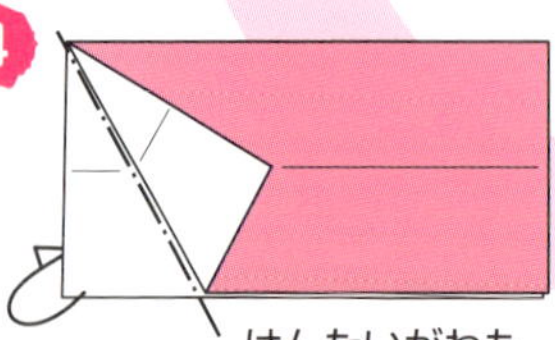

5 フチとフチを あわせておる

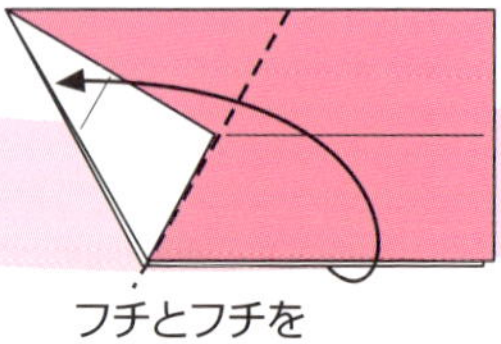

6 フチと フチを あわせておる

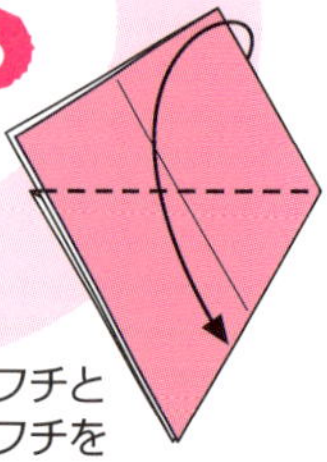

7 カドをフチに あわせておる

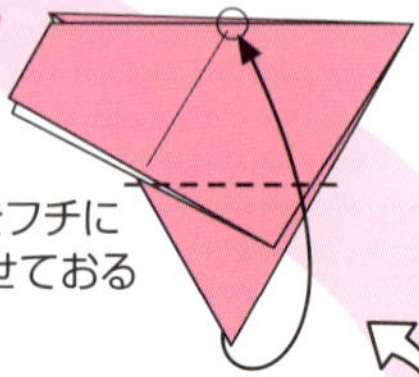

8 しっかりと おりすじをつけてから てまえのカドをもどす

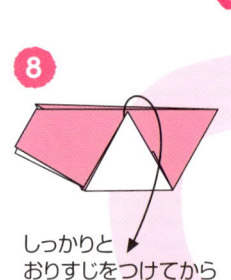

9 カドを はんたいがわへおる

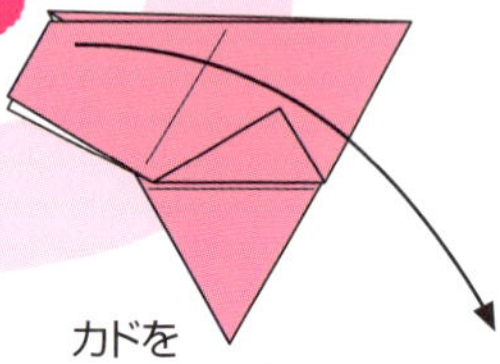

10 てまえの 1まいだけ カドとカドをあわせておる

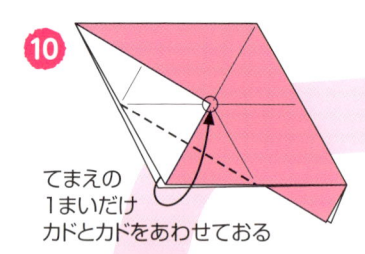

328

12 カドを
はんたいがわへおる

13 2まいかさねて
カドをフチの
ところでおる

11 フチとフチを
あわせておる

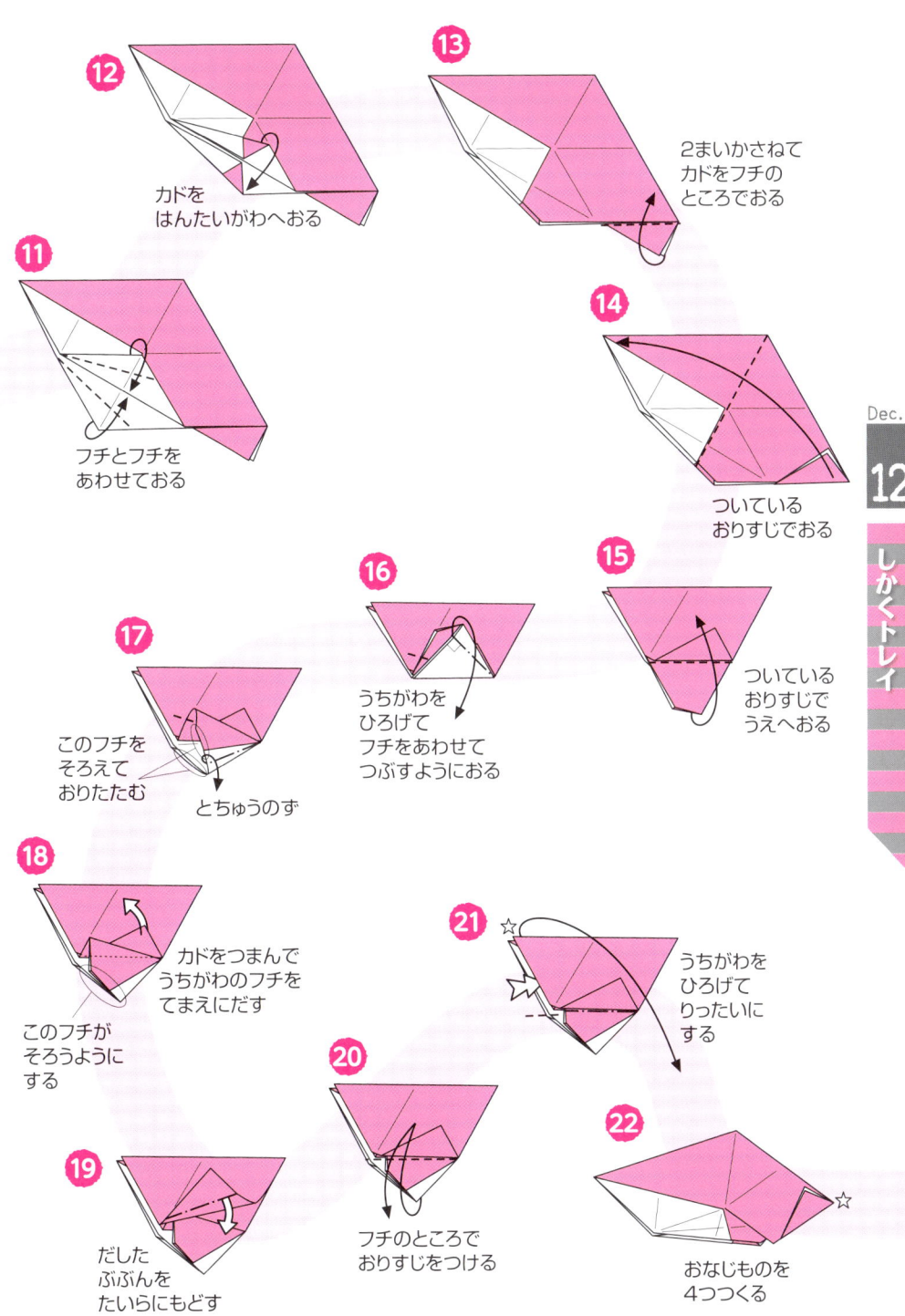

14 ついている
おりすじでおる

Dec.
12
しかくトレイ

17 このフチを
そろえて
おりたたむ

16 うちがわを
ひろげて
フチをあわせて
つぶすようにおる

15 ついている
おりすじで
うえへおる

とちゅうのず

18 カドをつまんで
うちがわのフチを
てまえにだす

このフチが
そろうように
する

21 うちがわを
ひろげて
りったいに
する

19 だした
ぶぶんを
たいらにもどす

20 フチのところで
おりすじをつける

22 おなじものを
4つつくる

329

◉のりづけしよう

くんでからうちがわのすきまをかるくのりづけすれば、
とてもしっかりしたトレイになります。

1 そこのすきまを
かるくのりづけ

2 よこのすきまを
かるくのりづけ

3 できあがり

26 とちゅうのず
しっかりとおくまで
さしこむ

25 それぞれカドをすきまに
さしこむ

27

28 できあがり

24 のこりの2つもおなじように
くみあわせる

23 カドをすきまの
おくまでさしこむ

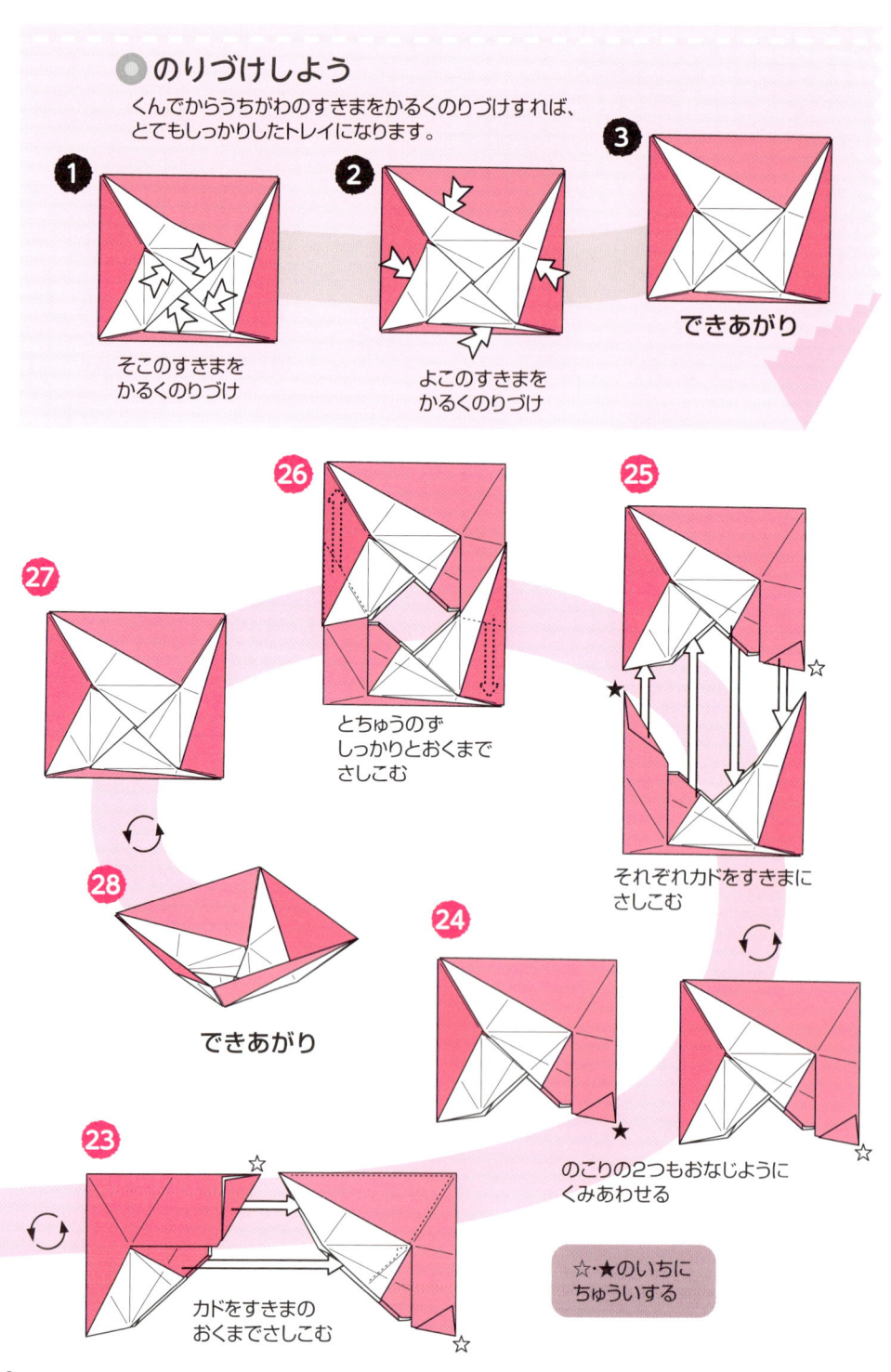

☆・★のいちに
ちゅういする

●しゃしんはP.313　**おおきなかみでおればかぶれるよ**

12月 Dec. サンタの ぼうし
Santa Claus cap

●おりがみ　1まい　　●むずかしさ

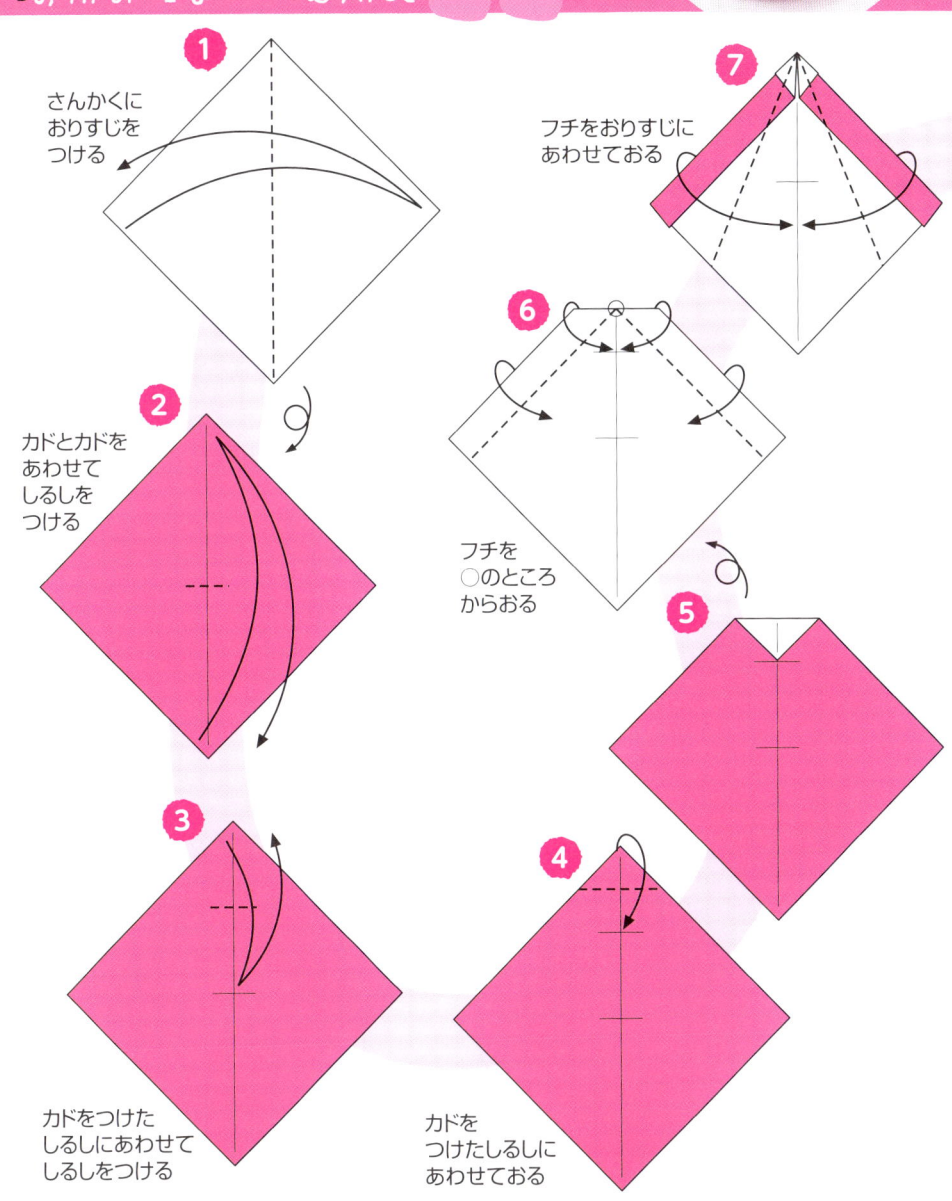

1 さんかくに おりすじを つける

2 カドとカドを あわせて しるしを つける

3 カドをつけた しるしにあわせて しるしをつける

4 カドを つけたしるしに あわせておる

5

6 フチを ○のところ からおる

7 フチをおりすじに あわせておる

サンタのぼうし

331

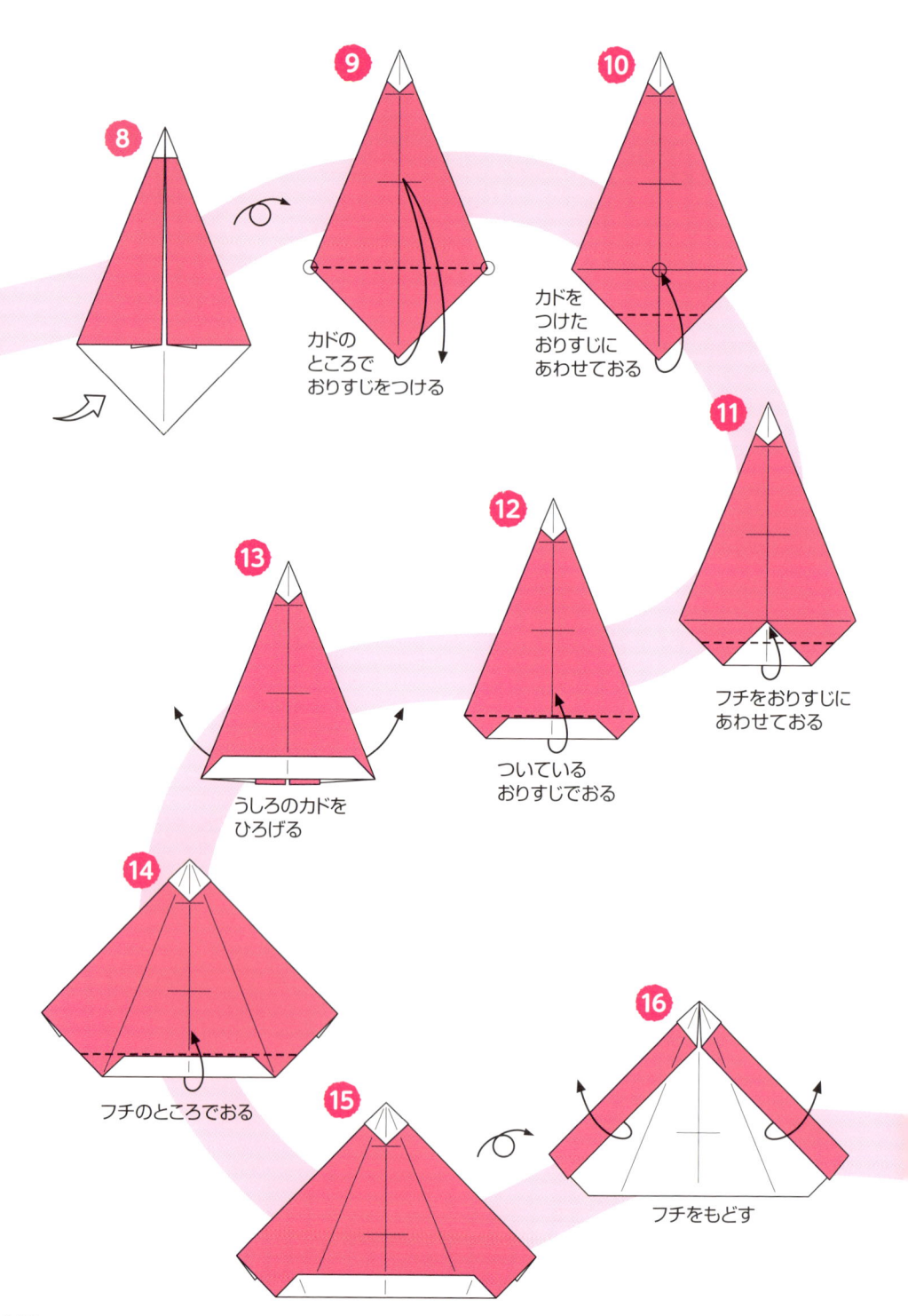

9 カドのところでおりすじをつける

10 カドをつけたおりすじにあわせておる

11 フチをおりすじにあわせておる

12 ついているおりすじでおる

13 うしろのカドをひろげる

14 フチのところでおる

16 フチをもどす

332

23 おおきい かみでおるときは セロハンテープで とめるとよい

22 うちがわのカドを ひきだす

21 2まいまとめてカドを むすぶせんでおる

24 カドをうしろへおる

20 うちがわをひろげて つぶすようにおる

19 ついているおりすじで ななめにおる

25 カドをうちがわに おりこむ

26

できあがり
50cmくらいの かみでおると かぶれる おおきさになるよ

18 ついているおりすじで うちがわをひろげて つぶすようにおる

17 ついているおりすじで ななめにおる

Dec. 12 サンタのぼうし

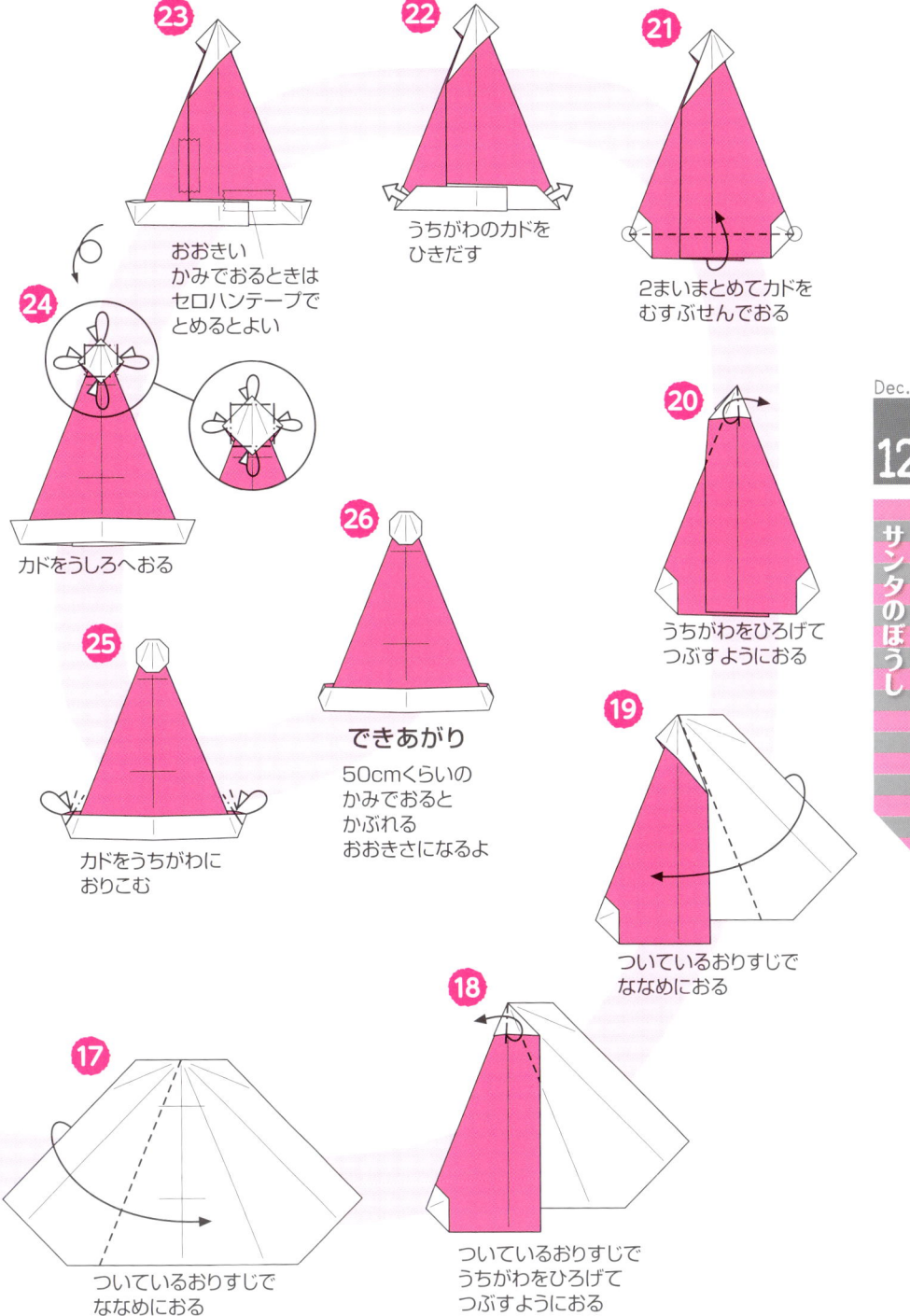

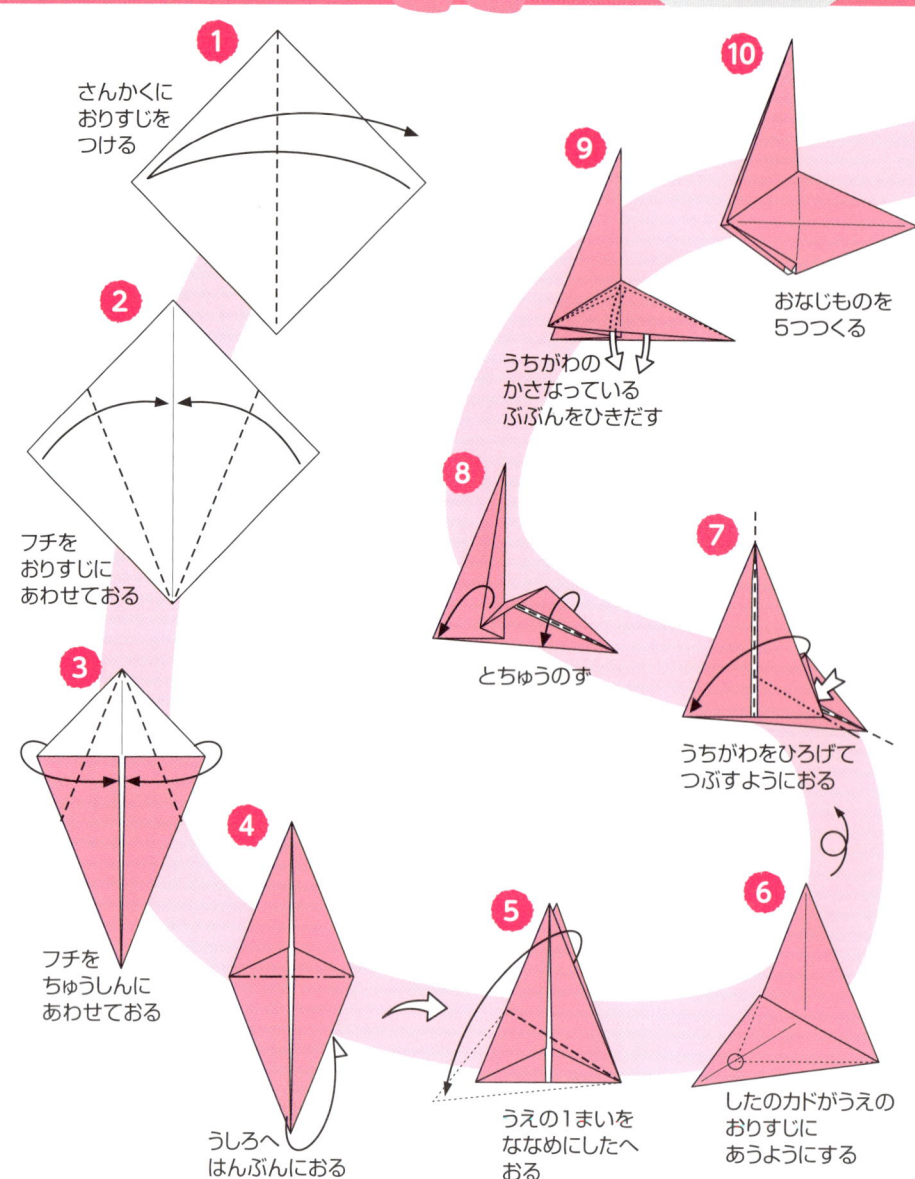

●しゃしんはP.314　**のりをつけるばしょにちゅういしよう**

12月 Dec. りったいのほし
3-D Star

●おりがみ 5まい　●むずかしさ

1 さんかくにおりすじをつける

2 フチをおりすじにあわせておる

3 フチをちゅうしんにあわせておる

4 うしろへはんぶんにおる

5 うえの1まいをななめにしたへおる

6 したのカドがうえのおりすじにあうようにする

7 うちがわをひろげてつぶすようにおる

8 とちゅうのず

9 うちがわのかさなっているぶぶんをひきだす

10 おなじものを5つつくる

334

12

のこりも
おなじように
のりづけ

11

ここが
きちんと
そろう
ようにする

りょうがわに
のりをつける

カドを
すきまの
おくまで
さしこんで
のりづけ

13

↑のところをりょうがわから
おしてうちがわがふくらむ
ようにりったいにする

15

できあがり

14

さいごの
カドもさしこんで
のりづけ

Dec.
12
りったいのほし

●ツリーにかざろう

1
めうちなどで
うえのカドに
あなをあける

2
あなにひもを
とおしてむすぶ

3
ひものかわりに
ほそいワイヤーを
つかってもよい

できあがり

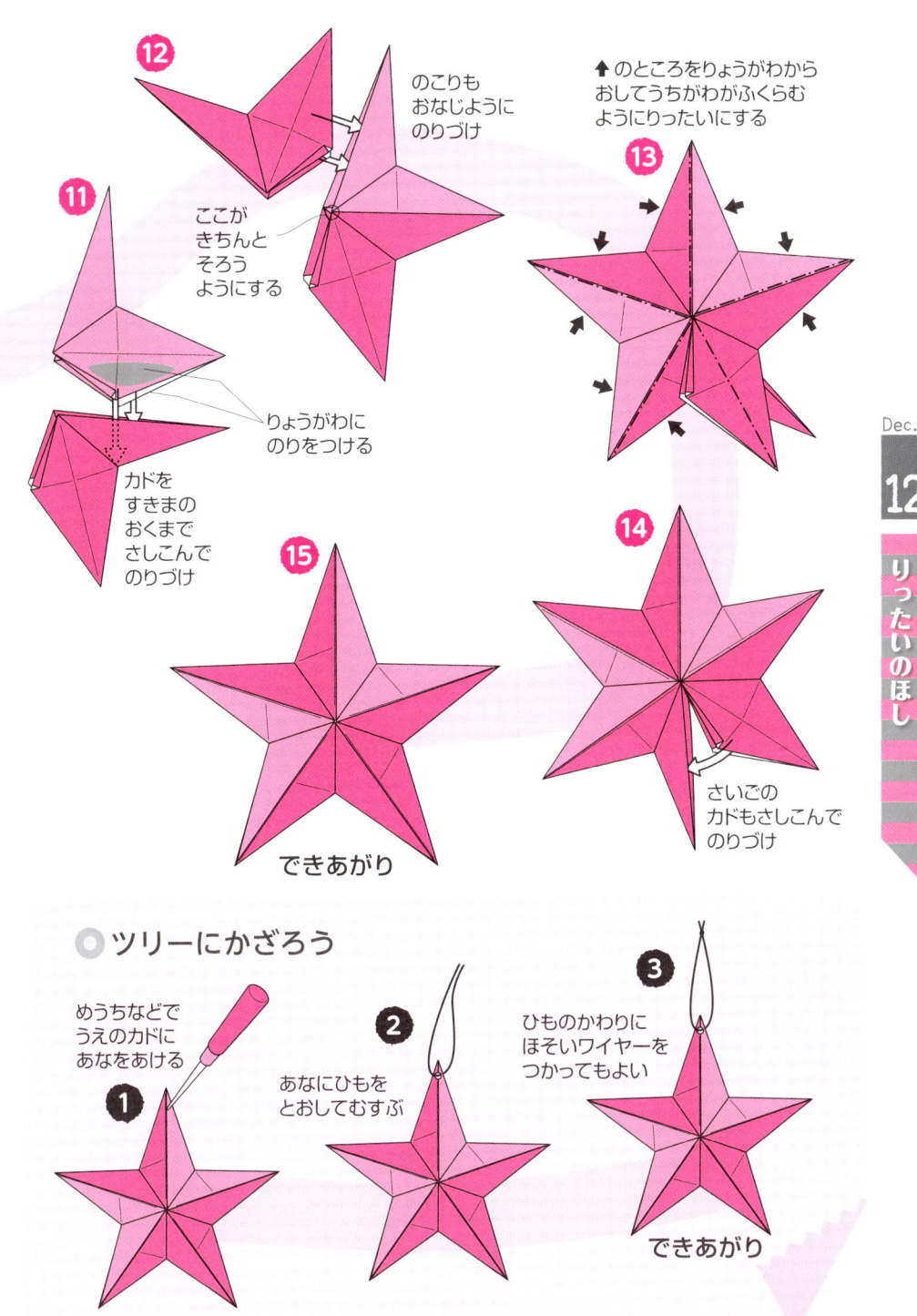

335

● しゃしんはP.315　さしこみかたにちゅういしてくみあわせよう

12月 Dec. 10まいぐみの ほし　10 Point star

● おりがみ 10まい　● むずかしさ

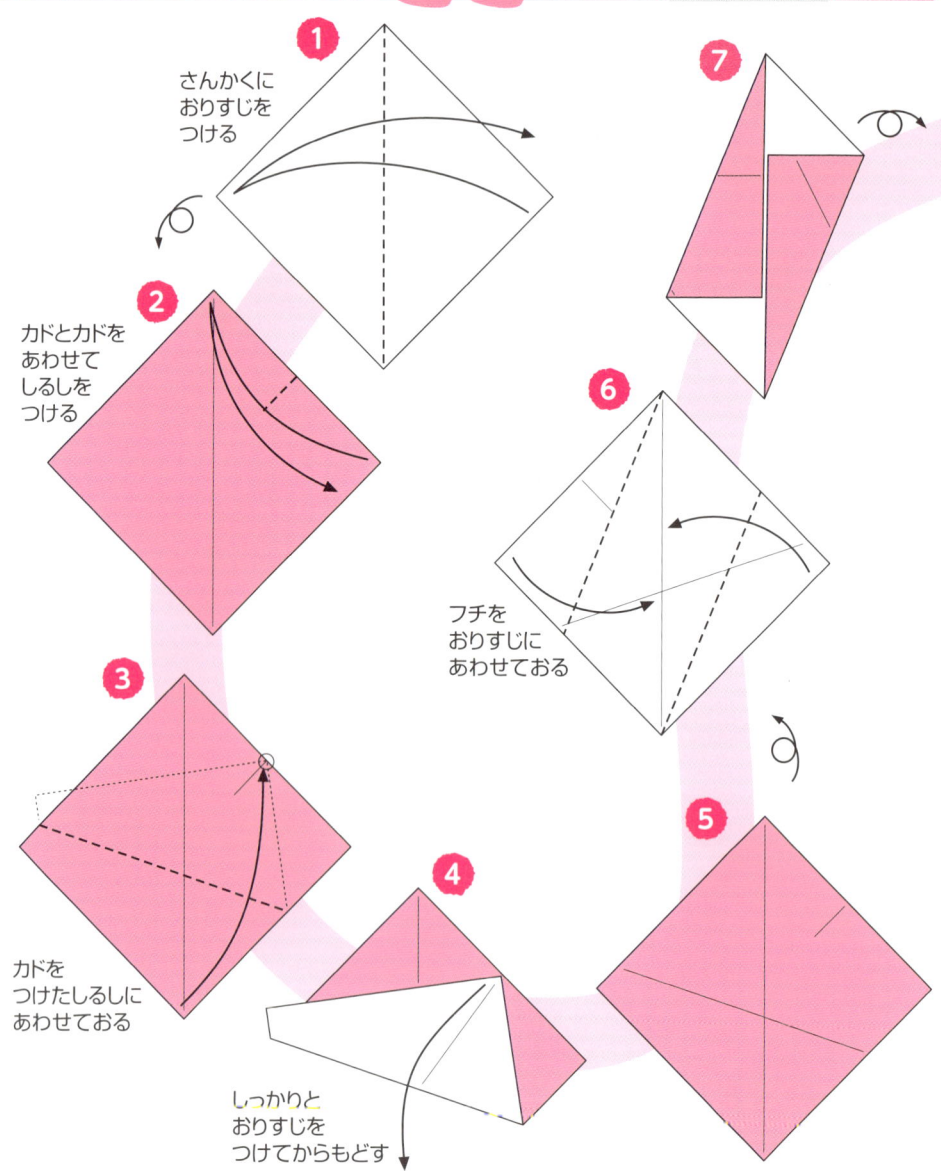

1. さんかくにおりすじをつける

2. カドとカドをあわせてしるしをつける

3. カドをつけたしるしにあわせておる

4. しっかりとおりすじをつけてからもどす

5.

6. フチをおりすじにあわせておる

7.

336

8

ついているおりすじで
ななめにおる

9

フチとフチを
あわせておる

10

11

フチとフチを
あわせておる

12

カドをすこしおる

13

おなじものを
10こつくる

5こは
うらがえす

14

5こはそのまま

15

16

それぞれカドを
すきまにさしこむ

17

とちゅうのず
おくまでさしこむ
はんたいがわもおなじ

Dec.

12

10まいぐみのほし

337

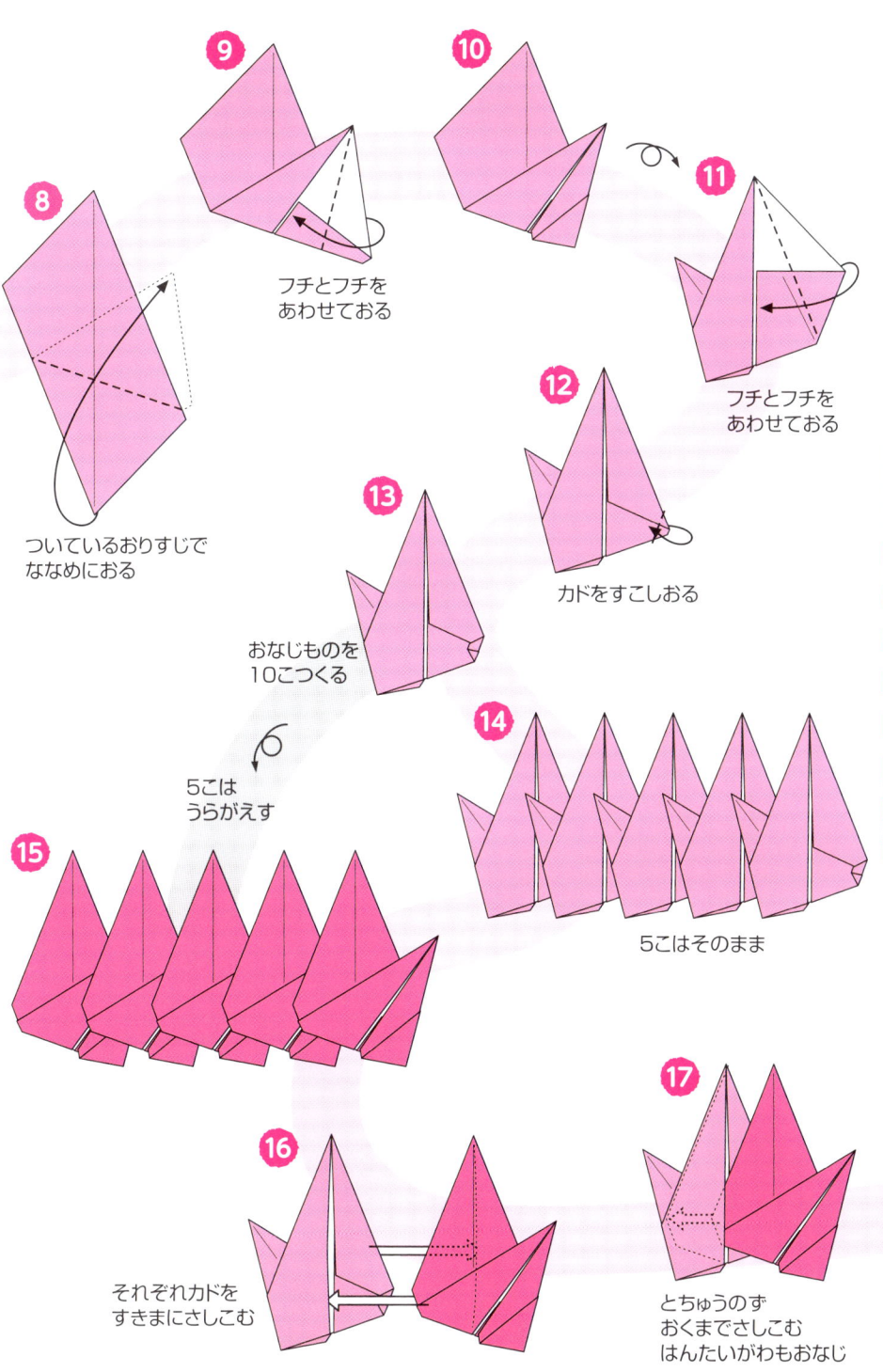

22

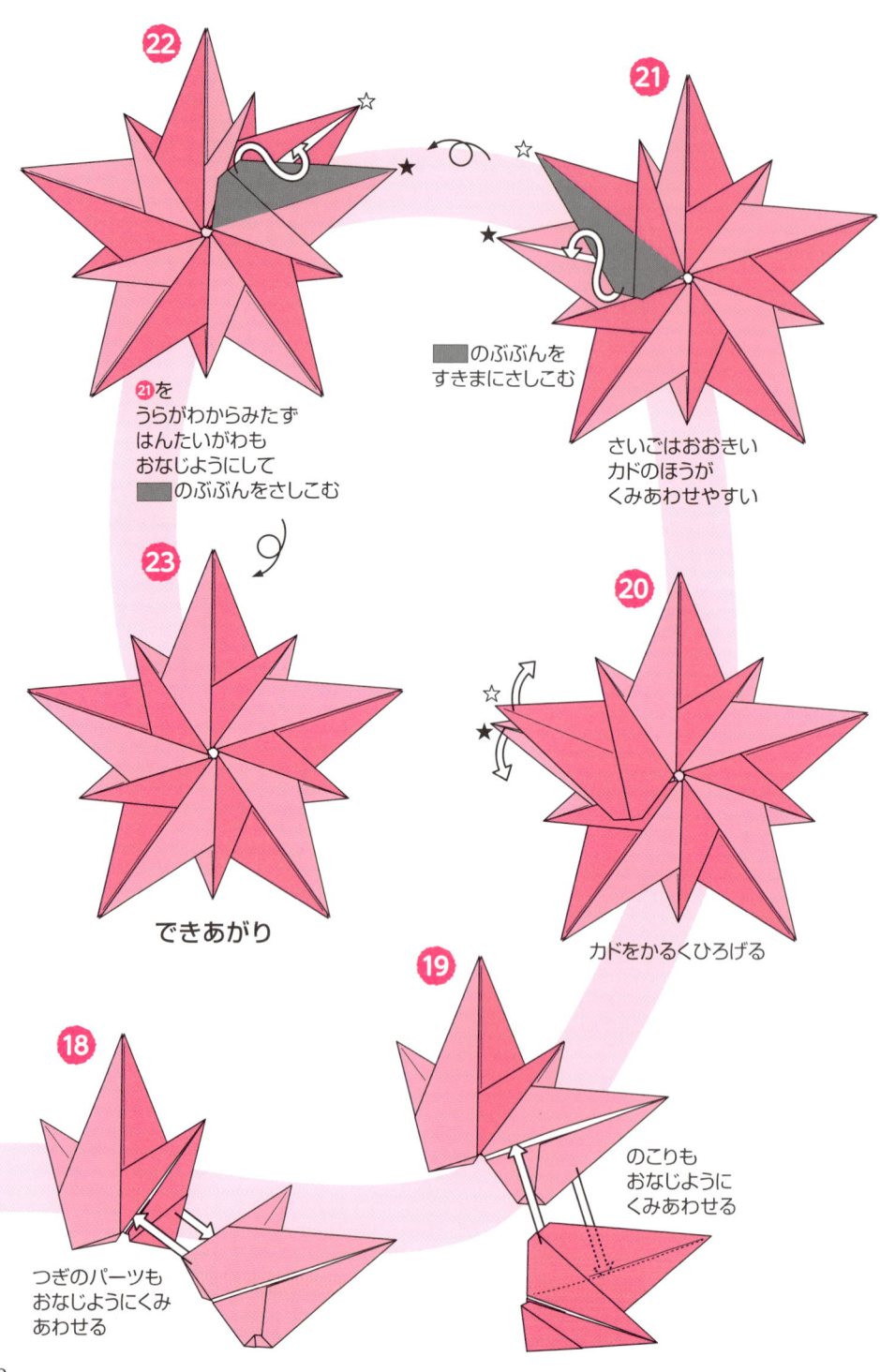

㉑を
うらがわからみたず
はんたいがわも
おなじようにして
■のぶぶんをさしこむ

21

■のぶぶんを
すきまにさしこむ

さいごはおおきい
カドのほうが
くみあわせやすい

23

できあがり

20

カドをかるくひろげる

19

のこりも
おなじように
くみあわせる

18

つぎのパーツも
おなじようにくみ
あわせる

338

●はじめてでもカンタン! おりがみATC

①テーマを決める
好きな動物や植物を選ぶのもいいですし、交換する季節や交換会の趣旨に合わせたモチーフを選ぶのもすてきですね。オリジナル作品でない場合は、作者名を明記しましょう。

②難易度を考える
カードに合わせて小さく作ることを考え、ほどほどの難易度の作品を選びましょう。大きすぎたり、厚すぎたりする作品は不向きです。

③構図を決める
配色や背景を工夫したり、レースやリボン、ビーズなどの副材料を使って、楽しく仕上げましょう。

カードの裏側に自分の名前や作成日、カードのタイトルやデザインコンセプトなどを書いておくと、交換した人との会話も弾みますよ。

●この本の作品を使った作例
[作品名](折り方ページ):用紙サイズの順で掲載

[クローバー]（118ページ）:30×30mm
[台紙]　外側：64×89mm、
　　　　内側：60×85mm
[その他]　ドイリー柄のスタンプ（茶色）
　　　　　幅6mmのマスキングテープ
　　　　　タイトルを印刷した厚紙
　　　　　直径5mmのラインストーン

[リス]　　　（293ページ）：80×80mm
[つばき]　　（45ページ）花：50×50mm
　　　　　　花芯：25×25mm、
　　　　　　がく：25×25mm
[台紙]　　　外側：64×89mm、
　　　　　　内側：60×85mm
[その他]　　雪の結晶柄のスタンプ（銀色）
　　　　　　クラフトパンチで切り抜いた葉
　　　　　　タイトルを印刷した厚紙

[カーネーション]（142ページ）
　　　　　　花：35×35mm、
　　　　　　がく：35×17.5mm
[台紙]　　　外側：64×89mm、
　　　　　　内側：60×85mm
[その他]　　幅30mmのマスキングテープ
　　　　　　メッセージを印刷した厚紙
　　　　　　45×45mmの包装紙
　　　　　　幅6mmのリボン
　　　　　　直径3mmのラインストーン

Dec.
12
10まいぐみのほし

●しゃしんはP.316　おおきさのちがうおなじものをかさねるよ

12月 Dec. ポインセチア
Poinsettia

●おりがみ 16まい　●むずかしさ

1 はんぶんにおる

2 うえの1まいだけフチとフチをあわせておる

3

4 フチとフチをあわせておりすじをつける

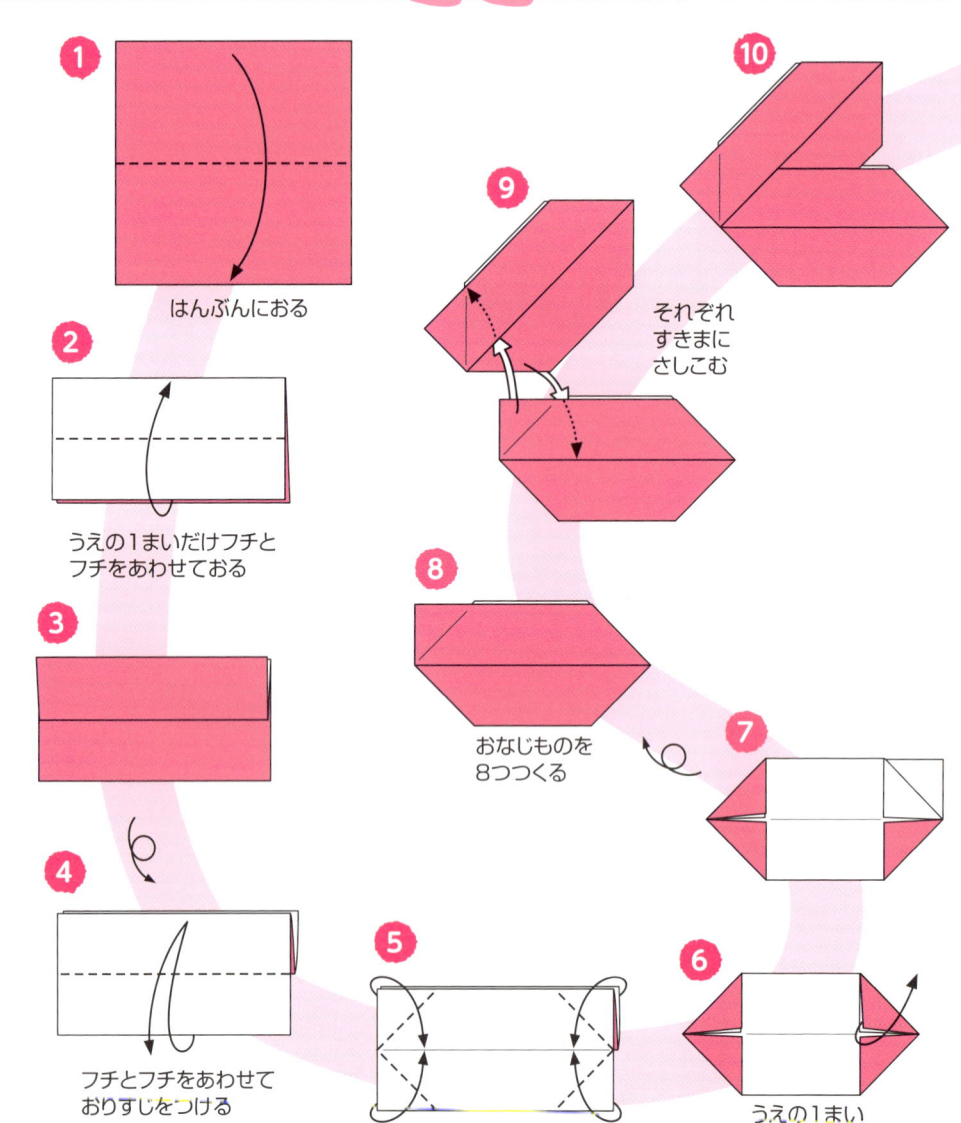

5 フチをおりすじにあわせておる

6 うえの1まいだけもどす

7

8 おなじものを8つつくる

9 それぞれすきまにさしこむ

10

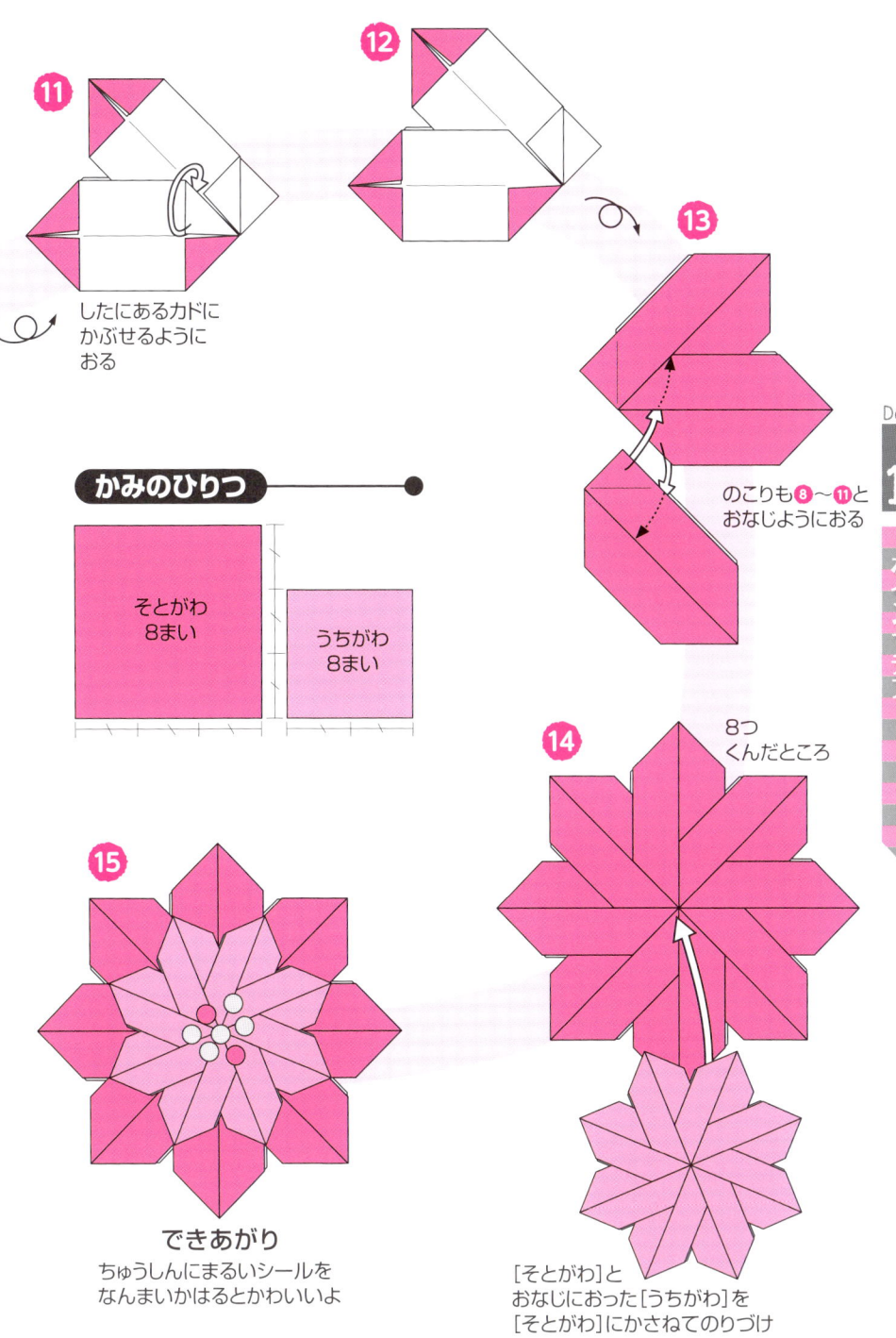

⑪ したにあるカドに
かぶせるように
おる

⑫

⑬ のこりも❽〜⓫と
おなじようにおる

かみのひりつ

そとがわ
8まい

うちがわ
8まい

Dec.
12
ポインセチア

⑭ 8つ
くんだところ

⑮

できあがり
ちゅうしんにまるいシールを
なんまいかはるとかわいいよ

[そとがわ]と
おなじにおった[うちがわ]を
[そとがわ]にかさねてのりづけ

341

● しゃしんはP.315　**しろいさんかくがおひげのかたちにみえるね**

12月 Dec. サンタクロース
Santa Claus

● おりがみ 2まい　● むずかしさ

● からだ

1 さんかくにおりすじをつける

2 カドをすこしおる

3

4 フチを○のところからおる

5 フチをおりすじにあわせておる / このぶぶんはうちがわだけおる

6 カドをフチのところでうえへおる

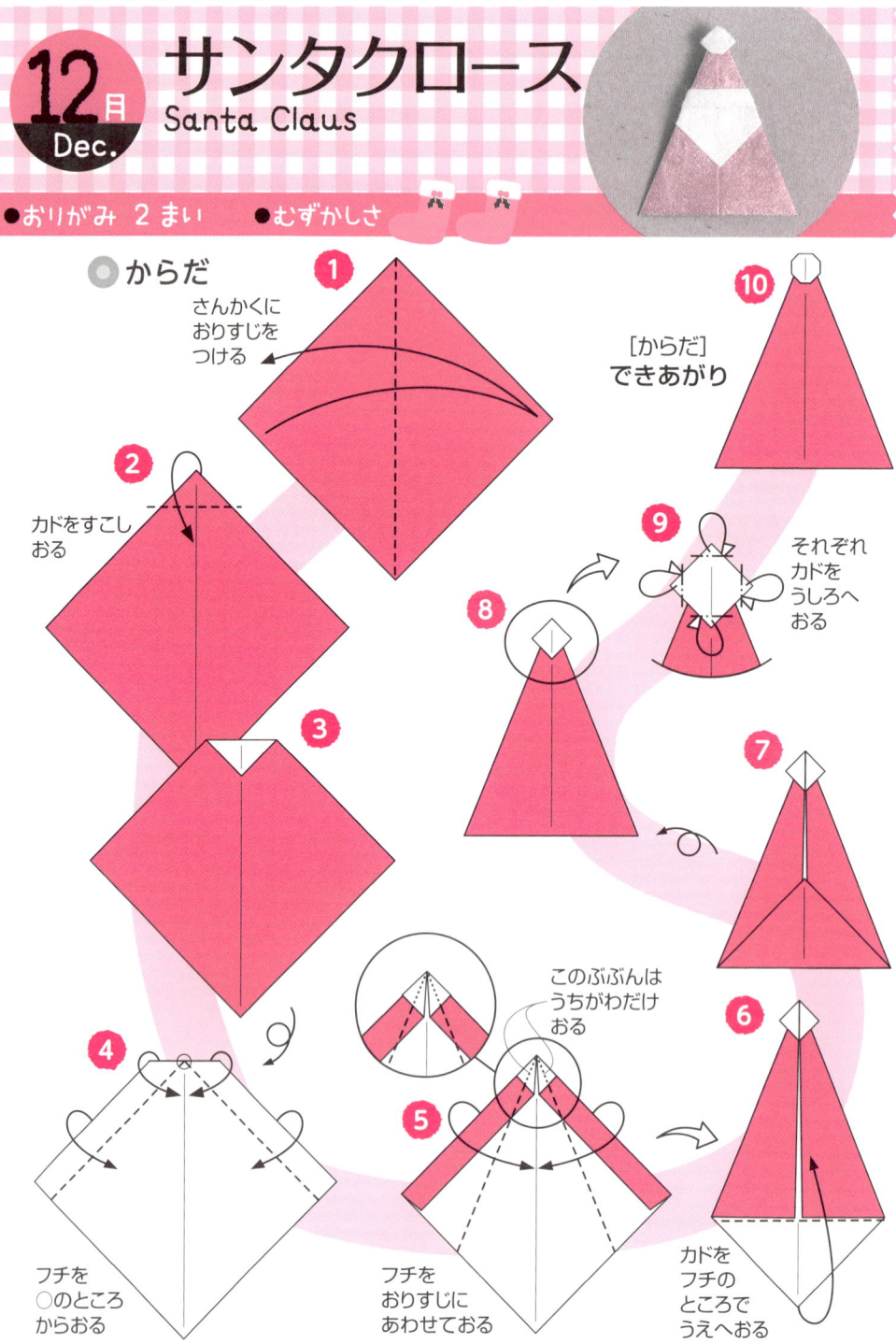

7

8

9 それぞれカドをうしろへおる

10 [からだ] できあがり

342

かお

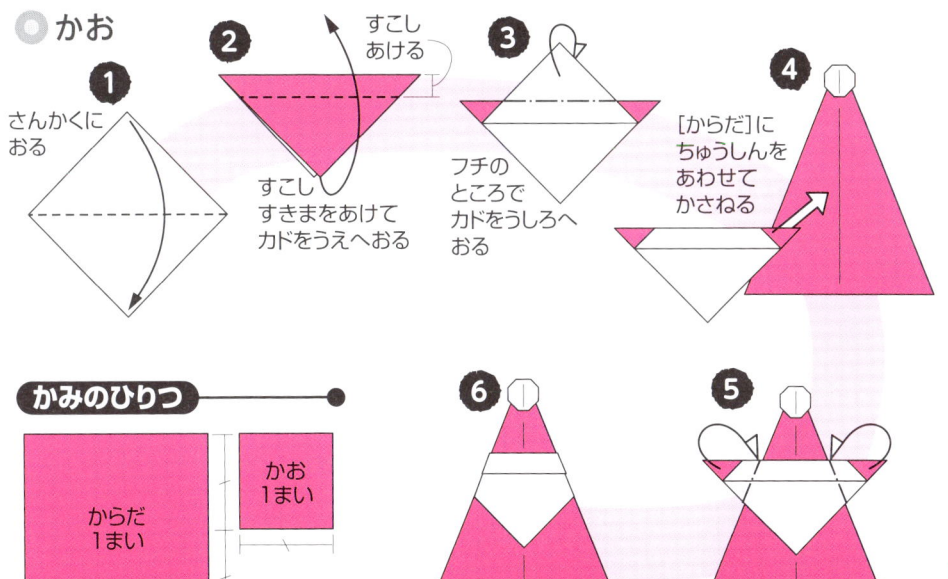

1 さんかくにおる

2 すこしあける / すこしすきまをあけてカドをうえへおる

3 フチのところでカドをうしろへおる

4 [からだ]にちゅうしんをあわせてかさねる

かみのひりつ
からだ 1まい
かお 1まい

5 フチのところでカドをうしろへおる

6 できあがり

やさしいサンタクロース

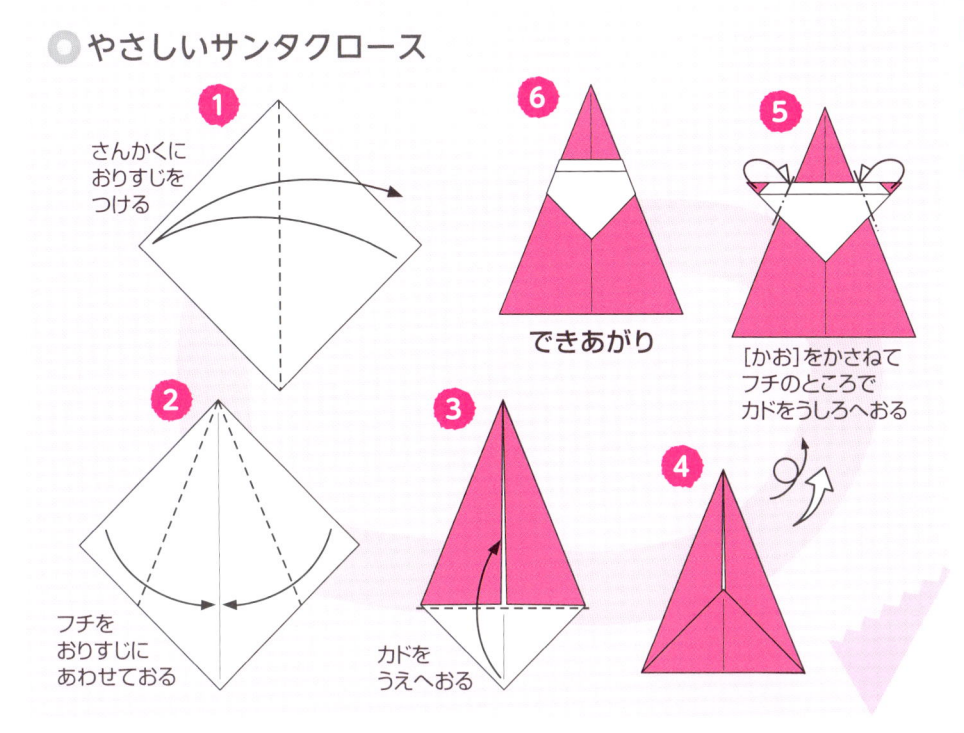

1 さんかくにおりすじをつける

2 フチをおりすじにあわせておる

3 カドをうえへおる

4

5 [かお]をかさねてフチのところでカドをうしろへおる

6 できあがり

Dec. 12 サンタクロース

343

●しゃしんはP.315　**まるくてかわいいゆきだるまをつくろう**

12月 Dec. ゆきだるま
Snowman

●おりがみ 1まい　●むずかしさ

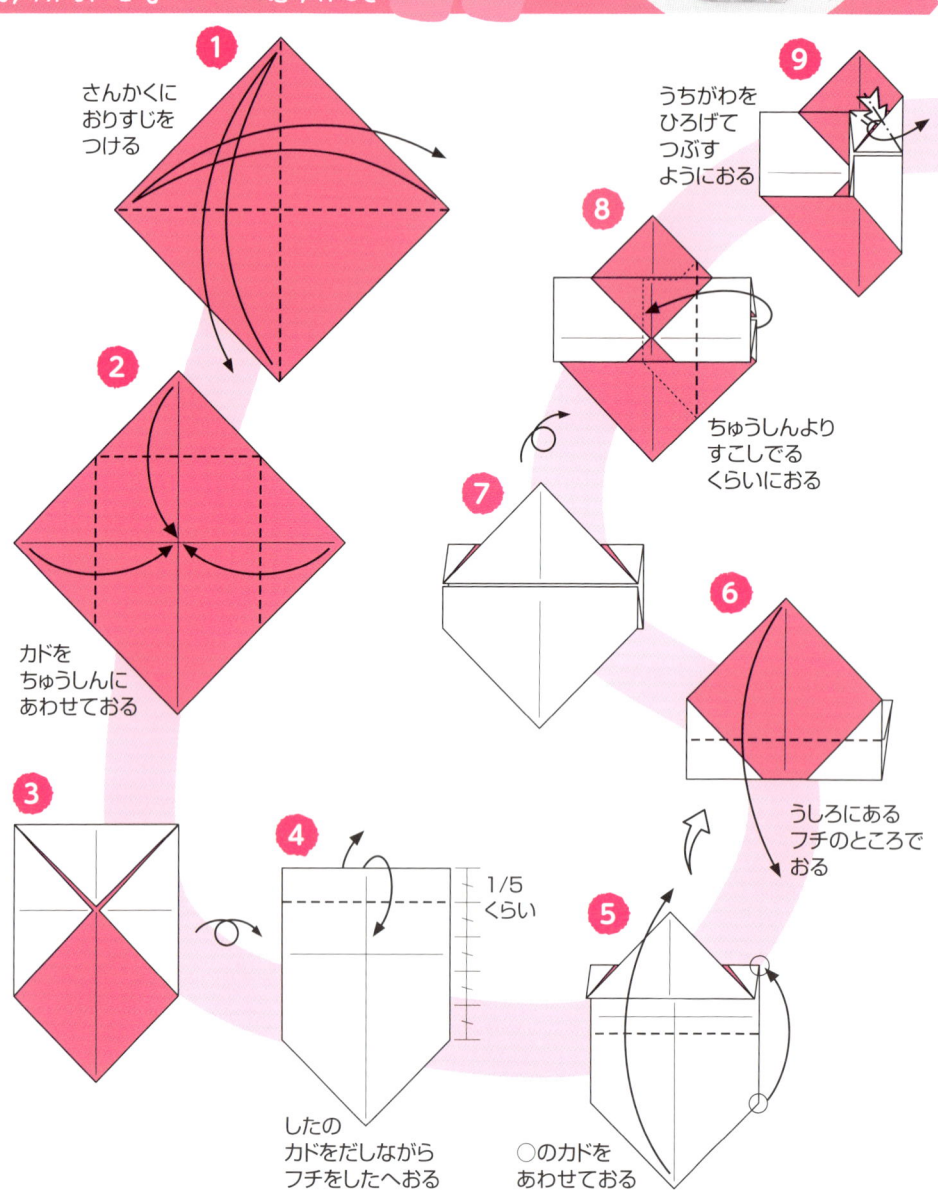

① さんかくにおりすじをつける

② カドをちゅうしんにあわせておる

③

④ したのカドをだしながらフチをしたへおる　1/5くらい

⑤ ○のカドをあわせておる

⑥ うしろにあるフチのところでおる

⑦

⑧ ちゅうしんよりすこしでるくらいにおる

⑨ うちがわをひろげてつぶすようにおる

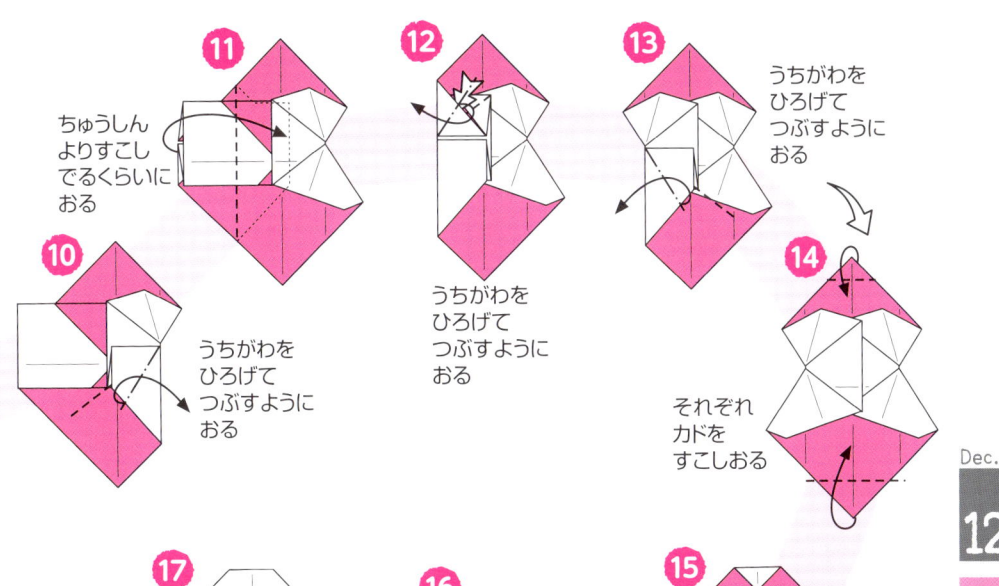

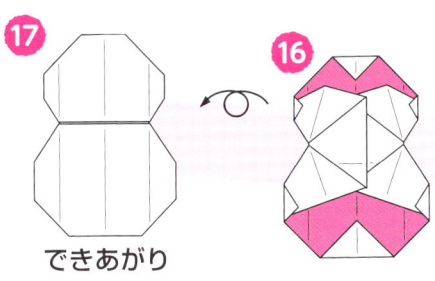

11
ちゅうしん よりすこし でるくらいに おる

10
うちがわを ひろげて つぶすように おる

12
うちがわを ひろげて つぶすように おる

13
うちがわを ひろげて つぶすように おる

14
それぞれ カドを すこしおる

15
それぞれカドを すこしおる

16

17
できあがり

Dec.
12
ゆきだるま

● ぼうしとてぶくろをつけよう

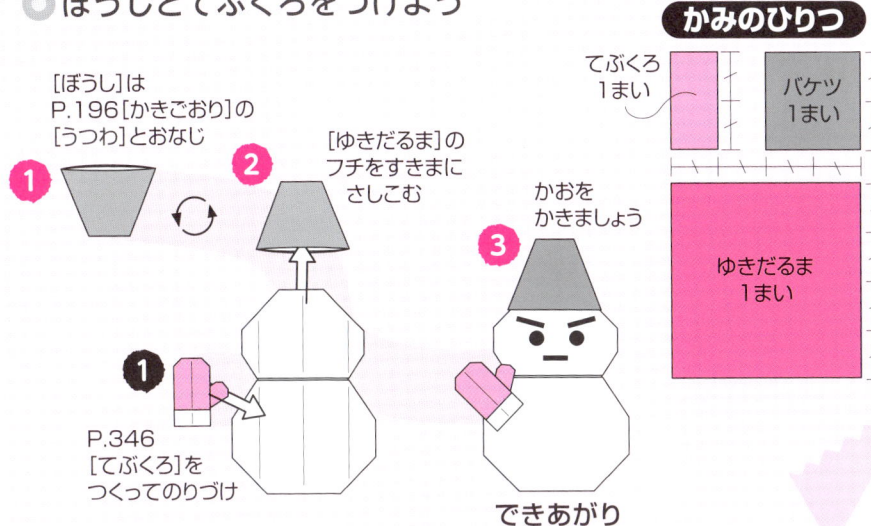

1
[ぼうし]は P.196[かきごおり]の [うつわ]とおなじ

2
[ゆきだるま]の フチをすきまに さしこむ

❶ P.346 [てぶくろ]を つくってのりづけ

3
かおを かきましょう

できあがり

かみのひりつ
てぶくろ 1まい | バケツ 1まい
ゆきだるま 1まい

345

●しゃしんはP.315　**とてもあったかそうなてぶくろだよ**

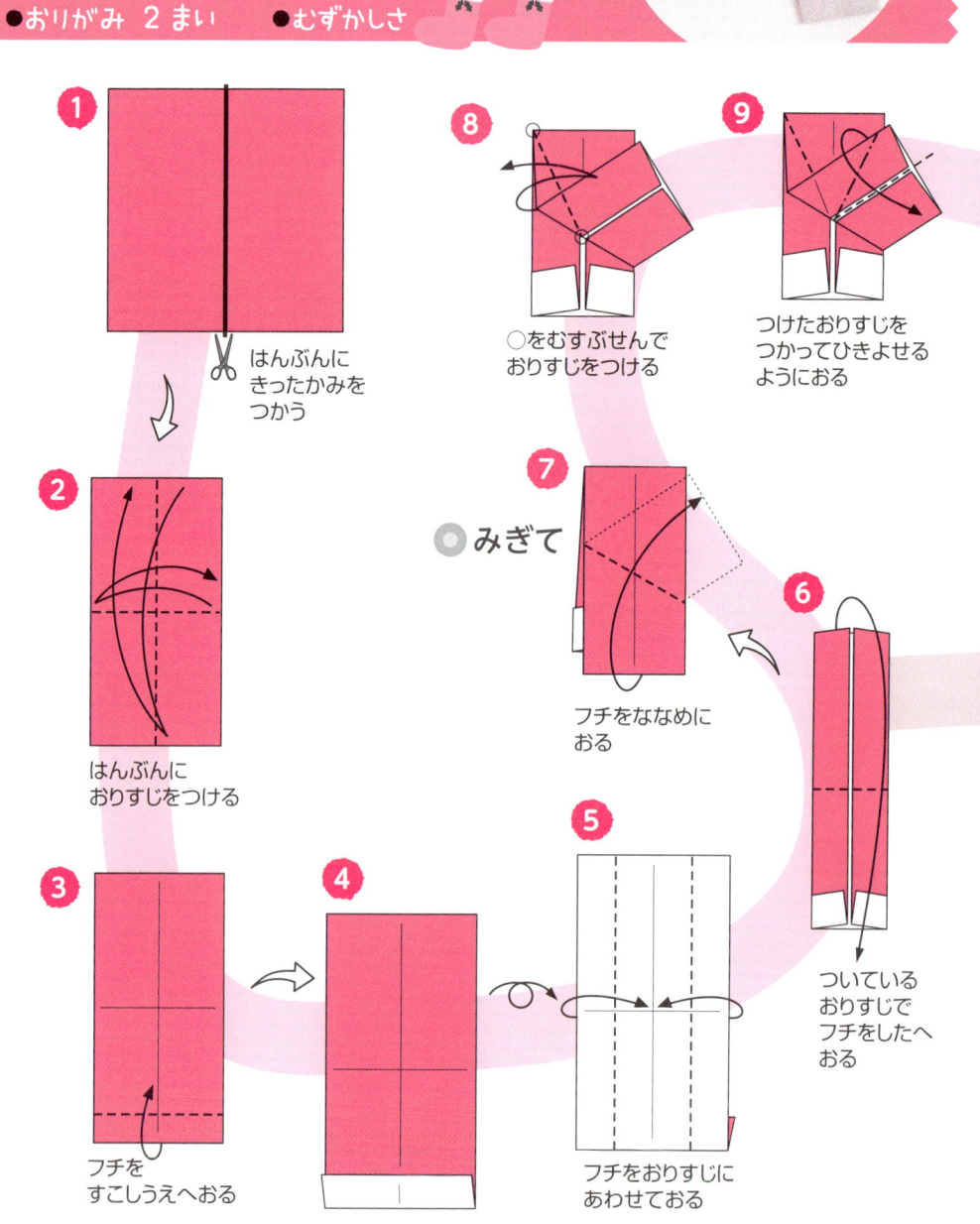

12月 Dec. てぶくろ
Mittens

●おりがみ 2まい　●むずかしさ

1 はんぶんにきったかみをつかう

2 はんぶんにおりすじをつける

3 フチをすこしうえへおる

4

5 フチをおりすじにあわせておる

6 ついているおりすじでフチをしたへおる

7 フチをななめにおる

○みぎて

8 ○をむすぶせんでおりすじをつける

9 つけたおりすじをつかってひきよせるようにおる

346

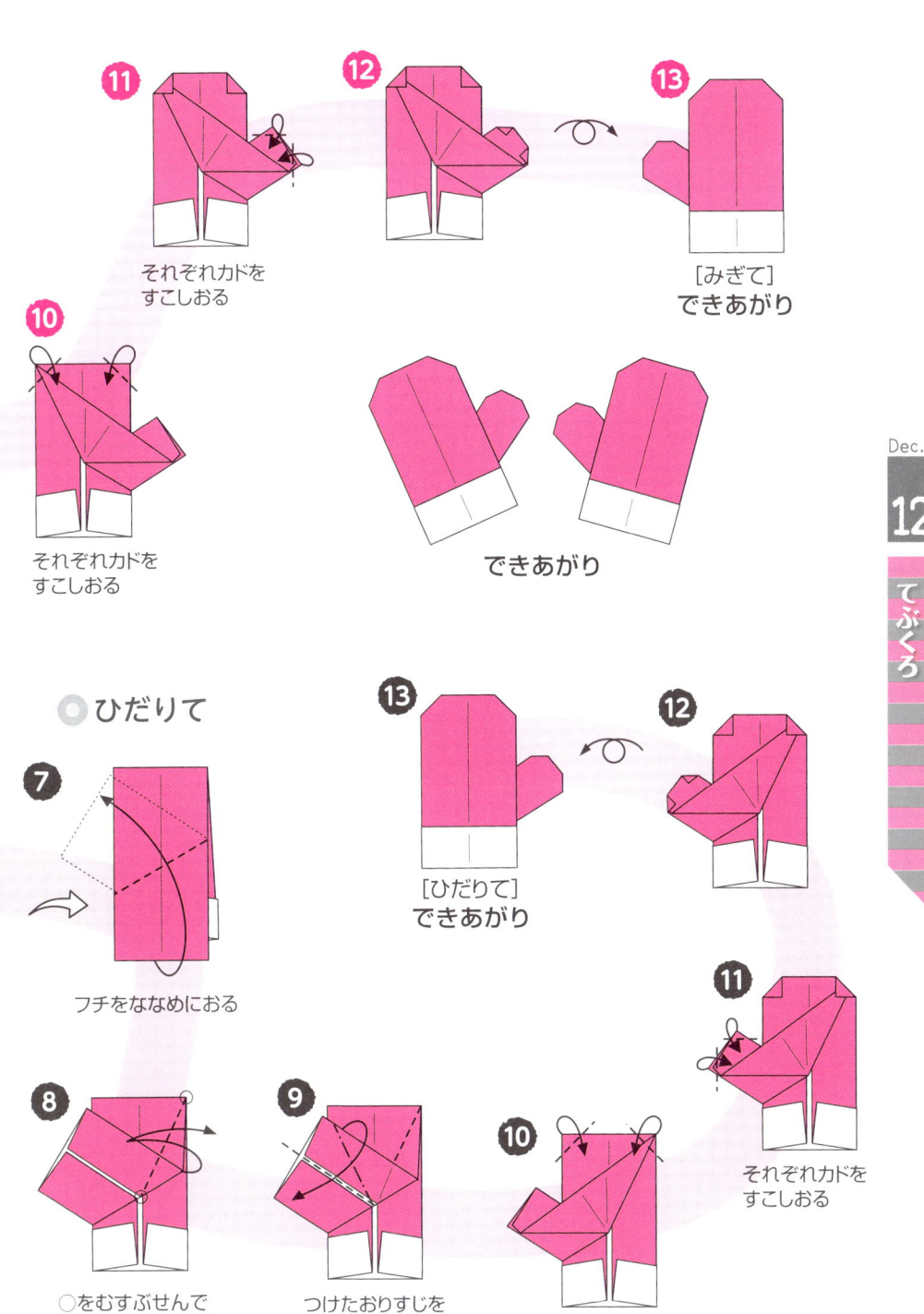

⑪ それぞれカドを
すこしおる

⑫

⑬ [みぎて]
できあがり

⑩ それぞれカドを
すこしおる

できあがり

Dec.
12
てぶくろ

● ひだりて

⑬ [ひだりて]
できあがり

⑫

⑦ フチをななめにおる

⑧ ○をむすぶせんで
おりすじをつける

⑨ つけたおりすじを
つかってひきよせる
ようにおる

⑩ それぞれカドを
すこしおる

⑪ それぞれカドを
すこしおる

347

● しゃしんはP.315　**クリスマスツリーにかざりつけてみよう**

12月 Dec. オーナメント
Christmas ornaments

● おりがみ かく1まい ● むずかしさ

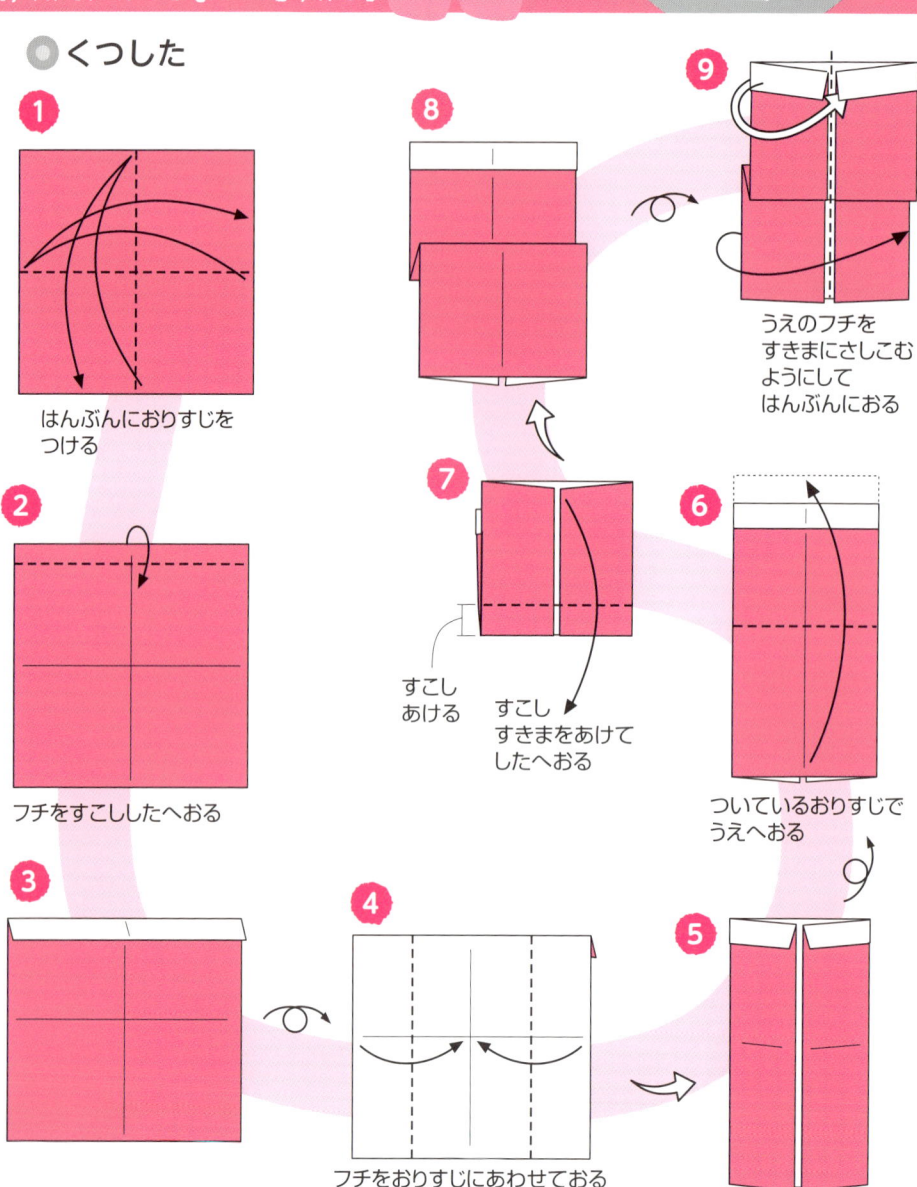

● くつした

1 はんぶんにおりすじをつける

2 フチをすこししたへおる

3

4 フチをおりすじにあわせておる

5

6 ついているおりすじでうえへおる

7 すこしあける／すこしすきまをあけてしたへおる

8

9 うえのフチをすきまにさしこむようにしてはんぶんにおる

348

⑩ とちゅうのず

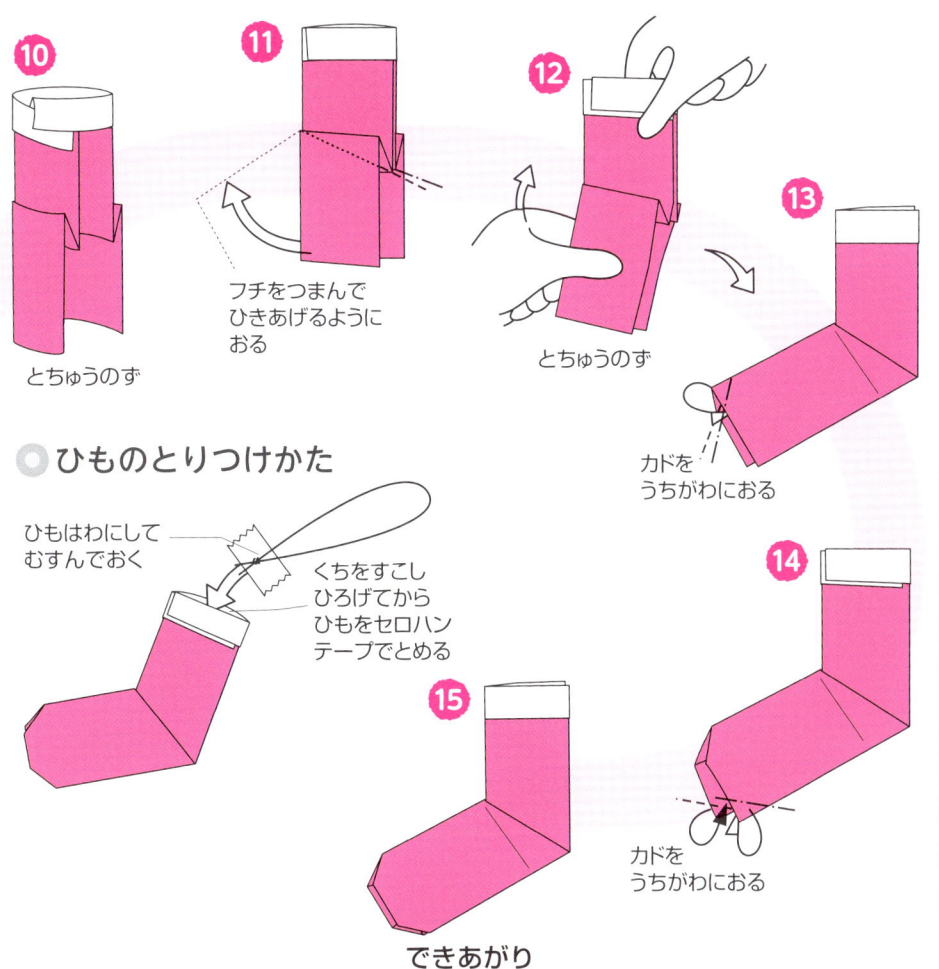

⑪ フチをつまんでひきあげるようにおる

⑫ とちゅうのず

⑬ カドをうちがわにおる

◎ ひものとりつけかた

ひもはわにしてむすんでおく

くちをすこしひろげてからひもをセロハンテープでとめる

⑭

⑮ できあがり

カドをうちがわにおる

Dec.
12
オーナメント

◎ えんとつのいえ

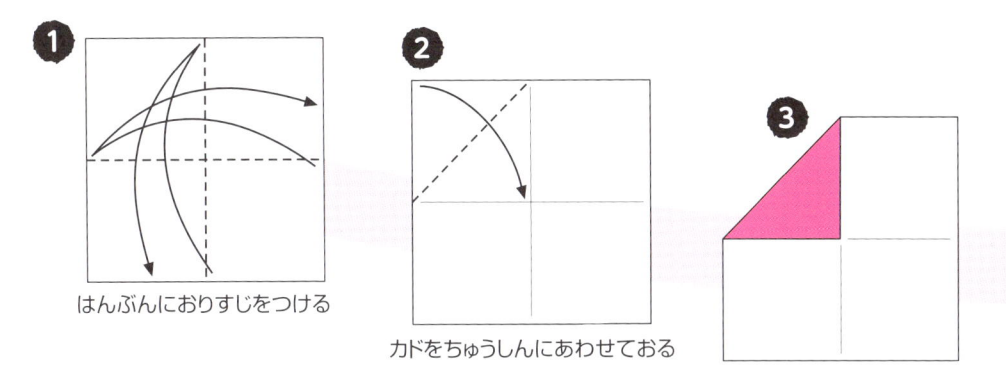

① はんぶんにおりすじをつける

② カドをちゅうしんにあわせておる

③

349

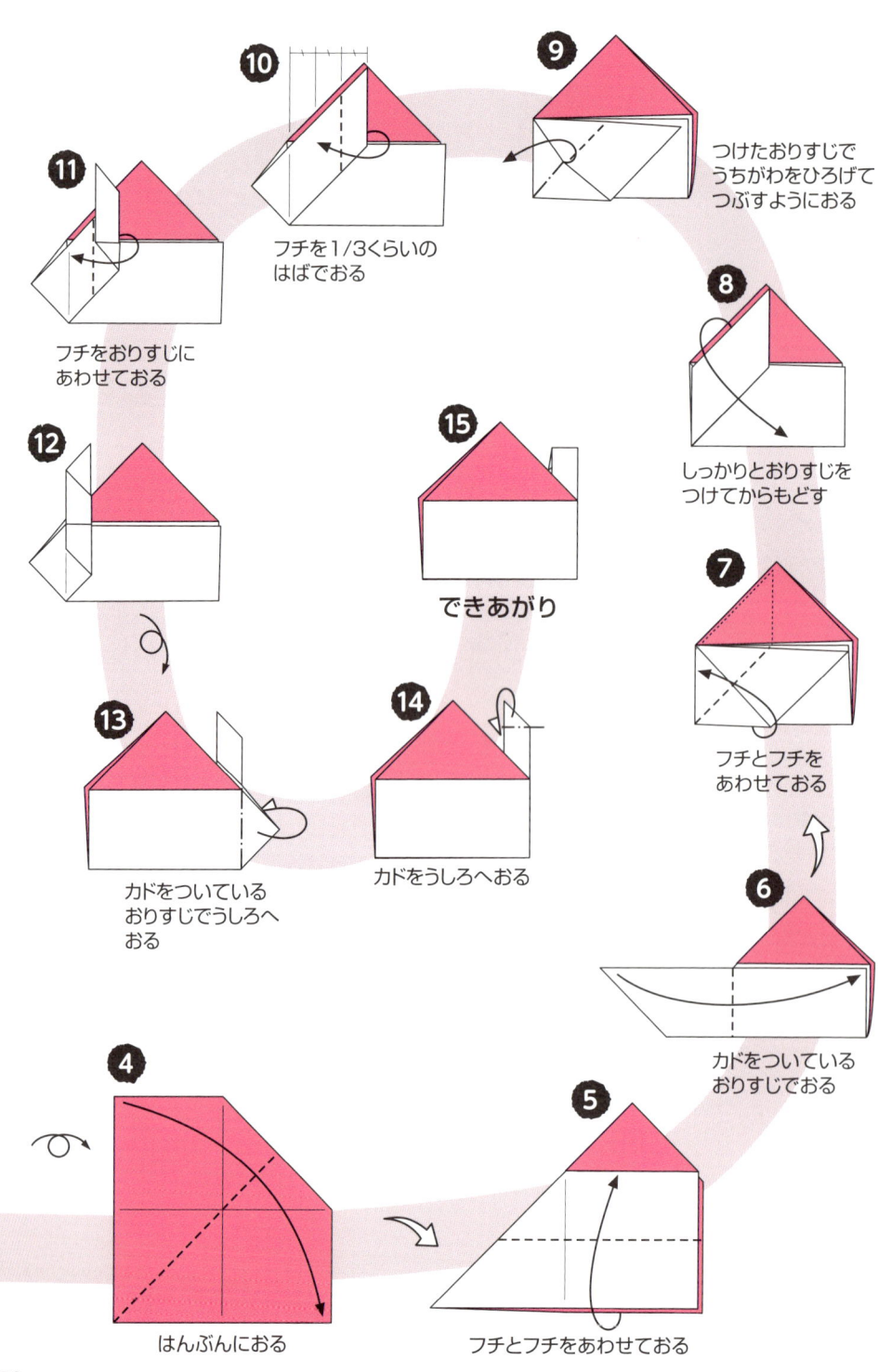

10
フチを1/3くらいの
はばでおる

9
つけたおりすじで
うちがわをひろげて
つぶすようにおる

11
フチをおりすじに
あわせておる

8
しっかりとおりすじを
つけてからもどす

12

15
できあがり

13
カドをついている
おりすじでうしろへ
おる

14
カドをうしろへおる

7
フチとフチを
あわせておる

6
カドをついている
おりすじでおる

4
はんぶんにおる

5
フチとフチをあわせておる

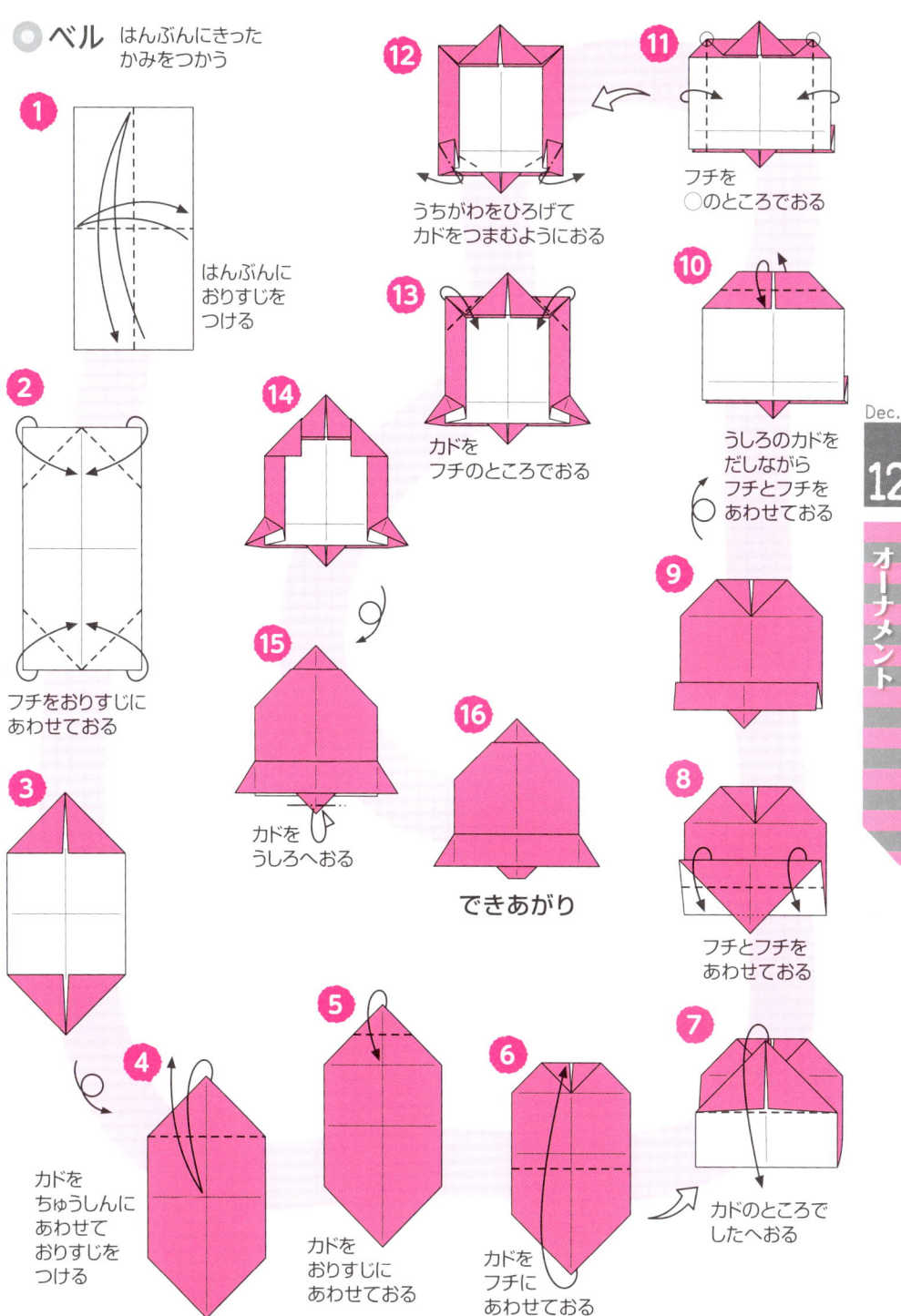

ベル はんぶんにきったかみをつかう

1. はんぶんにおりすじをつける
2. フチをおりすじにあわせておる
3.
4. カドをちゅうしんにあわせておりすじをつける
5. カドをおりすじにあわせておる
6. カドをフチにあわせておる
7. カドのところでしたへおる
8. フチとフチをあわせておる
9.
10. うしろのカドをだしながらフチとフチをあわせておる
11. フチを○のところでおる
12. うちがわをひろげてカドをつまむようにおる
13. カドをフチのところでおる
14.
15. カドをうしろへおる
16. できあがり

Dec. 12 オーナメント

ろうそく

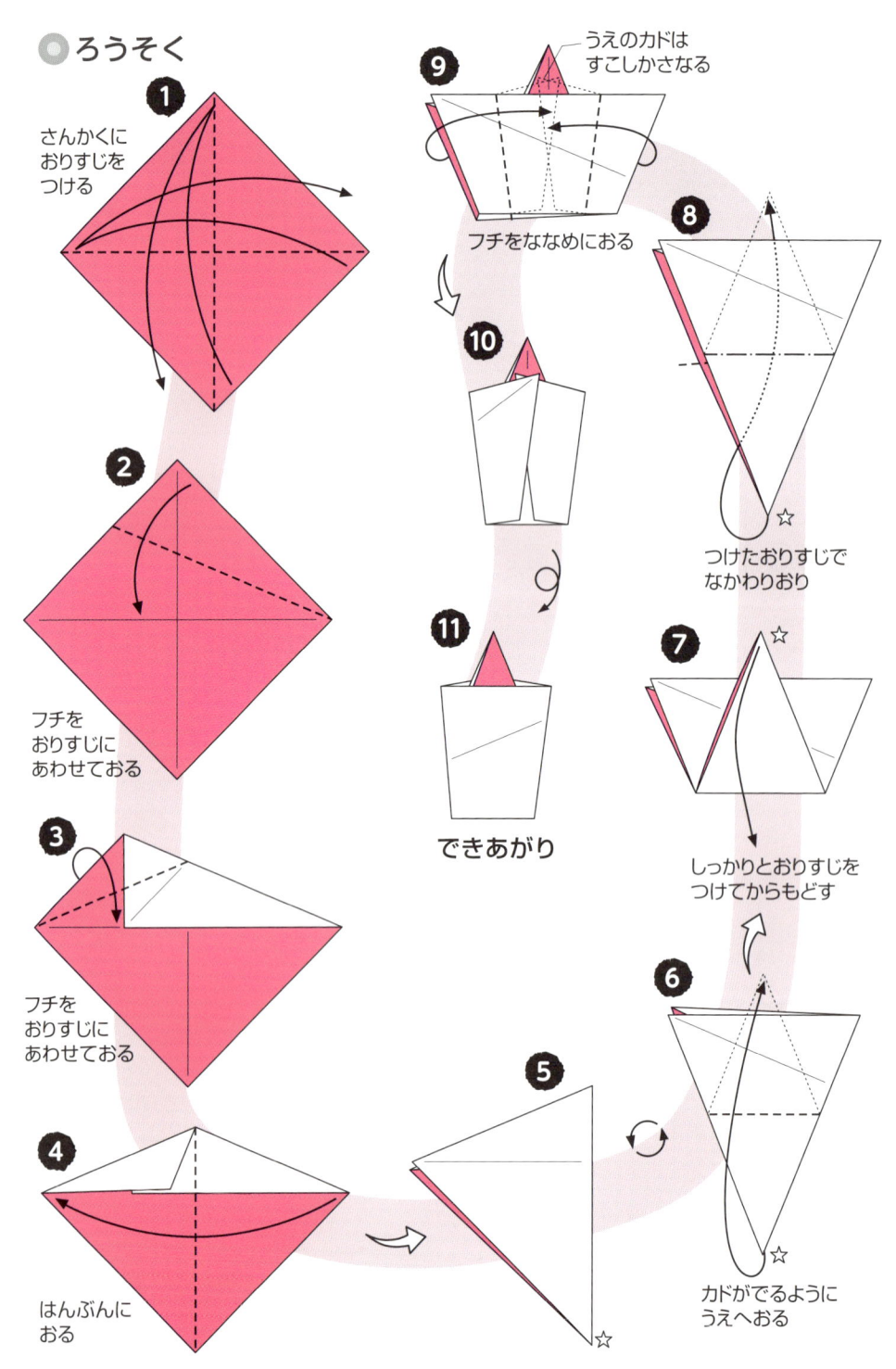

1 さんかくにおりすじをつける

2 フチをおりすじにあわせておる

3 フチをおりすじにあわせておる

4 はんぶんにおる

5

6 カドがでるようにうえへおる

7 しっかりとおりすじをつけてからもどす

8 つけたおりすじでなかわりおり

9 フチをななめにおる　うえのカドはすこしかさなる

10

11 できあがり

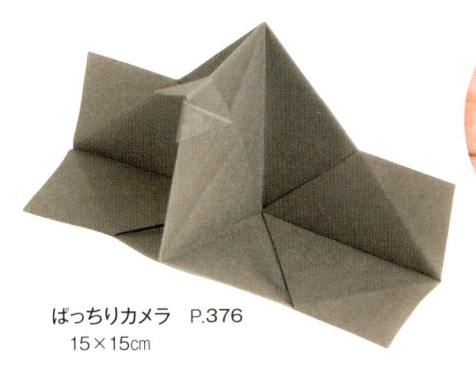

あそべる おりがみ かわいい あそび

ぱっちりカメラ　P.376
　　15×15cm

はい、チーズ

ピョンピョン、
うさぎさんだよ

ゆびにんぎょう　P.380
10×10cm、

くびふりわんわん　P.382　15×15cm　2まい

353

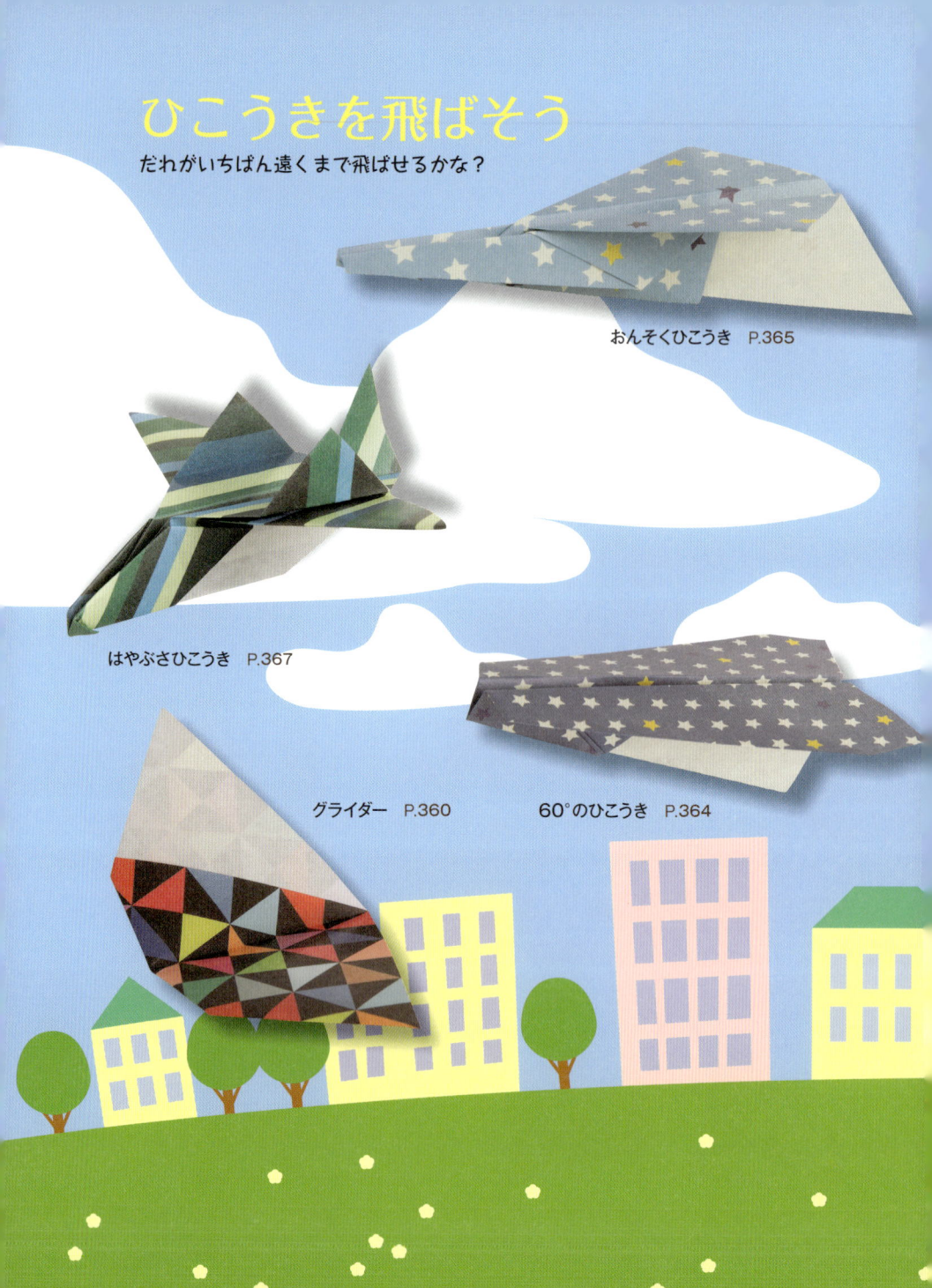

ひこうきを飛ばそう
だれがいちばん遠くまで飛ばせるかな？

おんそくひこうき　P.365

はやぶさひこうき　P.367

グライダー　P.360

60°のひこうき　P.364

はばたくとり　P.372

かみとんぼ　P.369

ささぶね　P.374

355

たのしいおもちゃ

何色かな?

マコトコマ　P.357
15×15cm　3まい

うわっ、食べられた!

ひとくいばな　P.361
15×15cm　2まい

いろかえあそび　P.378
15×15cm

●しゃしんはP.356　**かんたんで、とてもよくまわるこまだよ**

マコトコマ
Makoto-koma(Top)

あそべる おりがみ

● おりがみ　3まい　　● むずかしさ

◎ うちがわ

1 はんぶんにおりすじをつける

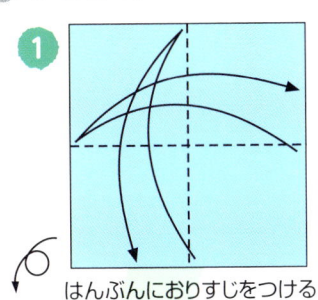

2 さんかくにおりすじをつける

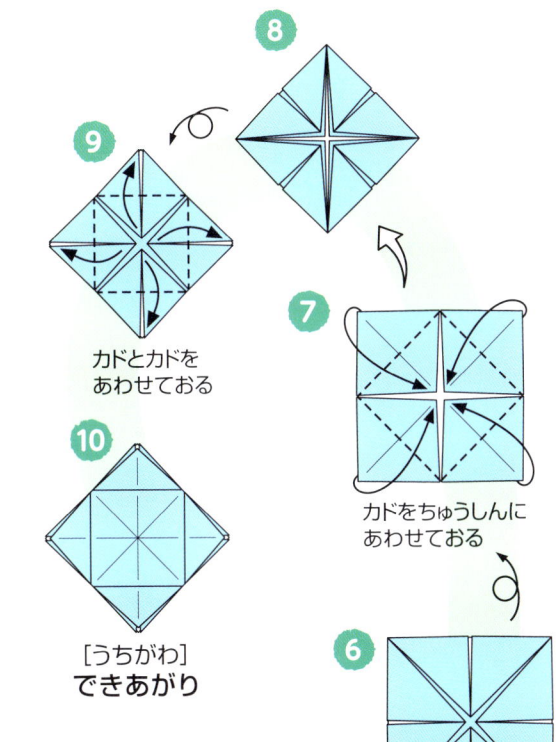

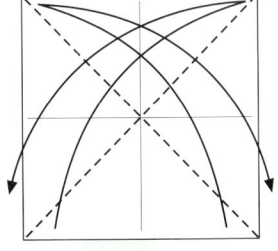

3 カドをちゅうしんにあわせておる

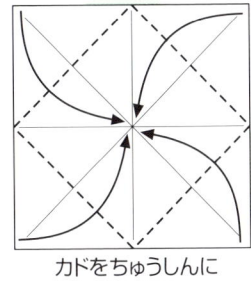

4

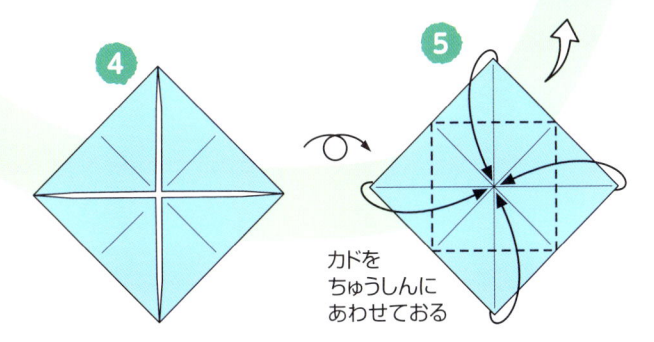

5 カドをちゅうしんにあわせておる

6

7 カドをちゅうしんにあわせておる

8

9 カドとカドをあわせておる

10 ［うちがわ］**できあがり**

●そとがわ

［うちがわ］の❸から はじめる

1 カドをちゅうしんに あわせておる

2 カドをちゅうしんに あわせておる

3 カドをフチに あわせておる

4 ［そとがわ］ できあがり

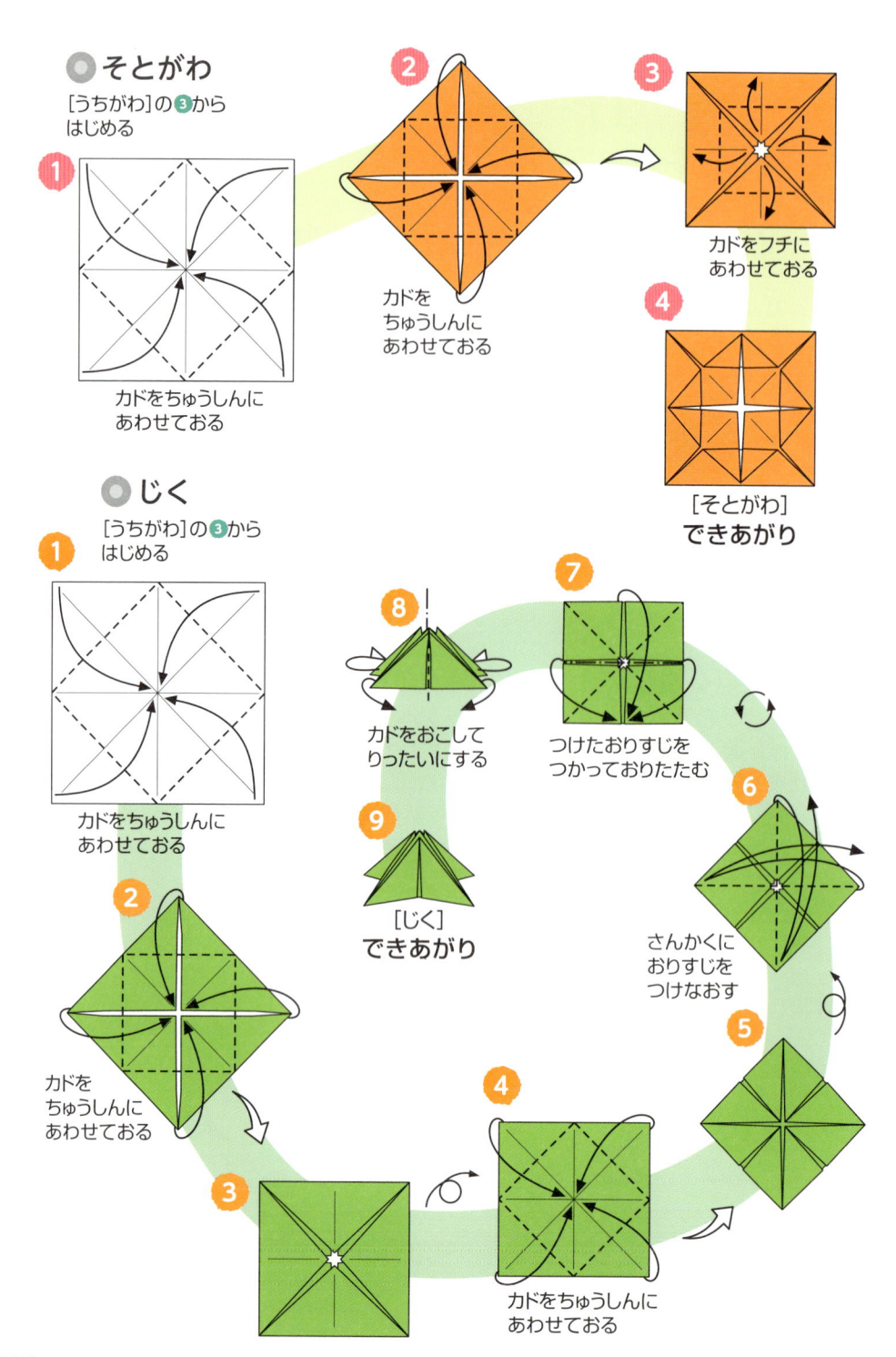

●じく

［うちがわ］の❸から はじめる

1 カドをちゅうしんに あわせておる

2 カドをちゅうしんに あわせておる

3

4 カドをちゅうしんに あわせておる

5

6 さんかくに おりすじを つけなおす

7 つけたおりすじを つかっておりたたむ

8 カドをおこして りったいにする

9 ［じく］ できあがり

くみたてかた

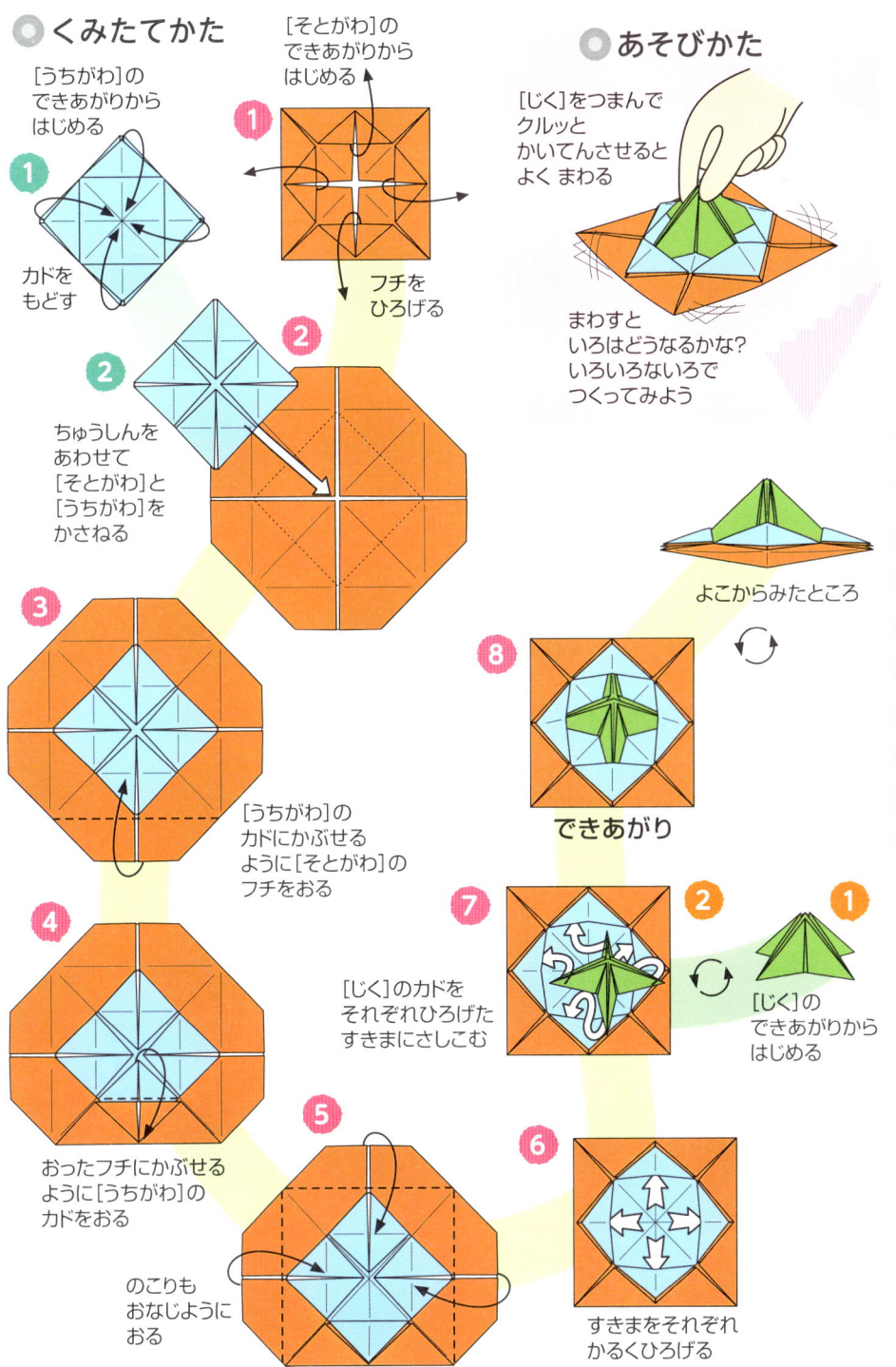

1 [うちがわ]のできあがりからはじめる
カドをもどす

1 [そとがわ]のできあがりからはじめる
フチをひろげる

2 ちゅうしんをあわせて[そとがわ]と[うちがわ]をかさねる

3 [うちがわ]のカドにかぶせるように[そとがわ]のフチをおる

4 おったフチにかぶせるように[うちがわ]のカドをおる

5 のこりもおなじようにおる

あそびかた

[じく]をつまんでクルッとかいてんさせるとよくまわる

まわすといろはどうなるかな？
いろいろないろでつくってみよう

よこからみたところ

8 できあがり

7 [じく]のカドをそれぞれひろげたすきまにさしこむ

1 [じく]のできあがりからはじめる

2

6 すきまをそれぞれかるくひろげる

あそべる マコトコマ

359

●しゃしんはP.354　ちからをいれずにやさしくとばそう

グライダー
Glider

●おりがみ 1まい　●むずかしさ

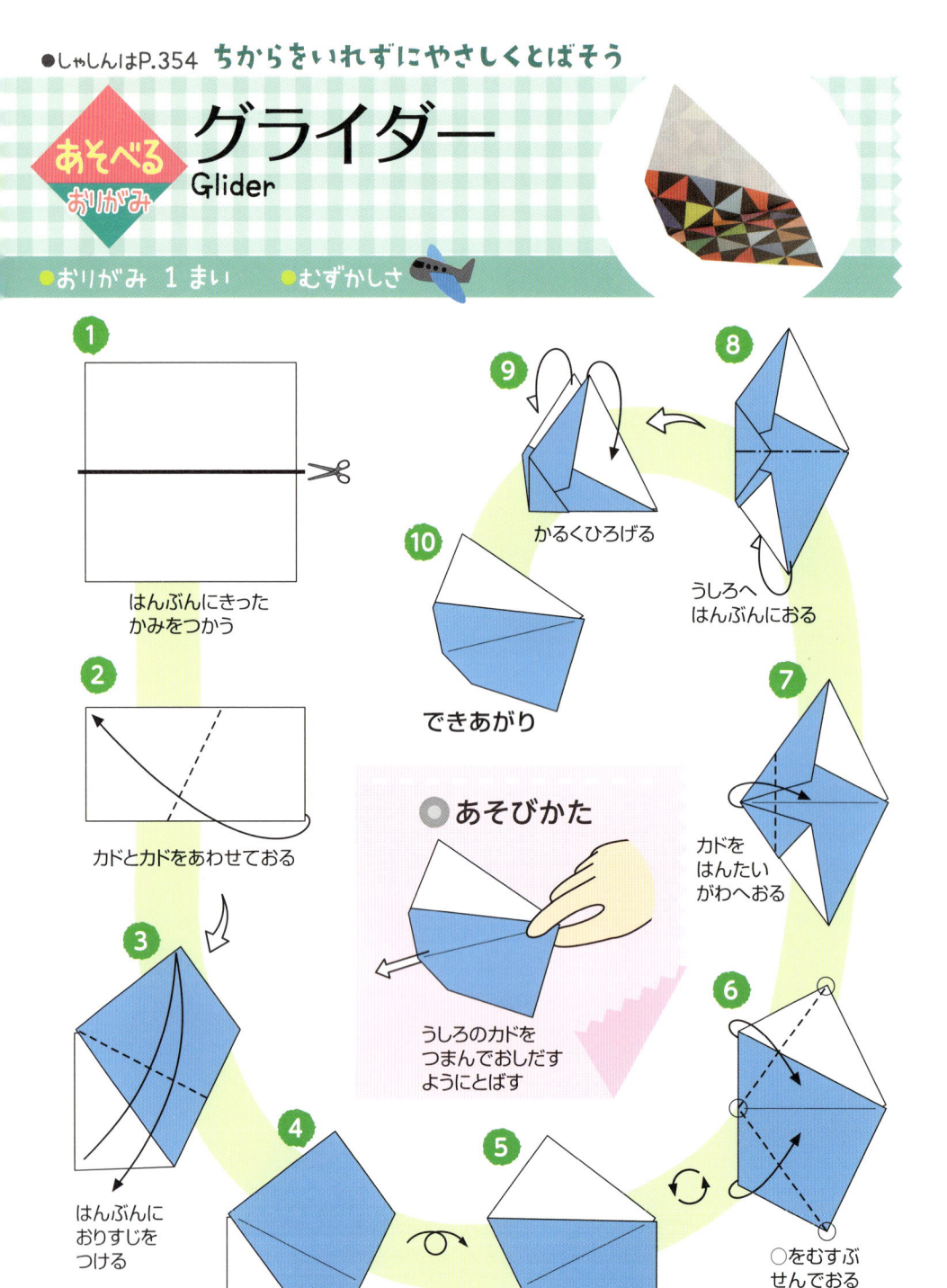

1 はんぶんにきった かみをつかう

2 カドとカドをあわせておる

3 はんぶんに おりすじを つける

4

5

6 ○をむすぶ せんでおる

7 カドを はんたい がわへおる

8 うしろへ はんぶんにおる

9 かるくひろげる

10 できあがり

●あそびかた
うしろのカドを つまんでおしだす ようにとばす

360

●しゃしんはP.356　**ともだちをびっくりさせてみよう**

あそべる おりがみ

ひとくいばな
Carnivorous flower

● おりがみ　2まい　● むずかしさ

1
はんぶんにおりすじをつける

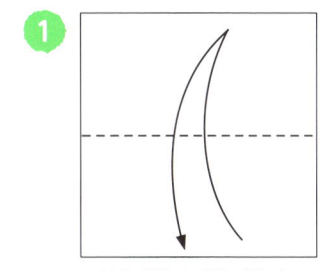

2
●のカドをきてんに
○のカドをおりすじにあわせておる

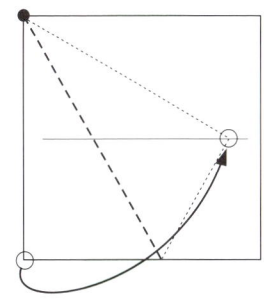

3
もどす

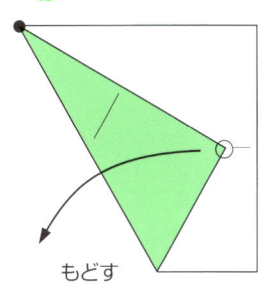

4
はんたいがわもおなじようにおる

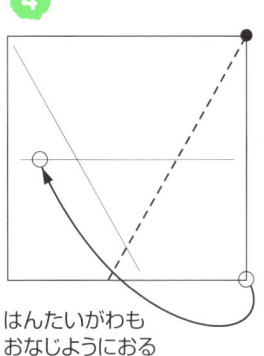

5
もどす

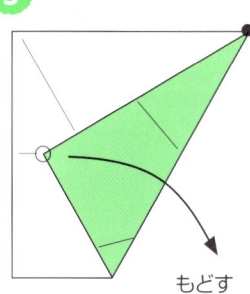

6
つけたおりすじできりおとしてせいさんかくけいをつくる

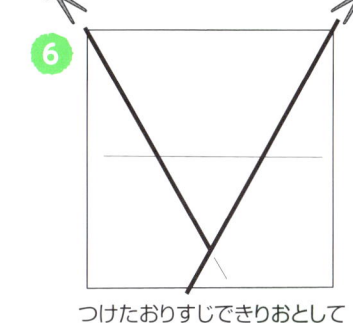

7
はんぶんにおる

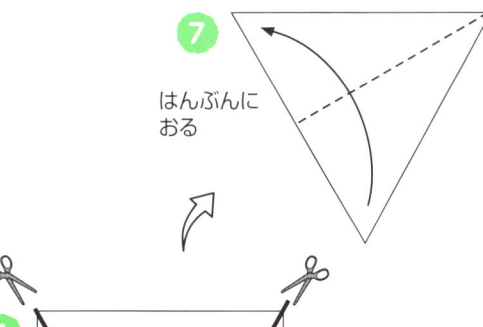

グライダー／ひとくいばな

9

10 うちがわをひろげて
カドをつまむように
おる

11 うちがわをひろげて
つぶすようにおる

8 カドとカドを
あわせておる

12 のこりも
おなじようにおる

13 ひろげる
おなじものを
2つつくる

14 ちゅうしんを
あわせて
■のぶぶんを
のりづけ

15 ついている
おりすじおりたたむ

16 なかわりおり

17 フチと
フチをあわせて
おりすじをつける

18 フチを
つけた
おりすじにあわせて
おりすじをつける

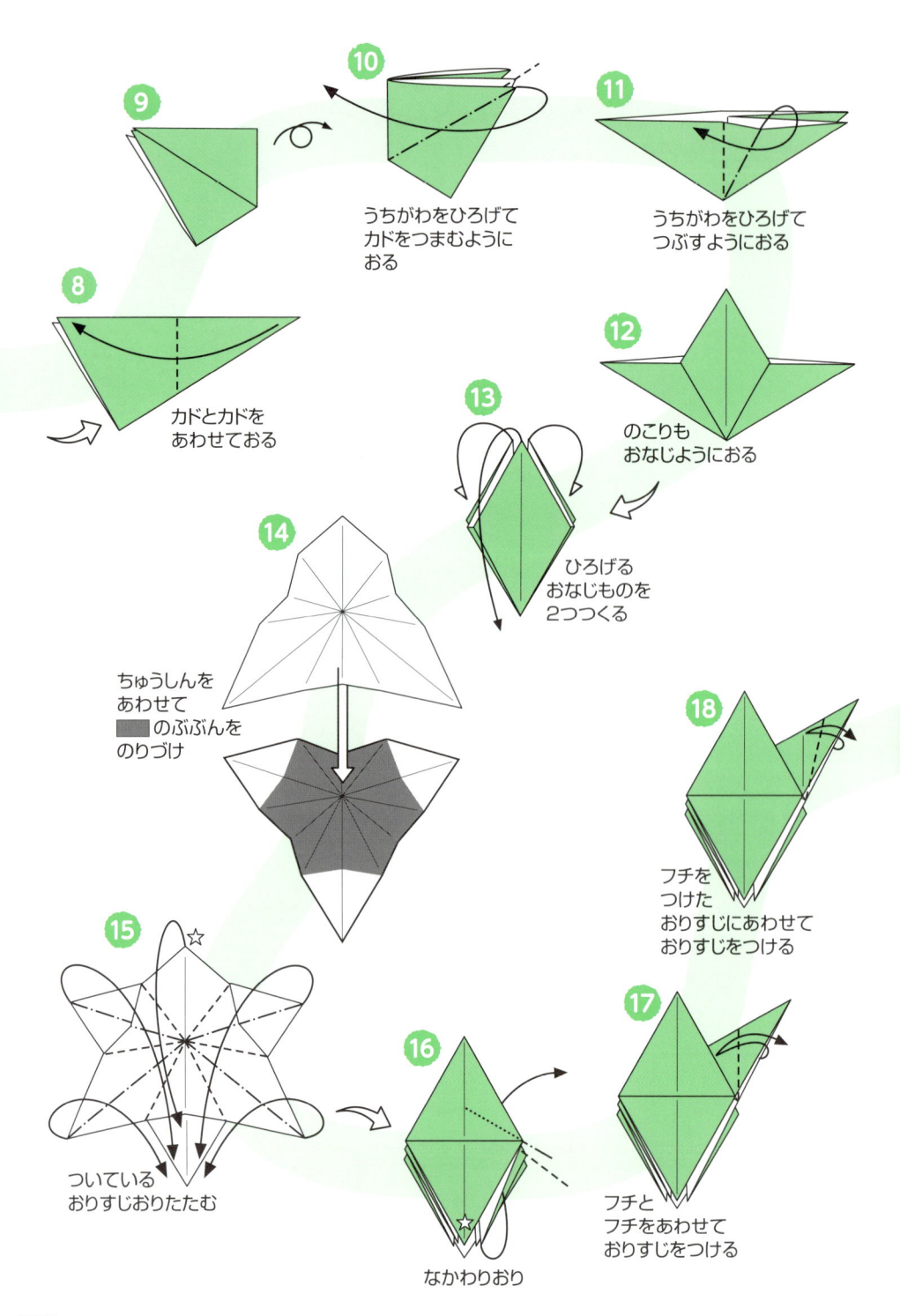

362

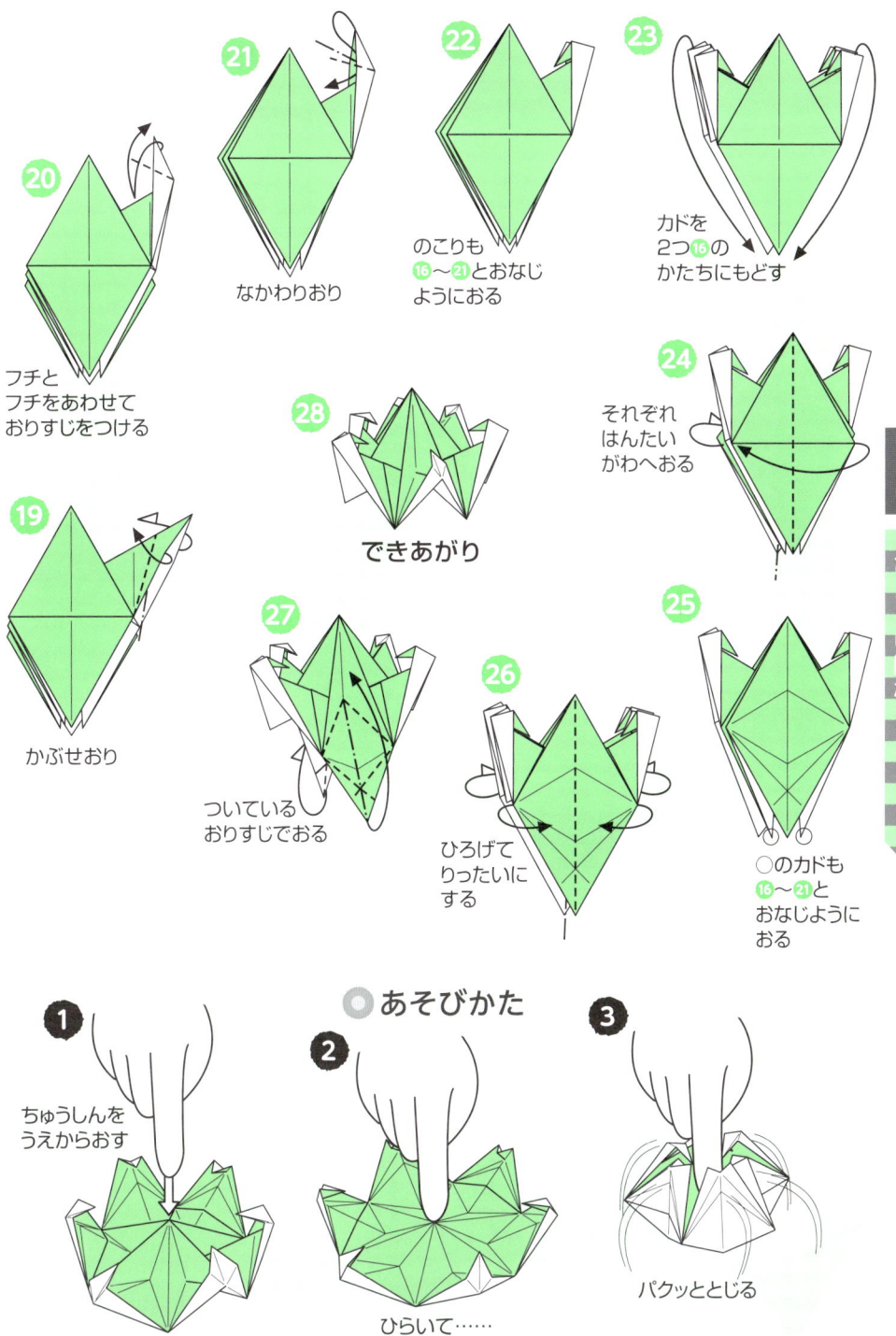

21
なかわりおり

20
フチと
フチをあわせて
おりすじをつける

19
かぶせおり

22
のこりも
16〜21とおなじ
ようにおる

23
カドを
2つの16の
かたちにもどす

24
それぞれ
はんたい
がわへおる

25
○のカドも
16〜21と
おなじように
おる

26
ひろげて
りったいに
する

27
ついている
おりすじでおる

28
できあがり

あそべる ひとくいばな

●あそびかた

1
ちゅうしんを
うえからおす

2
ひらいて……

3
パクッととじる

363

●しゃしんはP.354　**よくとぶかみひこうきばかりだよ**

かみひこうき
Paper plane

あそべる おりがみ

●おりがみ　かく1まい　●むずかしさ

◎ 60°のひこうき

1 はんぶんにおりすじをつける

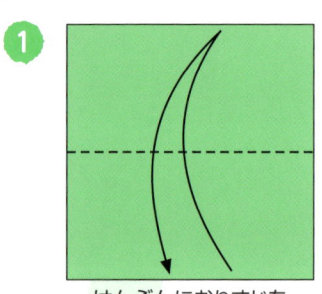

2 フチをおりすじにあわせてはんぶんくらいまでかるくおりすじをつける

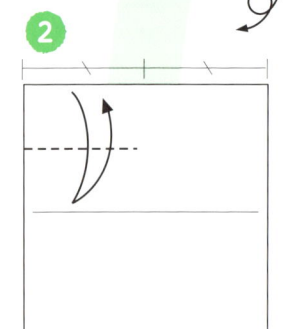

3 ●をきてんにカドをつけたおりすじにあわせておる

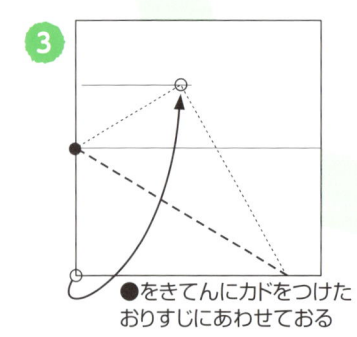

4 フチとフチをあわせておる

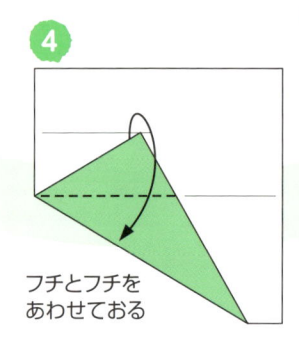

5 カドとカドをあわせておる

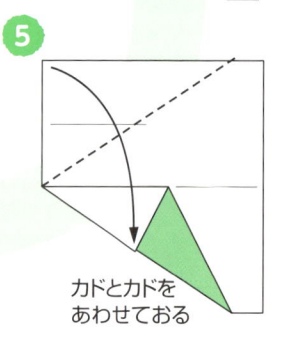

6 フチとフチをあわせておる

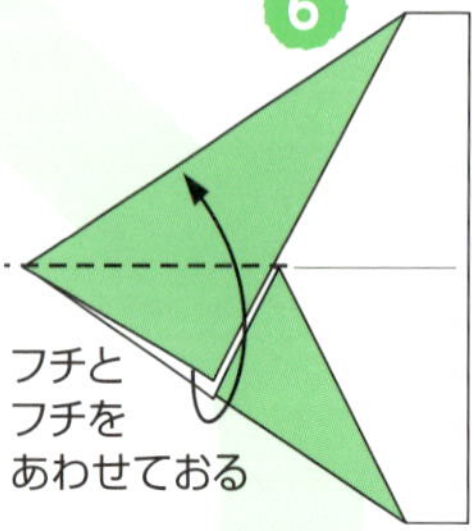

7 カドとカドをあわせておる

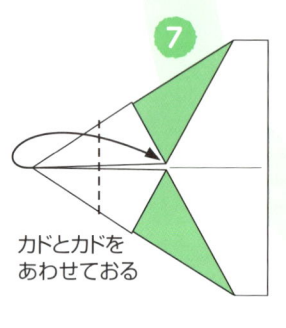

8 カドをすきまにおりこむ

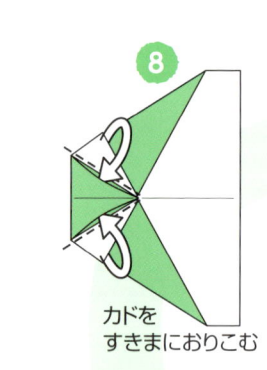

9

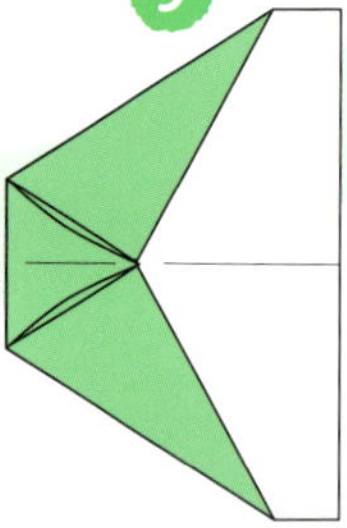

364

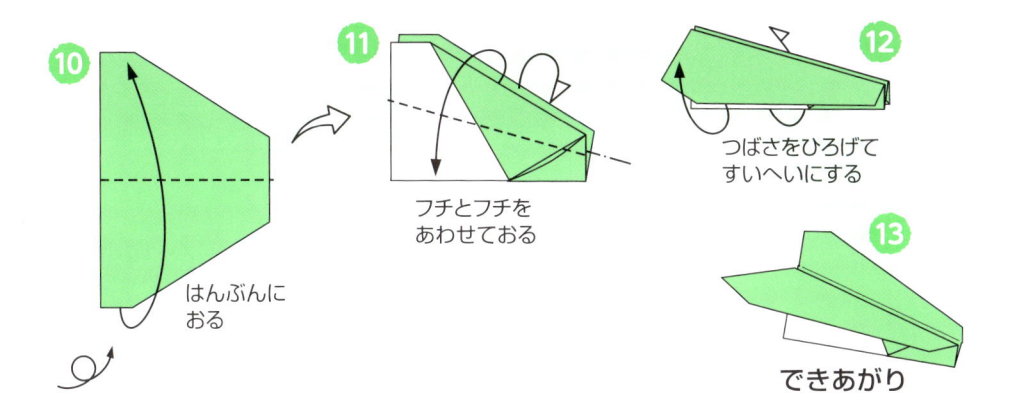

⑩ はんぶんにおる

⑪ フチとフチをあわせておる

⑫ つばさをひろげてすいへいにする

⑬ できあがり

○ かみの「め」をつかう

かみには[め]があります。
おりがみひこうきは、この「め」に
そったほうこうにおるとよくとびます

1. ゆびのうえにかみをのせる
2. かみがゆびのうえでカーブする
3. このカーブにあわせてひこうきをおる

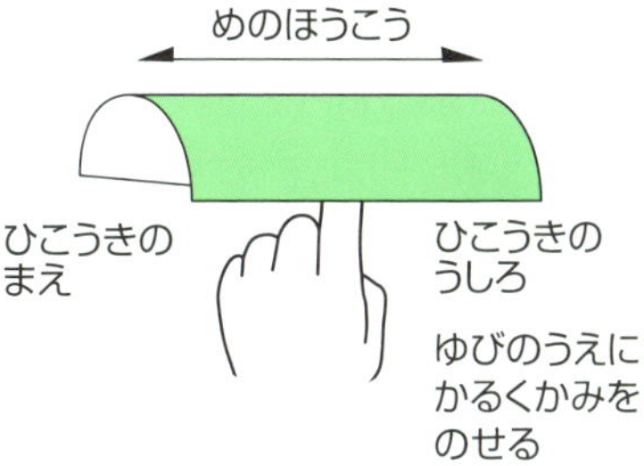

めのほうこう

ひこうきのまえ　　ひこうきのうしろ

ゆびのうえにかるくかみをのせる

○ ひこうきのとばしかた

おりがみひこうきは、かたちによって
とびかたがちがいます。とくちょうに
あったとばしかたをしてみましょう

このほんのひこうきは、どれもスピードが
あって、とおくまでよくとぶタイプです。
ななめうえへむけて、おもいきりとおくに
なげるようなきもちでとばしましょう

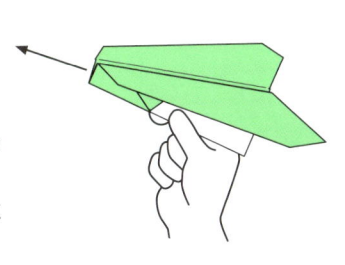

○ おんそくひこうき

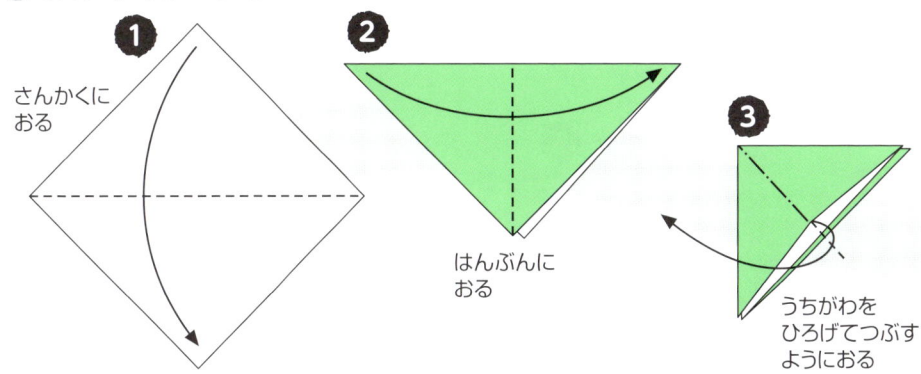

❶ さんかくにおる

❷ はんぶんにおる

❸ うちがわをひろげてつぶすようにおる

あそべる

かみひこうき

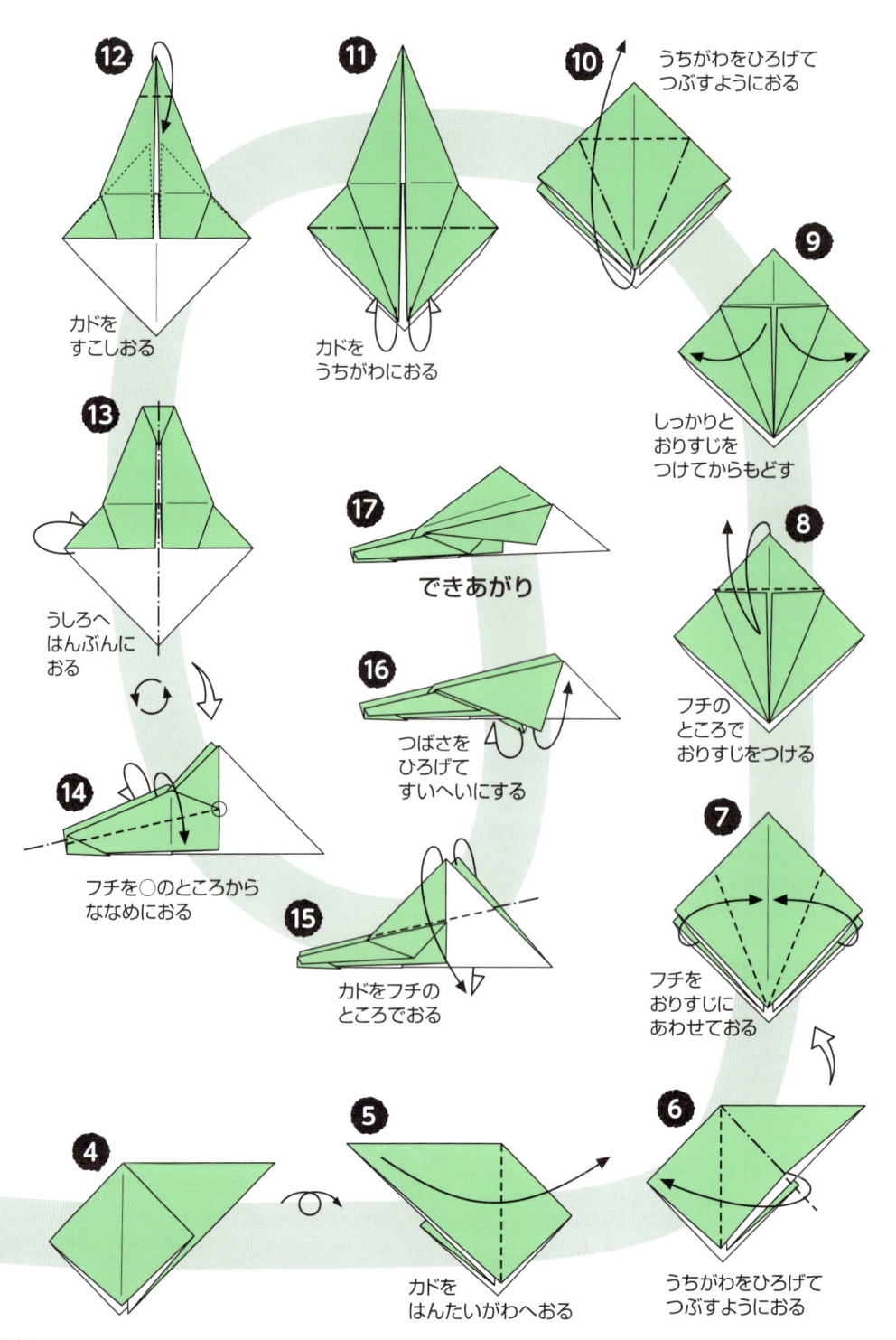

12
カドを
すこしおる

11
カドを
うちがわにおる

10
うちがわをひろげて
つぶすようにおる

9
しっかりと
おりすじを
つけてからもどす

13
うしろへ
はんぶんに
おる

17
できあがり

16
つばさを
ひろげて
すいへいにする

8
フチの
ところで
おりすじをつける

14
フチを○のところから
ななめにおる

15
カドをフチの
ところでおる

7
フチを
おりすじに
あわせておる

4

5
カドを
はんたいがわへおる

6
うちがわをひろげて
つぶすようにおる

◉ はやぶさひこうき

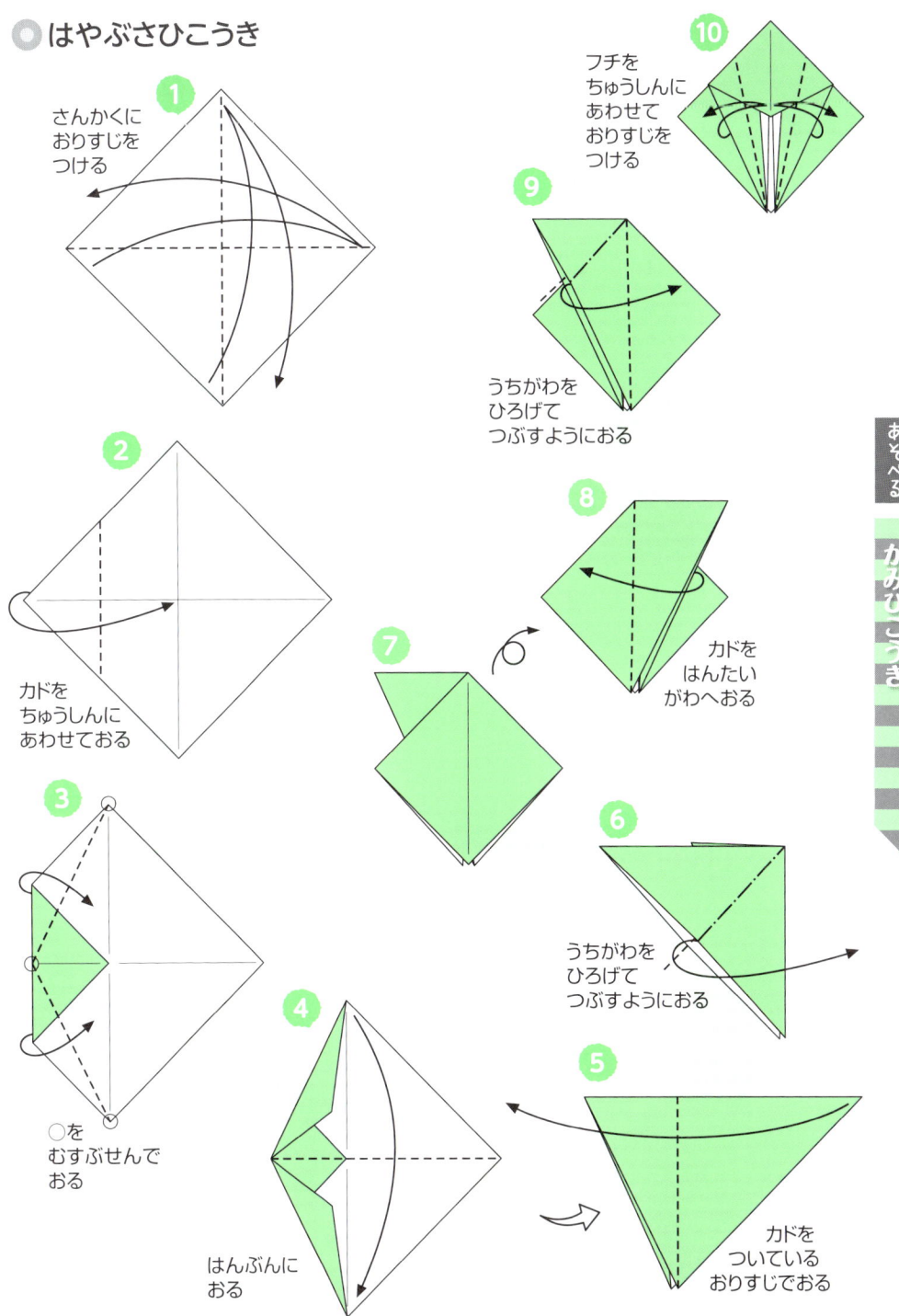

1. さんかくにおりすじをつける

2. カドをちゅうしんにあわせておる

3. ○をむすぶせんでおる

4. はんぶんにおる

5. カドをついているおりすじでおる

6. うちがわをひろげてつぶすようにおる

7.

8. カドをはんたいがわへおる

9. うちがわをひろげてつぶすようにおる

10. フチをちゅうしんにあわせておりすじをつける

あそべる

かみひこうき

367

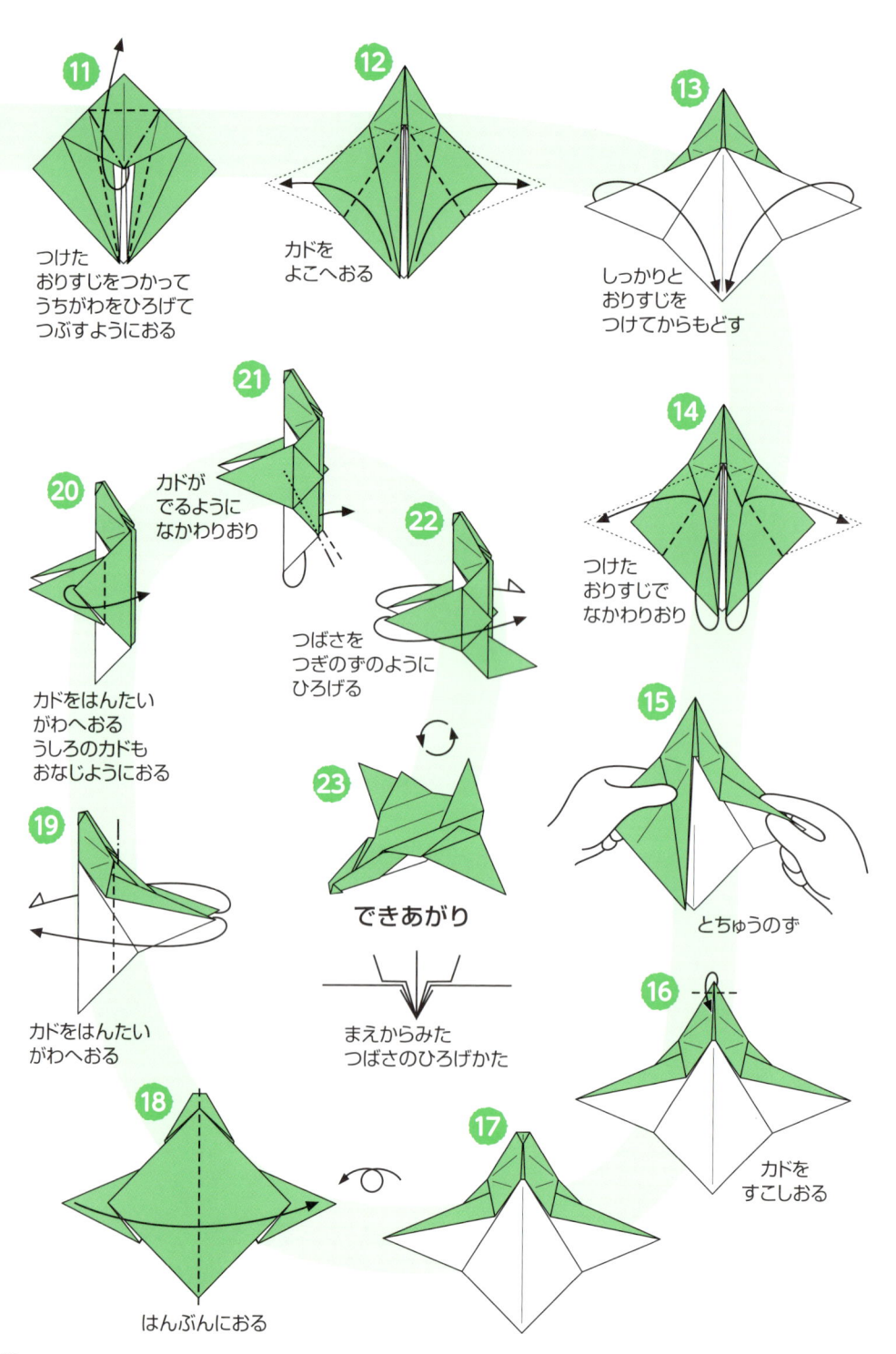

11
つけた
おりすじをつかって
うちがわをひろげて
つぶすようにおる

12
カドを
よこへおる

13
しっかりと
おりすじを
つけてからもどす

14
つけた
おりすじで
なかわりおり

15
とちゅうのず

16
カドを
すこしおる

17

18
はんぶんにおる

19
カドをはんたい
がわへおる

20
カドをはんたい
がわへおる
うしろのカドも
おなじようにおる

21
カドが
でるように
なかわりおり

22
つばさを
つぎのずのように
ひろげる

23
できあがり

まえからみた
つばさのひろげかた

● しゃしんはP.355　**たかくなげるときれいにまわっておちてくる**

あそべる おりがみ　かみとんぼ
Propeller

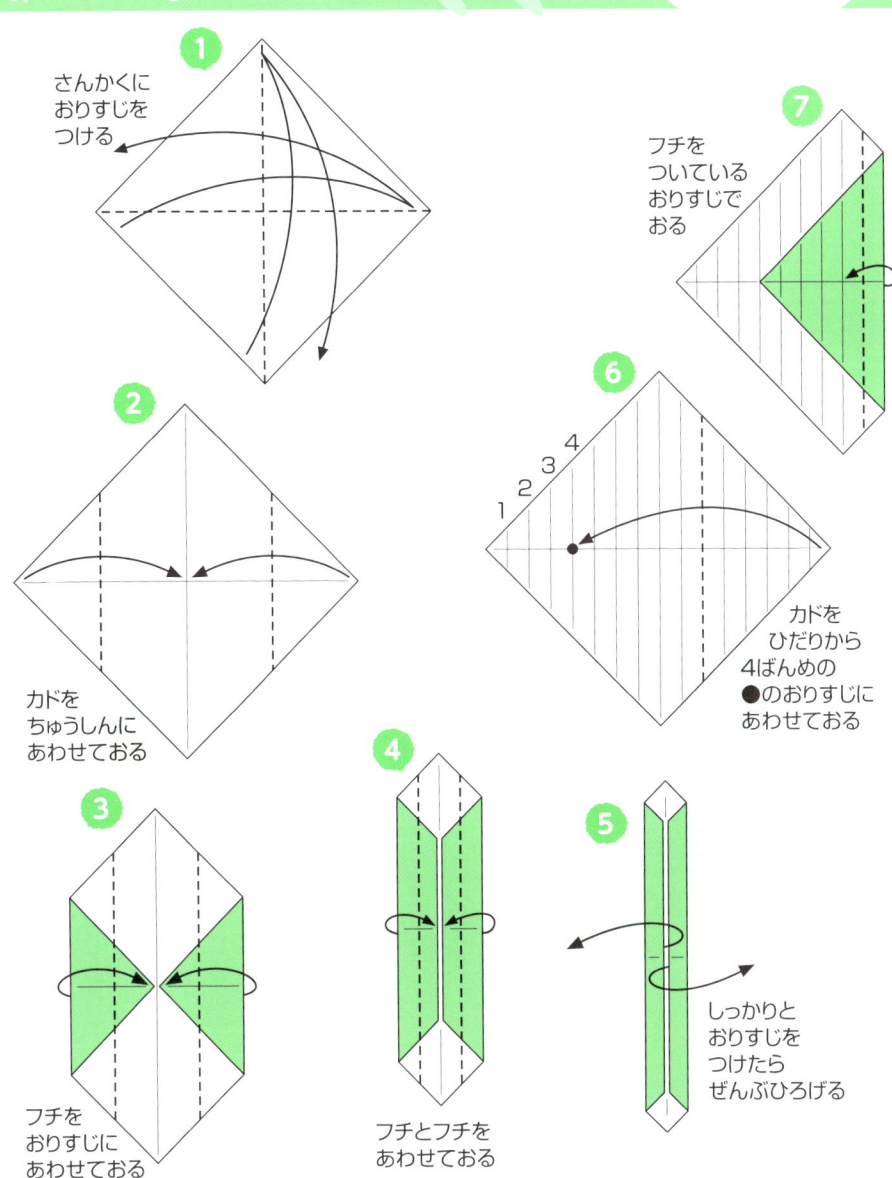

● おりがみ　1まい　● むずかしさ

1
さんかくに
おりすじを
つける

2
カドを
ちゅうしんに
あわせておる

3
フチを
おりすじに
あわせておる

4
フチとフチを
あわせておる

5
しっかりと
おりすじを
つけたら
ぜんぶひろげる

6
カドを
ひだりから
4ばんめの
●のおりすじに
あわせておる

7
フチを
ついている
おりすじで
おる

369

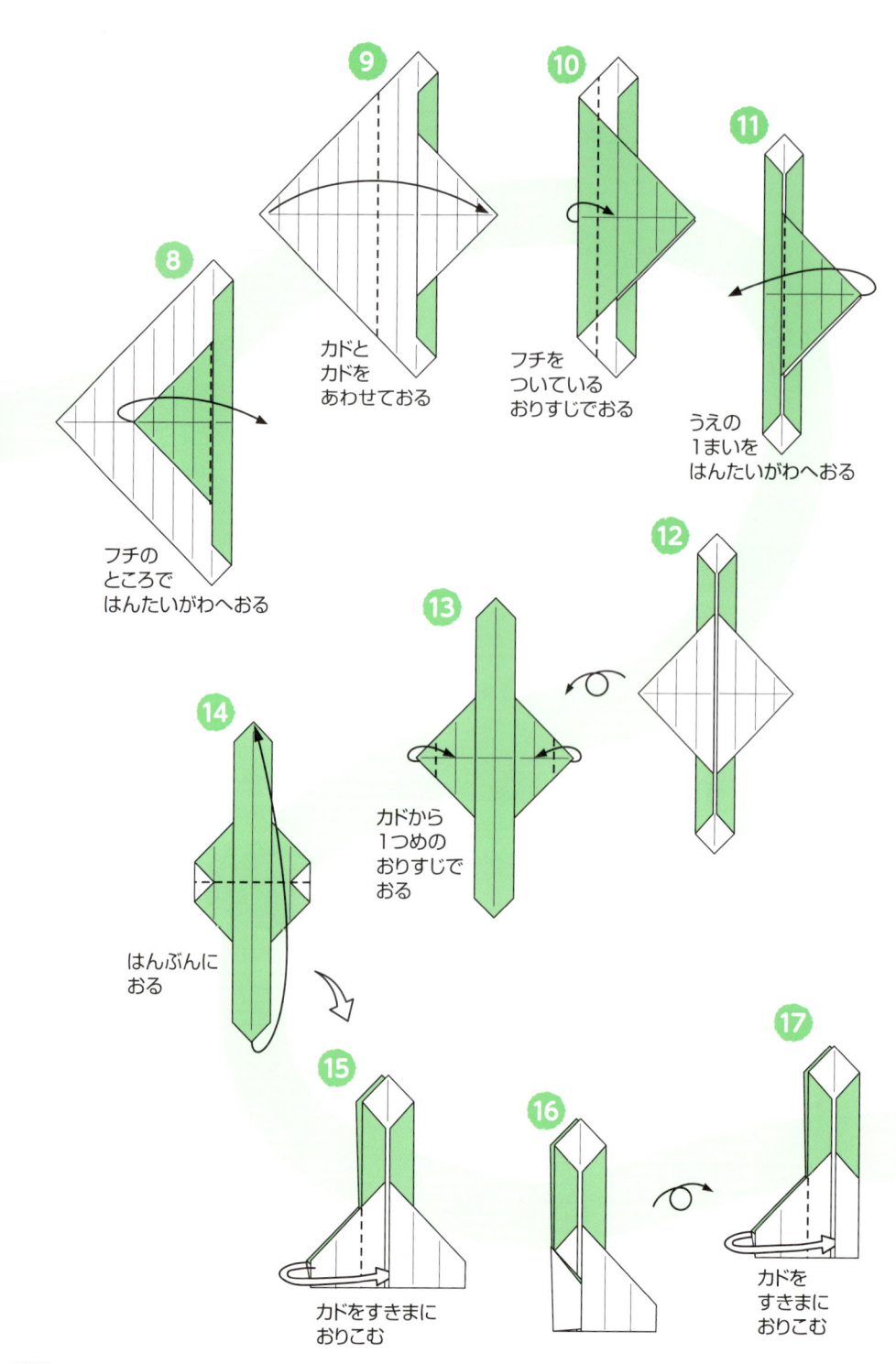

⑧ フチのところではんたいがわへおる

⑨ カドとカドをあわせておる

⑩ フチをついているおりすじでおる

⑪ うえの1まいをはんたいがわへおる

⑫

⑬ カドから1つめのおりすじでおる

⑭ はんぶんにおる

⑮ カドをすきまにおりこむ

⑯

⑰ カドをすきまにおりこむ

あそびかた

ずのようにもって
ちからいっぱいなげてみよう
クルクルとよくまわりながら
とんでいくよ

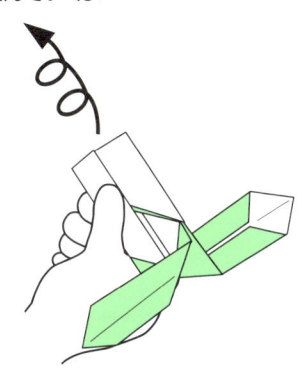

ゲームをしよう

じめんにまとをつくって、「かみとんぼ」を
とばしてみよう。

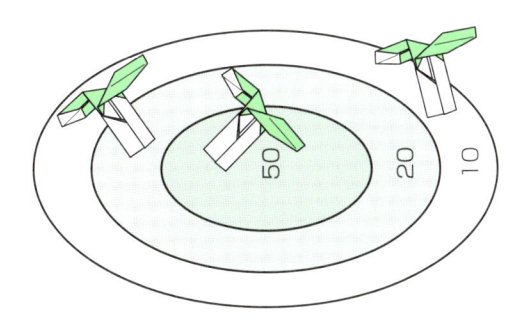

いちばんてんすうの
たかいところに
いれたひとのかち！

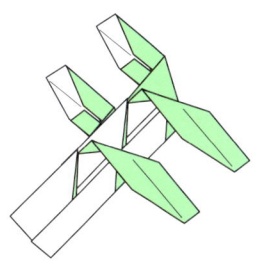

2つかさねてとばしても
おもしろいよ！

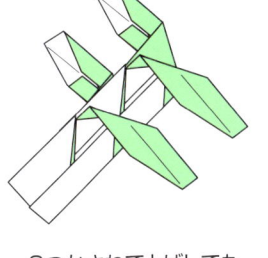

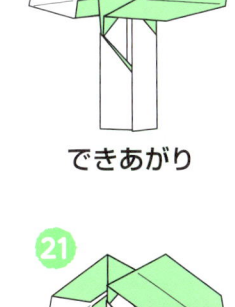

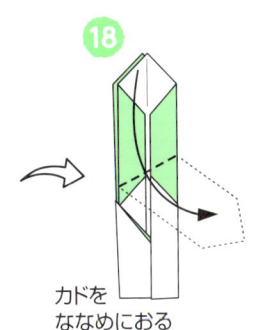

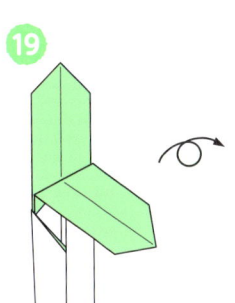

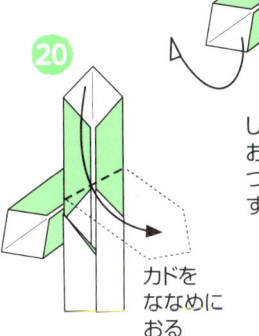

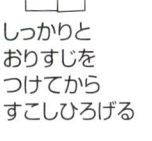

22

できあがり

21

しっかりと
おりすじを
つけてから
すこしひろげる

18 カドを
ななめにおる

19

20 カドを
ななめに
おる

あそべる かみとんぼ

371

●しゃしんはP.355　がいこくでもだいにんきのうごくおりがみ

あそべるおりがみ
はばたくとり
Flapping bird

●おりがみ 1まい　●むずかしさ

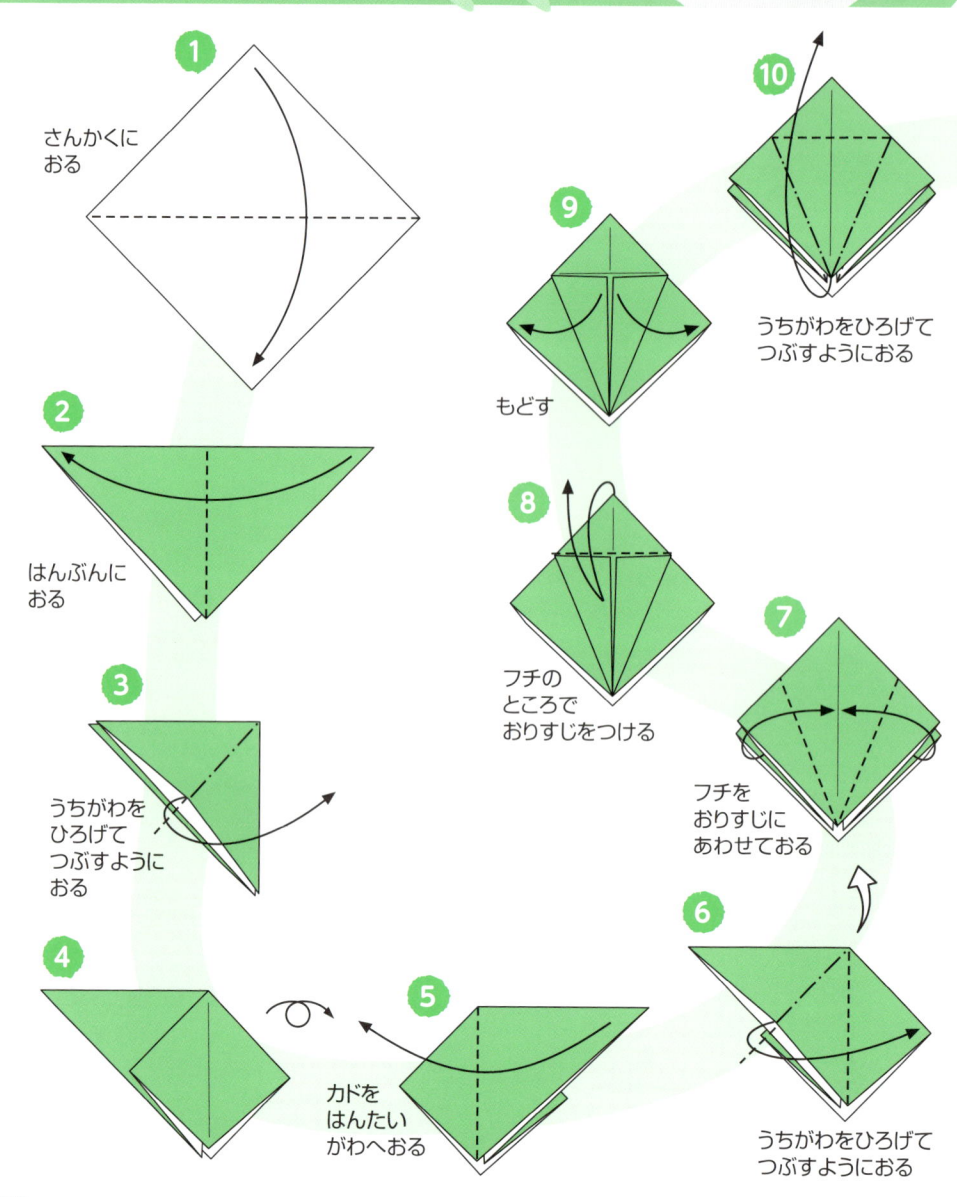

1 さんかくにおる

2 はんぶんにおる

3 うちがわをひろげてつぶすようにおる

4

5 カドをはんたいがわへおる

6 うちがわをひろげてつぶすようにおる

7 フチをおりすじにあわせておる

8 フチのところでおりすじをつける

9 もどす

10 うちがわをひろげてつぶすようにおる

372

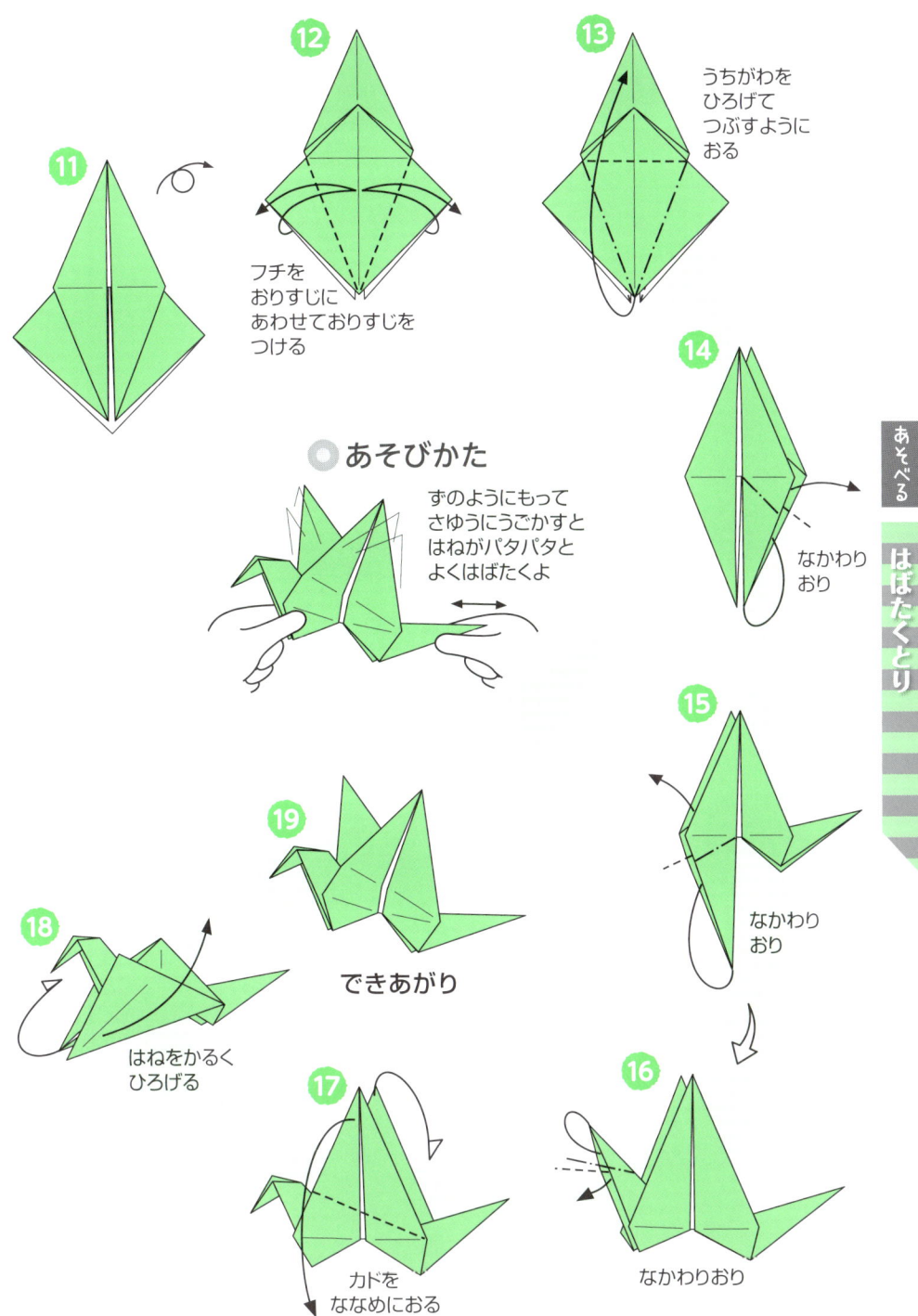

12
フチを
おりすじに
あわせておりすじを
つける

13
うちがわを
ひろげて
つぶすように
おる

11

●あそびかた
ずのようにもって
さゆうにうごかすと
はねがパタパタと
よくはばたくよ

14
なかわり
おり

15
なかわり
おり

16
なかわりおり

17
カドを
ななめにおる

18
はねをかるく
ひろげる

19
できあがり

あそべる

はばたくとり

373

● しゃしんはP.355 **まっすぐうしろからふくのがコツ**

あそべる おりがみ
ささぶね
Bamboo boat

● おりがみ 1まい　●むずかしさ

1 さんかくにおる

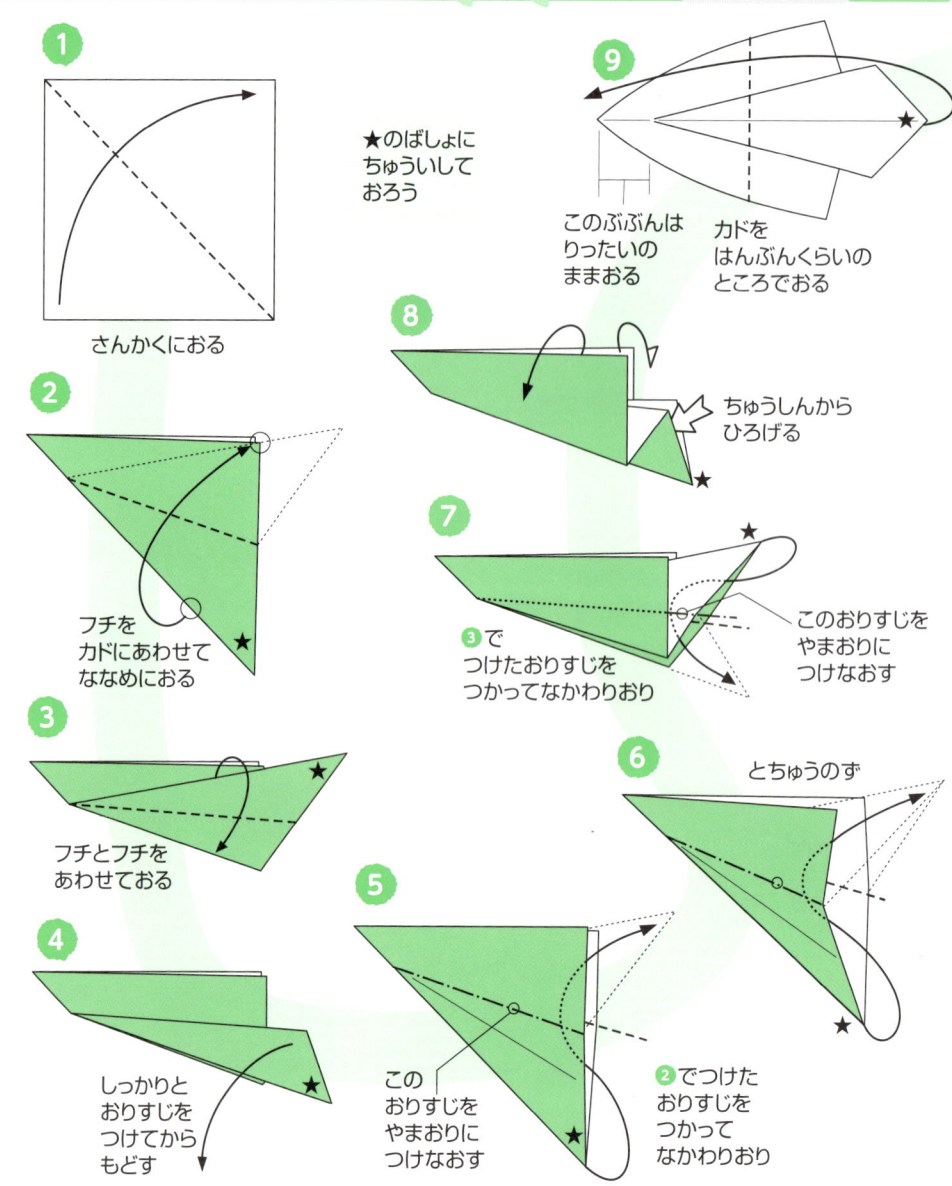

2 フチをカドにあわせてななめにおる

3 フチとフチをあわせておる

4 しっかりとおりすじをつけてからもどす

5 このおりすじをやまおりにつけなおす

❷でつけたおりすじをつかってなかわりおり

6 とちゅうのず

7 ❸でつけたおりすじをつかってなかわりおり

このおりすじをやまおりにつけなおす

8 ちゅうしんからひろげる

9 カドをはんぶんくらいのところでおる

このぶぶんはりったいのままおる

★のばしょにちゅういしておろう

374

⑩ フチを ちゅうしんに あわせておる

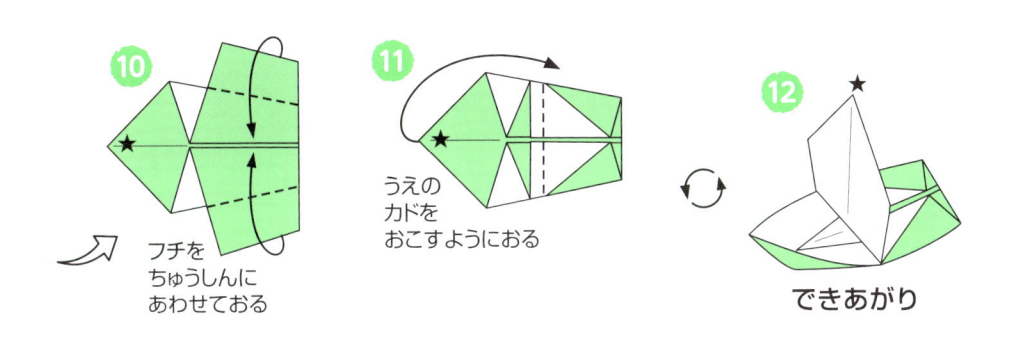

⑪ うえの カドを おこすようにおる

⑫ できあがり

○ いろいろなあそびかた

おふろなどの、ながれのない、みずのうえにうかべて、うしろからふくと、すいすいすすみます。

つくえのうえなどでも、おなじようにうしろからふいて、あそぶことができます。

もくひょうのばしょまでとどくかどうか、ゲームにしてみましょう

つくえのうえにスタートとゴールをつくって、だれがさきにゴールできるかきょうそうしてみましょう。じょうずにふかないとまっすぐうごかないので、おもっているよりもむずかしいですよ。

スタート
ゴール

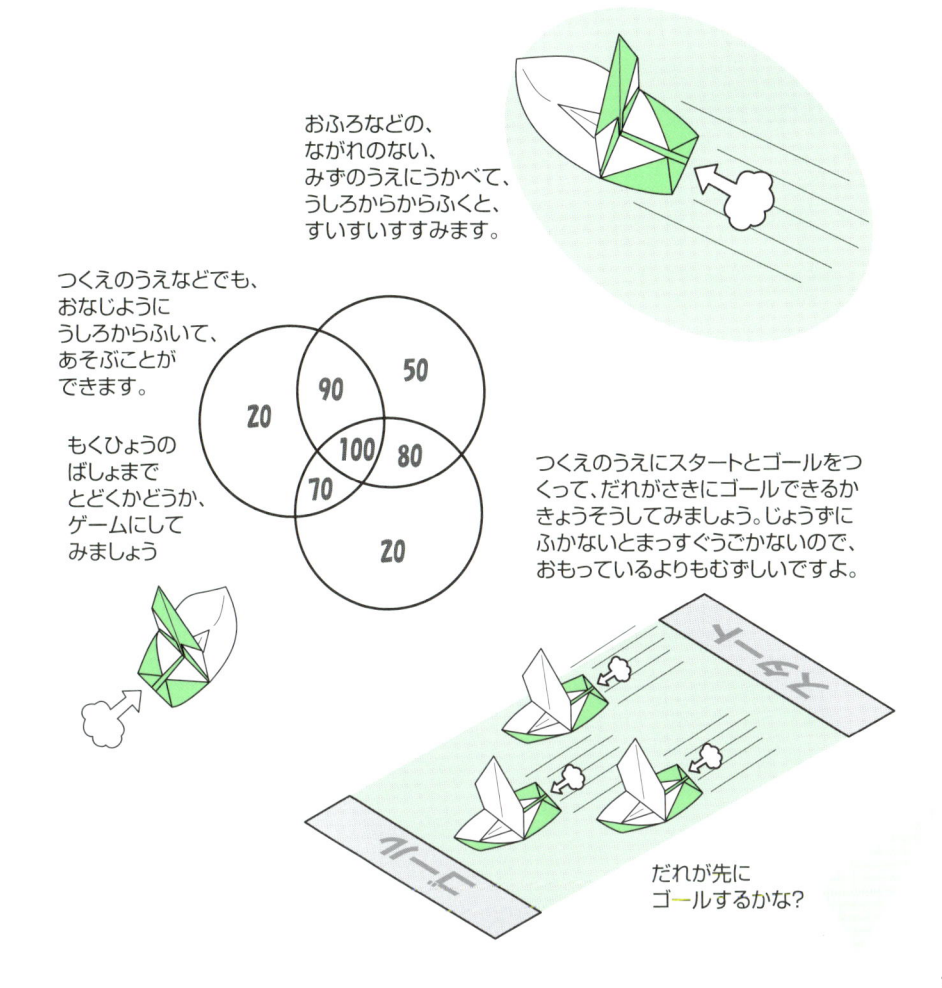

だれが先に ゴールするかな?

あそべる ささぶね

375

● しゃしんはP.353　**ひらいたときにシャッターのおとがするよ**

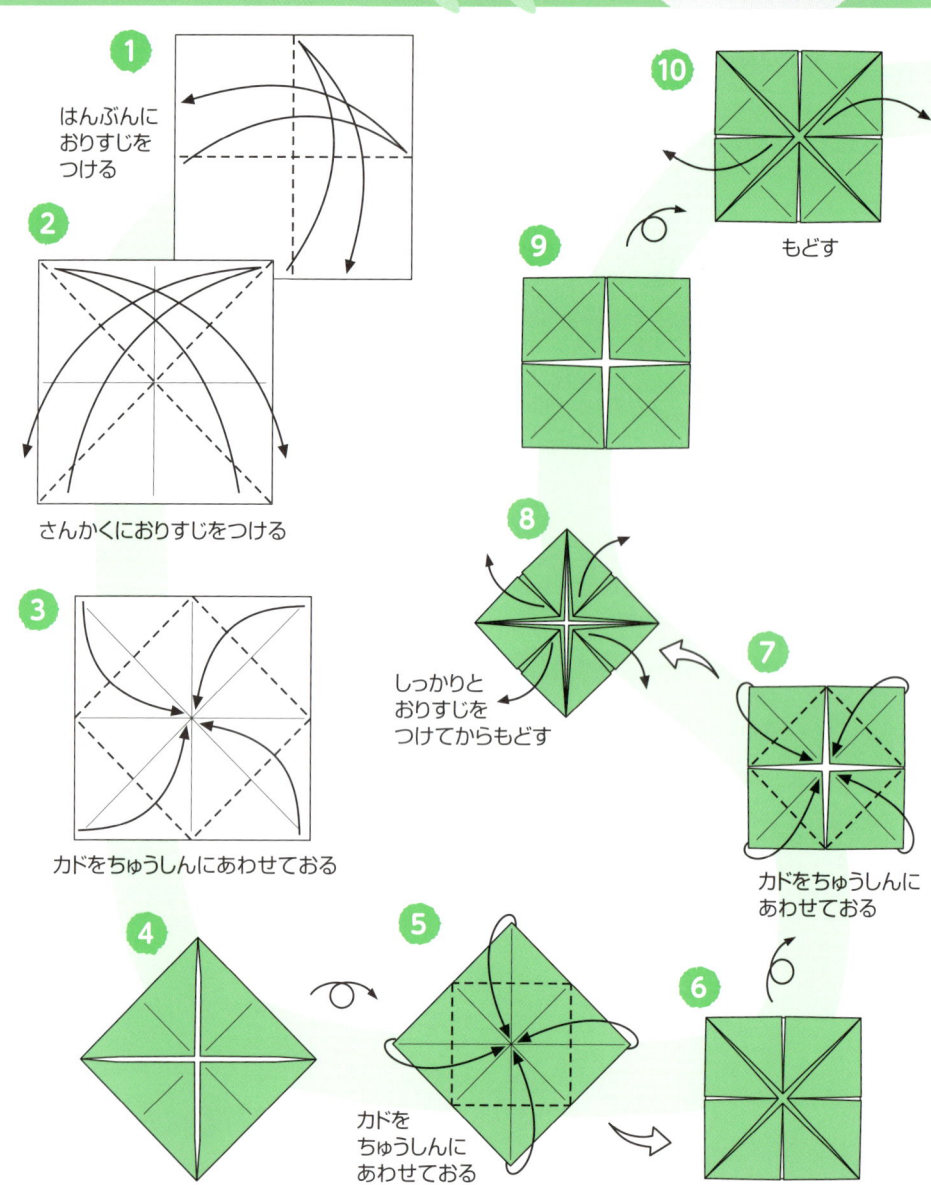

あそべるおりがみ　ぱっちりカメラ
Camera

伝承作品

● おりがみ　1まい　● むずかしさ

1 はんぶんにおりすじをつける

2 さんかくにおりすじをつける

3 カドをちゅうしんにあわせておる

4

5 カドをちゅうしんにあわせておる

6

7 カドをちゅうしんにあわせておる

8 しっかりとおりすじをつけてからもどす

9

10 もどす

12
ついている
おりすじをつかって
カドをつまみながら
したへおる

13
とちゅうのず

15
うちがわをひろげて
つぶすようにおる

17
カドをうえへおる

18
カドを
すこし
ずらして
かさねる
ようにする

19
カドを
それぞれ
はんたいがわにおって
ひっかけるようにする

できあがり

あそびかた

1
ずのように
もっておやゆびで
うしろをおすと
パシャ!とシャッターの
おとがしてひらくよ

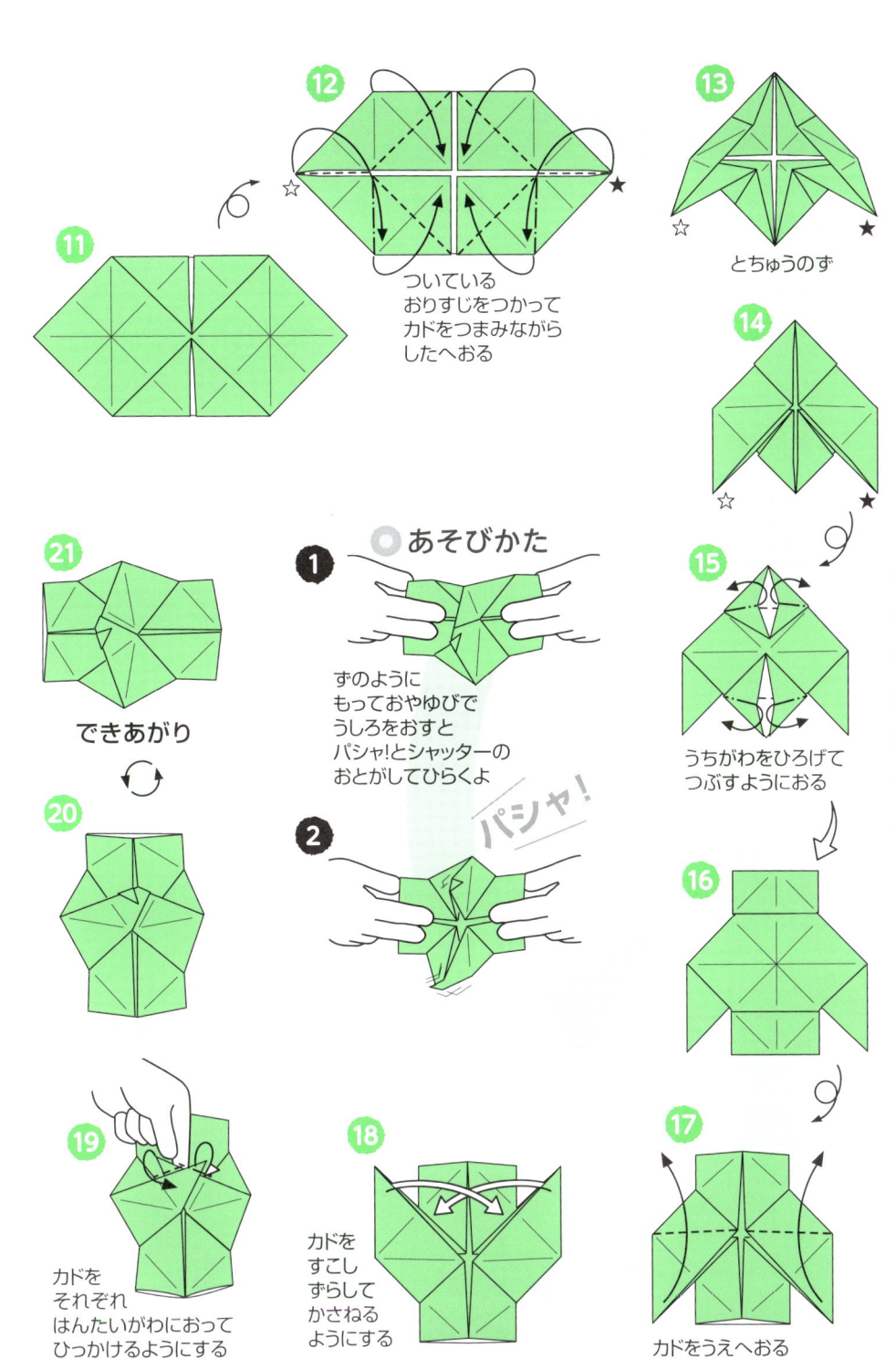

パシャ!

あそべる

ぱっちりカメラ

377

● しゃしんはP.356 **ほかのあそびかたもかんがえてみよう**

あそべるおりがみ いろかえあそび Color changer

伝承作品

● おりがみ 1まい　● むずかしさ

1 さんかくにおりすじをつける

2 カドをちゅうしんにあわせておる

3

4 カドをちゅうしんにあわせておる

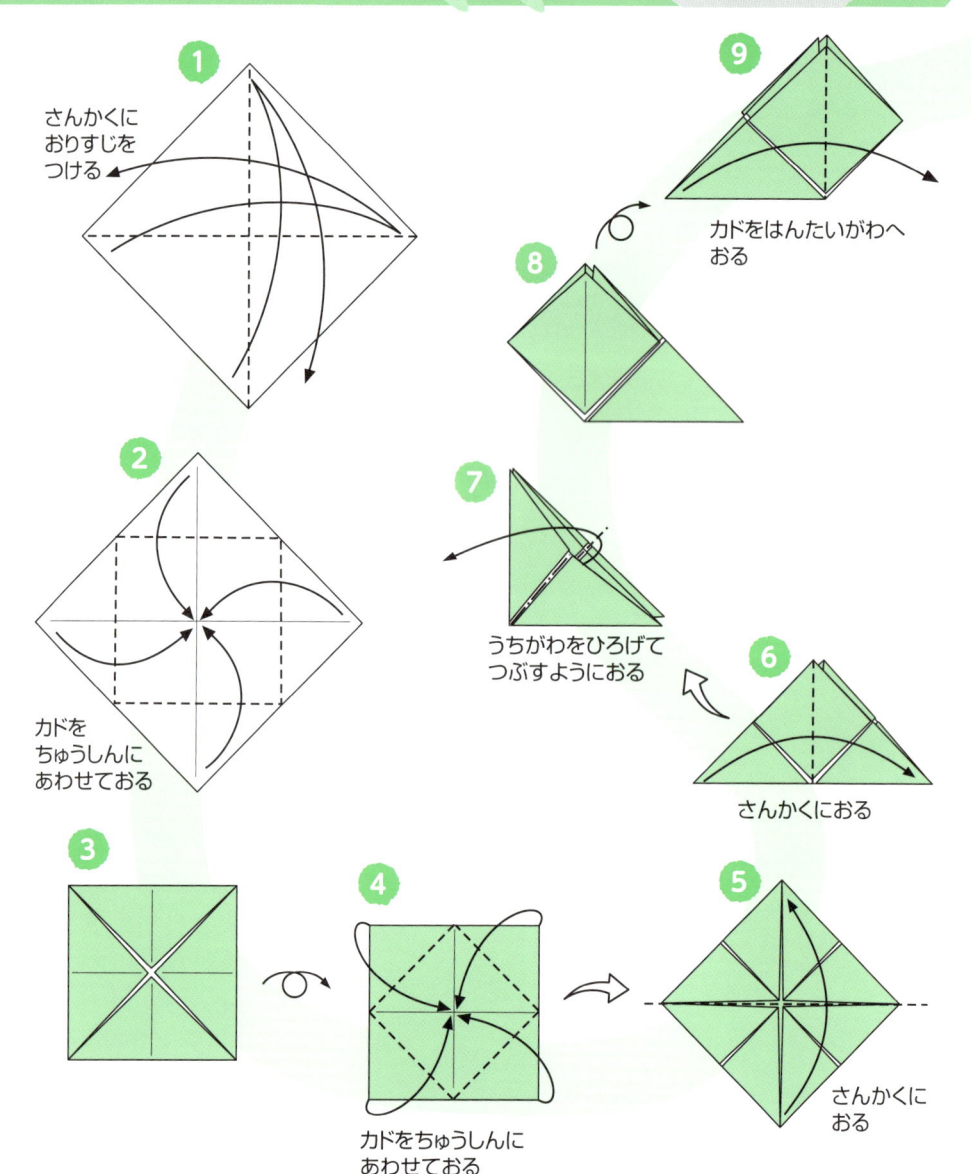

5 さんかくにおる

6 さんかくにおる

7 うちがわをひろげてつぶすようにおる

8

9 カドをはんたいがわへおる

⑩ うちがわをひろげて
つぶすようにおる

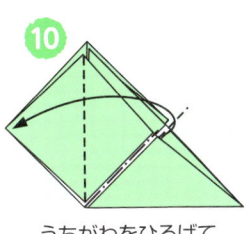

⑪ うちがわをひろげて
りったいにする

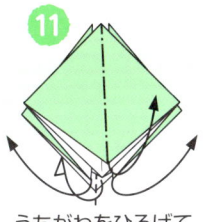

⑫ できあがり

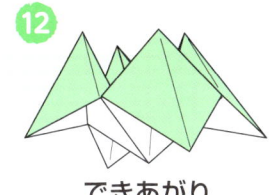

● あそびかた

❶ ⑤のかたちまでひろげて
いろをぬりわける

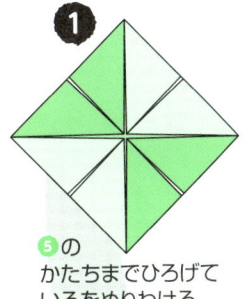

❷ ずのようにゆびを入れてもつ

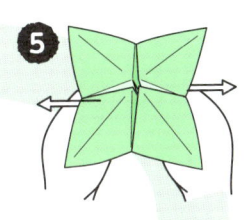

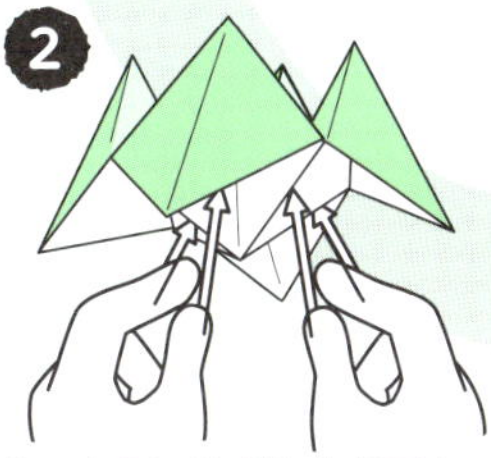

❸ うえからみたところ
やじるしのほうこうに
ひらいたりとじたり
するといろがかわる

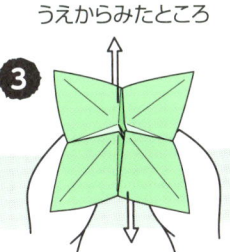

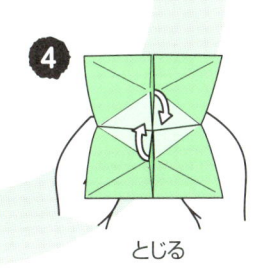

❹ とじる

❺

❻ おなじことを
くりかえしてあそぶ

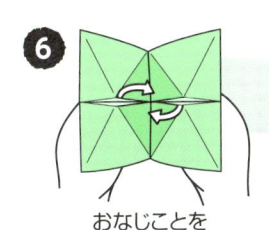

● ほかのあそびかた

このさくひんには、たくさんのなまえとあそびかたがあります。ぱくぱくさせるだけでもあそべますし、なにかをつまむのにもつかえます。がいこくではよく「フォーチュン・テラー」とよばれ、うらないあそびにつかわれています。どんなあそびかたができるか、かんがえてみるのも、たのしいですね。

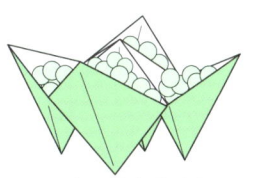

ひっくりかえすと
いれものとしても
つかえるね

あそべる　いろかえあそび

●しゃしんはP.353 **いろんなどうぶつのにんぎょうにへんしん**

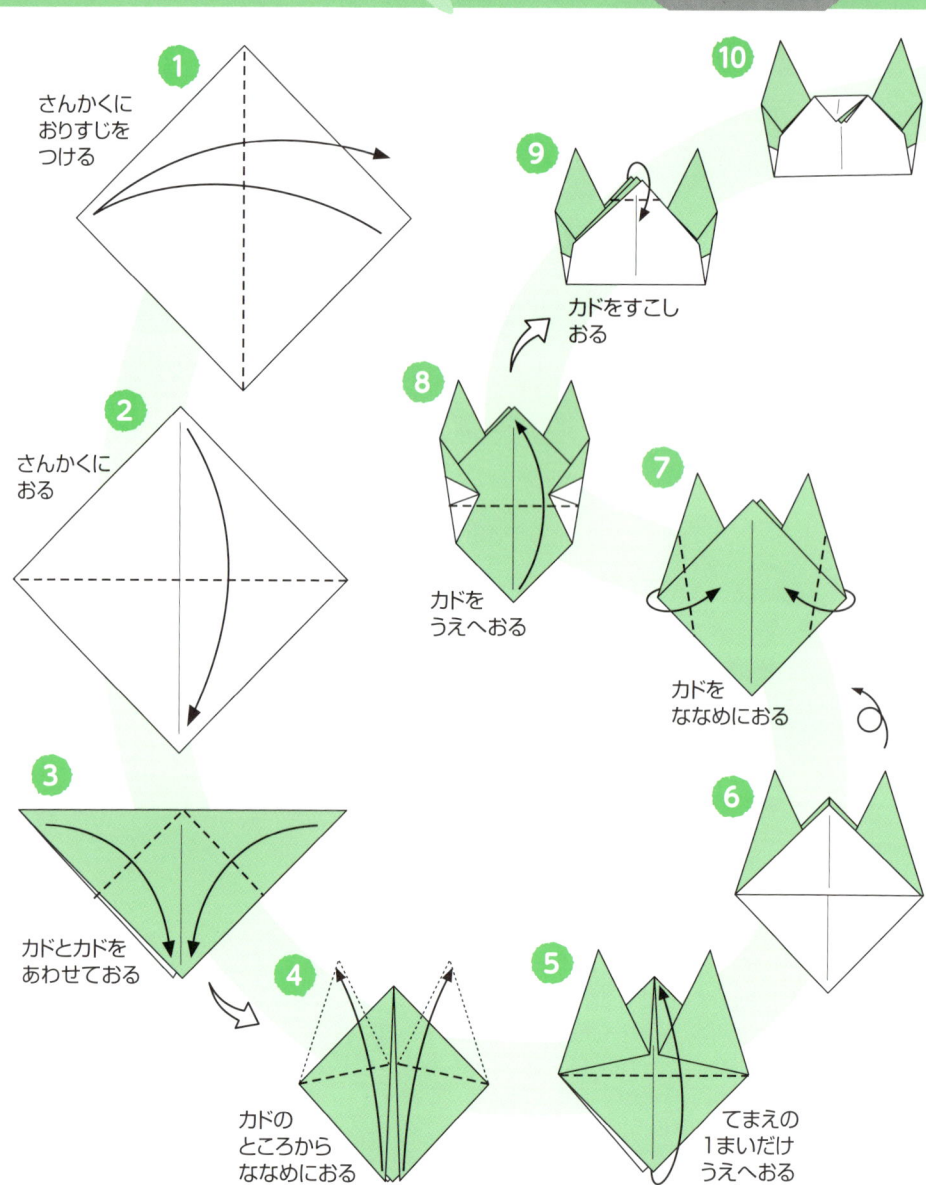

ゆびにんぎょう
Finger puppet

あそべる おりがみ

伝承作品

●おりがみ かく1まい ●むずかしさ

1 さんかくに おりすじを つける

2 さんかくに おる

3 カドとカドを あわせておる

4 カドの ところから ななめにおる

5 てまえの 1まいだけ うえへおる

6

7 カドを ななめにおる

8 カドを うえへおる

9 カドをすこし おる

10

380

11 [うさぎ] [ねこ] [きつね]

できあがり
いろんなどうぶつの
かおをかいてみよう

いぬ、ぶたにへんしん

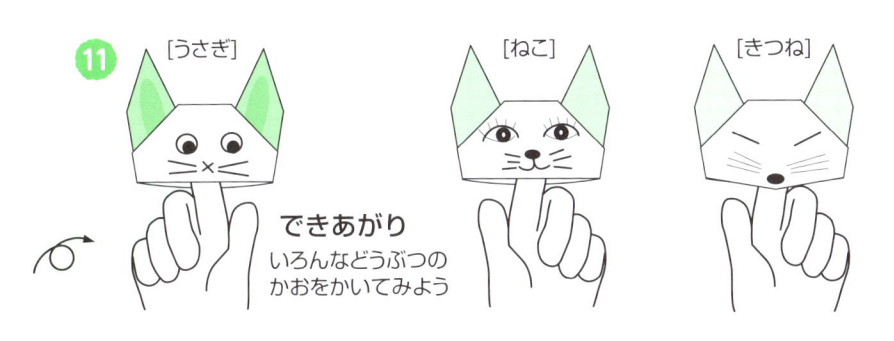

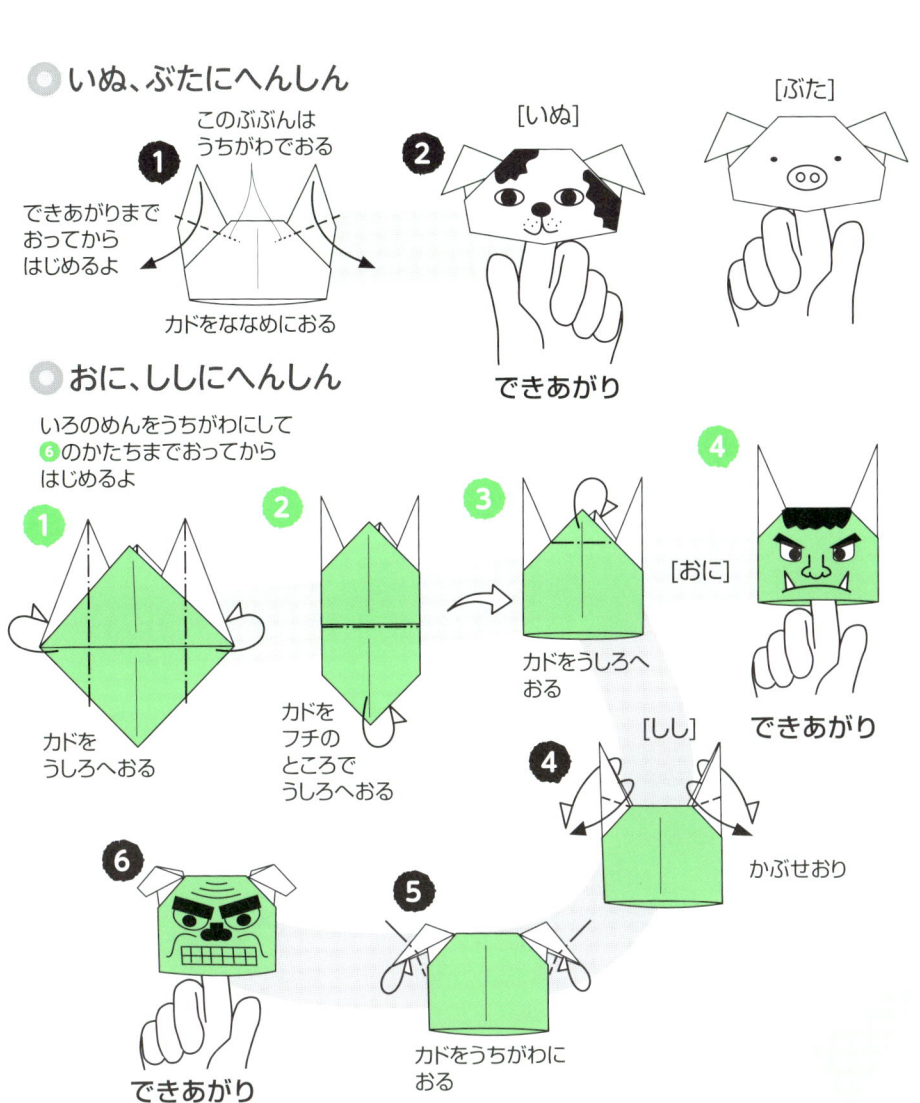

1 このぶぶんは
うちがわでおる

できあがりまで
おってから
はじめるよ

カドをななめにおる

2 [いぬ] [ぶた]

できあがり

おに、ししにへんしん

いろのめんをうちがわにして
❻のかたちまでおってから
はじめるよ

1 カドをうしろへおる

2 カドをフチのところでうしろへおる

3 カドをうしろへおる

4 [おに] できあがり

4 [しし] かぶせおり

5 カドをうちがわにおる

6 できあがり

あそべる ゆびにんぎょう

● しゃしんはP.353　**とてもかわいい、いぬのおもちゃ**

あそべる おりがみ

くびふり わんわん
Nodding dog

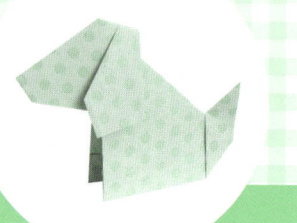

● おりがみ 2まい　● むずかしさ

● あたま

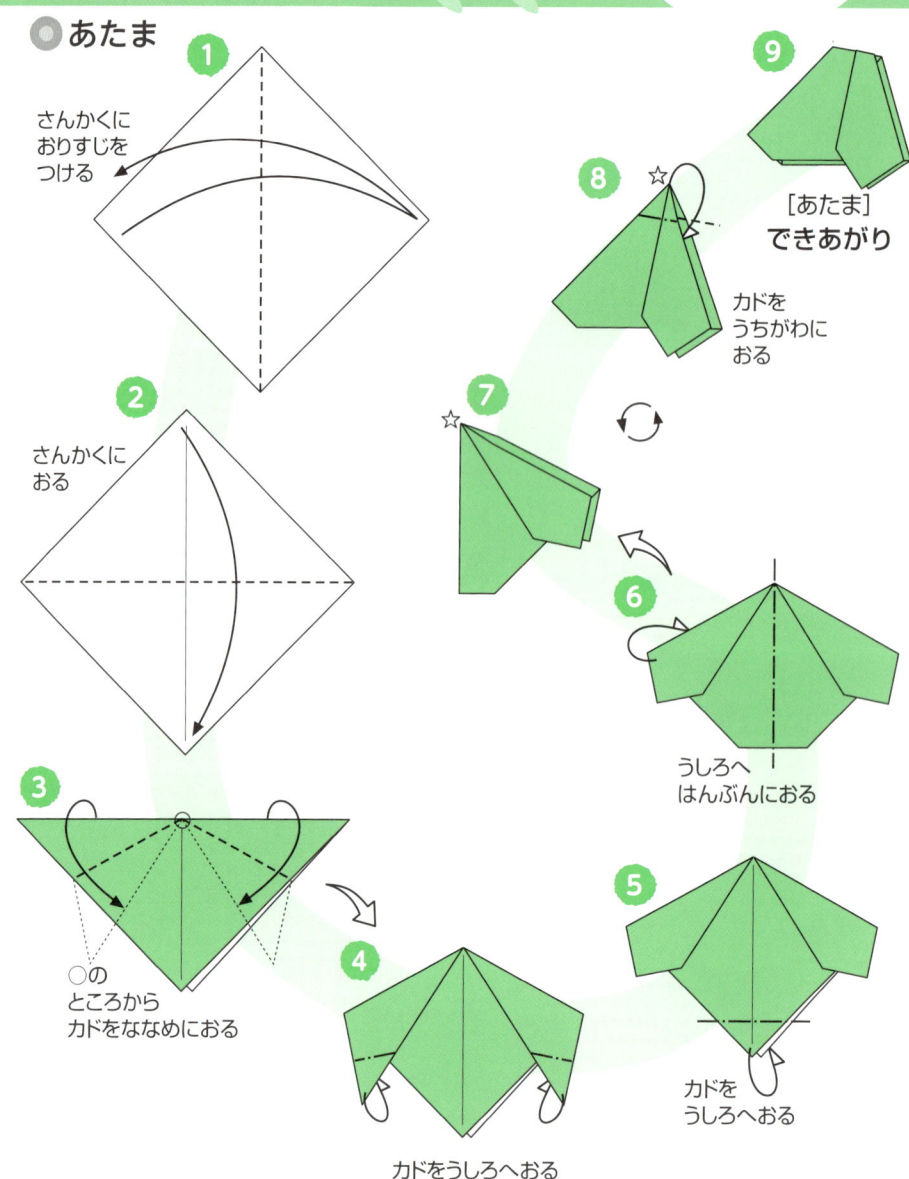

1 さんかくに おりすじを つける

2 さんかくに おる

3 ○の ところから カドを ななめに おる

4 カドをうしろへおる

5 カドを うしろへおる

6 うしろへ はんぶんにおる

7

8 カドを うちがわに おる

9 ［あたま］ **できあがり**

382

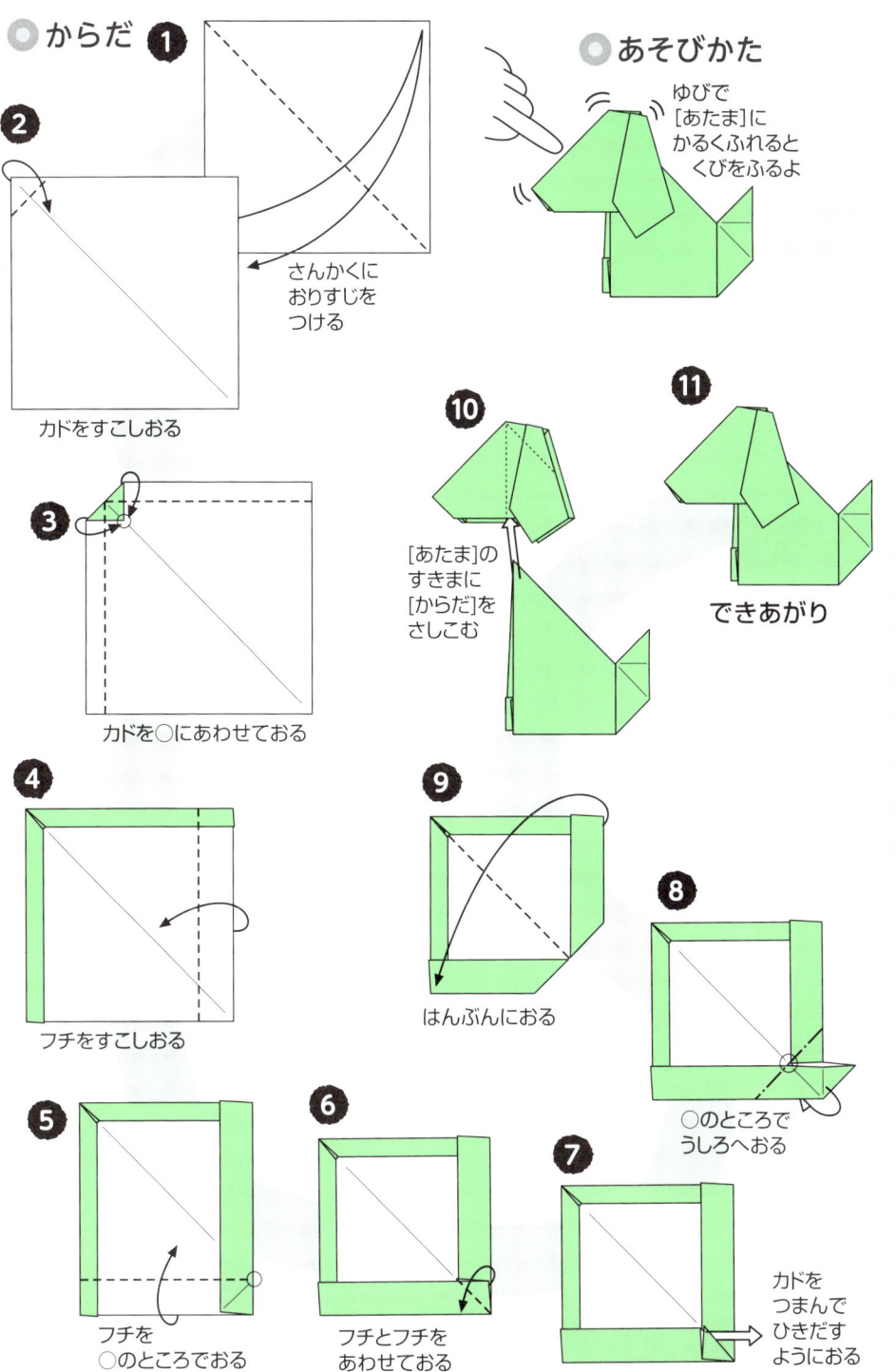

からだ

1 さんかくにおりすじをつける

2 カドをすこしおる

3 カドを○にあわせておる

4 フチをすこしおる

5 フチを○のところでおる

6 フチとフチをあわせておる

7 カドをつまんでひきだすようにおる

8 ○のところでうしろへおる

9 はんぶんにおる

10 [あたま]のすきまに[からだ]をさしこむ

11 できあがり

あそびかた

ゆびで[あたま]にかるくふれるとくびをふるよ

くびふりわんわん

山口 真　Yamaguchi Makoto

1944年、東京生まれ。日本折紙協会事務局員を経て折り紙作家として活躍。1989年、折り紙専門のギャラリー「おりがみはうす」を開設。ここを拠点に若手作家の育成、海外の折り紙団体や作家との精力的な交流を行っている。日本折紙学会事務局長。Origami USA 名誉会員。韓国折紙協会名誉会員。British Origami Society 会員。雑誌『折紙探偵団マガジン』編集長。著書に『四季のたのしいおりがみ事典』『あそべるたのしい男の子のおりがみ』『端正な折り紙』（ナツメ社）、『飾れる！贈れる！かわいい花の折り紙』（ＰＨＰ研究所）、『たのしいおりがみ事典』（西東社）、『かわいいどうぶつ折り紙』（主婦と生活社）など130冊を超える。

ギャラリーおりがみはうす

〒113-0001　東京都文京区白山1-33-8-216
電話 03-5684-6040
（平日 月〜金 12:00〜15:00　土日・祭日 10:00〜18:00／入場無料）
公開時間は変更される場合があります。ウェブサイトにてご確認ください。
地下鉄・都営三田線白山駅下車　Ａ１出口前

e-mail：info@origamihouse.jp（おりがみはうす）
ＵＲＬ：http://www.origamihouse.jp（おりがみはうす）
ＵＲＬ：http://origami.gr.jp/（日本折紙学会）

折り図・折り紙制作　おりがみはうす（山口真・松浦英子・神谷哲史・勝田恭平）
撮影　安田仁志
スタイリング　小野寺祐子
資材協力　株式会社 竹尾
本文デザイン　チャダル
編集担当　柳沢裕子（ナツメ出版企画株式会社）

※本書に掲載した「伝承作品」以外の折り紙作品は、すべて山口 真の考案によるものです。
　また、本書に収録されているすべての折り図（折り方説明図）の著作権は、山口 真に帰属します。
　著者の許可なしに本書の作品や折り図を、営利を目的とした活動に使用することを禁じます。

決定版！
日本のおりがみ12か月

2024年 4月20日発行

著　者　山口真
発行者　田村正隆

©Yamaguchi Makoto,2016

発行所　株式会社ナツメ社
　　　　東京都千代田区神田神保町1-52 ナツメ社ビル１Ｆ（〒101-0051）
　　　　電話　03（3291）1257（代表）
　　　　FAX　03（3291）5761
　　　　振替　00130-1-58661
制　作　ナツメ出版企画株式会社
　　　　東京都千代田区神田神保町1-52 ナツメ社ビル３Ｆ（〒101-0051）
　　　　電話　03（3295）3921（代表）
印刷所　ラン印刷社

ISBN978-4-8163-6004-6　　　　　　　　　　　Printed in Japan

〈定価はカバーに表示してあります〉〈落丁・乱丁本はお取替えします〉

本書に関するお問い合わせは、書名・発行日・該当ページを明記の上、下記のいずれかの方法にてお送りください。電話でのお問い合わせはお受けしておりません。
・ナツメ社 web サイトの問い合わせフォーム
　https://www.natsume.co.jp/contact
・FAX（03-3291-1305）
・郵送（左記、ナツメ出版企画株式会社宛て）
なお、回答までに日にちをいただく場合があります。正誤のお問い合わせ以外の書籍内容に関する解説・個別の相談は行っておりません。あらかじめご了承ください。

ナツメ社Webサイト
https://www.natsume.co.jp
書籍の最新情報（正誤情報を含む）はナツメ社Webサイトをご覧ください。